Elizabeth Noble

De leesclub

VAN REEMST
UITGEVERIJ

HOUTEN

Eerste druk oktober 2004
Tweede druk december 2004

Oorspronkelijke titel: *The Reading Group*
Oorspronkelijke uitgave: Hodder & Stoughton
© 2003 by Elizabeth Noble

© 2004 Nederlandstalige uitgave:
Van Reemst, Uitgeverij Unieboek bv,
Postbus 97, 3990 DB Houten

www.unieboek.nl

Vertaling: Parma van Loon
Omslagontwerp: Wil Immink
Omslagillustratie: Stefanie Kampman Illustraties, Schiedam
Opmaak: ZetSpiegel, Best

ISBN 90 410 1478 0 / NUR 340

Voor David en Sandy Noble, mijn vader en moeder

Het werkelijke, verborgen onderwerp van een leesclubdiscussie is de leesclubleden zelf.

MARGARET ATWOOD

DE BOEKEN

Januari	*Hartzeer en maagzuur* NORA EPHRON	27
Februari	*Cassandra* DODIE SMITH	75
Maart	*Boetekleed* IAN MCEWAN	89
April	*De vrouw die tegen de deur aan liep* RODDY DOYLE	125
Mei	*Oma van Amelia* MARIKA COBBOLD	175
Juni	*My Antonia* WILLA CATHER	203
Juli	*The Memory Box* MARGARET FORSTER	229
Augustus	*Een onvoltooid verleden* ANITA SHREVE	273
September	*Het goud van de waarheid* IAIN PEARS	325
Oktober	*Rebecca* DAPHNE DU MAURIER	353
November	*De alchemist* PAULO COELHO	387
December	*Meisje met de parel* TRACY CHEVALIER	423

19.15

Clare keek de jonge vrouw na die haar in de gang passeerde. Het was haar eerste zwangerschap, dat kon je zien: opwinding en paniek stonden op haar bleke gezicht gegrift terwijl ze langzaam doorliep, het infuus op wieltjes achter zich aan, met gebogen benen en hangende schouders, voortschuifelend op meisjesachtige slippers die ze voor deze speciale dag had gekocht. Haar blik op Clare leek te vragen: 'Help me. Wanneer is dit achter de rug? Wanneer komt het?' Was waarschijnlijk binnengekomen met een ontsluiting van een halve centimeter – had thuis een tijdje gefrutseld met haar TENS-apparaatje om de pijn op te vangen, toen haar moeder gebeld en de weekendtas opnieuw ingepakt met alle onmogelijk kleine, onmogelijk witte kleertjes, wantjes en mutsjes als eierwarmers.

De dubbele deuren achter de vrouw zwaaiden open en een grote donkere man liep naar haar toe, legde één hand in de hare, de andere om haar schouder. Hij ging heel voorzichtig met haar om. Hij zag nog bleker dan zij. Een x-type, dacht Clare. Dat waren vechters, sterke mensen. Y-types haalden het tevoorschijn komen van het hoofdje maar nauwelijks zonder te huilen. Ze waren enkele tientallen jaren te laat – zouden zich prettiger hebben gevoeld als ze door de gang liepen met een sigaar achter elk oor. Clare hield meer van de Y-types.

Elliot was waarschijnlijk een x. Of misschien de hybride: Y zich vermommend als x. Ze waren oké tot het alarmerend begon te worden. Wie probeerde ze eigenlijk voor de gek te houden? Ze had geen idee welk type hij zou zijn. Niet dat het er iets toe deed. Niet meer.

Het meisje kreunde, boog zich naar voren. Clare beantwoordde zijn smekende blik. Ze voelde zich nooit afstandelijk, voelde zich betrokken bij alles wat zich hier afspeelde, elk leven dat binnen deze muren begon. Nog steeds.

'Oké, hou je vast, ik help je wel. Hoe heet je?'

'Lynne.'

'Goed, Lynne. We zullen je terugbrengen naar je kamer. Waarschijnlijk heb je wat rust nodig. Wie zorgt er voor je?'

Een collega kwam tevoorschijn door dezelfde dubbele deur. 'Sorry, Clare. Hou vol, Lynne. We hebben je vast. Ik neem het verder wel over, Clare. Jij bent nu vrij, hè?'

'Ja.'

'Dan wens ik je goedenacht.'

'Daag!'

Goddank had ze vanavond een reden om niet thuis te hoeven zijn, Elliot niet te hoeven zien. Ze zou waarschijnlijk alweer weg zijn voor hij thuiskwam van de universiteit, en hij zou slapen tegen de tijd dat ze zichzelf dwong naast hem in bed te gaan liggen.

En dat meisje, Lynne, zou haar baby in haar armen houden.

19.20

Zoals gewoonlijk liep Harriet de trap op met een wiebelende stapel enkele sokken, afgedankte truien, rondslingerend speelgoed – de dagelijkse rommel. Beneden zwierven gewoonlijk een of twee mokken rond, plastic bekertjes die ze onder de bedden had gevonden, gelezen kranten en kleverige plastic medicijnlepels. En boven was het al niet anders. Maar, veronderstelde ze met een enigszins cynisch lachje, variatie gaf smaak aan het leven. Ha, ha. Huiselijk geluk deed haar denken aan die stomme film die ze eens had gezien, *Groundhog Day*, waarin de hoofdpersoon gedwongen was dezelfde dag steeds opnieuw te beleven, zonder ooit het meisje van zijn dromen te krijgen, omdat hij niets aan de gebeurtenissen kon veranderen. En hoe ging dat mythologische verhaal ook alweer? Sissy nog wat... Sisyphus? – die voor een of andere overtreding veroordeeld werd om zijn leven lang een grote kei langs een reusachtige berghelling omhoog te duwen, om hem dan telkens weer omlaag te zien vallen. In ieder geval zou het bergopwaarts duwen van een kei gauw een eind maken aan die vleermuisvleugels onder haar bovenarmen, dacht Harriet. Het viermaal per dag vegen van die stomme keukenvloer, het driemaal in- en uitladen van de wasmachine en het beantwoorden van tweeënveertig vragen over waarom er geen dinosaurussen meer zijn, en als ze er nog waren, hoe groot hun poepies dan zouden zijn, waren niet bevorderlijk voor haar welzijn.

Boven was voor het eerst sinds zes uur die ochtend alles rustig. Harriet volgde het geluid van Tims stem naar hun slaapkamer. Hij zat op de bank onder het raam, na toestemming te hebben gekregen van die twee kleine kattekoppen om zijn schoenen en jasje uit te trekken en zijn das los te maken. De kinderen, schoon, maar nog met natte haren na hun bad, zaten bij hem, één onder elke arm, luisterend naar het verhaal. Tim las langzaam, gaf elke figuur zijn of haar eigen stem, maakte nu en dan geanimeerde gebaren. Harriet voelde zich zoals gewoonlijk schuldig. Zij koos meestal het kortste verhaal en las dat in een snel tempo voor: het zou haar kinderen worden vergeven als ze dachten dat alle personages in de literatuur dezelfde stem en hetzelfde accent hadden, al deed ze nog zo haar best met stembuigingen. Maar het was natuurlijk wel gemakkelijker. Thuiskomen aan het eind van de dag als alles achter de rug was: het snot en de pastasaus en de tranen waren weggeveegd, het gevecht over het tandenpoetsen was beëindigd en het speelgoed was in een razend tempo opgeborgen in te kleine kasten. Gemakkelijk om de uitbundige begroeting te belonen met een warme genegenheid en het voorlezen van een verhaal dat geschikt was voor Radio 4. De kinderen hadden hun energie verbruikt tijdens de lange dag, en nu was alle strijdlust uit hen verdwenen: ze waren passief, vriendelijk. En zij catatonisch.

Harriet bleef aarzelend op de drempel staan. Ze wilde niet naar binnen en het volmaakte tafereel, de kring van liefde, verstoren. Op de een of andere manier paste ze niet in die momenten. In plaats daarvan legde ze de stapel die ze in haar armen hield op het logeerbed en liep naar de badkamer. Angstvallig negeerde ze de schuimrand in het bad, de tandpasta die achteloos over de kraan van de wastafel was gesmeerd; ze probeerde zonder succes voor de spiegel enige orde te brengen in haar wilde haardos en deed wat poeder op haar neus en kin. Haastig trok ze een streep lippenstift op haar bovenlip, wreef toen geconcentreerd haar lippen over elkaar. (Voor haar geen potloodpenseel dat door de glossy's werd voorgeschreven, zoals ze slechts eens in de drie maanden zag bij de kapper.)

Tim verscheen in de deuropening, met een half slapende, soezerige Chloe in de armen. 'Zeg maar "Nacht, mammie".' Met haar duim stevig in de mond zwaaide Chloe vaag met haar plastic beker warme melk in Harriets richting.

'Welterusten, slaap lekker, schat,' zei Harriet glimlachend.

Achter Tim vroeg Josh: 'Ga je uit, mammie?'

'Ja, lieverd. Papa zal voor je zorgen. Maar ik kom later op de avond thuis.'

'Kom je me instoppen als je terug bent? Zelfs al is het heel laat? Beloof je dat?'

'Natuurlijk, liefje. Maar geef me een zoen voor ik wegga.'

Harriet liep met haar zoon over de overloop en keek toe terwijl hij in zijn bed kroop.

'Papa komt nog terug, mam. Doe niet het licht uit. Hij heeft beloofd dat hij me nog een hoofdstuk uit *Harry Potter* zal voorlezen als Chloe in bed ligt.'

'Heus? Twee verhalen, dat is nogal wat. Probeert papa mij een slecht figuur te laten slaan?'

Haar stem klonk luchthartig.

Plotseling stond Tim achter haar. 'Dat zou onmogelijk zijn, zelfs al zou ik het proberen.' Hij gaf haar een zoen op haar wang toen hij langs haar heen naar binnen liep. 'Waar waren we gebleven, Josh?'

En algauw waren ze weer verdiept in hun boek. Tim keek op toen hij hoorde dat ze zich omdraaide en zei met een knipoog gedag.

Harriets voetstappen klonken zwaar op de trap. Het is allemaal zo verdomd perfect, dacht ze. Behalve dat ik niet geloof dat ik nog van hem hou. Als ik dat al ooit gedaan heb.

19.25

De gevoelsmassa bevond zich vlak onder Nicoles ribbenkast, alsof haar longen aan de onderkant van haar keel in drieën waren gevouwen. Het was een krachtige en gecompliceerde emotionele cocktail, deels woede, deels gekwetstheid, deels frustratie, deels vernedering, en, nog steeds, deels verstikkende liefde. In de loop der jaren waren de verhoudingen veranderd, maar het resultaat was altijd hetzelfde. Een bijna overweldigend, dronken gevoel.

Ze had de hele dag doorgebracht in de nieuwe gesloten toestand die ze geperfectioneerd had. Ze had de dag weggeborgen in een kamer in haar brein, met het hangslot erop, en was er niet in de buurt gekomen: als ze die kamer zou openen en zwelgen in die gevoelens, zou ze onmogelijk meer kunnen functioneren. In die afgesloten toestand was ze een en al zelfbeheersing en efficiëntie. Kleren voor de stomerij en schoenen voor de schoenmaker werden afgegeven; stoofgerechten met interessante kruiden werden op lage temperatuur in de oven gezet; constructieve spelletjes werden gespeeld met de kinderen; beknopte instructies werden achtergelaten voor Cecile, de au pair.

En ze zag er voortreffelijk uit. Haar, make-up, figuur, kleren; alles even mooi als altijd. Andere vrouwen mochten zich de haren uit het hoofd rukken in een crisis, Nicole föhnde de hare tot in perfectie. Alleen haar hartslag verried haar: net als in dat verhaal van Edgar Allan Poe, wist ze zeker dat iedereen die ze met een vriendelijke glimlach tegemoettrad, het moest horen, steeds luider, alsof het hart probeerde eruit te komen.

Ze zette de schaal met crostini op het tafeltje in de gang en keek in de spiegel. Beneden was het stil. Eén verdieping hoger lagen Will, George en Martha in diepe slaap, uitgeput door het zwemmen en spelen. Op de bovenverdieping, waar Cecile sliep, kon Nicole achter de gesloten deur het zachte ritme horen van muziek, onderbroken door opgewonden Franse conversatie. Ze hing natuurlijk aan de telefoon ('Je meent het!') met een ander lid van de au pair-maffia, gierend van het lachen over de avonturen van gisteravond of plannen makend voor morgenavond. Tegenwoordig bleven au pairs thuis om te babysitten en gingen uit als jij thuiskwam – 'O, nee, mevrouw Thomas, het begint echt niet vóór middernacht.' Ze konden tot vier uur wegblijven, veertig sigaretten roken, twee uur slapen, en toch om zeven uur 's morgens glimlachend dierfiguurtjes maken van Cheerio's, om onwillige ontbijtklantjes over te halen om te eten. Soms voelde Nicole zich honderdvijf jaar oud. Maar Nicole was erg op Cecile gesteld. Ze was ontspannen en prettig in de omgang, en je hoefde haar niet alles uit te leggen. En Nicole was er vrijwel zeker van dat ze bewust ongevoelig was voor Gavins duidelijke charmes, wat haar op het ogenblik erg goed uitkwam.

Ze verstarde toen ze zijn auto buiten hoorde, wachtte op de sleutel in het slot. Wat moest ze zeggen? Ze had alle mogelijkheden al onder de douche gerepeteerd, en gefantaseerd hoe andere vrouwen zouden reageren. Al wist ze dat als ze hem zag, ze zich weer net als altijd zou gedragen. Vreemd dat het een gewoonte was geworden, een deel was van hun gezamenlijke leven. Ze had nooit gedacht dat het zo zou zijn. Dat zíj zo zou zijn.

God, wat was hij mooi. Die enorme, stralende ogen; hoe konden die de geheimen voor zich houden?

Hij glimlachte, zag toen de schaal met eten, en dat Nicole met jas aan en sjaal om stond te wachten. 'Hallo, schat. Sorry, dat ik een beetje laat ben. Ik heb een ellendige dag gehad. Wat is er? Waar ga je naartoe?' Hij boog zich voorover om haar een kus te geven.

Nicole stapte opzij en liet hem zijn lippen tuiten in de lucht. 'Ik ga naar Susan, schat.' Ze spuwde het laatste woord er uit, het sarcasme bleef in de lucht hangen. En dat was het beste waartoe ze in staat was. Dat, en een uitdagend dichtslaan van de deur. Snel. Ze wilde niet dat hij het eten op de schaal samen met haar armen zou zien trillen.

19.30

De ring was bijna het summum. Groot genoeg, maar niet opzichtig – sommige die je zag waren zo opvallend dat de draagster ook een reproductie van de zwarte American Expres kaart van haar verloofde op haar linkerhand had kunnen plakken. Een moderne setting, maar niet zo trendy dat het over tien jaar de avocadokleurige badkamer onder de juwelen zou zijn (als je hem tegen alle verwachtingen in nog steeds zou dragen). Het was zelfs de juiste steen voor haar – een robijn – precies wat ze zelf zou hebben gekozen als het haar gevraagd was. Wat min of meer een schok zou zijn geweest, want het aanzoek was volkomen onverwacht gekomen. En een beetje pijnlijk, dacht Polly, om in etalages te turen en verliefd te worden op de ring van vijfduizend pond, terwijl je je afvroeg of híj niet zou kijken naar die van vijfhonderd pond.

Maar maakte de keus van de juiste ring de schenker tot de juiste man? Was het een teken? Of kwam het gewoon neer op een goede observatie – zelfs een fundamenteel goede smaak? Had ze het iemand kunnen vragen? Cressida? Suze? Ze achtte het niet waarschijnlijk. Dat was niet Jacks stijl. Ze hoopte van harte dat ze haar zouden hebben gewaarschuwd als ze het aan hadden zien komen. Maar waarschijnlijk niet. Dat was niet echt het geval. Hij zag er mooi uit aan haar vinger. Ze strekte haar hand nog een keer, bewoog de steen in en buiten het licht, grinnikte toen naar zichzelf in de spiegel van de toilettafel en deed hem af. Ze borg hem tussen de plooien van het fluweel, klapte het doosje dicht en legde het terug in de la tussen haar lingerie.

Ze opende haar klerenkast, zocht verstrooid naar een wijde trui die ze meende daar te hebben opgeborgen. Ah, mijn schizofrenie kast: rechterkant keurig opgeruimd – 'juridisch chic' noemde ze het – donkere pakjes met knielange rokken en rechtbankschoenen, zoals de partners van Smith, March and May het graag zagen; links was een enorme bende.

Wat voor type bruid zou ze zijn? Ze had altijd een voorkeur gehad voor rood en diepe decolletés. Maar dat kon je ook naar elk kerstfeest dragen, terwijl je je de witte-kant-en-onschuldlook niet vaak kon veroorloven. Als ze trouwden als het koud was, bijvoorbeeld witte kant en een van die fantastische fluwelen capes – rood, of misschien een donkere tint bosgroen? O, en met kraaltjes geborduurde schoenen.

O, in godsnaam, Polly – of liever gezegd Pollyanna – ben je niet een beetje te oud voor dit soort dagdromen? En hoorde je nu niet een klein beetje verstandiger te zijn? Eén ring en één aanzoek, en je bent weer zestien.

'Mam?'

Polly haalde de door motten aangevreten trui uit de kast en trok hem over haar hoofd terwijl ze naar de overloop liep.

'Mam? Is dat voor mij?' Het was Daniel, net thuis van de voetbal-training, een één meter vijfenzeventig lange, zweterige, puberende, verhongerende vijftienjarige die op voedsel uit was.

'Ja, lieverd, zet het maar in de magnetron – twee minuten, hoog. En voor na zijn er pasteitjes en een kersttaart.'

Polly stak haar hoofd om de hoek van de zitkamer. Haar dochter Cressida, met de armen om de knieën geslagen, haar hoofd tegen een kussen, was blijkbaar gefascineerd door *EastEnders*.

'Cress, lieverd, ik ga naar Susan – weet je nog? Maar ik kom niet laat thuis.'

'Oké.'

Aardig, hoor, dacht Polly. Waar ben ik in godsnaam mee bezig, boven bruidje spelen, om me door die twee lomperiken hier beneden eraan te laten herinneren wie ik ben, waar ik geweest ben, wat mijn verleden is, en waarin ik slecht ben?

Wat moet ik zeggen? Wat moet ik antwoorden? Ja? Nee? Zou hij genoegen nemen met een 'Misschien'?

19.35

Vijf minuten later zat Cressida in de badkamer met stijf dichtgekne-pen ogen en maakte afspraakjes met God. Ze geloofde niet in God, maar ze zou het heus wel doen, als Hij de test maar negatief zou maken.

Als Cressida één ding haatte, dan waren het stereotypes en clichés. Ze was twintig, ging graag naar haar colleges, en wist zeker dat ze de beste universiteit kon kiezen voor haar doctoraal, waarna er allerlei deuren voor haar zouden open gaan voor een carrière die ze geweldig zou vinden, met mensen die fascinerend zouden zijn, met vrij-heid… Maar ironisch genoeg stond ze nu op het punt het meest af-gezaagde cliché in romans te worden, als een stomme Catherine

Cookson-heldin, overladen met schande. Dat kon niet gebeuren. Dat kón gewoon niet.

Negenennegentig procent zekerheid binnen één minuut. Ze herlas de instructies. De marketingtekst was erg zorgvuldig opgesteld, gericht op de twee uiterste types die de test deden: sommigen wilden die blauwe lijn liever dan wat ook ter wereld zien verschijnen; anderen zouden alles over hebben voor een leeg schermpje. Ze probeerde zich in te denken dat ze een positief resultaat zou wensen, maar dat was te moeilijk. Alles, maar dan ook alles, zou totaal anders moeten worden. Zij zou anders moeten worden: een veel, veel oudere Cressida, met haar zestig centimeter lange haar kort geknipt, haar hippe jeans vervangen door volwassen kleren, de sigaretten en wodka een verre herinnering, met een cv dat niet stopte na de hoge cijfers. En er moest een echtgenoot zijn. Op dat punt was Cressida griezelig ouderwets. Maar niets van het bovenstaande lag in het verschiet. Vooral niet de sigaretten en de wodka, dacht ze. Ze herinnerde zich een nieuwjaarsdag waarop ze wakker was geworden, onzeker of de pijn in haar hoofd of in haar keel misschien haar dood zou betekenen, maar in de hoop dat wat het ook was, niet lang zou duren. Als er een baby kwam, dan zou hij vast twee hoofden hebben of zoiets. Jeez.

Ze waren altijd zo verschrikkelijk voorzichtig geweest – niet dat het voorkomen van zwangerschap haar topprioriteit was. Per slot was ze in de jaren tachtig geboren – het aids-decennium. Hij was zelfs de eerste geweest – hoe tragisch was dat. Een maagd op je twintigste?

Eerlijk gezegd had ze niet al te zwaar getild aan haar maagdelijkheid, zoals haar vriendinnen wél schenen te doen. Sommigen hadden hun verjaardagen kennelijk beschouwd als deadlines: zestien, haal je einddiploma; zeventien, haal een voorlopig rijbewijs; achttien, ga stemmen; een van de bovenstaande data, begin je seksleven met de dichtstbijzijnde niet-afstotelijke man. Niet dat Cressida een van die religieuze fanatiekelingen was die de gelofte aflegden maagd te blijven tot het huwelijk. Soms dacht ze dat ze gewoon niemand aardig genoeg had gevonden. Of misschien had ze zich niet veilig genoeg gevoeld bij een van de jongens met wie ze uit was geweest. Een professionele hulpverlener zou ongetwijfeld papa de schuld hebben gegeven: haar vertrouwen in mannen was geschokt geraakt toen hij haar moeder in de steek had gelaten. Wat natuurlijk waanzin was, want eigenlijk hadden ze elkaar in de steek gelaten. Cressida had weinig geduld met zielige kinderen uit een gescheiden gezin. Ze hield heel veel van allebei haar ouders – en nog veel meer van ieder apart. Papa was gelukkig met Tina. Mam was gelukkig in haar eentje, misschien op het punt een stuk gelukkiger te worden met Jack. 'Er gebeuren ergere dingen op zee,' zoals oma zou zeggen. Cressida was niet bang voor de schade die het leven in haar hart had aangericht. Kijk maar eens hoe prachtig het was gegaan toen ze hem had leren kennen. En ze was blij geweest dat ze met niemand nog intiem was geweest – het had een geschenk geleken dat ze hem had kunnen aanbieden – en ze was zo ontroerd geweest toen ze die eerste keer na afloop naast hem lag, dat hij het was geweest, dat niets er ooit iets aan zou kunnen veranderen. Wat helaas niet wilde zeggen dat het volmaakt was geweest, alleen maar dat ze blij was. Tot op dit moment: O, nee. O, nee. O, nee. Het was een ja.

19.45
Susan leunde tevreden en uitgeput tegen de deurstijl. De orde in de zitkamer was hersteld – alweer. Hemel, wat een troep werd er gemaakt met Kerstmis, dacht ze. Zes weken van tevoren raakte je door het dolle heen, winkelde als een bezetene en schreef eindeloze, onleesbare lijsten. De laatste winkeltocht naar Sainsbury's programmeerde je als een militaire operatie, compleet met op-leven-en-doodmissies – om de laatste verse cranberry's te pakken te kunnen krijgen vóór je vijand, en om nog één extra doos luxe pistachenoten in je overvolle kar te stapelen. Je maakte alle hoeken en gaten in het huis schoon alsof daar een openhartoperatie zou plaatsvinden, vulde dan het hele huis met zelfgemaakte engelen en kandelaars. Je volgt nauwgezet de 'Tips voor een Ontspannen Kerstmis' van *Good Housekeeping*, wat je bijna de nekslag geeft, maar er wel voor zorgt dat je om halfelf 's avonds op kerstavond met een glas (zelfgemaakte, wat anders?) advocaat in je stoel kunt gaan zitten en je de heerseres voelt over alles wat je ziet. Drie dagen later is alles voorbij, en blijf je achter met restjes kalkoen, een niet-aangesneden kersttaart en zo veel rotzooi dat je het gevoel hebt dat je huis bezet is geweest door een vijandig leger. Maar, o, die drie dagen: ze waren de mooiste in Susans jaar. Roger en zij, Alex en Ed, en haar moeder, Alice. Alleen hun kringetje van vijf.

Zo hield Susan het meest van haar huis. Haar mooie, lieve jongens slapend in hun vertrouwde kamers, waarin de sporttrofeeën van school nog onveranderd stonden. Jonge, leuke vriendinnen, die hen gelukkig maakten, slapend in de kamer ernaast. Alice weggestopt onder haar eigen gehaakte dekens in de oude kinderkamer naast Susans kamer. En Roger naast haar – zachtjes snurkend tegenwoordig. Waarom klaagden sommige vrouwen toch dat snurken hen gek maakte? Ze hield van het ritmische gesnor, in afwachting van het eind van de nacht. Susan borg de stofzuiger in de gangkast en bracht de laatste doos kerstversiering naar de overloop boven – na het avondspreekuur zou ze Roger vragen alles naar de zolder te brengen.

Alice verscheen boven aan de trap. Het was Susan opgevallen dat ze er dit jaar moe had uitgezien. Ze at ook slecht, al leek ze het nog even prettig te vinden om bij haar gezellige kleinzoons te zijn. Toch was ze blij dat ze haar moeder had overgehaald nog een paar weken na nieuwjaar te blijven. 'Laat je maar eens door mij bedienen,' had Susan schertsend gezegd. Alice was nu in de zeventig en het was fijn om haar hier te hebben.

'Alles goed, mam?'

'Ja, schat. Ik heb niet geslapen, ik heb geluisterd naar een hoorspel op de radio en mijn ogen even rust gegund.'

Susan glimlachte. Ach ja, het rust geven van de ogen van oudere mensen. Net als kinderen konden ze nooit toegeven dat ze moe waren.

Ze keek op de klok die op de schoorsteen in de zitkamer stond. Over een minuut of twintig zouden ze er allemaal zijn. Ze was van plan geweest een paar facturen in haar kantoor door te nemen, maar die zouden moeten wachten. In de periode van de voorbereidingen voor Kerstmis was het altijd druk in het atelier – iedereen wilde z'n gordijnen en kussens en andere zachte artikelen voor de wooninrichting nog vóór Kerstmis klaar hebben, en Susan, met haar eigen passie voor de festiviteiten, spande zich tot het uiterste in om ieders huiselijke dromen waar te maken. Als gevolg daarvan was het in januari rustig, alleen maar rekeningen uitschrijven en administratie, geen gein aan.

In de keuken had ze gedekt voor Roger en Alice. Hun avondeten was al klaar, keurig afgedekt met plasticfolie. Het stond naast de oven, met een geel zelfklevend notitieblaadje waarop ze de aanwijzingen had geschreven voor oventemperatuur en baktijd. Ze verheugde zich op de leesclub vanavond. Het zou een leuke afwisseling zijn. Haar meest recente ervaringen in georganiseerde sociale activiteiten waren geen succes gebleken: fitness, met de belachelijk slanke en gespierde Teresa in het sportcentrum, had weinig gedaan voor haar gezette figuur en nog minder voor haar slechte rug; Frans voor beginners op de plaatselijke universiteit had haar op het jubileum van haar huwelijk met een ongerechtvaardigd zelfvertrouwen en valse bravoure naar Parijs gestuurd, maar aan elk geloof in zichzelf was doeltreffend een eind gemaakt door het hooghartige winkelpersoneel en de obers.

Ja, het zou een prettige avond worden, en ze had wel een pleziertje verdiend.

19.50

De stilte in huis was verstikkend. Elliot gooide luidruchtig zijn sleutels op de keukentafel en keek verstrooid de post van die dag door. Voornamelijk brochures, een gasrekening... 'Clare? Hallo? Ik ben er weer...' Hij wist dat zijn vrouw thuis was – haar dienst in het ziekenhuis was een uur geleden afgelopen en haar Metro stond buiten geparkeerd.

Geen antwoord. Ze had dus kennelijk een slechte dag gehad vandaag. Sombere vriendelijkheid was een goede dag, onverschilligheid wees op een gemiddelde dag. Maar als ze hem negeerde en dan vijandig werd, had ze een slechte dag gehad. Elliot zocht om zich heen in de kamer naar een aanwijzing – er was er altijd wel een te vinden. Hij keek weer naar de post: een kaart van buren die met vakantie waren in een bungalowpark... Nee – natuurlijk. Een rekening van Thompson, Harley Street. Het eind van de laatste zoektocht. Weer op niets uitgelopen.

Met zware passen liep hij de trap op en wapende zich voor de confrontatie met zijn vrouw.

'Hoi.' Toen ze hem de trap op hoorde komen, deed ze de deur van de badkamer voor zijn neus dicht – hij ving een glimp op van haar naakte schouder voordat hij buiten werd gesloten. Ze was geleidelijk zo geworden. Natuurlijk was ze verlegen toen ze voor het eerst samen waren, maar toen waren ze pas veertien, en zelfs al zouden ze de gelegenheid hebben gehad om elkaar naakt te zien (wat beslist niet het geval was), dan nog was het allemaal zo nieuw, zo schuchter geweest. Hij had altijd gedacht dat ze enorm geluk hadden gehad. Sinds hun vierde jaar altijd bij elkaar geweest, alle scholen, haar verpleegstersdiploma, zijn opleiding tot docent. Al hun vrienden en vriendinnen waren van de een naar de ander gefladderd en hadden verdriet, vernedering en de grote drama's van de puberteit doorgemaakt, maar voor Clare en Elliot was het anders geweest. Ze hadden de kern gevormd van een groep levendige tieners, het vaste punt op het kompas.

Het had niet hierop moeten uitlopen, een steriel, nietszeggend, kinderloos huwelijk. Vijf jaar lang hadden ze het geprobeerd. In het begin was het plezierig geweest, extra sexy om te vrijen met de gedachte aan een baby; hij had zich geweldig gevoeld als hij daarna naast haar lag, met zijn hand op haar buik, zich afvragend of ze iets op gang hadden gebracht − iemand. Hij had haar jarenlang voor zich alleen gehad en hij was klaar om haar te delen; ze waren allebei opgewonden. De eerste keer had het niet lang geduurd voor ze zwanger werd. En toen, een paar weken later, die smerige, ellendige miskraam. Maar dat was niet erg, zei iedereen. 'Natuurlijk zijn jullie bedroefd, maar het overkomt zoveel mensen − heus, volgende keer gaat alles goed.' Ze waren jong; ze huilden om de baby die voor Kerstmis zou zijn geboren, en ze gingen verder met hun leven. Kilometers en kilometers verder, tot het koppel dat ze toen waren voor beiden onherkenbaar was. Zestig maanden, vijf miskramen (misschien meer), tientallen tests, een schijnbaar eindeloze stoet dokters, verloskundigen en specialisten. Een kalender vol data die niets vierden behalve wat ze geen van beiden konden vergeten.

Soms dacht Elliot dat Clare hem bijna net zo erg haatte als ze zichzelf haatte. En misschien meer dan ze hem ooit had liefgehad.

Clare kwam de badkamer uit, stevig gewikkeld in haar badjas, ook al was het pas zeven uur. Ze glimlachte vaag naar Elliot en hij strekte zijn handen naar haar uit. Een aanraking die hij had geleerd om nietsexy, niet-bedreigend te maken. Hij haatte dat: als zijn vingers haar borst beroerden of op de welving van haar billen bleven rusten, schudde zij ze van zich af alsof ze gloeiend heet waren, alsof hij een verkrachter was. Nu liet ze zich door hem aanraken, maar er kwam geen reactie.

Ze hadden elkaar niet meer gekust sinds vóór Kerstmis − niet echt. Kerstmis was altijd het ergst: de niet-verjaardag van hun eerste nietbaby. Het was een tijd voor het gezin. Dit jaar had Clare niet eens het onpersoonlijke overhemd en de das ingepakt die ze voor hem had gekocht; ze had zalm gemaakt voor de kerstlunch. Elliots fraai ingepakte en met linten versierde juweliersdoosje had bij het haardvuur gestaan als een verwijt. Toen ze het had geopend, wist hij niet eens zeker of ze de armband zelfs wel gezien had. Ze had hem niet omgedaan.

Toch probeerde hij het weer. 'Moeilijke dag gehad, liefderd?'

'Niet al te erg. Er zijn drie vrouwen bevallen en eentje kreeg een keizersnee. Drie meisjes, één jongen. Hannah, Victoria, Liam en ééntje heeft nog geen naam. Eén verdomd vervelende meid die haar baby maandag heeft gekregen, en om de vijf minuten belde dat iemand de baby moest komen halen. En die verwaande arts-assistent is met vakantie.'

Die details werden verteld met monotone stem, zonder oogcontact. Of alles me ook maar een zier kan schelen, dacht Elliot. Ze verschuilt zich in de details van de dag. God verhoede dat we over iets reëels zouden praten. Hardop zei hij: 'Over vakantie gesproken, na die kaart van Midge en Paul vraag ik me af of wij er ook niet eens over moeten denken. De Dordogne is al een hele tijd geleden.' Dat was een helse vakantie geweest – hij had geboekt bij wijze van verrassing, op de verkeerde data: een van de slechte dagen was midden in de eerste week gevallen. Aan de andere kant begon het bijzonder moeilijk te worden om twee weken te vinden zonder een slechte dag.

Clare draaide zich naar hem om en voor het eerst merkte hij dat haar ogen rood zagen. 'Misschien.'

'Misschien kunnen we iets boeken voor Pasen in een skigebied – Oostenrijk misschien. We hebben het er al jaren over.'

Ze hadden nog nooit geskied. De eerste jaren hadden ze geen geld, en later had Clare zich bezorgd gemaakt dat ze zou vallen, zwanger, niet-zwanger... Ze was in haar eigen onzichtbare schulp gekropen.

'O, natuurlijk,' snauwde ze. 'We kunnen geen baby krijgen, dus willen we in plaats daarvan de hellingen bestormen.' Ze keek hem niet aan, terwijl ze als een razende kleren uit haar laden haalde. Ze trok haar onderbroek aan met haar rug naar hem toe, met haar badjas aan, zodat hij haar niet kon zien. Straf.

'Nou ja, misschien haal ik een paar brochures op in de stad. En kijk op internet naar de last-minuteaanbiedingen.' Elliots nieuwe tactiek. Net doen of haar reacties beleefd, geïnteresseerd waren. Alsof hij haar daardoor ondanks alles zover kon krijgen dat ze haar vendetta tegen hem opgaf. En omdat Clare niet de energie had tegen hem uit te varen, althans vandaag niet, liet ze hem zijn gang gaan. In hun beider hoofd bleef een heel klein stukje van hun brein fantaseren over een vakantie zoals ze vroeger hadden. Ze hadden altijd van goedkope speciale aanbiedingen geprofiteerd naar de wat minder fraaie mediterrane vakantieoorden, maar ze hadden altijd gelachen en plezier gehad, en ze hielden van elkaar. Elliot en Clare, donkerbruin van middagen in de zon, vermoeid van een hele ochtend vrijen – altijd 's morgens, als het heldere licht de intimiteit des te groter maakte, als ze seks hadden met open ogen, elkaars reacties en verlangens peilden, Clare en Elliot, giechelend over herinneringen aan tipsy avonden in de stad, kijkend naar mensen die niet zo fortuinlijk waren, niet zo verliefd, niet zo gelukkig als zij. De herinneringen speelden zich af als een 8mm-film, stopten, en keerden terug naar de werkelijkheid. Ze hadden al in vier jaar niet meer zo'n vakantie gehad. Die zouden ze nooit meer hebben.

'Ik ben er vanavond niet – het staat op de kalender. Er is pasta in de kast, en een restje bolognese dat nog over is van het weekend staat in de vriezer. Dat hoef je alleen maar te ontdooien in de magnetron,' zei ze.

'O, ja – de avond van de leesclub, hè? Heb je het boek gelezen?'

'Natuurlijk. Het zou weinig zin hebben om erheen te gaan als ik dat niet had gedaan, hè?'

'Is het goed?'

Clare keek op, overwoog zowel de vraag als Elliots interesse. Het boek was goed, briljant, en ze had het in drie avonden uitgelezen, volkomen opgaand in de verzonnen levens van denkbeeldige mensen. Maar Elliots gezicht, het knappe gezicht waarnaar ze méér dan de helft van haar leven had gekeken, staarde haar met slechts gedeeltelijke belangstelling aan. Hij deed zo serieus, zo wanhopig zijn best om haar leven te delen, de vrede te bewaren, de juiste dingen te zeggen. En ze voelde zich schuldig en geïrriteerd, en zo, zo hopeloos.

Het was alsof er op het niemandsland tussen hen enorme stapels puin lagen, de wrakstukken van vorige gevechten, en ze had niet de energie om eroverheen te klimmen en met de witte vlag te zwaaien. Ze zwaaide er wel mee, net als hij, maar onder in een greppel, zodat hij het niet kon zien.

'Het was oké,' zei ze ten slotte, 'maar waarschijnlijk heb ik het niet goed begrepen. Ik weet niet eens waarom ik ernaartoe ga. De anderen hebben waarschijnlijk allemaal aan de universiteit gestudeerd. Ik zal me vast dom voelen.'

'Je bent niet dom, Clare. Je zult het heel goed doen. Wie komen er nog meer?'

'Je kent ze niet. Het is in het huis boven op de heuvel, van die vrouw, Harriet – mam heeft ooit haar gordijnen gemaakt. Een vriendin van haar, Nicole, komt ook, en Susan, misschien nog een paar anderen.'

'O, nou kom op, je zult je uitstekend amuseren. Een stel vrouwen en een paar flessen wijn – ik wed dat jullie niet eens over het boek praten. Gezellig lekker roddelen, dat lijkt me waarschijnlijker.'

Het was Clares moeder, Mary, die Susan had gevraagd Clare in hun club op te nemen. Ze had gedacht dat het misschien zou helpen – ongeveer net zoveel als een gipsverband een gapende wond zou genezen, dacht Elliot, maar hij had het opgegeven om zijn mening te geven. Jarenlang hadden Mary en hij eens per week samen koffiegedronken, eerst omdat ze zich ongerust maakten over Clare, naar een manier zochten om haar te helpen, maar nu, besefte Elliot, was Mary bezorgd over hen beiden. Het was Mary geweest die haar vrees uitsprak voor hun huwelijk en die hem op de gedachte had gebracht dat ze dit misschien niet zouden overleven. Tegenwoordig was Elliot ervan overtuigd dat Mary hem vooral wilde zien om zeker te weten dat hij er nog was – alsof haar wilskracht hen bijeen zou kunnen houden, Elliot nog zes dagen langer laten blijven, week voor week. Zodat Mary langzamerhand zelf een deel van de ziekte was geworden en niet een deel van de genezing. Ze hielp mee om hem te verstikken.

Elliot stond op van het bed. Waar Clare ook naartoe ging, hij zou zich opgelucht voelen zodra de deur achter haar dichtviel. Hij zou de stereo aanzetten, iets luids en gedachteloos, een flinke borrel inschenken. En iemand bellen die hem een goed gevoel over zichzelf zou geven.

'Hoe dan ook. Veel plezier, Clare.'

JANUARI

Hartzeer en maagzuur

NORA EPHRON

'De taart die ik naar Mark gooide maakte een verschrikkelijke rotzooi, maar een bosbessentaart zou nog beter geweest zijn, aangezien die zijn nieuwe blazer, die hij met Thelma had gekocht, voorgoed geruïneerd zou hebben.'

Rachel Samstat is intelligent, succesvol, getrouwd met een ambitieuze journalist in Washington... en volkomen ontredderd. Ze heeft ontdekt dat haar man een relatie heeft met de slungelige Thelma.

Een huwelijk dat op de klippen loopt is zelden om te lachen. Voor Nora Ephron is dat echter geen probleem. Ontrouw, zelfmedelijden, schuldgevoel, wraak… de geijkte ingrediënten worden door haar pen onmiskenbaar geestig. Met als extraatje Rachel Samstats beroemde zuringsoep-recept!

Deze eerste roman van Nora Ephron werd verfilmd door regisseur Mike Nichols, met in de hoofdrollen Meryl Streep en Jack Nicholson.

Hartzeer en maagzuur, de Nederlandse vertaling van *Heartburn*, © 1983, verscheen bij uitgeverij Bert Bakker in 1984.

'Dus, heb je het gekozen omdat het een leuk, dun boekje was van honderdachtenzeventig pagina's of omdat je de film had gezien?'
'Is er een film van?'
'Ja, een geweldige film. Jack Nicholson en Meryl Streep. Heel droevig.'
'Een van mijn favorieten. Een film voor op een onbewoond eiland.'
'Geen van beide, wijsneus! Feitelijk waren het de recepten waar ik op viel. De manier waarop ze door het hele verhaal heen verspreid staan – de vrouw, Rachel, maakt allerlei verbluffend klinkende dingen klaar terwijl haar huwelijk op instorten staat. Ik heb verleden week trouwens een van die recepten gemaakt, de Key Lime Pie. Heerlijk. Maar ik geloof dat het koken iets symbolisch heeft. Het is alsof ze, ook al is ze een succesvolle carrièrevrouw, door dat koken, het verzorgen, dat fundamenteel vrouwelijke, de zaak onder controle houdt.'
'Ja, ze houdt ervan om alles onder controle te hebben, hè? Dat stukje hoe ze over alles grapjes maakt, en het opschrijft in een verhaal waarin ze de gebeurtenissen naar haar hand kan zetten. Ik denk dat ze met controle bedoelt wat ze wel en niet laat zien van haar verdriet.'
'En ze maakt van die plotselinge openbaring, die taartscène, een oefening in openlijke beheersing.'
'Ja, maar in wezen heeft ze die niet, wel? Hij heeft die relatie gehad, hij heeft die relatie nog steeds. Die kan ze niet onder controle houden.'
'Eigenlijk vind ik haar een watje. Al die bon-mots en sluwe kleineringen veranderen niets aan het feit dat ze bij hem is en bij hem blijft. Zelfs als ze weggaat – naar haar vader vlucht, maak daar overigens maar van wat je wilt – laat ze zich als een lammetje weer door hem ophalen. En, weet je, er gaat zelfs geen alarmbel bij haar rinkelen als hij haar ticket niet betaalt. Hij is een klootzak.'
'Ze is zwanger en staat het grootste gedeelte van die tijd in de keuken, dat is waar. O, is dat moment waarop ze de baby krijgt niet droevig?'
'O, ja, als ze zegt: "Vertel eens toen die eerste, hoe heet hij ook weer, werd geboren." En dan, als Nathaniel komt en hij is te vroeg, zegt ze dat ze het hem niet kwalijk kan nemen.'

'O, ja, ze zegt: "Iets in me ging dood, en hij moest eruit."'

'Ik heb gehuild.'

'Maar ze houdt van hem. Daar valt niets aan te veranderen.'

'Natuurlijk wel. Je kunt afstand nemen. De wegen openen voor genezing. Moet je niet altijd meer van jezelf houden?'

'Ze houdt meer van haar kinderen. Misschien is dat de reden waarom ze blijft.'

'Nee, daar geloof ik niet in. Verrek, het speelt zich af in Amerika, in de jaren zeventig. Hopen mensen waren gescheiden. Het was geen stigma meer voor kinderen.'

'Misschien geen stigma, maar beslist nog wél een trauma.'

'Ik geloof niet dat ze voor de kinderen bleef. Ik denk dat ze wilde dat het goed zou komen.'

'Dat is een vreemde paradox, vind je niet? Ze wil echt dat hij van haar houdt, maar ze ziet geen kans iets te veranderen, om te máken dat hij van haar houdt.'

'Maar pas bij die taartscène realiseert ze zich dat niets wat ze zou kunnen veranderen zou maken dat hij van haar hield...'

'Ik ben het niet eens met wat er op de omslag staat. Het gaat niet over wraak. Ze zoekt die niet, en ze krijgt die beslist niet. Is de taartgooi-scène niet gewoon het zetten van een streep onder alles? Het doorprikken van haar eigen zeepbel van naïviteit? Het is een daad. Het is actie. Daar gaat het om – ze is eindelijk pro-actief en niet passief. Dat is de beheersing. Geen wraak.'

'Heeft zij niet ook *Sleepless in Seattle* geschreven?'

'Het verbaast me dat ze nog steeds voldoende geloofde in de liefde om zoiets sentimenteels en ongecompliceerds te kunnen schrijven.'

'Maar denk je niet dat dat Rachels kracht was dat ze blééf geloven in de liefde?'

'Ik denk dat Rachels echte kracht was dat ze wist dat Mark niet van haar hield, en ze toch door kon gaan met haar leven, ook al hield zij nog steeds van hem.'

'Ja, ze vertrekt met een echt optimisme, hè? Ze is écht bedroefd en vernederd en zo, maar ze gelooft in een toekomst. Dat doet ze echt. Hier, waar ze zegt: "En dan breekt de droom in duizenden kleine stukjes. De droom sterft. Daardoor kom je voor de keuze te staan om je óf bij de realiteit neer te leggen óf je als een dwaas uit de voeten te maken en een andere droom te gaan dromen."'

Nicole

Het boeket was zo groot dat Nicole niet kon zien wie het afleverde. Er stond maar één woord geschreven op het kaartje – zo groot dat ze het vanaf de drempel kon lezen: 'Sorry'. Het zat onschuldig tussen de American Beauty rozen.

Ze pakte de bloemen ruw uit de handen van de argeloze jongen die ze aanbood, en gooide de deur achter zich dicht met een kort, gesnauwd 'Bedankt'.

De jongen schuifelde even heen en weer op de stoep. Hij was nieuw en niet gewend aan een dergelijke ontvangst. Alle vrouwen wilden toch bloemen? Hij schudde zijn hoofd, floot en vertrok.

Binnen leunde Nicole tegen de deur, en een zachte, uitgeputte snik ontsnapte haar. Even liet ze haar hoofd tegen het hout rusten, sloot haar ogen en rook aan de rozen in haar armen. Gunde zichzelf de fantasie dat het geen 'sorry'-rozen waren. Heel even maar.

In haar heldere, smetteloze tv-reclamekeuken sneed ze deskundig een stukje van de stelen af, dompelde ze even in kokend water en goot wat bleekwater in het water in de drie vazen die ze nodig had voor al die rozen. Ze deed het goed, zoals ze de meeste dingen deed: de afgesneden stukjes van de steel gooide ze in een onopvallende afvalbak, en ze pakte glazen onderzetters uit een la om het glimmend gewreven hout te beschermen tegen kringen. Eén vaas op de ronde tafel in de gang, een andere op de eettafel, de laatste in de zitkamer, naast de zilveren lijsten die hun levens documenteerde in foto's. Haar ouders in zwart-wit, de tweeling met zonnehoeden en ijs rond hun mond, Martha als pasgeborene liggend op de mollige kleuterbenen van de jongens, haar mond open om te protesteren. En zij en Gavin op hun huwelijksdag. Ze zette de vaas naast die foto. De hufter.

1992. Mei. Passende pittoreske dorpskerk op de achtergrond, de deur omkranst door bloemen. De bruid, verrukkelijk en verrukt in een couture-jurk; de bruidegom, lang en trots in jacquet. O, en zoals ze naar hem kijkt: stralend en overduidelijk blind verliefd. Met grote kalverachtige ogen als prinses Diana. Een glimlach waarvan je wist dat hij haar gezicht pijn deed.

Nicole bleef met een schok staan bij die foto. Als een goedkoop *special effect* draaide de chique vertrouwdheid van de kamer naar de achtergrond, en de herinnering aan die dag, aan die gevoelens, kwam scherp en reëel naar voren – ze kon het bijna ruiken, verwarmd door de zon, nerveus en geparfumeerd in die deuropening. Ze had zoveel van hem gehouden, die dag. Onderweg naar de kerk had ze naast haar vader gezeten in de Daimler. Hij had haar hand gepakt en plechtig gezegd: 'Kindlief, ik wil dat je weet dat als je niet honderd procent zeker van jezelf bent, als je enige twijfel koestert...' En ze had zich naar hem toegekeerd, half lachend, half huilend, niet-begrijpend. Er bestond geen leven zonder Gavin. Zijn vrouw worden, met hem trouwen, was het enige ter wereld wat ze wilde, het enige wat ze kon doen.

Hij was de eerste man die haar hart had veroverd. De puberteit was het begin van een bijna magisch leven voor Nicole. Ook al was ze misschien niet beeldschoon te noemen, ze had de mooie huid, gelijkmatige gelaatstrekken, fraaie teint en golvende haren van een meisje dat van nature mooi was, er aan het ontbijt net zo goed uitzag als aan het diner, en een flirtende, vlotte, sprankelende stijl had – dat was het wat haar tot een felbegeerde prijs maakte op de universiteit. Een vriendje per jaar tot en met haar doctoraal, waarvoor ze niet erg hard had hoeven te werken, plus een enkele invaller tijdens de vakanties, en een of twee onstuimige avontuurtjes van één nacht. De meeste jongens waren verliefder op haar dan zij op hen. Hoewel ze nooit opzettelijk hardvochtig was, had Nicole de laisser-fairehouding van het populaire meisje dat zich nooit zorgen maakte over de komende vrijdagavond.

Ze was in Londen gearriveerd met een geschikt diploma, een scherp verstand, een grote schuld en het voornemen om succes te hebben. Het was nogal gemakkelijk om op te vallen in de lagere rangen van de grote uitgeverij tussen de meisjes, die hun tijd verdeden met wachten op een echtgenoot (de aantrekkelijke meisjes) of lucratieve redactionele projecten (de minder aantrekkelijke). Binnen vier of vijf jaar was ze bevorderd tot marketingmanager met een salaris waarmee ze zich samen met een paar vriendinnen een mooie flat in Battersea kon veroorloven, ze droeg kleding uit de betere modezaken (zo nu en dan zelfs een in de uitverkoop gekocht designerpak) en reed in een geliefde lavendelkleurige 2cv, die ze met hulp van haar ouders had gekocht. Ze voelde zich in haar element, stortte zich op haar werk, meer dan ze ooit op haar studie had gedaan, en presteerde goed. Ze maakte snel carrière in het bedrijf dat in haar de mengeling herkende van bekwaamheid, ambitie en charme van het *Wunderkind*. Als ze in de vroege ochtend haar spiegelbeeld zag in de reflecterende roltrappanelen van de Northern Line, was ze tevreden over de vrouw die ze zag.

En toen, op een van die ochtenden, liep ze Gavin Thomas tegen het lijf.

Ze was er ongetwijfeld aan toe – al zesentwintig en nog nooit echt voor een man gevallen – om haar hart definitief te verliezen. Op een woensdag zat Gavin tussen twee collega's in de bestuurskamer toen Nicole binnenkwam, met haar armen vol dossiers, terwijl ze de deur met haar achterste openduwde.

Zijn reclamebureau probeerde de campagne in de wacht te slepen voor een goed verkopende, populaire *sex-and-shopping*-auteur. En op het moment dat ze hem zag werd de kamer zo leeg als haar hoofd, ze zag alleen Gavin.

Ze had knappere mannen gehad, dat viel niet te ontkennen. Op het moment flirtte ze onbezonnen met een zongebruinde jonge schrijver van reisverhalen, voor wie haar flatgenoten zwijmelden.

Het heeft nooit enige zin om magie te analyseren: ja, hij was knap, en goedgekleed en had grote, schone handen; zijn haar krulde op de juiste manier op zijn voorhoofd. Misschien was het de duidelijk wellustige glinstering in zijn ogen. Wie weet? Hoe dan ook, hij had een uitwerking op haar die niets en niemand ooit geëvenaard had.

Nicole kon zich niet herinneren wat zich precies had afgespeeld in die vergadering, behalve dat Gavin de opdracht in de wacht had gesleept. Ze kon zich zelfs niet herinneren hoe ze later op de avond terecht waren gekomen op een van de versleten fluwelen banken boven in Darcy's, waar ze dronken werden van rode wijn in glazen als viskommen, en praatten, praatten, praatten, zich dicht naar elkaar toebuigend. Op een gegeven moment ging ze een beetje wankelend naar de wc, en de vrouw in de spiegel zag er anders uit. Ze herinnerde zich nog precies hoe ze hem daarna had meegenomen naar haar kantoor, allebei samenzweerderig giechelend, terwijl ze de code intoetste van de achterdeur, plotseling serieus toen hij haar zoende, bijna verpletterde tegen de muur, toen hij de Rolodex en haar inkomende-postbakje op haar bureau opzij schoof (waarbij ze zich heel erg *9½ Weeks* voelde) en worstelde met haar panty. Hij kwam in haar. Later had hij haar in een taxi gezet, de chauffeur een biljet van tien pond gegeven en haar een zoen op haar neus. Dat gebaar had haar ongelooflijk teder en romantisch geleken. En het leven, zoals Nicole Ellis het kende, was voorgoed veranderd.

Boven in haar slaapkamer pakte Nicole een eenvoudig maar prachtig hemdjurkje van de deur van haar klerenkast waar het de hele nacht had gehangen, borg het weer in de kledingzak en hing het in de kast naast de andere zakken die haar kleren van 'echtgenote van een zakenman' bevatten. De pakjes uit de betere modezaken waren allang verdwenen, tegenwoordig was alles designerkleding. De kast hing vol met de juiste namen, de perfecte accessoires, prachtige schoenen, de allernieuwste mode, alles in een perfecte maat zesendertig (elke dag opnieuw met moeite veroverd). Allemaal brandschoon, licht geparfumeerd met haar lievelingsparfum, en geperfectioneerd door het onberispelijk opgemaakte moderne gezicht, highlights uit Mayfair, en de modieuze Franse manicure die ze gewetensvol handhaafde. De droom van elke vrouw. Ze herinnerde zich een oude zwart-wit film die ze had gezien, waar een diepbedroefde vrouw huilde samen met haar zwarte kindermeisje, terwijl ze bontjas na bontjas op een zijden sofa gooide. 'Ik tel mijn zegeningen, *Mammy*, ik tel mijn zegeningen.'

Het telefoontje bracht haar terug in het heden. Op het scherm van haar mobieltje zag ze dat het Harriet was, dus zou ze antwoorden. Anders zou ze niet hebben opgenomen; haar beste vriendin was de enige ter wereld met wie ze kon praten als ze in deze stemming was.

'Hoi.'

'Wat is er mis?' Harriet bezat radar, daar was Nicole van overtuigd. Eén woord – of liever gezegd, de toon waarop het werd uitgesproken – was voldoende om haar te laten weten dat er iets was gebeurd. Of misschien, dacht ze spottend vol zelfmedelijden, was het alleen omdat er mééstal iets mis was.

'Was de opera zó slecht?' grapte Harriet.

Eergisteren had Gavin haar halverwege de ochtend gebeld om 'haar eraan te herinneren' – in feite haar pas voor de eerste keer te vertellen – dat ze, stralend en innemend, die avond om zeven uur verwacht werd in de loge van de firma in Covent Garden voor een opvoering van iets afgrijselijks en Wagneriaans met een paar dodelijk saaie advocaten. Het signaal om fanatiek op zoek te gaan naar een babysitter – Harriet –, want het was de avond van Ceciles Engelse les en een dolle rit in het spitsuur. Ze zouden allebei net doen of ze daarmee de 'sorry'-rozen had verdiend. Ze wenste uit de grond van haar hart dat het waar was: een op administratief gebied hopeloze echtgenoot die een immer capabele vrouw beloonde voor haar geduld. Ze wisten natuurlijk beiden dat de rozen voor iets anders waren.

'De opera was net zo verschrikkelijk als ik wist dat hij zou zijn – zelfs het decor was saai. Het liefst was ik achter in de loge gaan liggen om stilletjes dood te gaan.'

Ze lachten allebei. Hun opvatting van een amusant uitje was in elk opzicht verschillend, maar medeleven betuigen met maatschappelijke verplichtingen was een van hun gemeenschappelijke terreinen.

'Kom nou, Nic, ik denk dat Wagner niet de enige vent is die je avond bedorven heeft. Wat was het probleem? Nagels de verkeerde kleur?'

Niemand kon zich ongestraft veroorloven zo onhebbelijk te doen over Gavin als Harriet. Zij en Nicole kenden elkaar pas een jaar toen Harriet, dronken van baby-geïnduceerde slapeloosheid en Baccardi Breezers, in onverbloemde taal had bekend dat ze Nicoles lange, knappe echtgenoot niet kon uitstaan. Ook al had ze luid uitgeademd en haar vriendin aangekeken, toch was Nicole niet verontwaardigd of trok ze de ophaalbrug op: het was typisch Harriet, en het was een enorme opluchting haar te kennen.

'Ik heb de ander ontmoet. De laatste andere.'

'Daar? Wie is het?'

'Charlotte Charles. Een van de laatste nieuwkomers van verleden jaar. Ik zag haar op de kerstparty. Gavins standaardnummer – lang, benen tot hier, haar dat gemaakt is om naar achteren te zwaaien, tieten, tanden en getetter.'

Nicole was de loge binnengekomen – precies op tijd, diep ademhalend bij de deur, stralende glimlach – en stond meteen pal tegenover Gavin, die tegen de muur geleund stond, vóór Charlotte Charles. Die van haar kant onbeschaamd naar hem glimlachte, met borsten die licht hijgend op en neer bewogen, en half geopende, vochtige lippen. Een pose die op de meeste mensen zou overkomen als 'goede collega's, vriendschappelijk, lachend om een grapje'. Voor Nicole was het zonder de geringste twijfel 'Gavins laatste wip'. Ze waren allemaal zo'n beetje hetzelfde: fit, ruikend naar *eau d'ambition*, succesvol en schrander, hij viel er iedere keer weer voor. Net zoals vroeger voor haar.

'De klootzak. Weet je het zeker?'

'Heel zeker. Ik heb het vanaf het eerste moment door. En dan ga ik alles eens na, en ja, de late avonden, de overnachtingen. En als ik ook maar enigszins twijfelde, dan is er het enorme aantal rozen waar ik op dit ogenblik naar zit te kijken.'

'Wil je weg? De logeerkamer staat klaar.' Het was een grapje tussen hen, dat de laatste twee of drie jaar al vaak gemaakt was. Ze kenden allebei het antwoord: ze wilde niet weg. Ze wilde dat het anders zou worden. Verdomme, ze hield nog zoveel van hem. Harriet had het bijna opgegeven tegen haar te preken; stelde zich tevreden met luisteren, lief blijven en inslikken zoveel ze maar kon.

'Nee, maar ik neem genoegen met een fles wijn en wat vrouwenpraat. Laat die zak zijn eigen eten maar klaarmaken en het uitzoeken met de kinderen. Dat is al een straf op zichzelf.'

'Groot gelijk! Kom je om acht uur? Ik stuur Tim naar de kroeg of de oefenbaan van de golfclub, of zoiets.'

'Dank je.'

'Nic? Ik hou van je.'

En toen natuurlijk de tranen. Dat had je met al die vriendelijkheid. Ze deed haar best om kwaad over te komen, deed nog meer haar best die kwaadheid ook te voelen. Ze had er zo schoon genoeg van om zichzelf te horen en zien als een zielige deurmat. Maar als ze alleen was, in de stilte voordat de au pair de kinderen thuisbracht, was ze niet kwaad.

Harriet

Harriet legde de telefoon neer. Ze had in haar eigen hal bij de voordeur gestaan, starend naar een van de fotomontages die ze boven de trap had gehangen. Ze toonden twee gezinnen – dat van haar en van Nicole – tijdens de vakantie in de zomer nadat hun eerste baby's waren geboren: Josh en de tweeling, William en George. Ze waren naar Cornwall gegaan, hadden een grote, witgekalkte cottage aan zee gehuurd en hadden ongelooflijk geboft met het weer (het was een verrukkelijke zomer geweest, ideaal voor het zogen van pasgeboren baby's om zes uur 's morgens, voedingen met open ramen, blote armpjes en beentjes in de reiswieg). Ze zagen er allemaal slaperig, gelukkig en trots uit, omringd door de eindeloze parafernalia van welgestelde jonge ouders.

Het was een heerlijke week geweest, vol rode wijn, gezamenlijk klaargemaakte pasta en hazenslaapjes. En we dachten dat we elkaar allemaal zo goed kenden, dacht Harriet. Ze herinnerde zich dat ze om zich heen had gekeken naar Tim, Nicole en Gavin, en had gedacht dat ze dit, op andere plaatsen, met meer kinderen – hoopte ze – als goede vrienden, nog jaren en jaren zouden doen.

Het was een spontane, hechte vriendschap geweest. Het soort dat je alleen maar sloot in oorlogstijd en tijdens een late zwangerschap, zoals Tim schertsend had opgemerkt. Vanaf het moment dat Nicole die winter tijdens de eerste les zwangerschapsgym dankbaar en met een spottend lachje naast haar was neergeploft op de enorme zitzak, had Harriet haar sympathiek gevonden. Het was een ongeregeld stelletje, met voornamelijk de data waarop ze uitgerekend waren als gemeenschappelijke factor, dat was komen opdraven om de dubieuze woorden van wijsheid te horen uit de mond van de hippe lerares Erica. Ze had in de lotushouding gezeten ('alleen omdat zij de enige vrouw hier is die het kan,' fluisterde Nicole) en orakelde over de verdiensten van gedroogd fruit en isotonische dranken als hulpmiddelen voor de bevalling ('geef mij maar een gin-tonic,' fluisterde Harriet) voor ze hun vertelde, met slechts een ondertoon van zelfvoldaanheid, dat ze al haar eigen vijf kinderen thuis onder water had gebaard, en dat de eerste vier hadden geholpen bij de vijfde. Bij die woorden waren Harriet en Nicole eensgezind in hun verbijsterde afschuw.

De echtgenoten, onder wie Tim en Gavin, waren naar een ander vertrek gestuurd om over hun eigen angsten voor de aanstaande geboorten te discussiëren. Daar werd Tim gevraagd Gavins grootste angst onder woorden te brengen, en vice versa. Die van Tim was 'mijn sportwagen ruilen voor een Volvo station' en die van Gavin 'Disneyland', wat hen beiden in Erica's ogen als 'verrader' bestempelde, maar het begin vormde van een mooie vriendschap tussen beide mannen.

De cursus zwangerschapsgym leidde tot de pub, etentjes, dagelijkse telefoontjes tussen Nicole en Harriet, en lange wintermiddagen doorgebracht met het drinken van warme chocolademelk (Harriet) en gemberthee (Nicole).

'Ik geloof gewoon niet dat er een toekomst voor ons is, als jij dat blijft drinken en die chocolademuffins laat staan. Deze baby is al tweederde notencake, en ik heb nog een maand te gaan.'

'Hm, jammer dan. Ik ben vastbesloten geen pondje meer aan te komen, zelfs niet voor jou. Die tweeling moet de laatste paar weken maar van mijn heupen leven. Gisteravond zat ik in het bad gewoon te huilen – hij gaat nooit meer weg.' De 'hij' in kwestie was Nicoles buik, die enorm was geworden, angstwekkend uitpuilde, en strakgespannen was. Maar als je haar van achteren bekeek, kon je niet eens zien dat ze zwanger was. Ze zag er heel mooi uit in die fantastische Franse positiekleding die in feite ontworpen was om de bult te accentueren. Harriet daarentegen had in verschillende delen van haar lichaam zwanger kunnen zijn en was echt dik, vanaf haar oorlelletjes tot aan haar enkels. Vanaf maand vier was ze afhankelijk geweest van M&S-truien maat achtenveertig, terwijl ze melodramatisch snikte, Toblerone-repen at en van die behulpzame nuttige artikelen las die suggereerden dat ze 'overhemden moest lenen uit de garderobe van haar man – hij zal het niet erg vinden – en die moest opvrolijken met een kleurige sjaal'. Ze was al bijna uit Tims kleren gegroeid nog voordat ze hem trots de blauwe streep op het vierkante schermpje had laten zien. Niet dat Tim het erg had gevonden: hij was een voorbeeldige echtgenoot, en had er vanaf het eerste moment op gestaan dat ze niets droeg dat zwaarder was dan een kop thee en geen enkele huishoudelijke taak verrichtte die vermoeiender was dan het doorbladeren van catalogussen met prachtige, waanzinnig dure babykleren. Hoe dikker ze werd, hoe liever, trotser en enthousiaster hij werd.

Al was Harriet jaloers op Nicole omdat ze zo'n glamorous zwangerschapsfiguur had, ze was niet jaloers op haar Gavin, die heel wat minder inschikkelijk was. Hoewel ook hij zijn enthousiasme nauwelijks kon onderdrukken, vooral toen ze hadden vastgesteld dat de tweeling uit twee jongens bestond, toch was hij aanzienlijk minder verrukt dan Tim over het veranderende figuur van zijn vrouw. Hij was zelfs nogal ongeduldig over de hele procedure en het effect ervan op Nicole. Hij had een keer in een restaurant tegen haar gesnauwd toen ze voor de derde keer naar de wc moest. Harriet en Tim hadden in echtelijke verstandhouding een opgetrokken wenkbrauw gewisseld, en Harriet was er nogmaals aan herinnerd wat een geluksvogel ze was.

Harriet en Nicole hadden meer gemeenschappelijke interesses dan de baby's die ze op het punt stonden te krijgen. Ze waren opgegroeid als enige dochter van welgestelde, conventionele ouders die met elkaar getrouwd bleven en hun zilveren huwelijksjubileum vierden met een cruise op de Middellandse Zee. Beiden hadden een universitaire studie achter de rug en hadden een carrière waar ze van hielden – Harriet in de reclame, en Nicole in de boekenuitgeverij – die ze even in de wachtstand moesten zetten om de kinderen te krijgen, een besluit dat hen tegelijk enthousiast en angstig maakte. En ze zagen in elkaar de vriendin die ze gehoopt hadden te zullen vinden voor de drukke eerste jaren thuis met de baby's.

Nicole belde Harriet toen zes weken voor de uitgerekende datum 's avonds laat haar vliezen braken: Gavin was niet thuis, en al nam hij de volgende ochtend het eerste vliegtuig naar huis, hij zou alles missen. In het ziekenhuis was de dokter de hartslag van een van de tweeling kwijt en voerde met spoed een keizersnede uit. (Gavins afwezigheid was de winst voor hun vriendschap.) Nicole was doodsbang geweest, maar de paniek was van korte duur. Het ene ogenblik hadden de twee vrouwen bobbel tegen bobbel in de wachtkamer gezeten, wachtend op de uitspraak van de specialist, grapjes makend over een sportdrankje. En het volgende was het een en al zwijgende maar snelle activiteit. Harriet zat naast een leeg bed met Nicoles verlovingsring in de ene hand en haar contactlenzen in de andere. Ze staarde strak naar de diamant, pinkte haar tranen weg, tranen van angst zowel voor Nicole als voor haarzelf, tot een verpleegster haar hoofd om het gordijn stak en aankondigde dat de jongens geboren waren en moeder en baby's het goed maakten. (En dus begon Harriet te oefenen op William en George.)

Zes weken later was Nicole een van de eerste bezoekers van baby Joshua. Ze kwam Harriets slaapkamer binnen met onder elke arm een helft van de tweeling en een fles champagne in één hand. Ze hadden de drie kleine jongetjes naast elkaar gelegd op het grote bed, Josh in het midden, en waren van één glas sentimenteel en tipsy geworden: zeiden tegen de baby's dat ze over vijfenzeventig jaar, als ze allemaal oude mannetjes waren, naar waarheid konden zeggen dat ze elkaar hun leven lang gekend hadden.

God. Wat was die Gavin een klootzak!

Harriet herinnerde zich nog de schok van haar eerste onaangename ontdekking over Gavin. Joshua was al een paar maanden oud voor ze eindelijk voldoende was afgevallen om een uitnodiging voor de lunch te accepteren in een van de restaurants waar ze vroeger altijd kwam – die uitnodiging kwam van een vriendin op het bureau waar ze had gewerkt. Lisa Clements was een onverbeterlijke roddelaarster, maar niet vals, en Harriet had bedacht dat van alle mensen met wie ze had kunnen afspreken, Lisa de meest doeltreffende was. Zij wist altijd wat iedereen was overkomen – meestal nog voordat ze het zelf wisten, want haar beste vriendin was privé-secretaresse van de human-resourcesmanager. Blij en ongetrouwd, het tikken van haar biologische klok overstemmend met het geluid van haar eigen lach, informeerde Lisa pas na een caesarsalade en een glas Chenin Blanc bij Harriet naar 'die schat van een man van je en die volmaakte kleine baby – hoe oud is hij nu eigenlijk?' Dat 'hij' was een brutale gok; de namen van genoemde man en zoon waren duidelijk een te groot probleem. Bang om hopeloos alledaags en kleinsteeds te lijken, had Harriet haar een paar korte en, naar ze hoopte, amusante verhalen verteld waarin ze haar goede vrienden Nicole en Gavin memoreerde, die ze bedacht had tijdens de treinreis naar de stad. Ze vond het prachtig dat ze tussen neus en lippen door kon zeggen: 'Misschien ken je Gavin wel, Lisa. Hij is creative director bij Clarke, Thomas en Keeble.'

'O, mijn god. Of ik hem ken? Een heleboel van ons "kennen" hem, als je snapt wat ik bedoel.'

Harriet, die een paar maanden buitenspel was geweest, trok een gezicht dat bewees dat ze er niets van begreep.

'Serieneuker, schat! Naait alles wat lang genoeg stil wil blijven staan. Berucht erom. Je kent Anna Johnson, ze werkte daar vroeger, blond haar, draagt nooit een beha... ze hadden iets met elkaar. Mijn vriendin Pam, van de afdeling media-buying en een oneindig aantal afgestudeerde stagiaires, dat zeggen ze tenminste. O, ontelbare naamloze, anonieme vrouwen. Ik voelde me altijd een beetje in mijn wiek geschoten dat hij nooit iets met mij probeerde...'

Lisa was kennelijk van plan om door te gaan, tot ze Harriets gezicht zag, doodsbang werd dat er hormonale tranen zouden volgen, en haar mond hield. 'Sorry, meid. Hoor eens, misschien is hij veranderd. Vaderschap en zo doet dat met een man, zeggen ze toch?'

Ze sloegen de koffie over. Lisa leek niets liever te willen dan terug te gaan voor een of andere budgetpresentatie, en Harriets mond was veel te droog om te praten.

Natuurlijk was daarna alles anders. Ze was naar huis gegaan, was niet bij machte Nicole te bellen voor het gebruikelijke verslag, vertelde het aan Tim en lag toen met wijdopen ogen en woedend in bed zonder te kunnen slapen.

Tim was minder geschokt. 'Wat een lul! Ik had altijd al een hekel aan de manier waarop hij de vrouwen opneemt als we uit zijn, een gesprek met ze aanknoopt aan de bar, maar ik dacht niet dat hij zo stom zou zijn om verder te gaan.' Hij kneep in haar schouder, strekte zijn arm toen over haar heen om het hoofdje van Joshua te strelen die in Harriets armen lag. 'Wie zou dit alles op het spel willen zetten?' En toen: 'Denk je dat Nic het weet? Ga je het haar vertellen?'

Op dat punt was Harriet heel beslist: 'Geen sprake van. Als ze het weet, en ik denk niet dat ze het kán weten, met de tweeling en zo, maar áls ze het weet en ze heeft het mij niet verteld, dan is dat omdat ze er niet over wil praten. En als ze het niet weet, kan ik niet degene zijn die het haar vertelt. Als en wanneer ze ons nodig heeft, zullen we er voor haar zijn.' Ze leunde met haar hoofd tegen zijn borst. 'Ja toch?' 'Altijd.'

Altijd. Wij. Wanneer was het ook weer? Pas zes jaar geleden. Of zes lange jaren geleden. Daarover twijfelde ze. Ze kneep haar ogen dicht en stelde zich hem voor zoals hij toen was geweest. Lang, sterk, knap, kalm, aardig. Met een spontane lach, die in zijn ogen begon. Een optimist, een gentleman, een denker, maar geen piekeraar. De volmaakte echtgenoot. Een ongelooflijke vader, die 's nachts de kinderen de fles gaf zodra Joshua en later Chloe van de borst af waren, ze geduldig in zijn armen hield als hij beneden in de zitkamer op de muziek van Van Morrison deinde. Die zich, nog in streepjespak, elke avond op zijn knieën liet vallen zodra de voordeur achter hem dichtviel en beide kinderen optilde, geduldig luisterend naar alle verhalen over rampen en triomfen. Die elk jaar fresia's voor haar meebracht op de dag van hun eerste soupertje samen. En de meeste avonden nog steeds haar gezicht tussen zijn handen nam en haar vertelde dat hij zijn geluk niet op kon, dat hij zoveel van haar hield.

En wat voor echtgenoot was hij nu? Exact dezelfde, als hij de kans kreeg, maar die had hij de laatste tijd dus niet gekregen. Ik ben de schuldige, dacht Harriet. Ik ben degene die is veranderd. Ik hou niet meer van hem. Ik heb een vergissing gemaakt. Ik ben het loeder. Maar een loeder met een hoop huishoudelijk werk. Harriets innerlijke mevrouw Zwabber ging met een smak op haar innerlijke demonen zitten, en haalde het bleekwater tevoorschijn. Een vertrouwd patroon tegenwoordig: niet aan denken, dan gaat het misschien weg. Of misschien, dacht ze, krijg ik een maagzweer of een spontane zelfontbranding. Maar niet vanmiddag.

Toen ze de chaos overzag, moest ze erkennen dat het ontslaan van Tracey-de-schoonmaakster-uit-de-hel misschien een beetje voorbarig was geweest. Tracey had dan misschien een voorliefde voor *This Morning* en mocht dan het stof onder de meubels schuiven, ze was beter dan niets. De inhoud van de speelkamer was zoals gewoonlijk als lava door het huis gestroomd, en de blote barbiepoppen, verdwaalde stukjes van legpuzzels en verboden klompen klei vormden een stormbaan op elk tapijt. Onafgemaakt huiswerk (van Josh) en afgekeurde kleren (van Chloe) lagen op de trap. Stukjes kerstversiering die waren overgebleven van vorige week, gaven al het andere een feestelijk aanzien, inclusief de kat, die zich er kennelijk in had rondgewenteld. Harriet pakte haar bijna koud geworden koffie en plukte een stukje Lego uit

41

de stoel voordat ze zich erin liet vallen. Ze begon met de aantrekkelijkste taak: het sorteren van de ochtendpost.

Eerst veronderstelde ze dat de witte envelop met het onbekende handschrift een verlate kerstkaart was van verre verwanten. Ondanks de onmiskenbare dikte van een officiële uitnodiging voelde ze geen greintje opwinding: interessante mensen gaven geen party's in januari – die waren op Barbados, hielden een winterslaap of bevonden zich in een kuuroord. Het zou natuurlijk een oneindig saaie feestelijkheid zijn, georganiseerd door een van Tims cliënten – niet de moeite waard om er een babysitter vijf pond per uur voor te betalen. Plotseling verscheen Joshua, een sproeterige orkaan, snel gevolgd door Chloe, twee jaar jonger dan hij maar intellectueel zijn meerdere. In dit stadium van hun kindertijd, bijna constant verstrengeld in een halve nelson, kwam dat niet tot zijn recht.

'Mam!' Het werd gerekt tot tien seconden. 'Maaam!' Herhaald voor het geval ze probeerde de beschuldiging te ontkennen. 'Ik probeer naar *Bug's Life* te kijken en Chloe zet hem steeds af.'

'Hij heeft de afstandsbediening verstopt, en ik wil naar *Sleeping Beauty* kijken.'

'Maar dat is *zoooo* stom. En je hebt het al een miljoen keer gezien.' Daarop begon Joshua, met een onrustbarend hoog stemmetje: '*I know you, I danced with you once upon a dream,*' (Ik ken je, ik heb eens in een droom met je gedanst) en maakte een pirouette rond de stoel met Chloe's paardenstaart omhoog geheven in zijn hand.

'Aaaau!' schreeuwde Chloe.

'Hé, jullie,' begon Harriet, met haar beste dreigende-mamastem, en keek toen naar de uitnodiging die ze nog in haar hand hield. Rustig. 'Joshua, zet alsjeblieft in de speelkamer *Sleeping Beauty* op voor je zusje. Dan mag jij *Bug's Life* zien in het bed van mama en papa, als je tenminste je schoenen uittrekt. Ik zal jullie over een minuut wat drinken en snoepjes brengen. Vooruit, lieverds.' Wat ze natuurlijk deden, een beetje perplex over die meevaller.

Een heel chique, dikke crèmekleurige kaart, luxueuze koperdruk, waarmee een echtpaar van wie ze nog nooit gehoord had, om het genoegen verzocht van haar en Tims gezelschap.

Op het huwelijk van hun dochter
Imogen Amelia
met
Charles Andrew Roebuck
om 16.00 uur
op zaterdag 8 maart 2001
in St Mary's Parish Church, Dinton, Salisbury, Wiltshire,
en daarna in Chatterton House, Teffout Evias

En graag r.s.v.p.'en aan genoemde onbekenden, en in de trant van de regels voor de etiquette, een praktisch maar toch stijlvol cadeau kopen bij de Conran Shop, aan de hand van de verlanglijst van het gelukkige paar, de laatste zeven kilo afvallen die ze nog steeds weet aan hun vier jaar oude kind, een dure nieuwe outfit kopen met bijpassende hoed en tas, de aangegeven route volgen op de keurige, bijgesloten plattegrond, op tijd komen, de gezangen zuiver of heel zacht meezingen, niet dronken worden van de Laurent Perrier, en beminnelijk glimlachen naar degene die ze nog steeds beschouwde als de grote liefde van haar leven terwijl hij beloofde een ander voor eeuwig lief te hebben.

Voor geen goud! Harriets hart was gebroken op het kleed voor haar voeten gevallen. Hij kon niet van een ander houden. Hij hield niet echt van die Imogen Amelia (wat een belachelijke naam) en hij kon om de dooie dood niet met haar trouwen. Nou ja, goed, Harriets leven was doorgegaan, ze had een ander gevonden, ze was getrouwd. Maar wist Charles niet dat dat een vergissing was? Híj werd niet verondersteld hetzelfde te doen.

Ze had Charles niet meer gezien sinds ze zwanger was van Chloe. Die lunch was een fout geweest. Ze had gestreefd naar een uiterlijk dat zei 'blakend van gezondheid, oermoeder, kijk eens wat je mist, jongen'. Maar ze ving een beeld op van zichzelf in een etalageruit toen ze op weg was naar het restaurant en besefte dat het uiterlijk dat ze bereikt had meer leek op 'auditie doen voor Moby Dick; geknipt voor de rol'. Hij had net Imogen leren kennen, maar dat stoorde Harriet niet erg – er waren al een paar meisjes geweest na haar, die geen van allen blijvertjes waren. Charles beweerde dat hij genoot van zijn vrijheid (na zoveel jaar samen met haar) maar Harriet had begrepen dat dit een code was voor 'niemand is met jou te vergelijken'. Ze had van een wederzijdse vriend gehoord dat Imogen hem min of meer beval zijn oude vrienden in de steek te laten, maar ze wist dat Charles dat niet zou pikken – vrije wil betekende alles voor een man als Charles: hij liet zich niet aan de ketting leggen. Als hij met iemand een geregeld leven had willen leiden, zou hij dat met haar hebben gedaan. Die Imogen had geen schijn van kans. Toen was ze hem uit het oog verloren en kon ze er alleen nog maar naar raden, maar ze had zich getroost met de gedachte dat Charles altijd om haar zou blijven treuren, zoals Willoughby in *Pride and Prejudice*. Dit klopte niet. Dit klopte helemaal niet.

Ze holde naar boven naar de badkamer, schopte haar schoenen uit, trok haar sweater over haar hoofd en sprong op de weegschaal. Shit. Goed. Acht weken. Twee pond per week. (Vier pond als ze die kool klaarmaakte die Nicole soms een paar dagen lang at.) Ze kon gemakkelijk acht kilo afvallen. Op tijd om te gaan winkelen. Voor iets met een heel laag decolleté – in rood. Met extreem hoge hakken. Harriet legde de uitnodiging met trillende vingers weg en ging naar beneden voor een kop van de gemberthee die ze in voorraad had voor Nicole.

Polly

Polly ging rechtstreeks uit haar werk Susan afhalen. Het was een van hun vaste avonden in Caffè Uno – alleen zij tweeën. Vier glazen rode huiswijn, twee kommen carbonara, een salade om te delen, en de wereld om recht te zetten.

Ze waren 'schoolhekvriendinnen', zij en Susan. Ze hadden elkaar vijftien jaar geleden leren kennen op de dag dat Cressida en Ed voor het eerst naar de basisschool gingen. Susan was een veteraan: Alex was al een jaar op school. Ze was toen een stuk slanker, maar verder was ze vrijwel hetzelfde gebleven. Ze was als vijfendertiger geboren – dat zei ze altijd. Ze was een van die vrouwen die niet aantrekkelijk was door haar kleding of perfecte verzorging, maar omdat ze een soort gezond geluk uitstraalde. Haar haar in de kleur van nat zand – dat ze half lang droeg, ondanks Polly's protesten – was dik en glanzend, haar wangen waren altijd roze, en haar ogen straalden. Ze zag er gelukkig uit omdat ze het was, afgezien van de normale zorgen en spanningen waar een werkende moeder met twee zoons van tijd tot tijd mee te maken heeft. Ze raakte nooit gestrest, was tot in de puntjes georganiseerd en was belachelijk gelukkig met haar man.

Ze had Polly eens verteld dat ze zichzelf pas gevonden had toen ze hem had gevonden, wat een beetje pathetisch had kunnen klinken als het niet Susan was geweest die het zei. Ze hadden elkaar ontmoet bij een of andere tenniswedstrijd of zo, toen Susan nog belachelijk jong was. Ze had geweten, zei ze, dat hij 'de ware' was – dat mythische wezen over wie de gelukkig getrouwden tot vervelens toe doorzeurden als je hun de kans gaf – bij de tweede ronde, na de thee. Susan zou nooit zeggen 'op het moment dat ik hem zag' – veel te dramatisch! Nee, Roger moest door de eerste ronde en de aardbeien-met-slagroomtest voor hij geaccepteerd werd. Hij was met haar de hoek om gelopen, achter de beukenheg, en had haar 'op de juiste manier' gezoend terwijl aan de andere kant iemand riep '*Game, set and match*'. En dus waren ze voor elkaar bestemd. Sinds die tijd waren ze altijd samen geweest.

Polly, die altijd meer voor zoenen op de 'onjuiste manier' had gevoeld, maar die niettemin ook jong getrouwd was (en – voorspelbaar – met minder succes) wist nooit helemaal zeker waarom ze vriendinnen waren of waarom Susan haar om te beginnen benaderd had. Maar vriendinnen waren ze geworden – verbonden door eerste-dagzenuwen die ze elkaar hadden toevertrouwd bij een vlug kopje thee in de lunchpauze, die ze hadden gerekt tot ze de kinderen van school moesten halen – en vriendinnen waren ze gebleven, al die jaren. Ook al gingen de kinderen toen ze elf waren naar verschillende scholen. De band was toen sterk genoeg, gesmeed door vissticks, disco's, sprints naar de eerstehulp, huiswerktrauma's en alle goede dingen die je ertussen kon persen als je snel genoeg praatte. Toen Dan wegging was Susan geweldig geweest: ze had Cressida en Daniel avond aan avond mee naar huis genomen, hen samen met de jongens van eten voorzien, terwijl Polly en Dan hun problemen probeerden te ontwarren. Die eerste zomer nadat hij vertrokken was, hadden zij en Roger haar en de kinderen uitgenodigd voor de vakantie in de Dordogne. Het was een geweldige tijd, twee weken lang. De kinderen kregen een karamelkleur in de zon, bouwden hutten, zwommen in het zwembad, en deinsden vol afschuw terug voor de ongepasteuriseerde, lauwe melk die elke ochtend door de boerderij werd bezorgd. Zij las en zwom, kookte in de grote koele keuken, en begon eroverheen te komen. Roger en Susan waren nog steeds zo verliefd, maar het wekte geen jaloezie: het hernieuwde haar geloof en vertrouwen. De twee gingen wandelen en lieten haar achter om toezicht te houden op de chaos, en kwamen uren later terug, verbrand door de zon en geheimzinnig glimlachend. Eén keer, toen zij en Susan bezig waren het eten klaar te maken, hief Susan haar armen op om iets te pakken en viel er gras uit haar topje. Ze had gebloosd. '"Op de juiste manier" gezoend, hè?' had Polly haar geplaagd.

Ze hield van haar. En ze wist dat Susan ook van haar hield. Soulmates – misschien niet. Beste vriendinnen – vast en zeker.

Op het kantoor van Smith, March and May zag Polly eruit om door een ringetje te halen, keurig verzorgd, maar haar oude Fiesta was haar ware ik: kranten, documenten van haar werk, snoeppapiertjes, half opgegeten stukken fruit, en het perfecte ironische trekje: een klein aromatisch imitatiedennenboompje aan de achteruitkijkspiegel dat minstens vier jaar oud was en vaag naar sigaretten rook.

Susan schuurde nu met haar schoen voorzichtig de vloer onder haar voeten schoon, veegde de kruimels van de passagiersstoel op de grond en ging zitten.

Aan de andere kant sprong Polly in de auto, maakte haar riem vast, startte de auto en zette Radio 4 af. 'Raad eens wat de kerstman me dit jaar heeft gebracht?'

'Diamanten, parels – een vaatwasser?'

'Je komt in de buurt. Jack heeft me ten huwelijk gevraagd. En het is een robijn. We waren aan het afwassen na de kerstlunch, dus had ik een roze papieren feestmuts op mijn hoofd, wat in ieder geval bewijst dat liefde blind is.'

'Hemel! Gefeliciteerd! Het ís toch gefeliciteerd, hè? Je hebt toch ja gezegd?'

'Ik heb nog niets gezegd. Toen Dan het vroeg zei ik zo snel ja dat hij zijn vraag nauwelijks had afgemaakt. Een ezel stoot zich, enzovoort.'

'Maar je zegt toch ja? Uiteindelijk?'

'Ik weet het niet, Suze.' Polly keek naar haar vriendin. 'Ik hou van Jack. Hij is aardig en geestig, geweldig met de kinderen, en hij kan koken en nog veel meer – de volmaakte echtgenoot op papier – maar hij is ook een slons, en besluiteloos, en te relaxed voor zijn eigen bestwil. En ik ben nu al zo lang zelfstandig. Ik weet niet zeker of ik wel de hele tijd iemand om me heen wil hebben.'

'Jullie zouden een Woody en Mia-regeling moeten treffen – Jack in een huis aan de overkant van de straat en om de nacht op bezoek komen.'

Polly bulderde van het lachen. 'Een prachtig idee, tot hij ervandoor zou gaan met Cress! Nee – maar serieus, waarom alles bederven? Ik ben geen onnozele twintigjarige meer die snakt naar een man.'

'Nee,' zei Susan langzaam. 'Dat was je toen je ja zei tegen Dan. Dit is toch zeker anders.'

'In sommige opzichten, ja. Maar het huwelijk is niet veranderd, hè? Nu heb ik mijn onafhankelijkheid, mijn eigen geld, mijn eigen negatieve banksaldo. Ik kan Cointreau drinken uit een beker en de hele nacht in bed naar films met Cary Grant kijken als ik dat wil.'

'Hm, zolang je maar een goede reden hebt om hem af te wijzen.'

Ze waren vlak voor het restaurant uit de auto gestapt en Polly lachte toen ze de deur opendeed en de naar basilicum geurende warme lucht haar tegemoet sloeg. 'Je weet wat ik bedoel.'

'Ik denk dat je gewoon bang bent. Bang om iets te veranderen aan de status quo, dat is alles. Je wilt de touwtjes in handen blijven houden, nu je al die tijd de leiding hebt gehad. Wat vinden Cress en Daniel ervan?'

'Ik heb het ze nog niet verteld. Ik denk dat Daniel het wel prettig zou vinden hem om zich heen te hebben. Maar van Cressida weet ik het niet zo zeker. Eerlijk gezegd is ze niet veel thuis geweest sinds ze met die voorbereidende universitaire cursus is begonnen, die ze overigens geweldig vindt. Het is heerlijk om haar zo enthousiast te zien. Ik geloof dat ze echt haar weg gevonden heeft.'

'Dat is prachtig. Klinkt als Alex. Ik geloof dat Roger ongelooflijk trots is dat hij zo in zijn medische studie opgaat. Maar daar gaan we weer – we praten over hen en niet over jou. De hoofdzonde van het ouderschap.'

'O, maar ze zijn zoveel interessanter dan wij... zij moeten alles nog meemaken.'

'Zegt mevrouw ik–heb–net–een–huwelijksaanzoek–gehad–en–zou–ik–geen–beeldige–voorjaarsbruid–zijn. Hoe vind je dat als een remedie tegen het legenestsyndroom? Kijk mij nou; ik zit met Roger vast in een sleur na al die jaren.'

'Ha!'

Ze lachten allebei. Polly wist dat Roger en Susan een rotsvast huwelijk hadden, dat ze benijdde, niet omdat het al zo lang duurde – hoeveel echtparen bleven niet bij elkaar uit angst, gewoonte of behoefte en vierden de herdenking van hun mijlpalen met zuinige glimlachjes en holle frasen – maar omdat Roger en Susan je het intense gevoel gaven dat ze altijd samen voor dezelfde dingen werkten. Wat niet saai of burgerlijk was, zoals ze vroeger misschien gedacht had: het was goed, en reëel, en zeldzaam. En bijna net zo ver verwijderd van haar eerste ervaring met het huwelijk als maar mogelijk was.

Ze wás in een opwelling met Dan getrouwd: hij was adembenemend aantrekkelijk, op die volkomen arrogante manier van sommige jongemannen. Net als Billy Bigelow in *Carousel*. Een pauw met al zijn staartveren overeind, had haar moeder hem genoemd. Hij zat altijd op zwart zaad, maar Polly was te dronken geweest van de charme, de kleine flesjes champagne en de fantastische seks om zich te realiseren dat zij alle drankjes betaalde. Ze hadden elkaar in de late jaren zeventig op de universiteit leren kennen, hadden de drie D's samen gedaan: demonstraties, drugs en disco, en hadden een geweldige tijd gehad. In Londen was Polly ver van haar nogal conservatieve ouders en hun veilige dorp vandaan; ze was de eerste in de familie die naar de universiteit ging, en Dan was het toonbeeld van alles wat ze dacht dat ze wilde zijn. Hij was verschrikkelijk aardig toen, was dat nog steeds, zolang je niet te veel van hem verlangde – te veel tijd, te veel geld, te veel toezeggingen. In 1982, toen ze trouwden, was ze zwanger van Cressida. 'Domme meid,' had haar moeder gezegd. 'Nu loop je alles mis.' In die tijd vond ze haar moeder natuurlijk stom. Wat voor belangrijks kon ze missen? Ha, ha. In pijnlijke korte tijd was ze opgezadeld met twee kinderen, geen man, en een overweldigend besef van alles wat ze gemist had. Daniel was nog steeds in de buurt. Na hun scheiding in 1986 was hij weer getrouwd, met een onnozel wicht, vond Polly. Tina hing nog steeds aan zijn lippen, tussen haar twee banen door om hun hypotheek te betalen. Gelukkig had ze niet ook nog kinderen gehad.

Feit was wel dat Dan een schat van een vader was. In de eerste jaren had het haar razend gemaakt – toen zij zwoegde om ze groot te brengen en te verzorgen – als Dan op zaterdag kwam opdagen voor de leuke dingen: hij ging met ze naar de film, hamburgers eten of met ze ronddwalen en gekheid maken op de pier in Brighton, om ze dan uitgeput en misselijk van de suikerspinnen thuis te brengen naar die saaie ouwe mama. Maar ze was tot het inzicht gekomen dat zij het was, en niet hij, die beloond werd met de resultaten van al die inspanning. Hoewel ze van hun vader hielden – en zich vol respect op een afstand hielden van Tina – kwamen ze bij háár met hun triomfen en problemen, hun dilemma's en geintjes. Het waren háár kinderen, en ze vocht als een leeuwin voor ze. Dan kwam op de tweede plaats, en ze moest hem nageven dat hij zich bijzonder netjes schikte in die rol.

Dus zat een huwelijk er eventueel weer in na bijna vijftien jaar alleen te zijn geweest – bijna vier keer zolang als ze getrouwd was geweest. Niet dat Jack zo was als Dan, al hadden ze sommige karaktereigenschappen gemeen: Polly had geleerd haar zwakheden te herkennen, zelfs al gaf ze er nog steeds aan toe.

Susan glimlachte minzaam naar haar – alsof ik haar dochter ben, dacht Polly. Ze geniet hiervan: ze denkt dat ik ja zal zeggen want ze is een eeuwige optimist. Ze gelooft in liefde en huwelijk en een lang en gelukkig leven en al die dingen waarvan ik weet dat ze niet echt bestaan. Ze kan nu elk moment gaan zeggen hoe gelukkig ik zou zijn als ik mijn hart opende en Jack erin toeliet.

'Oké, oké, dus het is een definitief misschien. Zullen we het daarbij laten? Op het ogenblik is de enige vraag die ik met "ja" zal beantwoorden: "Wil je wijn?"'

'Dit is goed voor je, lieverd. Echt waar.'

Polly maakte een geluid of ze misselijk was, trok een lelijk gezicht, en Susan gaf haar nederlaag toe (voorlopig). 'Ja, ja, natuurlijk. Wijn.'

Een glas en een salade later praatten ze over de leesclub.

'Het was een beetje vreemd in het begin, maar ik heb me echt geamuseerd.'

'Ik kan me niet herinneren wanneer ik voor het laatst in een gezelschap was waar ik niet iedereen van binnen en van buiten kende. Nou ja, dat is natuurlijk niet waar. Er zijn dingen van het werk en dingen waar ik met Jack of voor de kinderen naartoe ga. Maar dan práát je niet echt met mensen, hè? Meestal blijft het op het niveau van kappersgebabbel, over koetjes en kalfjes. Het is niet erg Engels om over serieuze kwesties te gaan praten.'

'Maar het lag niet zo gevoelig, hè, omdat het toch allemaal min of meer over het boek ging? Dat maakt het veiliger om over belangrijke dingen te praten, plaatst het in een gemakkelijker context.'

'Misschien. Maar ik maakte me wél zorgen dat we niet intelligent genoeg waren. Een meisje op het werk gaat naar een club die vreselijk diepzinnig klinkt. Ze heeft het over plots en thema's en ironie en oogmerken. Zou mij, denk ik, een beetje boven mijn pet gaan.'

'Ik denk dat we wat ambitieuzer worden naarmate we het langer volhouden. Het is logisch dat we in het begin proberen elkaar te doorgronden.'

'Waarschijnlijk wel, ja. In ieder geval is de essentie belangrijker. Denk je werkelijk dat iemand als... o, ik weet niet, D.H. Lawrence, achter zijn bureau ging zitten met een lijst met thema's en "oogmerken" of denk je dat hij gewoon een verdomd goed verhaal schreef dat recht uit het hart kwam? Al zou ik denken dat *Lady Chatterley's Lover* recht uit een plek kwam die wat zuidelijker ligt.'

'Als dat het niveau van inzichtelijk commentaar is dat we van jou kunnen verwachten, Polly Bradford, denk ik niet dat dit ooit wat wordt.'

'Maar ik vond de vrouwen aardig. Interessante groep. Wat weet je van Clare? Ik vond haar nogal stil.'

'Haar moeder, Mary, werkt bij mij. Ik weet zeker dat je haar wel eens bij ons ontmoet hebt. Het was Mary's idee – ik had haar gevraagd of zij wilde komen, maar het is niets voor haar. Maar ze dacht dat Clare het wel leuk zou vinden. Ze maakt zich zorgen over haar. Ze is echt ongerust.'

'Waarom?'

'Ze kan blijkbaar geen kinderen krijgen. Ze proberen het al jaren. Het schijnt dat zwanger wórden niet het probleem is, maar het zwanger blíjven. Bijna of haar lichaam allergisch is voor zwangerschap. Of voor haar man.'

'Jee, wat afschuwelijk. Ik kan me zoiets niet voorstellen. Ik werd zwanger van die twee van mij op bijna hetzelfde moment dat ik ging liggen.'

'Ik weet het. Ze had iets droevigs over zich, vind je niet? Ik heb haar man nooit ontmoet – ik geloof dat hij op de universiteit werkt. Mary zegt dat hij echt aardig is. Maar de scheuren beginnen zich blijkbaar af te tekenen.'

'Geen wonder, zei Clare niet dat ze verloskundige was? Het lijkt een misselijke grap om elke dag voor zwangere vrouwen en nieuwe moeders te moeten zorgen. Het verbaast me dat ze dat volhoudt. Kunnen ze niet iets doen?'

De telefoon ging. Ze was pas het laatste halfjaar een mobiel gaan gebruiken – het was praktisch voor haar werk. Normaal liet ze hem 's avonds niet aanstaan, maar vandaag was ze vergeten hem uit te zetten. Ze mimede 'sorry' naar Polly en antwoordde: 'Hallo, lieverd. Alles oké?'

'Prima, schat, tenminste, ik hoop het. Is je moeder bij je?'

'Nee. Ik heb haar vanmiddag bij Mabel achtergelaten en gezegd dat jij haar zou afhalen na het vroege avondspreekuur. Ik dacht dat jullie nu allebei terug zouden zijn. Ik weet zeker dat ik je er vanmiddag aan herinnerd heb.'

'Ja, en dat is precies wat ík dacht, maar toen ik bij Mabel kwam zei ze dat Alice weg was gegaan – ze zou te voet naar de praktijk gaan, had behoefte aan wat frisse lucht of zoiets. Ik dacht dat jij misschien van gedachten veranderd was en haar had meegenomen.'

'Nee. Waar ben je nu?' Iets van paniek roerde zich in Susans maag.

'Ik ben naar huis gegaan om te zien of Mabel het misschien verkeerd begrepen had en Alice met de bus naar huis was gegaan of zo, maar ze is niet hier.'

'O, god. Wat moeten we doen?' Susan dacht bliksemsnel na. Ze wist dat Alice haar dikke tweedjas aanhad, maar hoe zat het met haar handschoenen, haar hoed, haar sjaal? Ze kon zich niet herinneren dat ze het had gecontroleerd toen ze weggingen. Ze had waarschijnlijk gedacht dat ze overbodig waren – Alice ging alleen maar naar Mabel, en vandaar meteen in Rogers warme auto naar huis. Stel je voor dat ze gevallen was en ergens op de koude, harde grond lag?

Aan de andere kant van de lijn kon Roger haar gedachten lezen: 'Ik ben teruggegaan en heb de route gevolgd van Mabel naar de praktijk – het is maar vijfhonderd meter – en geen spoor van haar. Ken je misschien iemand die ze ontmoet kan hebben met wie ze mee naar huis is gegaan?'

'Niet echt. Niet als het donker is. O, Roger, ik weet niet wat we moeten doen.'

'Ik denk dat ik de politie maar ga bellen. Denk je dat je… o, wacht even, er wordt aan de deur gebeld. Dat zal haar zijn, lieve. Blijf aan de lijn.'

Een paar seconden lang luisterde Susan naar Rogers gedempte stem, spande haar oren in om de hogere stem van Alice te horen. Toen was hij weer terug.

'Suze? Het is een politieagent. Maak je geen zorgen – ze hebben haar gevonden. Ze was verdwaald of zo. Ik zal haar instoppen op de bank, dan kun je met haar praten als je terugkomt. Je komt niet laat, hè?'

'O, ik kom nu meteen. Ik ben me rot geschrokken. Ik zal me niet kunnen ontspannen voor ik haar heb gezien.' Ze maakte een grimas naar Polly, die glimlachend haar hand opstak om de ober te waarschuwen.

Nadat Susan was vertrokken, haalde Polly haar creditcard uit haar portefeuille om te betalen en friemelde toen aan haar blote ringvinger. Ze liet haar gedachten teruggaan naar de ochtend van de eerste kerstdag.

51

Jack was kerstavond voor het eerst blijven slapen. Ze hadden al eerder een hele nacht met elkaar doorgebracht – hij had haar een weekend meegenomen naar Edinburgh – maar nooit in haar huis, niet met de kinderen thuis. Cressida had het voorgesteld. 'Toe dan, mam. Wat geeft dat nou? Ik en Daniel weten heus wel wat er aan de hand is.'

Toen, in een spottende parodie op een strenge Polly: 'We hebben liever dat jullie samen ergens slapen waar het veilig is dan dat je god weet waar wát uithaalt. Op die manier weten we tenminste waar jullie zijn.' Daniel gniffelde. 'En we vinden Jack aardig, hè, Danny? Hij is een goeie kerel. Wat heeft het voor zin hem om middernacht nuchter naar huis te sturen, zodat hij de volgende ochtend moet opstaan en weer terugkomen?'

Een paar weken eerder was Polly erover begonnen dat Jack eerste kerstdag met hen zou doorbrengen. Sinds Dan was vertrokken, hadden ze Kerstmis altijd met z'n drieën gevierd – Polly had geredeneerd dat als ze van Kerstmis een blij feest kon maken voor de kinderen, dat zou bewijzen dat ze geslaagd was als alleenstaande moeder. Cressida en Daniel hadden het voorstel met beide handen aangegrepen – bijna beledigend gebrand op gezelschap, vond Polly. 'We zijn geen kinderen meer, weet je.' Hemel, of zij dat niet wist!

Dus hadden haar kinderen haar overgehaald Jack te vragen die nacht te blijven slapen, en ze waren samen wakker geworden, in een kuis bed ('Ga van me af, schooier, de kinderen kunnen je horen,' had Polly giechelend gezegd), gezichten vlak bij elkaar op de kussens, terwijl ze 'Vrolijk kerstfeest' fluisterden en met een blik van verstandhouding naar elkaar lachten. Het was een verrukkelijke dag geweest. Jack had champagne gekocht, die ze bij de boom hadden gedronken, met zalmsandwiches, terwijl Cressida en Daniel hun pakjes openmaakten, allebei plotseling weer kinderlijk te midden van stapels inpakpapier, en enthousiaste uitroepen slaakten bij het zien van hun geschenken. Later, door Jack bevrijd van *mothersitting*, gingen ze vóór het kerstdiner uit: Cressida naar de pub met haar groep vrienden en haar vriendje Joe, en Daniel, gewapend met zijn nieuwste PlayStation-game, naar het huis van zijn vriend Pete, waar *Top of the Pops* op tv met Kerstmis niet verboden was. Polly en Jack waren naar bed gegaan en hadden langzaam en teder gevrijd.

Veel later, toen de kinderen met een grote doos Quality Street op de bank zaten voor de onvermijdelijke kerstfilm, zei Jack: 'Kom, vrouw, laten we de afwas gaan doen. Ik kan die tranentrekkers niet uitstaan. Geef ons maar weer *The Morecambe and Wise Christmas Special*. Angela Rippon in netkousen – dát is wat de kerstman voorschreef!'

Cressida gooide een kussen naar zijn hoofd. 'Vieze ouwe man!'

In de keuken sloeg hij zijn armen om haar middel terwijl ze bij de gootsteen de glazen stond te spoelen. 'Ik hou echt van je, Polly Bradford.' Dat had hij nog niet eerder gezegd. De haren in Polly's nek stonden overeind. 'Trouw met me.' Het klonk niet als een vraag. Haar hart sloeg op hol en ze was blij dat hij haar gezicht niet kon zien. Meende hij het serieus?

Jack moest hebben gevoeld dat ze verstijfde van schrik, want hij haalde zijn armen weg en pakte een glas op, dat hij langzaam en zorgvuldig afdroogde. Polly draaide zich met een ruk om en gaf hem een tik op zijn arm met de theedoek. 'Met jou trouwen? Een man met een Angela Rippon-fetisj? Dat meen je niet! Je zou me de krantenkoppen laten lezen terwijl we seks hebben.' Ze keek naar hem, met een bijna wanhopige, smekende glimlach.

Dwing me niet te antwoorden. Niet vandaag.

Jack begreep de hint. Hij pakte haar arm met de theedoek, trok haar dichter naar zich toe en kietelde haar onder haar oksel. 'Toe dan, sla me nog eens. Wees heel, heel streng voor me, miss Rippon. Alsjeblieft!'

Toen Polly die avond half slapend in bed lag, terwijl de volle lengte van Jacks lichaam haar rug verwarmde en zijn arm zwaar over haar heen lag, zei hij weer: 'Ik meen het, Polly. Trouw met me. Dit is wat ik wil. Jij en ik. Het is goed zo. Ik ben gelukkig. En jij ook.'

'O, Jack, natuurlijk ben ik dat. Het is alleen…'

Jack drukte zijn arm tegen haar borst. 'Sst. Ik vraag je vanavond niet om een antwoord. Maar denk erover na. Alsjeblieft.'

Ze legde haar hand op de zijne, hield hem vast, kneep er even in. Binnen enkele minuten kwam er verandering in zijn ademhaling: hij sliep. Polly deed er heel wat langer over.

Acht ochtenden later, op 2 januari, was haar auto bedekt met een dikke laag ijs. Polly stommelde naar binnen om de antivriesspray uit de kast in de gang te halen. Er lag een klein, koningsblauw leren doosje naast op een gewone, bruine bagagelabel waarop Jack had geschreven, op de manier van Alice in Wonderland, DRAAG MIJ.

Toen Polly thuiskwam zat Jack te slapen in een fauteuil. Ze boog zich over de rugleuning en gaf hem een zoen op zijn neus. Hij werd met een schok wakker, en de krant die hij had zitten lezen viel van zijn schoot. Zijn leesbril met de halve glazen was langs zijn neus omlaag gegleden. 'Hemel, Jack, alleen nog de *Archers Omnibus* op de radio, een paar handschoenen zonder vingers en een doos pruimtabak, en je bent het toonbeeld van de doorsnee AOW'er.'

'Kan een man niet bij zijn haardvuur in slaap vallen na een dag van hard werken zonder belachelijk te worden gemaakt?'

'Ten eerste is het míjn haardvuur. Ten tweede ben je advocaat en geen mijnwerker. Ten derde word je geacht verantwoordelijk te zijn voor mijn kinderen. Waar zijn ze?'

'Niemand is feitelijk verantwoordelijk voor je kinderen sinds, eh, ongeveer 1993, liefste. Cressida is uit met Joe, geloof ik, ze zei iets over een nieuwe band die in de Union speelt. En Daniel, geboeid als hij ongetwijfeld was door mijn gezelschap, is ongeveer een halfuur geleden naar bed gegaan. Aardrijkskunderepetitie morgen.'

'Ik weet het – het mogen dan sleutelkinderen zijn, maar ze worden goed gecontroleerd. Hij heeft het me vanmorgen verteld. Heb je wat te eten gemaakt voor ze?'

'Ik heb patat voor ze gehaald. Ik had een rotdag vandaag. Een paar mensen die niet goed bij hun verstand zijn hebben tien ronden gebokst om de voogdij over hun kinderen.'

'O, schat, wat erg. Wat klinkt dat grimmig. Wil je erover praten?'

'Nou, nee. Ik houd ze liever buiten dit huis. Ellendelingen.' Hij stond op en omhelsde haar. 'Bovendien hoor ik veel liever wat jullie, dames, hebben uitgespookt.'

'Alleen Suze en ik in Caffè Uno, Jack, geen Ann Summers party.'

'Onderschat nooit de fascinatie die mannen hebben voor meisjespraat, Pauline Bradford. Alles wat ik over vrouwen weet heb ik geleerd door afluisteren.'

'Jammer dan dat je het niet vaker hebt gedaan, hè?' zei Polly lachend.

'Oi!' Jack kneep in haar billen.

'Wacht even, ik wil Susie bellen. Ze moest vroeg weg. Iets met Alice... Eén minuutje maar. Hou je genoeg van me om een kop thee voor me te maken?'

'Susan? Met Poll. Ik wilde even vragen hoe het met Alice gaat. Alles oké?'

'Ik wou dat ik het wist. Ze zegt niks. Ze heeft een vreemd ommetje gemaakt.'

'Is ze nu bij jou?'

'Ze zit op de bank met een warme grog en vraagt zich af waar al die herrie om te doen is. Ze is rond gaan dolen toen ze uit Mabels huis kwam. De politie heeft haar gevonden – ons adres zat in haar handtas, dus hebben ze haar thuisgebracht.'

'Wat deed ze?'

'Ze vertelde hun dat ze naar huis ging. Ze vroegen haar waarheen. Ze zei 68 Eaton Close. Dat is zo raar. Daar hebben zij en papa na de oorlog gewoond. Daar zijn Margaret en ik geboren. Ze is jaren geleden verhuisd, na papa's overlijden.'

'Goeie god.'

'Ze zei iets heel merkwaardigs toen ik haar instopte op de bank. Ze zei dat papa zich ongerust zou maken over haar.'

'O, Susan! Lieve hemel! Wat zegt Roger ervan?'

'Hij zegt dat we haar moeten laten onderzoeken. Het zou van alles kunnen zijn, iets of niets. Hij zegt dat ze een beetje trager wordt. Maar Poll, ze is pas eenenzeventig. Dat is tegenwoordig niet oud meer.'

Susan leek elk moment te kunnen gaan huilen. Polly wilde haar zeggen dat het beslist niets was, maar kon het niet. Het klonk niet als niets. 'Bel je me, Susie, als je ergens met haar geweest bent? En probeer je geen zorgen te maken.'

'Ik kan maar beter naar haar teruggaan. Ik bel je nog. Bedankt voor je telefoontje.'

Ze vertelde Jack wat Susan gezegd had terwijl hij bezig was met haar thee. Ze leunde tegen het aanrecht en keek toe terwijl hij het theezakje in het water dompelde; hij wist dat ze van sterke thee hield en schonk er melk bij.

'Ga morgen even naar haar toe,' zei hij. 'Maar het klinkt niet erg best, hè?'

'Nee. Susan adoreert Alice. Ik ben altijd een beetje jaloers geweest op de verhouding tussen hen. God mag weten wat ze zonder haar moet beginnen.'

'Het is de cyclus van het leven, liefste. Moeder, dochter, moeder. Ze heeft Roger en de jongens. En jou. Ik hoop alleen dat áls het iets ernstigs is, het niet een van die eindeloze nachtmerries wordt. Zo onwaardig, en zo afschuwelijk voor de familie om te moeten aanzien. Maar het is vreemd, niet, dat ze teruggaat naar de jaren zestig. Het is mijn vader overkomen. Hij was gezond en wel, en leefde in Noord-Afrika met zijn mede-*Desert Rats*, maar het was wél 1985, en hij was in veertig jaar niet verder geweest dan Bretagne. Een arts vertelde ons dat je in een dergelijk geval soms teruggaat naar de tijd waarin je het gelukkigst was. Een groot compliment voor Alice' echtgenoot, moet ik zeggen, dat ze terugkeert naar de tijd waarin ze samen waren. Verbijsterend, onze hersenen.' Hij zette de melk weer in de koelkast. 'En, mevrouw Bradford, naar welke tijd zou jij terug willen? Hm?'

Polly glimlachte. Ze had veel goede tijden gekend. En een paar heel slechte. Maar ze was niet langer op zoek naar een betere tijd, besefte ze. Ze was tevreden. Dat was een goed gevoel. Comfortabel. En dat was ook heel prettig. Veilig. Wie zou dat niet willen zijn? En, dacht ze, terwijl ze naar zijn lange rug keek terwijl hij bezig was aan het aanrecht, meer dan een klein beetje verliefd. 'Ik denk dat het 2002 zou worden. Dat is een verdraaid goed jaar tot dusver. Jack?'

'Biscuitje?'

'Ik wil met je trouwen. Ja. Dat wil ik.'

De uitdrukking op Jacks gezicht toen hij zich naar haar omdraaide gaf haar een fantastisch gevoel. Het idee dat je iemand zo gelukkig kon maken met slechts één woord. Hij stompte met een triomfantelijk gebaar in de lucht. 'Yeeesss!'

Cressida

'Wat is er, Cress?' gilde Joe boven het enorme lawaai uit van de band op het podium achter hen. Ze had eeuwenlang op de wc gezeten en nu ze terug was zag ze er heel raar uit, alsof ze gehuild had, of erg geschrokken was. 'Is er iets gebeurd?'

Cressida schudde verwoed haar hoofd. Toen, tegen hem aan leunend, schreeuwde ze in zijn oor: 'Wegwezen,' draaide zich om en trok hem mee naar het verlichte bord van de uitgang. Het duurde een paar minuten voor ze door de menigte heen waren, maar ze hield al die tijd zijn hand vast. Buiten leunden ze tegen de muur, ademden diep de frisse lucht in, lieten hun oren wennen aan de betrekkelijke rust.

'Gaat het, Cress? Je ziet er een beetje vreemd uit.'

'Ik kon niet tegen die mensenmassa – en tegen die band. De leadzanger denkt dat hij Kurt Cobain is maar hij klinkt meer als Danny in bad. Feitelijk zingt Danny nog beter. Wat een ego!'

'Ja, nou ja, ik had er ook genoeg van. Laten we wat gaan drinken.'

Cressida keek hem aan. 'Ik heb eigenlijk geen zin.'

'Ik weet waar ik zin in heb.' Joe leunde tegen haar aan en zoende haar oorlelletje. Zijn hand gleed naar haar rug, trok haar heupen naar hem toe. Hij bewoog zijn mond naar de hare. Cressida deed een stap achteruit en trok haar jasje strak om zich heen, handen in de mouwen. Ze wipte van de ene voet op de andere. 'Niet hier, Joe.'

'We kunnen naar mijn huis gaan. Mijn ouders zijn uit. Zal ik je mijn etsen laten zien?' Hij streek met zijn hand over haar billen.

'O, Joe, is dat alles waar je aan kunt denken?' Haar stem klonk scherp, geïrriteerd.

'Sorry! Wat is er toch? Je weet dat dat niet waar is, Cress, maar zondag ga ik terug naar Warwick, en ik dacht, weet je... Het is alleen dat we niet veel alleen zijn geweest sinds ik terug ben van de universiteit. Is er iets? Wat heb ik gedaan?'

Cressida keek hem recht in het gezicht. Hij leek gekwetst, en op de een of andere manier jonger. Toen ze weer sprak, was het op zachtere toon. 'Niets, Joe. Je hebt gelijk. Het spijt me. Het is mijn schuld. Ik ben een chagrijn. Tijd van de maand, denk ik. Hoor eens, ik wil gewoon naar huis, ergens waar geen andere mensen zijn. Vroeg naar bed. Oké?'

Joe was uit de problemen. Hij glimlachte, gaf het meisje van wie hij sinds zijn veertiende had gehouden een arm en trok haar mee de straat door. 'Je hebt gelijk. Naar huis, James, en spaar de paarden niet. En we hoeven niet voortdurend te converseren onderweg, mylady.'

Later, toen ze de sleutel zocht in de zak van haar jeans, draaide hij haar om en bekeek haar in het licht van de lamp bij de voordeur. 'Cress? Alles is toch in orde?'

'O, Joe, natuurlijk. Waarom plotseling zo serieus? Dat is niets voor jou. Heb je een schuldig geweten of zo?'

Joe wreef nijdig met zijn trui over zijn gezicht. 'Ik niet. Jij soms?' De vraag, die eigenlijk een beschuldiging was, bleef in de koude lucht tussen hen hangen. Het wás moeilijk geweest, dat eerste semester zonder haar. De universiteit was iets heel nieuws, beangstigend maar geweldig. In de laatste klas van middelbare school waren ze een koppel, hadden samen de examens afgelegd, de universitaire formulieren bestudeerd, gelachen om elkaars persoonlijke verklaringen, en gedagdroomd. Joe vond haar volslagen gek toen ze besloot thuis te blijven voor haar studie – ze hadden een enorme ruzie gehad en hij had haar voor lafaard uitgemaakt. Ze hadden het natuurlijk weer goedgemaakt, in de van alcohol doortrokken zomer: Cressida had beloofd naar Warwick te komen als het trieste vriendinnetje van thuis, dat hem geen plezier gunde op de disco van de eerstejaars. Hij had gezegd dat hij trots op haar zou zijn, dat iedereen haar zou herkennen van de foto's op zijn prikbord. Joe had gedroomd van hen beiden in zijn kleine kamer, in zijn smalle bed, van alles wat er zou kunnen gebeuren als hun ouders ver weg waren. Misschien zou ze hem eindelijk toestaan met haar te vrijen, en zouden ze zo intiem zijn als hij graag wilde. Maar ze was niet gekomen. Tijdens het hele kwartaal had ze plannen gemaakt en weer afgezegd – ze voelde zich niet goed, ze moest dinsdag een enorm project inleveren waar ze nog niet eens aan begonnen was, haar moeder wilde dat ze ergens naartoe ging. Een studiegenoot van Joe, die een kamer had in dezelfde gang, had schertsend gezegd dat Joe een denkbeeldige vriendin had.

Dat leuke meisje, Issie, van zijn college op woensdag, met wie hij elke week na college koffiedronk, had vriendelijk gesuggereerd dat de scheiding de betovering voor Cressida misschien had verbroken. Haar zus, zei ze, was verloofd geweest met iemand van de politie toen ze voor het eerst naar de universiteit ging: na twee weken en een ontmoeting met de aanvoerder van het rugbyteam had ze hem gedumpt. Cressida had hem niet gedumpt. Ze had altijd zo spijtig geklonken, zo vriendelijk, als ze hem vertelde dat ze niet kwam. Ze vertelde hem hoe ze zich erop verheugde hem met Kerstmis te zien. Hoe leuk het zou zijn de oude groep weer bijeen te hebben uit alle vier windstreken. Dat ze nog steeds van hem hield. Of misschien had ze hem laten zeggen dat hij nog steeds van haar hield. Hij kon het zich nu niet meer herinneren. Maar Joe maakte zich ongerust. Kerstmis was voorbij, nieuwjaar ook, en morgen ging hij weer terug voor het volgende semester. Een heel semester achter de rug, en nu ook een hele vakantie. Ze hadden geen seks gehad. Ze waren niet eens een hele avond alleen geweest. En nu had hij haar gevraagd of ze iets te verbergen had. En ze gaf geen antwoord. Ze keek hem aan en haar ogen stonden vol tranen. Ze gaf geen antwoord.

O, shit.

'Christus, Cress. Wat ís er? Zeg het me.'

Cressida schudde haar hoofd. 'Niet nu, Joe. Het is niets. Doe niet zo mal. Morgen ga je weg. Doe dit nu niet.'

Joe voelde een rilling van angst, en toen van uitputting. Hij wist wat er zou komen. Hij wist zelfs min of meer waarom – hij was geen idioot, en hij begreep dat een relatie op afstand altijd een gok was. Hij wist dat hij haar zou kunnen dwingen hem te vertellen wat er mis was, hem te zeggen dat het niet meer hetzelfde was, dat het voorbij was, dat het zo beter was, en dat ze een heerlijke tijd hadden gehad en ze het zo goed hadden gehad met elkaar... Misschien had hij dat al weken geweten. Ze zouden naar binnen gaan en iets warms drinken, en urenlang praten, en huilen en elkaar omhelzen, en het onvermijdelijke einde van hun jonge liefde betreuren. Ergens diep in zijn hart wist hij dat hij eroverheen zou komen. Hij stelde zich voor hoe hij in Warwick bij een kop koffie zijn hart zou uitstortten bij Issie. Maar op dit moment had hij niet de energie voor de dodendans met Cressida. Meer dan wat ook wilde hij naar huis, alleen, haar gezicht niet meer zien. Met enorme wilsinspanning gaf Joe haar een zoen op haar wang, liet één hand even op haar glanzende krullen rusten. 'Ja, je hebt gelijk. Pas goed op jezelf. Tot gauw. Dag Cress.' En weg was hij.

'Dag, Joe.' Ze hadden geen afspraak gemaakt voor volgende ochtend, en Cressida wist dat hij niet zou bellen, dat dit het einde was. Ze voelde zich niet opgelucht dat ze geen verklaring hoefde te geven. Ze voelde zich ellendig, maar wijdde nauwelijks één gedachte aan Joe.

Nicole

Halfdrie in de ochtend. De lakens aan Gavins kant van het bed waren koud. Nicole liet zich erop rollen om wat verlichting te zoeken. Ze had urenlang, verhit en verontrust aan haar kant gelegen. Naast de telefoon had een boodschap gelegen van Cecile, in haperend Engels. 'Meneer Thomas laat werken. Misschien niet thuiskomen.' Een uurtje later belde Gavin.

'Schat! Heb je de bloemen gekregen?'

'Ja. Ze zijn prachtig. Dank je.'

'Nic, doe niet zo.'

'Hoe?'

'Zo koel en ijzig. Het spijt me echt, weet je. Van de opera.'

'Ja. Waar ben je?'

'Ik ben bang dat ik het niet haal om thuis te komen, kleintje. De creatieve afdeling had verschrikkelijk veel moeite met de presentatie die aan het eind van de week moet worden gegeven. Ze hadden me nodig. Ik moest mijn mouwen opstropen en me erin storten. Was eigenlijk heel leuk.'

'Dat geloof ik graag.'

Gavin negeerde het sarcasme in haar stem. 'We gaan nu een hapje eten, en dan nemen we alles nog eens goed door, en dan ga ik slapen op de club.'

Geen wonder dat hij zo verdomd goed was in zijn werk, dacht Nicole verbitterd. Hij maakte altijd dubbelzinnige opmerkingen, zelfs als hij dat niet eens bewust probeerde. Ze had het opgegeven hem te doorzien. Misschien had hij zelfs wel de waarheid verteld. Maar de bloemen, het opstropen van de mouwen, het hapje eten, het doornemen en slapen op de club, dat alles had misschien ook niets te maken met het in de wacht slepen van een account voor schoonmaakmiddelen. Vroeger controleerde ze hem, belde 's ochtends heel vroeg zijn club met een belangrijke vraag over het huis of de kinderen, of ze probeerde hem te betrappen met zorgvuldig georkestreerde onschuldige vragen tijdens het eten. Vroeger vrijde ze met hem de nacht nadat hij niet thuis was geweest. Waarom? Om te zien of hij nog belangstelling had? Of hij nieuwe trucjes had geleerd, nog genoeg energie had? Of was het om te bewijzen dat zij beter was dan iemand met wie hij samen kon zijn geweest? Dat ze nog steeds beter wist dan elk toevallig avontuurtje of liefje van kantoor waar ze hem moest aanraken, hoe hard en hoe lang? Ze wist niet zeker hoe lang ze het nog kon blijven proberen.

'Wat je maar wilt.'

'Dank, lieverd. Je bent een rots in de branding. In het weekend zal ik het goedmaken. Ik beloof het. Regel maar vast een oppas voor zaterdag. Ik neem je mee uit eten. Jij mag zeggen waar.'

'Oké.' Nicole haatte het dat ze zich erop zou kunnen verheugen, maar ze wist dat ze het zou doen. Ze zou zien of Cressida kon komen oppassen. Misschien kon ze vrijdagmiddag naar de kapper en de manicure. Een restaurant met kaarslicht kiezen, iets moois aantrekken, en hem laten praten en weer toelaten in haar hart en haar bed. Zoals altijd.

'Tot morgen, lieveling.'

'Tot morgen.'

Een paar avonden later kleurde Nicole haar lippen bij met een dieprode tint in het zachte, flatterende licht van het damestoilet in een van haar lievelingsrestaurants.

Toen ze terugkwam aan de tafel had Gavin haar glas weer gevuld met een heerlijke Viognier – haar lievelingswijn. De wijn die ze hadden gedronken aan hun huwelijksontbijt! Ze moest het hem nageven, hij bespeelde vanavond alle juiste registers. Het probleem was dat ze de score slechts bijhield tot en met het voorgerecht. Toen de serveerster het hoofdgerecht voor haar neerzette was ze opnieuw een toegewijd lid van de Gavin-fanclub. Een schim van haarzelf stond naast haar, keek naar de laag uitgesneden, zijden jurk, het met glanspoeder bepoederde decolleté, en schudde het hoofd. *Encore une fois*, zei de schim. Die film heb ik al eerder gezien. Maar het leeuwendeel van haarzelf vond het heerlijk om weer zo te zijn.

'Probeer je me dronken te voeren?' vroeg ze.

'Nee, ik heb niets aan je als je dronken bent. Ik wil alleen dat je relaxed genoeg bent om van de rest van de avond te genieten.' Gavin legde onder de tafel zijn hand op haar knie en streelde even over haar dij, wat haar een lichte huivering bezorgde. Hij had haar in dagen niet zo aangeraakt. Had het niet gedurfd. 'Van alles.'

'Wat had je in gedachten?' Ze flirtte nu onbeschaamd. Hij beroerde haar wang met zijn lippen. 'Alles wat jij prettig vindt, Nicole.' Hij ging plotseling rechtop zitten. 'Maar eerst, liefste, wil ik je een plannetje vertellen. Ik heb geprobeerd iets te vinden om al die late avonden en weekends van de laatste tijd goed te maken.'

Gavins sluwe brein. Nicole verstarde toen de rancune weer de kop dreigde op te steken. Maar hij stak onmiddellijk zijn handen in zijn binnenzak, haalde British Airways-tickets tevoorschijn en legde ze naast haar bord. Nicole pakte ze gretig op, scheurde de bovenste envelop open. Venetië. Venetië. 'Alles is geregeld voor de volgende maand. Ik heb met je moeder gesproken, en zij neemt de kinderen in het weekend. Ik heb zelfs Harriet getrotseerd, en zij zegt dat er geen problemen zijn met het naar school gaan en zo.' (Wat ze feitelijk tegen Gavin had gezegd was: 'Dat mag ook wel! Hoop dat je het Danieli hebt geboekt. En een uitgebreide excursie maakt naar Gucci.' En tegen Tim: 'Over het plakken van een pleister op een gapende wond gesproken, de lul!') 'De au pair is er. Ik geloof dat ik aan alles gedacht heb. Ik wil onszelf verwennen, weer terug naar het Danieli. Deze keer niet zo snikheet, hoop ik.' Gavin had Venetië, de bestemming van hun huwelijksreis, stinkend, overstroomd met fotograferende Japanse toeristen, en niet zo'n klein beetje saai gevonden. Voor Nicole vertegenwoordigde de stad de Narnia-tijd van haar huwelijk. Snikheet, dat wel, wat geregelde pitstops noodzakelijk maakte voor Bellini en Campari-soda tijdens hun ontdekkingsreis door die schitterende stad. Elke middag heet en zwoel in hun suite. En 's avonds koeler, met die lange, lome diners en wandelingen, en één keer, toen ze er dringend om had gevraagd, een gondeltocht – ze hadden achterovergeleund in de roodfluwelen hartvormige kussens en gezoend tot ze duizelig waren.

'Gavin! Dat is geweldig! Perfect. Dank je!'

Hij keek plotseling serieus, oprecht. 'Ik hou echt van je, dat weet je toch, hè, Nic?'

Ze sloeg haar armen om zijn hals, fluisterde in zijn oor: 'Ik weet het. Je bent vergeven. Laten we naar huis gaan.'

De volgende ochtend, nadat ze de kinderen bij school had afgezet, neuriede ze nog van blijdschap toen ze Harriet ontmoette bij Starbucks. Ze stond vooraan in de rij, luisterde naar Harriet die mekkerde over een of andere ouderavond van school, en gaf hun gebruikelijke bestelling op. 'Grote, magere Americano met een maanzaad muffin en een koffie met slagroom en een chocolademuffin. Cheers.'

'Eh-eh,' viel Harriet haar in de rede. 'Thee voor mij, alstublieft, geen melk. En vergeet de muffin.'

Nicole keek haar verbaasd aan. 'Is je lichaam vandaag een tempel?'

'Niet alleen vandaag, het hele verdomde voorjaar,' snauwde Harriet, terwijl ze plaatsnamen op de fluwelen bank.

'Vertel op.'

'Nog niet. Ik wil eerst jouw verhaal horen. Hoe staat het met Gavin de Slijmerd? Heeft hij je verteld over zijn grote kontlik-reis die hij voor je heeft gepland?'

'O, Harriet, je bent vreselijk. En als hij dat eens niet had gedaan?'

'Neem me niet kwalijk, dame, maar omdat ik wist dat hij gisteravond met je naar Chez Gaston ging – Viognier bestelde, mag ik aannemen – leek het me logisch dat hij de vakantie voor het dessert zou bewaren, om de deal af te ronden.'

'Ik moet ophouden jou alles te vertellen. Je weet al veel te veel van me.' Nicole lachte een beetje spottend. 'Wat voor deal?'

'Je weet wel, de overname van het huwelijksbed, de fusie met de andere bezitter ervan, het herkrijgen van de adoratie van de echtgenote. Niets wat ook maar in de verste verte vijandig genoeg zou zijn geweest, als je het mij vraagt.'

'Wat ik niet heb gedaan.'

'Niet kribbig worden tegen me, Nic. En probeer het niet te ontkennen. Je hebt die geneukt-tot-vijf-minuten-voor-de-wekker-afging-uitstraling – en dat op een schoolavond!' Nicole keek haar schaapachtig aan. 'Hoor eens, dit is geen verrassing – dit is het patroon van jouw manie. Ik hou me domweg het recht voor, als je beste vriendin en de slimmere helft van ons partnerschap, je eraan te herinneren wat een complete idioot je bent.'

'Hoor eens, ik zal niet komen met deze-keer-is-het-anders…'

'Mooi – je zou klinken als een van die wanhopige vrouwen in *Trisha*.'

'Het is alleen… nou ja, je weet het wel. Hij is mijn achilleshiel. Ik hou van hem.' Het werd gezegd op de toon van Nancy in *Oliver*.

'O, trek het je niet aan.' Harriet kneep in Nicoles arm. 'Jij en een miljoen andere vrouwen in de geschiedenis. Ik weet dat je er niets aan kunt doen. Ik mag het vreselijk vinden, maar ik snap het wel. Echt. Dus…Venetië. Hij moet er deze keer écht spijt van hebben.'

'Ik geloof het wel, ja.' Harriet keek haar onderzoekend aan. 'Oké, oké, goed, het kan me niet schelen. De laatste keer dat we er waren hadden we een absoluut magische, orgasmisch fantastische, verrukkelijk romantische tijd.'

'Nic, iedereen heeft een absoluut magische, orgasmisch fantastische, verrukkelijk romantische tijd op een huwelijksreis. Zelfs Tim en ik hadden onze momenten op Sint Lucia.'

'Ja, maar ben je er ooit terug geweest? Heb je het recept herhaald?'

'Je weet dat we dat niet gedaan hebben. Op de een of andere manier zie ik dat niet gebeuren. Op het ogenblik zou ik zelfs geen dagtochtje naar Brighton willen maken met Tim – ik word dol van hem.'

'Nou, ik wil het toch proberen. Moet je ons nou zien – ík ben getrouwd met Don Juan maar klamp me vast aan een meisjesachtige hoop, al gaat het dwars tegen elk gezond verstand in. En jíj bent getrouwd met een verdomde Darcy, en jij bent ook niet gelukkig. Wat heeft die arme stakkerd nu weer gedaan?' Nicole hield bijna net zoveel van Tim als Harriet de pest had aan Gavin.

'O, hij heeft niks verkeerds gedaan. Natuurlijk niet. Hoe zou hij dat kunnen? Ik ben de schuldige. En dit.' Ze haalde de uitnodiging uit haar tas en keek toe terwijl Nicole las.

De geannuleerde chocolademuffin viel onmiddellijk op zijn plaats. 'O, lieverd.' Ze hielden even elkaars hand vast, naast elkaar op de bank.

Nicole wist natuurlijk alles over Charles. Tijdens een van die lange middagen in het park, jaren geleden toen de baby's nog drie uur sliepen na een voeding, hadden ze het diepste-geheimen-grootste-liefdesspel gespeeld. De spelerslijst van beiden was kort. Nicole was getrouwd met de grote liefde van haar leven, en Charles was Harriets grote liefde geweest. Ze hield van Tim, dat wist Nicole. Toen ze pas bevriend waren, en Nicole het voor het eerst had begrepen van Charles en Tim, had ze geduimd dat Harriet van Tim zou gaan houden.

Dat de baby's – met wie hij zo goed omging, het gezin dat ze bezig waren te stichten – de weegschaal zouden laten doorslaan en een grote genegenheid zouden laten veranderen in een grote liefde. Maar als ze naar zichzelf keek, en haar stomme, idiote, wanhopige gevoelens voor Gavin, wist ze dat Harriet die niet zou vinden voor een fornuis of boven het zoetgeurende hoofdje van haar baby. Charles was hét geweest, zoals Gavin dat ook was, hoewel Nicole in de loop der jaren soms gewenst had dat Gavin bij haar vandaan ging, of dat ze getrouwd was met een eigen Tim. Een kalmere, zachtaardiger liefde kon een grote aantrekkingskracht hebben, vooral in slechte tijden.

Maar deze uitnodiging, deze verklaring van Charles' intenties, zo grimmig in zwarte reliëfdruk – ze wist hoeveel verdriet dat moest doen.

Clare

Clare zette de soap waar ze niet echt naar gekeken had af en de sandwich waar ze niet echt van gegeten had terug in de koelkast. Toen keek ze op de klok. Als Elliot nu nog niet terug was, bleef hij met opzet weg tot ze vertrokken was naar haar nachtdienst. Niet opgewekt omdat zij hém vermeed en niet kwaad omdat hij háár vermeed, pakte ze haar tas uit de gangkast, deed het laatste licht uit en ging weg. Elliot zou in een donker, leeg huis komen. Het licht aan laten bij het raam aan de voorkant, zoals ze vroeger deed, zou te veel op een welkom lijken.

Het was of de verpleegster in haar, de waarneemster, naar buiten was gekomen en voor in de auto naast haar zat om erop toe te zien dat ze de verwarming aanzette om de voorruit te ontdooien en de cassette in de gleuf te stopte. Ze vertelde haar dat nonchalance gevaarlijk was, de laatste halte op de weg naar een klinische depressie, en dwong haar tot gevoel. Toen ze over het viaduct reed, dacht Clare bij de bocht waar ze dat altijd dacht: Als ik nu eens niet aan het stuur draai, de auto gewoon rechtuit laat rijden? Als ik dat nu eens deed?

Maar Clare wilde niet dood. Ze wilde alleen dat er iets veranderde. Ze wilde vóélen. Het zou weer goed met haar gaan als ze op de kraamafdeling kwam. Als goedbedoelende mensen met hun meedogenloze indringende vragen ontdekten dat ze geen kinderen kon krijgen, zeiden ze onveranderlijk: 'En dat voor een verloskundige. Wat triest voor u, al die baby's.' Maar zo was het niet vaak. Soms, ja, als het rustig was op de kraamafdeling. Het ziekenhuis had een ouderwets nachtverblijf voor baby's, waar moeders die een keizersnee hadden gehad of voor de tweede keer moeder waren geworden en van een paar nachten ononderbroken slaap wilden profiteren, hun plastic wiegen met hun kostbare vracht konden parkeren. Dan, als ze de tijd kon vinden tussen nieuw binnenkomende aanstaande moeders en het reageren op het gebel van vrouwen, nam ze soms een pasgeboren baby op, waste hem of haar, knipte soms de kleine scherpe vinger- of teennageltjes, en trok de baby voorzichtig een klein wit boxpakje aan en een met de hand gebreid vestje dat de moeder weken eerder met zoveel hoop en liefde had ingepakt. Dan hield ze het kind ingebakerd in haar armen en wiegde het in de stoel die in de hoek van de babykamer stond, wiegde de rest van de kamer weg. Dat deed pijn, vooral als de bezitterige nieuwe moeder kwam, verlangend naar haar baby, met gezwollen, pijnlijke borsten en spieren die stijf waren na de bevalling, en dankbaar glimlachte als ze haar kind opeiste.

De afdeling bevallingen was anders. Daar hadden ze haar nodig, en ze was goed in het verzorgen van die vrouwen. Ze wist hoe ze dat moest doen.

Ze had Harriet onmiddellijk herkend die avond van de leesclub. Het overkwam Clare voortdurend als ze in de stad liep – ze had een hoop baby's op de wereld geholpen. Harriet had een grapje gemaakt dat ze haar waarschijnlijk niet herkende met haar broek aan, maar Clare herinnerde zich alles: dat het een langdurige maar ongecompliceerde bevalling was geweest, dat de baby een meisje was en Chloe werd genoemd, ongeveer zeven pond woog en lange voetjes had, en geboren werd toen de zon bijna opkwam. En Harriet had zich haar ook herinnerd. Dat ze aardig, bemoedigend en sterk was geweest, dat zijzelf onuitstaanbaar, luidruchtig en een jammerpot was geweest. Ze was de kleine donkerharige vrouw erg dankbaar, die was gebleven toen haar dienst al was afgelopen, om tot het eind toe bij haar te kunnen zijn. In hun familiealbum bevond zich een foto van Clare in haar witte uniform, die met de kleine, pasgeboren, in een wit dekentje gehulde Chloe deskundig op de omhooggeheven palm van één hand, over haar heen gebogen stond. 'Het is een vreemde relatie,' had Harriet gezegd. 'Zes uur lang waren we elkaars volledige universum en daarna zouden we elkaar normaal gesproken nooit meer hebben gezien.' Clare vond het prettig zo. Meestal.

Vanavond beviel een vrouw die Maria heette van haar eerste baby. Clare had haar een paar keer ontmoet in het ziekenhuis, vond haar aardig, wist dat ze doodsbang was. Maria's man, Ian, klemde een zak in zijn hand met zoete lekkernijen, die hij uit een grote rugzak had gehaald – kennelijk gepakt volgens nauwkeurige specificaties; Clare kon een bandrecorder en een cassette zien, met handgeschreven notities – muziek waarop ze wilden dat ze zou bevallen. Ongetwijfeld zouden er ook aromatherapeutische kaarsen bij zijn, en een flesje arnica. Eén blik op Maria's gezicht zei Clare dat de bevalling al zo ver was gevorderd dat alle zorgvuldige planning vergeten was. De jonge vrouw pakte haar hand toen Clare bij het bed stond. 'Ik geloof dat ik nu aan een ruggenprik toe ben. Heus. Alstublieft. Ik wil dit niet meer. Alstublieft.'

Clare hoorde de onderliggende hysterie en angst in de beleefde stem. 'Hallo, Maria. Laten we eerst eens kijken of de baby van plan is vanavond tevoorschijn te komen.' Ze bracht haar gezicht vlak bij dat van Maria en legde een hand op haar schouder. 'Geen paniek. Ik ben bij je, en ik blijf bij je, al duurt het nog zo lang. Je krijgt een mooie, gezonde baby, die veilig in je armen zal liggen zodra hij er klaar voor is. Je kúnt dit. En ik weet dat ik het kan – dit wordt mijn honderdvijftigste baby. Ik ben er goed in!' Maria glimlachte flauwtjes. 'Ik ga je even onderzoeken, en dan hebben we het erover wat je wilt doen. Oké?'

Elliot

Elliot schakelde zijn computer uit, pakte zijn jasje van de rugleuning van zijn stoel, wreef in zijn ogen en strekte beide armen omhoog. Een lange dag van turen naar het scherm. Op de meeste dagen zag Elliot veel mensen – een gestage stroom studenten door het kantoor, een lunch met een collega, vergaderingen – maar nu werkte hij aan een rapport dat aan het eind van de week klaar moest zijn, en hij zat al sinds kwart voor negen die ochtend achter zijn bureau. Slechts een tonijn-mayonaisesandwich en een ruzieachtig telefoontje met de plaatselijke garage over de verplichte jaarlijkse keuring van zijn auto hadden de eentonigheid een beetje verbroken. Hij haatte dagen zoals deze. Hij was zich er maar al te goed van bewust dat de laatste tijd het grootste deel van zijn sociale leven bestond uit de omgang met zijn collega's. Clare toonde hem zo weinig genegenheid en warmte; hij kon niet tot haar doordringen. Het werd steeds moeilijker om met vrienden om te gaan: vrienden met kinderen waren onmogelijk, en vrienden die geen kinderen hadden stelden hun gezelschap toch niet op prijs. Hij en Clare wilden toch niet alleen met zichzelf zijn.

Buiten was het ijskoud, dus zette Elliot zijn kraag op en trok zijn schouders op tegen de wind terwijl hij het parkeerterrein afzocht naar zijn auto. Hij had eerder naar huis moeten gaan. Dan zou Clare er nog zijn geweest.

Aan de andere kant van het parkeerterrein trokken een paar jongelui de dubbele deur van de pub open; warm goudgeel licht en het geluid van muziek, geschreeuwde conversaties en tinkelende glazen drongen naar buiten, de donkere avond in. Het was een gezellige pub, met een gemengd publiek van studenten, kantoorpersoneel uit de nabijgelegen gebouwen en ouderwetse stamgasten, die op angstvallig bewaakte plaatsen aan de bar zaten en bier dronken uit hun eigen kroezen die aan haken hingen naast rijen maatglaasjes voor de sterkedrank. Er werd bediend door Australisch en Nieuw-Zeelands personeel, en het was er lawaaiig, rokerig – en levensecht.

Elliot deed het portier van de auto open, gooide zijn aktetas op de achterbank, sloot de auto weer af en liep weg, zijn handen diep in zijn zakken gestoken. Hij zou een uurtje troost zoeken bij vreemden.

Met vrolijk gekleurd krijt was op het bord bij de deur geschreven dat het karaoke-avond was, en Elliot had bijna weer rechtsomkeert gemaakt, maar een uitbarsting van schor gelach en gefluit was onweerstaanbaar. Drie meisjes waren op het podium geklommen en luisterden, met de handen rond hun microfoons, naar de intro van hun nummer. En daar stond zij naar hen te kijken. Het moesten vriendinnen van haar zijn. Nadat ze de eerste regel hadden vermoord, begonnen ze zich pas goed in te leven in hun rol van discodiva's, en hun optreden werkte als een magneet op het publiek. Elliot kon zijn ogen niet van haar afwenden. Ze was zo... mooi. Zo ongedwongen en jong. Haar heupen zwaaiden heen en weer in een lage, wijde corduroy broek, en daarboven fonkelde de piercing in haar navel toen het licht erop viel. Toen haar vriendinnen uitgezongen waren, een theatrale buiging maakten en elkaar omhelsden, zag ze hem aan de rand van het podium staan, en haar glimlach veranderde. Die blik was alleen voor hem. Het deed haar plezier hem te zien.

Geen sprake van ergernis.

Ze knikte naar de deur en fluisterde iets tegen haar vriendinnen.

Toen ze naar buiten kwam, gehuld in een reusachtige wollen trui, stond hij in de steeg naast de pub te wachten. 'Hallo, jij,' zei ze, en zoende hem innig, haar armen om zijn hals, vingers in zijn haar.

Elliot hield haar stevig vast. 'Hallo, mij.'

Harriet

Harriet kon niet slapen. Om drie uur gaf ze het op, wikkelde haar enorme witte badjas om zich heen en slofte de gang door om bij haar kinderen te kijken. Joshua lag met uitgespreide armen en benen als een zeester, het dekbed naar het voeteneind geduwd, handpalmen open, kwetsbaar in zijn slaap zoals alleen een kind kan zijn. Harriet dekte hem luchtig toe, maar hij schudde het dekbed weer van zich af. Chloe lag met haar gezicht omlaag aan de rand van haar bed; één arm eroverheen, bijna tot op de grond. Ze glimlachte en sloeg in haar slaap één arm om haar moeders hals toen Harriet haar naar de muur schoof. Ze stopte haar duim weer in haar mond en ging behaaglijk liggen. Ze rook als een engeltje.

Beneden weerstond Harriet de verleiding van de koekjestrommel. Ze leefde nu al een hele week op dat verdomde dieet. Vanmorgen had de weegschaal een bevredigende daling laten zien van drie pond, wat haar gesterkt had in haar voornemen. Nu zou ze zich in plaats van op chocoladebiscuitjes trakteren op een nostalgisch festival. Harriet ging in gedachten vaak terug naar de zomer van 1988 – als ze niet kon slapen, als de kinderen haar gek maakten, in een file, als ze zwom. Ze had het de laatste tijd steeds vaker gedaan.

Ze was toen negentien, had een schitterende maat 36, voor de eerste en laatste keer in haar leven, en was haar babyvet kwijtgeraakt. Ze was ook erg bruin en lag naakt midden op een heel wit bed met heel witte mousselinen gordijnen opbollend voor openslaande deuren. Daarachter was de mediterrane lucht prachtig azuurblauw. Terwijl ze zich herstelde van de schok van haar eerste orgasme – dat zo heerlijk en totaal verrassend was – keek ze in de ogen van de man van wie ze zonder enige twijfel wist dat hij de grote passie van haar leven was. Charles Roebuck. Geschiedenis, derdejaars. Heel blond, ongelooflijk sexy en adembenemend mooi.

Met ongeveer tien man hadden ze in de zomer na haar eerste jaar op Durham een goedkope vlucht geboekt naar Athene en waren om tien uur met de veerboot uit de haven van Piraeus vertrokken voor een kampeervakantie van drie weken op Ios, het populaire party-eiland van dat jaar. Charles was een vriend van een vriend, slechts uit de verte bewonderd, en nu en dan stiekem gevolgd naar de universitaire wasserette, tot Harriets vriendin Amanda na één tequila te veel plotseling een tent had gedeeld met zijn vriend Rob. Charles en Harriet waren verlegen blijven zitten in de bar van de camping die de hele nacht geopend was, speculerend over de geluiden die onder het canvas om hen heen te horen waren. Op de achtste avond was er kennelijk iets over Charles gekomen: hij had een met ontzag vervulde Harriet naar haar tent gebracht en ze hadden elkaar gekust tot ze dacht dat ze zou smelten en wegvloeien over het strand. De volgende ochtend, toen ze wakker werden door de hitte en lagen te zweten in hun nylon liefdesnest – het was buiten al bijna dertig graden – keek Charles glimlachend naar haar door zijn stoppels geschaafde gezicht, en zei: 'Ik denk dat als we hiermee willen doorgaan, we beter een kamer kunnen boeken in dat hotel aan het eind van het strand, en het doen zoals het hoort, vind je niet?'

Hij kondigde hun besluit om te upgraden aan bij het ontbijt en onder veel geroep en gejuich gingen ze op weg naar het relatieve nirvana van een warme douche, hun eigen wc en roomservice. En, o, dat bed. Waar Charles haar eindelijk leerde waar al die ophef over ging. Ze had wel met andere vriendjes seks gehad. Een paar in de zesde klas, een onbezonnen relatie met de aanvoerder van het cricketteam en een onnozele student die haar een gedicht had gestuurd op Valentijnsdag. Maar Charles was de eerste man die haar, op een allerliefste manier, gek geneukt gehad. Ze had gedacht dat ze daarna niet meer zou kunnen lopen, zo trilden haar benen.

Impulsief liep ze naar de la van het buffet en haalde een van haar oude fotoalbums van de universiteit tevoorschijn. De meeste pagina's waren geplunderd door de kinderen, en er ontbraken foto's of ze waren in de verkeerde volgorde teruggestopt. Een paar foto's vielen op de grond toen ze ermee naar de keukentafel liep. Bovenop lag een foto van haar en Charles, elk met een flesje bier voor zich, proostend omhooggeheven, zijn arm achteloos om haar schouders. Een andere foto van hen was genomen op het universitaire zomerbal van het volgende jaar. Dat was de eerste keer dat hij haar verteld had dat hij van haar hield, wat haar lot bezegeld had. Ze had zijn smokingjasje gedragen – het was ongeveer drie uur 's nachts, en het grasveld van de universiteit was bezaaid met afval van het feest en uitgeputte lichamen in verfomfaaide feestjurken en gehuurde pakken. Die nacht was ze emotioneel geweest: hij was afgestudeerd en had een lucratieve baan gekregen in Londen als management-consultant, en ze was bang. Bang omdat ze zoveel van hem hield dat ze bang was dat haar ribben zouden breken, en al hadden ze een fantastisch, verbijsterend jaar gehad van seks, feesten, naast elkaar werken in de bibliotheek en nog meer seks, hij had nooit meer gezegd dat hij van haar hield, en dus nam ze aan dat hij dat niet deed. Maar die avond had hij dat wél gedaan. Hij had haar gezegd dat hij van haar hield. En dat hij wilde dat ze elk weekend naar zijn nieuwe flat kwam, dat ze niet uit zijn leven mocht verdwijnen. Dat ze van een langeafstandsrelatie gemakkelijk een succes konden maken. En dat ze mooi was. Toen keerden ze terug naar zijn kamer, waar ze naakt op zijn smalle eenpersoonsbed gingen liggen, terwijl het geschreeuw en rumoer van het bal om hen heen denderden, en hij vertelde haar weer dat hij van haar hield. Hij zei het elke keer dat hij langzaam en diep in haar stootte, en toen hij klaarkwam stonden zijn ogen vol tranen, en hij zei het nog een laatste keer, zijn lippen tegen de hare, zodat de adem van zijn woorden heet in haar mond drong. En wat er hierna ook gebeurde, ze wist dat als ze op haar sterfbed lag, ze zich dit moment tot de laatste snik zou herinneren.

Ha, ha. Harriet glimlachte bij de herinnering aan haarzelf toen ze twintig was. Natuurlijk bleef dat niet eeuwig waar – niet als je je eigen baby's in je armen had gehouden: die betekenden alles voor je. Maar denk je eens in hoe ze zich zou voelen als het Charles' baby's waren geweest, niet die van Tim.

Plotseling kwaad op zichzelf, op Tim, en voornamelijk op Charles, sloeg Harriet het album met een klap dicht, stopte het weer in de la, en ging strijken in de bijkeuken. Ze moest die energie maar niet verspillen.

Ze had het grootste deel van de was gestreken toen Tim binnenkwam. 'Thee?'

Zijn kalmte irriteerde haar opnieuw. Waarom vraagt hij me verdomme niet waarom ik om vier uur in de ochtend sta te strijken? Dat is toch niet normaal. 'Dank je. Ik kom direct.'

Tim zette de waterketel op, hing theezakjes in de bekers en haalde melk uit de koelkast. Hij probeerde niet te kijken naar de uitnodiging op de plank. Hij had die een paar dagen geleden zien liggen en voelde de oude angst weer bij hem opkomen. Hij was haastig naar huis gegaan, had zijn 'werkdingen' uitgetrokken zoals Chloe het noemde, en was op tijd voor hun verhaaltjes. Er stond een grote zaak op stapel, en als hij een paar maanden heel hard zou moeten werken, zou hij een paar hoofdstukken moeten missen. Hoewel hij moest toegeven dat de bonus, als het hem lukte, heel welkom zou zijn – die zou zeker goed zijn voor een paar jaar schoolgeld – vond hij het geen prettig idee zoveel tijd bij zijn gezin vandaan te zijn. Chloe had zich onder zijn arm genesteld. Ze begreep *Harry Potter* eigenlijk nog niet – ze hield van *Milly-Molly-Mandy*, maar dat had mammie al voorgelezen, vertelde ze hem – maar ze voelde zich volmaakt gelukkig, dicht tegen papa aan, zijn vertrouwde geur opsnuivend, luisterend naar de cadans van zijn stem, en met Joshua onder zijn andere arm. Ze voelde zich het veiligst met papa tussen hen in.

Het was een vreemde middag geweest, vertrouwde Chloe hem toe. Mammie, die normaal heel strikt was met dat soort dingen, had hun toegestaan zich suf te eten aan snoep, naar video's te kijken, én brood met Nutella te eten bij de thee. En Joshua had haar zelf eraan moeten herinneren dat hij zijn leeshuiswerk niet had gedaan. Hij deed het heel behulpzaam een kwartier voor ze naar bed gingen, maar zelfs dat leverde hem niet het standje op dat hij normaal had kunnen verwachten. Mammie was echt in een vreemde stemming, had Chloe met haar lieve, plechtige gezichtje tegen papa gezegd terwijl bij bezig was zich te verkleden.

'O, schatje, mammie heeft het gewoon druk – ze moet proberen voldoende ruimte voor ons vieren te vinden op de bank nadat jullie tweeën de hele dag rommel hebben gemaakt. Trouwens, naar welke video's hebben jullie gekeken? En wat voor lekkers hebben jullie gegeten? Toch niet de chocogemberkoekjes die de kerstman mij heeft gegeven, hoop ik, want dan zou ik je moeten kietelen.' En hij kwam dreigend op haar af, met wriemelende vingers. Chloe krijste verrukt en kroop weg onder het dekbed toen haar vader grommend over haar heen viel.

Maar hij had het ook gemerkt: mama wás in een vreemde stemming. Kwam het door die uitnodiging? Of door het gesprek dat ze met nieuwjaar hadden gehad? Of liever gezegd, het gesprek dat hij geprobeerd had te hebben. Hij was een beetje aangeschoten geweest, met enige bravoure, veronderstelde hij. En ze had er zo beeldschoon uitgezien. Hij kreeg er nooit genoeg van om naar haar gezicht te kijken – warm, zacht en geanimeerd. En om naar haar te luisteren – hij vond het heerlijk naar haar te luisteren als ze in vorm was, zoals ze die avond was geweest – als ze andere mensen aan het lachen bracht. Hij had zich trots en tevreden gevoeld, en ja, een beetje aangeschoten, en ja, meer dan een beetje geil. En hij had haar in het oor gefluisterd dat dit misschien een goed jaar was om nog een baby te krijgen, iemand in de familie moest in de eenentwintigste eeuw geboren worden. Misschien konden ze vannacht zelfs eraan beginnen. Harriet had hem met een uitdrukkingsloos gezicht aangekeken en was weggelopen. Was aan de andere kant van de kamer blijven staan met tien mensen tussen hen, voor het 'Auld Lang Syne'.

Susan

Susan zat huiverend in de auto. Ze startte de auto en zette de verwarming aan, en bleef met over elkaar geslagen armen naar het huis voor haar staren, wachtend tot de warme lucht zich door de auto zou verspreiden. Het heette De Dennen. De brochure lag op de stoel naast haar. Die stond vol marketingjargon, dat het juiste evenwicht trachtte te vinden tussen vertroostend en neerbuigend. Wat waarschijnlijk toch niet zou lukken. 'De Dennen', stond er, was 'een waardige, zorgzame omgeving waarin geliefde bejaarden die niet langer voor zichzelf kunnen zorgen, fysiek en emotioneel worden gekoesterd in een sfeer die tegelijk ontspannen en stimulerend is, zodat hun familie en vrienden zich van zorgen bevrijd kunnen voelen.' Bevrijd van schuldbesef, dacht Susan. Daar ging het om. Een tuinman verfraait de bloemperken, ze hangen een paar prenten aan de muren, en je mag je eigen draagbare televisie meenemen, zodat je kinderen je hier kunnen parkeren en er weer vandoor kunnen gaan naar hun eigen leven zonder zich al te slecht te voelen.

Ik kan het haar niet aandoen.

Roger zei dat ze niet beter zou worden. TIA's werden ze genoemd, transient ischaemic attacks. Kleine beroertes in Alice' hersenstam, die elk een deel doodden van wat haar persoonlijkheid vormde. Alice zou dat verschrikkelijk vinden: ze zou veel liever een zware beroerte krijgen die binnen een minuut aan alles een eind zou maken. De eerste TIA had haar geheugen beschadigd. Als episodes van een dramaserie die in de verkeerde volgorde waren geplaatst, herschikte haar leven zich in haar brein. Ze was jonger, ze was getrouwd. Dus waar was hij, en wie waren die andere mensen? Ze begon Roger te behandelen alsof hij haar dokter was, en niet al vijfentwintig jaar lang haar schoonzoon. Ze noemde hem 'm'n beste'. Ze dwaalde rond in Susans zitkamer, wezenloos starend naar foto's – Susans trouwdag, de jongens als baby, als slungelige sportheld op school, zijzelf als oudere vrouw. Susan klampte zich vast aan het feit dat ze haar nog herkende, geen seconde aarzelde voor ze haar 'Susie' noemde.

Maar Roger, pragmatisch en liefdevol, bleef haar voorhouden dat ze het moest accepteren – dat ook dit zou veranderen – en dat Susan niet mocht verwachten dat ze er nog veel langer in haar eentje tegen opgewassen zou zijn. Voor het eerst in haar huwelijk wilde Susan Alice dwingen haar kant te kiezen tegen Roger. Ze wist dat hij gelijk had, maar toch smeekte ze Alice, met haar ogen, haar stem, te bewijzen dat hij ongelijk had, in hun wereld terug te komen, of in ieder geval niet nog erger te worden.

En nu was er dat stomme incident met de melk geweest. Ze was bijna kwaad op haar moeder omdat ze tekortschoot. Alice had zich gebrand aan kokende melk: melk die ze op het vuur had gezet, aan de kook had laten komen en toen achteloos over haar hand had geschonken, wat een vuurrode brandplek veroorzaakte op de levervlekken en rimpels. Het genas niet goed omdat ze oud was.

Susan was ook kwaad op zichzelf. Ik ben ver in de veertig, hield ze zich voor. Ik heb zelf opgroeiende kinderen. Ik heb Roger. Mijn vader is langgeleden gestorven. Ik hoor hierop voorbereid te zijn. Dit hoort niet zo apocalyptisch, afschrikwekkend te zijn als het is. Misschien was het alleen het tehuis. Dat was met haar vader gelukkig niet nodig geweest. Hij was gewoon gestorven. De ene dag leefde hij nog, de volgende dag was hij dood. Susan herinnerde zich dat ze in de kleine uurtjes van de ochtend aan de keukentafel had zitten huilen, toen weer naar bed was gegaan en lang en diep had geslapen. Hij was haar vader geweest, een geweldige vader, en nu was hij dood. En om de een of andere reden was dat niet al te ingrijpend geweest. Ze had natuurlijk voor Alice moeten zorgen en de begrafenis moeten regelen. (Wat verbazingwekkend veel op een huwelijk leek, als je de leiding had. Je moest de kleur van de bloemen kiezen en je moest beslissen over de bekleding van de kist, en of er daarna pasteitjes of sandwiches geserveerd moesten worden. En, ja, je dronk sherry, whisky en thee in plaats van champagne. En mensen die langskwamen voelden zich niet op hun gemak als ze lachten en uiting gaven aan hun blijdschap dat ze oude vrienden terugzagen. Maar in wezen was het praktisch hetzelfde. Behalve dat een leven was geëindigd in plaats van begonnen.) Maar op de een of andere manier maakten al dat geregel en al die clichés – dat hij een lang en gelukkig leven had gehad, een rijk bestaan, het hart van de familie was geweest – het min of meer oké. Al die tijd was haar vader in haar eigen hoofd de oude man gebleven die hij was geworden. Zo zag ze hem: de grootvader van haar kinderen.

Bij Alice was het in vrijwel ieder opzicht anders. Om te beginnen viel er geen begrafenis te organiseren. In plaats daarvan moest ze de doodkist van een rusthuis in overweging nemen. Geen definitieve breuk, eerder de verwachting van een langzame achteruitgang. Maar het vreemdste wat de tranen in Susans ogen bracht en als een zware steen op haar borst drukte, was dat elke keer als ze haar ogen sloot en aan Alice dacht, ze weer jong was. Alice had donker en geen grijs haar; ze was vitaal, niet broos; vrolijk, niet verward. Haar ogen stonden helder en ondeugend, niet troebel en vaag. Ze was Susans moeder. De moeder van wie bekend was dat ze op schitterende ochtenden in juni wakker werd, verklaarde dat het veel te mooi weer was voor school, en met Susan en Margaret op de bus stapte naar Brighton voor een verrukkelijke dag op het strand. De vrouw wier ergste dreigement was dat ze haar onderbroek zou laten zien in de hoofdstraat, in bijzijn van hun vrienden en vriendinnen (ze had het gedaan om te bewijzen dat ze het echt zou doen). De vrouw die prachtige kleren van sjaals, zilverpapier en papier-maché maakte voor zomerfeesten en schoolvoorstellingen. De vrouw die altijd zei dat ze papa in de steek zou laten als Paul McCartney het haar ooit zou vragen, en die hun romans van Georgette Heyer voorlas als ze in bed lagen.

Dat was de moeder van wie ze geen afscheid wilde nemen. Nu niet, nog niet, en beslist niet hier.

FEBRUARI

Cassandra

DODIE SMITH

'Ik schrijf dit terwijl ik in de gootsteen zit' is de eerste regel van een roman over liefde, rivaliteit tussen broers en zussen, en een bohémienachtig bestaan in een bouwvallig kasteel in een of andere uithoek.

Cassandra Mortmain woont met haar excentrieke familie, onder wie haar mooie zus Rose, haar stiefmoeder Topaas en haar vader, een auteur met writer's block, in een vervallen kasteel in Engeland.

Cassandra, die schrijfster wil worden, beschrijft in drie dikke schriften de perikelen van de familie en haar eerste verliefdheid

Dodie Smith genoot al grote bekendheid als toneelschrijfster toen in 1949 haar eerste roman *Cassandra* verscheen. Het is het lievelingsboek van vele lezers, het heeft uiteenlopende auteurs geïnspireerd, zoals Armistead Maupin en Joanna Trollope, en blijft een klassiek verhaal over de triomf van jeugdige naïviteit over middelbaar cynisme.

'*Cassandra* is een van de meest charismatische vertellers die ik ooit ben tegengekomen.' *J.K. Rowling*

Cassandra, de Nederlandse vertaling van *I Capture the Castle*, © 1949, verscheen bij uitgeverij Luitingh Sijthoff in 2002.

Nicole en Harriet stonden in Harriets keuken. Harriet sneed de twee quiches aan die Nicole had meegebracht. Nicole maakte een dressing voor de salade, mengde azijn, grove mosterd en suiker met olijfolie in een kom. De andere vrouwen waren in de kamer ernaast, en hun levendige gebabbel drong door de open deur naar binnen. Iedereen had genoten van het boek van deze maand, en er waren geen pijnlijke stiltes gevallen. De ruggen van de boeken waren kapot, gele notitieblaadjes en omgevouwen hoeken merkten favoriete passages, en de personages waren tot leven gekomen in hun discussie. Nu was het tijd om te eten.

'Dus ik denk er serieus over na. Ik geloof dat dit misschien het juiste moment is. Ik hoopte jou en Tim te kunnen overhalen met ons mee te doen om de symmetrie te bewaren.'

Nicoles poging een luchtige, ironische toon aan te slaan verzandde. Harriet snoof minachtend. 'Dat kun je rustig vergeten. Dit gaat niet om mij en Tim. Je bent gek. *Hoe de erbarmelijke situatie van je huwelijk niet te verbeteren*, hoofdstuk drie, paragraaf acht. Hoe kon je er zelfs maar over denken zo'n stunt uit te halen?'

'Ik wou dat ik het je niet verteld had.'

Harriet besefte dat Nicole zich verdedigend terugtrok. Nu erop doorgaan zou een voorbeeld zijn van wat Tim 'het betreden van de ongemakszone' noemde. Maar wat voor vriendin zou ze zijn als ze het niet deed? Met elke vezel van haar lichaam voelde ze dat dit een rampzalig idee was. 'Ja, maar je hébt het verteld, hè? Je kunt niet van me verwachten dat ik er niet op reageer. Het spijt me dat mijn reactie niet is zoals je verwachtte.'

'Niet verwachtte, alleen maar hoopte.'

En de smekende hertenogen zouden ook geen succes hebben. 'Nic, een nieuwe baby zal van Gavin geen trouwe echtgenoot maken. Dat is niet gebeurd met de tweeling en niet met Martha. Dat is de realiteit, en ik weet dat die je verdriet doet. Waarom denk je in godsnaam dat het deze keer anders zal gaan?'

Ze fluisterden, sisten eigenlijk. Dit was niet het goede moment.

Waarschijnlijk, dacht Harriet, is dat precies de reden waarom Nicole het me nu vertelt.

Polly verscheen in de deuropening. 'Hebben jullie hulp nodig?'

'Nee, dank je, Polly.' Nicole glimlachte. 'Alles is klaar.'

Polly ging terug naar de zitkamer en riep: 'Aan tafel!'

'Het is geen stunt,' zei Nicole nu vlak bij Harriets oor. 'Ik speel geen spelletjes. Dat laat ik aan hem over.'

'Precies. Je hebt een strategie nodig, maar niet deze.'

'Toen ik vijftien was, vond ik dit het beste boek dat ooit geschreven was. Het was zo romantisch, zo intiem, letterlijk of je iemands dagboek las. Al die onbeantwoorde liefde...'

'Maar kun je het nu ook nog plaatsen in de volwassenheid?'

'Toen ik erom vroeg in de bibliotheek haalden ze het uit de afdeling Jeugdig-Volwassenen.'

'Verkeerde classificatie. Nou ja, het kan allebei zijn, denk ik. Ik herinner me dat Cressida het las toen ze ongeveer net zo oud was, een jaar of veertien, en ze vond het prachtig. Ze zei dat ik het moest lezen, maar ik vond er toen niets aan.'

'Ook nu ik volwassen ben herken ik er dingen in. Ik las het precies zo alsof ik weer Cassandra was. De volwassen vrouwen, afgezien van Topaz, de stiefmoeder, zijn zo steriel en onaantrekkelijk en levensmoe in tegenstelling tot Cassandra − het is net als escapisme. Ze heeft zo'n krachtige vertelstem dat je je onwillekeurig laat meeslepen door haar enthousiasme, haar passie, haar drama.'

'Ja, en je weer doet geloven, min of meer. Weet je nog waar we het over hadden toen we *Hartzeer en maagzuur* lazen? Hoe haar dromen nog steeds intact waren, zelfs na al die ellende die ze door haar man had meegemaakt? Nou, ik dacht dat Cassandra zo was, had kunnen zijn, als Rachel − voordat haar hart brak.'

'Maar als ze zo jong, zo naïef en onervaren is, hoe kun je dan echt iets leren van wat ze schrijft? Ik bedoel, ze ziet de wereld niet zoals die werkelijk is, toch? Ze schrijft, letterlijk, in de spreekwoordelijke ivoren toren.'

'Niks ivoor. Ze vecht tegen de armoe, tegen haar zus en haar vader, die op z'n best labiel is.'

'En toch heeft zij een paar van de meest heldere gedachten in het hele boek. Kijk eens naar de manier waarop ze haar vader op zijn plaats zet, hoe ze omgaat met de Stephen-situatie. Kijk eens naar de aantrekkingskracht die ze heeft op de volwassenen in het boek – Simon die in de zomer meedoet met haar zonnewenderitueel, dat alles. O, en de gesprekken met miss Blossom, de paspop van de naaister.'

'En ze denkt nog steeds dat je iets kunt laten gebeuren door het intens genoeg te wensen. Ze kan Rose niet van Simon laten houden en Rose kan zichzélf niet van Simon laten houden omdat ze in werkelijkheid van Neil houdt. En al die intriges van Cassandra's kant kunnen daar niets aan veranderen.'

'Ze intrigeert niet. Ze probeert iets te laten gebeuren waarvan ze denkt dat alle anderen het wensen. Uiteindelijk wil ze het iedereen naar de zin maken, ja toch?'

'Maar wat gebeurt, gebeurt toch, nietwaar? Dat is nu eenmaal zo. Ik vond Rose eigenlijk de interessantste figuur – ze voelt zich gevangen door haar sekse, haar omstandigheden, denkt dat de enige uitweg uit een leven van armoe en grauwheid is om met iemand te trouwen. Iemand met genoeg geld om haar een ander leven te verschaffen.'

'Zo ging het immers in die tijd? Een meisje had geen keuzes, niet zoals nu.'

'Is het nu werkelijk zo anders?'

'Doe niet zo belachelijk. Natuurlijk. We hebben allemaal keuzes. Er is nu geen excuus meer om je ergens bij neer te leggen.'

Nicole stond plotseling op. 'Susan heeft iets meegebracht voor het dessert dat er walgelijk lekker uitziet. Ik zal het gaan halen, als iemand me even helpt met afruimen.' Haar mond stond strak en ze vermeed Harriets blik.

Clare stond snel op. 'Ik help je wel.'

Harriet klapte haar exemplaar van *Cassandra* dicht en legde het naast haar placemat.

Polly en Cressida

Het was niet dat Cressida zich elke ochtend urenlang opsloot in de badkamer en theatraal stond over te geven. Of dat ze haar wijdste truien droeg. En heel veel at, óf helemaal niks. Het begon als een gevoel. Cressida was veranderd sinds Kerstmis. Aanvankelijk had Polly, de typische alleenstaande moeder, de schuld bij zichzelf gezocht. Misschien was Cressida níet zo blij als het leek dat Polly Jacks aanzoek had geaccepteerd. Misschien vond ze het gênant, ongepast, om hen tweeën samen te zien. Misschien was het vreemd om een man die niet je vader was, voortdurend in huis te hebben. Ze wist absoluut zeker – en ze hád erover nagedacht, wat ze heel erg vond – dat Jacks gedrag jegens Cressida volkomen respectabel was en in geen enkel opzicht onbehoorlijk. Kon Dan op de een of andere manier druk uitoefenen? Onwaarschijnlijk: dat was niet zijn stijl. Misschien was haar verliefdheid op Joe over en wist ze niet goed hoe ze hem dat moest vertellen – Polly kon zich niet voorstellen dat het andersom was. Beslist niet de universiteit... Cressida hield van haar opleiding.

Maar er was íets wat niet klopte. En eerlijk gezegd had Polly er een beetje genoeg van. Cressida was echt te oud voor tienercapriolen. Ze was een tamelijk gemakkelijk kind toen ze vijftien, zestien, zeventien was, maar Polly was niet van plan een verlate puber te tolereren. Het lag in Polly's aard om de confrontatie aan te gaan met problemen; geirriteerdheid, pruilen en nukkigheid waren haar vreemd – vraten aan het evenwichtige gezin.

Maar de laatste tijd had Cressida haar uiterste best gedaan te vermijden wat kennelijk een moeilijk gesprek zou zijn. Dus die middag zette Polly de Sainsbury's Shop uit haar hoofd (voor de miljoenste keer waarschijnlijk, dacht ze, terwijl ze blikjes bonen in de overvolle provisiekast propte). Ze voelde zich gefrustreerd en een beetje gekwetst. Ze had het die ochtend geprobeerd, echt waar. Aan het ontbijt had ze gezegd: 'Ik heb een vrije dag vandaag. Daniel is bij papa en Jack is bezig wat dingen uit te zoeken bij hem thuis. Heb je zin om met me te gaan winkelen in Kingston? Dat hebben we sinds de kerstweken niet meer gedaan. Alleen wij samen. We kunnen lachen op de bruidsafdeling van Bentall's. Ik zie jou al in een pauwblauwe tafzijden jurk. En ik beloof je dat ik de afzichtelijkste jurk zal aantrekken die je maar kunt vinden, alleen om je aan het lachen te maken. Ze zullen natuurlijk denken dat ik de moeder van de bruid ben.'

'Ik kan niet, mam. Sorry. Ik heb met iemand afgesproken. Zie je later.' En ze was halsoverkop verdwenen.

In haar eentje verloor Bentall's bruidsafdeling veel van zijn aantrekkingskracht, en Susan had het druk met Alice, dus haalde ze diep adem en dook de supermarkt in. Het ergste van fulltime werken was dat je op zaterdagochtend samen met de rest van de wereld tegen de overvolle supermarktpaden en humeurige stemmingen op moest boksen. Nee. Herstel. Het ergste van het winkelen was het opbergen van de boodschappen.

Polly wankelde de trap op onder het gewicht van rollen wc-papier, shampoo, een deodorant voor Daniel en een maandvoorraad tampons. Ze maakte de kast open boven het waterreservoir en probeerde alles erin te duwen. Ze schoof wat spullen naar één kant, toen haar iets opviel. Elke maand kocht ze twee dozen tampons, super voor haarzelf en regular voor Cress. Haar eigen doos van vorige maand was bijna leeg. Cressida had één, twee, drie ongeopende dozen. Polly had ze gekocht en weggezet zonder het te merken.

Met een vreemd schuldig gevoel deed ze de deur van Cressida's slaapkamer open. Ze kwam vaak in die kamer, ging op de rand van het bed zitten en keek naar haar dochter als ze haar prachtige haar borstelde dat ze van haar vader geërfd had, luisterde naar haar verhalen over vrienden en vriendinnen van de universiteit, raapte de vuile was op die beide kinderen op de grond lieten slingeren. Maar het was een onuitgesproken regel dat ze niet in hun kamers kwam als ze er niet waren, zoals zij niet in die van haar kwamen. Ogenschijnlijk was alles net als altijd: een grappige mengeling van klein meisje en aantrekkelijke jonge vrouw. De spiegel was omlijst met foto's van haar vriendenkring, uitdagend lachend naar de camera. Kaarten – verjaardag, Valentijn, malle spijtbetuigingen – stonden op het bureau. En de twee grote zwarte tekenportefeuilles die Polly haar met Kerstmis had gegeven stonden tegen een ladekast geleund; uit één ervan stak iets felgekleurds. Op de toilettafel zag ze deodorant, hairconditioner en een fles met het 'volwassen' parfum dat Dan haar sinds ze dertien was elk jaar op haar verjaardag had gegeven. ('Je bent nu een jonge vrouw; het wordt tijd dat je ophoudt met te ruiken als zweetsokken bij een kampvuur'.) Geen tampons.

Polly begon ongerust te worden, en dat maakte dat ze iets deed waarvoor ze normaal zou zijn teruggedeinsd. Ze boog zich over Cressida's bureau en sloeg het zwarte plastic dagboek open dat er lag. Als bladwijzer fungeerde een felroze lint dat verklaarde dat de eigenaresse van het dagboek een 'toffe meid' was.

En ze zag het onmiddellijk: het rood omcirkelde telefoonnummer van de abortuskliniek op de universiteit, op een datum ergens in de tweede week van januari.

Een paar uur later was het donker in huis toen Cressida's sleutel in het slot werd gestoken. Polly had twee telefoontjes gepleegd; met Dan: 'Kun je Daniel vannacht bij je houden? Er heeft zich iets voorgedaan en ik heb wat tijd nodig om het te regelen... nee, dank je, liever, het gaat best... hou alleen Danny bij je voor me... jij ook. Daag.' Met Jack:

'Ik moet de bioscoop vanavond even uitstellen. Ik ben bang dat Cress in moeilijkheden zit en ik wil er met haar over praten... Mag ik het je later vertellen?... Dank je, schat... Ja, ik bel je morgenochtend. Ik hou ook van jou. Welterusten.' Toen ging ze zitten en wachtte.

'Mam?'

'Ik ben hier.'

Cressida liep rechtstreeks naar de lamp en knipte die aan. 'Wat doe je hier in het donker? Waar is Danny – en Jack?' Ze zag het gezicht van haar moeder. Wilde iets zeggen en plofte toen neer op de rand van de bank, tegenover Polly.

'Cress, vind je het geen tijd worden om het me te vertellen?'

De opluchting in Cressida's schouders, in de snik die haar ontsnapte voor ze haar gezicht in haar handen verborg, het bedekte met de uitgerekte trui, schokte Polly. De afstand die ze van plan was geweest tussen hen te bewaren tijdens dit gesprek was plotseling te groot, en ze liep de kamer door, trok het lieve gezicht van haar dochter tegen haar borst, mompelend alsof Cress een baby was. 'Sst, stil maar. Ssst.'

Na lange minuten van zwijgen vroeg Cressida: 'Hoe heb je het geraden?'

'O, lieverd, ik wist al een paar weken dat er iets mis was. Ik heb me vandaag pas geconcentreerd op de vraag wat het zou kunnen zijn. Het spijt me – ben ik te veel met mezelf bezig geweest sinds dat huwelijksgedoe?'

'O, mam, zeg jíj niet dat het je spijt. Net iets voor jou! Ik heb mijn mond gehouden, en jíj verontschuldigt je. Ik wilde niet dat je het zou weten. Ik dacht dat ik het wel in mijn eentje kon oplossen, maar het is me boven het hoofd gegroeid. Het is me allemaal te veel.' Nog meer tranen.

Polly knuffelde haar nog even, ging toen rechtop zitten en streek haar haar achter haar oren. 'Laten we heel erg Engels doen en een kop thee drinken met suiker. Dat heeft ons de oorlog door geholpen, weet je.' Cressida glimlachte flauwtjes.

Later, in de keuken, dacht Polly dat ze beter praktisch kon zijn. 'Lieverd, hoever denk je dat je bent?' God, het hardop zeggen was angstaanjagend – maakte het zo reëel.

'Ongeveer drie maanden, denk ik. Het moet al vóór Kerstmis zijn geweest, maar ik wist het pas in januari. Je weet dat ik altijd nogal ongeregeld ongesteld ben, en ik heb er gewoon niet bij nagedacht, met alles wat er aan de hand was...' Haar stem ebde weg. 'En we waren voorzichtig. Heus, mam, echt waar.'

'O, lieverd, dat kan gebeuren. Ik weet zeker dat je voorzichtig was.'
Polly voelde zich misselijk en stom. Ze had altijd tegen iedereen gezegd, als een mantra: 'We zijn zo intiem met elkaar, Cressida en ik, meer als zussen eigenlijk. Ik was nog zo jong toen ze werd geboren, zie je.' Ze wist niet eens dat Cressida en Joe samen naar bed waren geweest. Niet zeker in ieder geval. Feitelijk had ze gedacht dat Cressida er met haar over zou praten als ze van plan was het te doen. En op z'n minst had ze geloofd dat ze de verandering in haar zou opmerken als ze seks had gehad met Joe. Eerlijk gezegd had ze hun relatie gezien als een buffer tussen Cressida en de grote slechte wereld van de seks – die twee waren al zo lang samen, en ze hadden zoiets rustigs, seksloos, dat Polly had aangenomen dat Cressida nog een tijdje maagd zou blijven. 'Heb je met iemand gesproken? Een dokter? Iemand van de universiteit?'

'Nee. Dat kon ik niet, mam. Als ik naar de praktijk was gegaan, zou Roger me misschien gezien hebben en dan zou hij het aan Susan hebben verteld en zou jij het gehoord hebben. Ik heb het nummer opgevraagd van de kliniek op de universiteit, maar de moed zonk me in de schoenen. Ik kan gewoon niet geloven dat ik zo stom ben geweest. Nu is het waarschijnlijk al te laat om er iets aan te doen.'

Is dat wat ze wil? dacht Polly. Goddank. Een abortus zou de beste oplossing zijn – hemel, was het niet de enige oplossing? Cressida had haar hele leven nog voor zich. Ze kon nu niet alles opgeven.

Maar plotseling was Polly weer eenentwintig, zat ze in de voorkamer, plukte zenuwachtig aan de rekbare olijfgroene bekleding van het driedelige bankstel, luisterend naar haar moeder die tekeerging: 'Hoe kón je zo stom zijn, Polly? Heb ik je dan helemaal niets geleerd? Je vader en ik hebben jarenlang gezwoegd, ons dingen ontzegd, nooit aan onszelf gedacht, om jou te laten studeren. De wereld was voor jou – je had alles kunnen zijn wat je wilde. Waarom zou je in godsnaam een leven kiezen als ik heb gehad, dit alles kiezen in plaats van iets beters? Dit mócht jou niet overkomen.'

Met een theatraal gebaar spreidde ze haar armen uit.

Polly had nog nooit zoveel venijn en woede gehoord in de stem van haar moeder. Het was de eerste keer dat ze zelfs maar had gemerkt dat haar moeder ongelukkig was. Haar minachting voor haar eigen leven verbijsterde Polly.

Cressida snoot luidruchtig haar neus. Ze zag er bleek en heel erg jong uit. Meer tranen welden op in haar roodomrande ogen en Polly zag dat haar nagels afgebeten waren. Nu niet, hield ze zich voor. Daarvoor hebben we nog tijd genoeg. Ze was snel aan het rekenen. Als Cressida niets had vermoed tot nieuwjaar, moest het elf of twaalf weken zijn. Ze hadden nog tijd om er iets aan te doen. Polly wist instinctief dat vanavond niet het moment was om Cressida te dwingen volwassen te worden, verantwoordelijk en efficiënt. Ze moest nu nog even een kind zijn, en Polly haar moeder. Zoals ze altijd geweest was, zelfs toen haar eigen moeder al die jaren geleden zo geringschattend over die rol had gesproken. Het deed haar verdriet te bedenken dat haar baby wekenlang met dit geheim had geworsteld. Haar arme, arme kindje.

'Wat vindt Joe ervan?' waagde ze te vragen. Het was moeilijk je de jongen voor te stellen als een monument van kracht en steun.

'Joe weet het niet.' Cressida ging rechtop zitten. 'En ik wil niet dat hij het weet.'

'Maar, Cress, lieverd, hij…'

'Nee, mam. Beloof het me. Ik wil het hem niet vertellen, en ik wil ook niet dat jij het doet. Beloof het. Alsjeblieft? Mam? Alsjeblieft?' Nog meer snikken, hard, lang, luid.

'Oké, kindje, oké.' Polly wiegde Cressida zachtjes heen en weer.

Uren later was Cressida in slaap gevallen op de bank en lag als een klein kind opgerold in de zachte kussens. Mijn kind, dacht Polly, terwijl ze voorzichtig een geruite plaid over haar heen legde, een weerbarstige krul uit haar gezicht streek.

In de keuken schonk ze een glas wijn in, nam een flinke slok en leunde tegen het aanrecht. Ze keek naar de telefoon – plotseling voelde ze zich enorm eenzaam en bang. Ze verlangde naar Jack.

Na vier keer bellen nam hij op. Hij klonk slaperig.

'Met mij. Heb ik je wakker gemaakt, lieverd?'

'Toevallig wel, ja, maar dat geeft niet. Zoals gebruikelijk zit ik in mijn stoel, dus is het maar goed dat je belt. Misschien ben ik uiteindelijk niet meer dan een trieste ouwe kerel. Wat is er? Je klonk een beetje vreemd toen je eerder belde. Weet je wat er aan de hand is?'

'O, Jack.' Polly begon zachtjes te huilen.

Een paar minuten lang mompelde Jack tegen haar, streelde haar door de telefoon met zijn kalme, krachtige stem. Toen zei hij: 'Liefste, wil je dat ik naar je toe kom? Ik kan er gauw genoeg zijn.'

Dat vond ze zo geweldig van hem: geen uitleg nodig, alleen een belofte om bij haar te zijn. Maar het was geen goed idee. 'Nee, Jack. Nee, dank je. Het is Cressida. O, god, Jack, ze is zwanger.'

'Nee, hè! Allemachtig!'

'Precies. Je kunt niet geschokter zijn dan ik was. Ik wist dat er iets aan de hand was – jij en ik wisten het allebei – maar het kwartje is vanmiddag pas gevallen. En ik heb het vanavond met haar uitgepraat.'

'Waar is ze?' Jack klonk bezorgd.

'Hier. Ze heeft een fikse huilbui gehad en is in slaap gevallen. Ik denk dat ze zich opgelucht voelt dat ze het heeft kunnen vertellen. Ze weet het al een paar weken en het arme kind is al die tijd doodsbang geweest. Ik voel me zo stom, Jack. Ik had er geen idee van.'

'Dat is niet stom, lieveling. Hoe had je het kunnen weten? Ik wist niet eens dat Cress en Joe het met elkaar deden.'

'Ik ook niet, Jack. Ik ook niet.' Polly leunde met haar hoofd tegen de muur, de telefoon tegen haar schouder gedrukt. Ze voelde zich oud.

Susan

Roger had een laat spreekuur, daarom hadden Susan en Alice samen gegeten aan de keukentafel. Nu zaten ze in de zitkamer, ieder aan een kant van de diepe bank. Susan probeerde *Boetekleed* te lezen. Ze was pas halverwege, en de bijeenkomst was volgende week. Maar ze kon zich niet concentreren. Ze keek naar haar moeder. Alice zat zogenaamd te lezen in een bijlage van een van de zondagskranten, die op zondag grotendeels genegeerd werden, maar de rest van de week op de bijzettafel lagen. In deze bijlage stond een artikel over Robert de Niro die een of andere film moest promoten. Geen schijn van kans om Roger daarmee naartoe te krijgen – hij had een pathologische hekel aan de acteur en elke film waarin hij speelde. Susan wist niet waarom – ze dacht dat Roger het zelf ook niet wist.

Alice hield de krant op zijn kop. Susan draaide hem voor haar om.

'O dank je, lieverd.' Maar nu ze het artikel goed voor zich had, las ze het nog steeds niet, ook al had ze haar bril op. Ze had in tien minuten geen pagina omgeslagen, en nu Susan naar haar keek, zag ze dat ze voor zich uit zat te staren. 'Niet in de stemming om te lezen vanavond, mama?'

'O, jawel, lieverd, heel interessant.'

'Maar je leest niet, mama.'

'O, nee?' Het was een vraag.

'Ben je moe?'

'Ik? Nee, nee, maar ga jij maar naar bed als je wilt. Ik wacht wel op je vader.'

Roger had haar verteld dat het geen enkele zin had om tegen te spreken, omdat Alice' kortetermijngeheugen het haar onmogelijk maakte iets te onthouden wat je zei. Maar Susan kon dat niet opbrengen. Het voelde aan als een overgave.

'Papa komt niet thuis, mama. Roger komt thuis.' Ze sprak langzaam, en hield de hand van Alice vast, alsof dat zou kunnen helpen.

'O. Roger, natuurlijk. Dom van me. Aardige jongen, Roger. Heel aardige jongen.'

'Ja, mama, maar niet bepaald een jongen meer nu. Herinner je je nog? We zijn al jaren getrouwd – in april vijfentwintig jaar.'

'Vijfentwintig jaar?' zei Alice langzaam, bijna kauwend op de woorden. Haar ogen waren uitdrukkingsloos. 'Een gelukkig huwelijk is iets wonderbaarlijks.' Ze sprak alsof ze een gedicht voorlas, of een preek. 'Je vader en ik hadden een uitzonderlijk gelukkig huwelijk.'

'Dat weet ik, mama. Zal ik het album voor je halen, zodat je wat foto's van papa kunt bekijken?'

Ze glimlachte naar Susan, moederlijk en vriendelijk. 'Nee, lieverd, dat is niet nodig. Het zit allemaal hier opgeborgen.' Ze wees naar haar slaap, waar haar haar dunner en geelwit was geworden. Toen tikte ze een paar keer ernstig tegen haar voorhoofd. 'Je hebt geen foto's nodig als je een goed geheugen hebt.' Even zweeg ze, toen knikte ze weer, alsof ze de inventarisatie van haar brein voltooid had en tevreden was.

Ze boog zich plotseling naar Susan toe en gaf haar een zoen op haar wang. Haar gezicht was koel en gepoederd. 'Je bent een goeie meid, Susan. We hebben zo'n geluk gehad dat we jou hebben gekregen. Zo'n geluk.'

Dat maakte het moeilijker. 'Ik wilde iets met je bespreken, mama.' Ik breng je naar een tehuis. Ik ben niet tegen de zorg voor jou opgewassen, en iedereen zegt me dat ik het niet moet proberen, dus breng ik je weg.

'Fijn, lieverd. Laten we een lekkere kop thee drinken, goed? Ik zorg er wel voor.'

'Nee, mama, blijf zitten. Ik doe het.'

'Je bent een engel. Maak de thee, en dan praten we.'

Toen ze met twee mokken thee terugkwam, had Alice de televisie aangezet en zat ze te staren naar een documentaire over insecten. Het geluid stond op zijn hardst. Susan pakte de afstandsbediening en zette het geluid af. 'We zouden toch samen praten, mama? Mag ik hem afzetten?'

'O, nee, schat. Je vader zal dit prachtig vinden – hij is gek op dit soort dingen. Hij kan elk moment thuiskomen.' Ze nam haar thee aan, klopte zachtjes, afwijzend, op Susans hand, zonder haar blik van het scherm af te wenden.

MAART

Boetekleed

IAN MCEWAN

Op de warmste dag van de zomer van 1935 is de dertienjarige Briony Tallis getuige van een merkwaardig schouwspel. Bij toeval ziet ze haar oudere zus Cecilia met haar jeugdvriend Robbie Turner in een wat ruzieachtige sfeer bij de fontein van hun landhuis staan. Plotseling trekt Cecilia haar jurk uit en stapt in haar ondergoed in de fontein terwijl Robbie toekijkt. Het is een gebeurtenis die Briony niet goed kan duiden. Als ze enige uren later opnieuw getuige is van een ontmoeting tussen de twee, ditmaal een nog schokkender confrontatie, is ze ervan overtuigd dat Robbie een gevaar vormt voor haar zuster. Aan het eind van die dag wordt er een misdaad gepleegd waarvan Cecilia en Robbie – mede door de rijke verbeeldingskracht van Briony – het slachtoffer worden en die het leven van alledrie voorgoed zal veranderen.

Boetekleed, alom geprezen als McEwans beste roman tot nu toe, is een aangrijpend liefdesverhaal en tegelijk een spannend en intrigerend boek over verlies van onschuld, schrijverschap, boetedoening en vergeving.

Boetekleed, de Nederlandse vertaling van *Atonement*, © 2001, verscheen bij uitgeverij De Harmonie in 2002.

'Waarom zet je zo'n gezicht?
'Wat voor gezicht?'
'Zo'n ik-vond-het-vreselijk-gezicht.'
'O, hemel, nee toch?'
Een koor van 'Ja' klonk goedmoedig vanaf de sofa's.
'Je trok zo'n gezicht bij alle boeken die ik heb voorgesteld!'
'Ik vond ze geen van alle boeiend genoeg. Sorry.' Harriet keek vol zelfverachting.
'Kun je je het laatste boek herinneren dat je echt goed vond?'
'Ja. *Hartzeer en maagzuur.* Dat vond ik prachtig. En *Cassandra.*'
'Weet je ook waarom?'
'Eigenlijk...' Harriet rommelde met haar boek en notitieboek, tikte op de randen als een ordelievende secretaresse na een vergadering '... geloof ik van wel.'

Clare vond het prachtig als de boekenclub deze kant op ging – meestal was het Harriet die ermee begon. Ze vond het niet prettig om over dit deel of dat deel van een boek te praten – ze was nog steeds bang dat ze iets doms of gewoon verkeerds zou zeggen, of iets gemist had door het te snel te lezen. De anderen schenen zoveel meer gelezen te hebben dan zij. Feitelijk was zij niet zo'n enthousiaste lezer. Vroeger had ze voornamelijk doktersromannetjes gelezen en ze herinnerde zich dat een van de meisjes op school, toen ze allemaal een jaar of twaalf waren, haar moeders exemplaar van *Kant*, door Shirley Conran had meegebracht, en hun de 'pittige' stukken voorlas. Na de scène met de goudvis was Susie Atterbury in tranen uitgebarsten en moest ze gaan liggen in de ziekenkamer. Het was Clare prima bevallen. Toen ze werd opgeleid in St. Thomas was de flat vol tijdschriften (en politiemannen van het bureau in Lambeth – Sue Barton mocht dan een dokter hebben gestrikt, de meeste verpleegsters schenen uiteindelijk te trouwen met een politieman): een luchtige afleiding na de leerboeken en ziekenzalen. Dikke gebonden boeken waren gereserveerd voor de vakanties.

Elliot was degene die van lezen hield. Hij snuffelde in Waterstone rond op zoek naar boeken, terwijl zij ze in de supermarkt zocht – het nieuwste boek van zus-en-zo, met de mooie pastelkleurige omslag, naast de doperwtjes en de verse roomkaas. In de laatste jaren had ze een paar van Elliots boeken geprobeerd. Ze had eigenlijk niet zo goed raad geweten met *Kapitein Corelli's mandoline*. Elliot zei dat het hem aan Dickens deed denken, met al zijn karakters en onderliggende intriges. Clare had elke keer dat ze het oppakte het gevoel dat ze een deel gemist had. Maar het maakte dat je er intelligent uitzag, dus had ze het omgekeerd op haar borst gelegd naast het zwembad tijdens de vakantie die ze in 1996 op Cyprus hadden doorgebracht; ze had haar zonnebril op en was achter de brillenglazen in slaap gevallen. Elliot werd kwaad op haar. Het was aanstellerij, zei hij, die geveinsde onwetendheid. Hij noemde haar Uriah Heep (wie was dat in godsnaam?) omdat hij zei dat ze altijd op verontschuldigende toon met een opinie kwam over politiek, literatuur en belangrijke dingen, alsof ze daar eigenlijk te dom voor was. Ze was even intelligent als hij, zei hij, en als de meeste andere mensen.

Ze wist niet zeker of dat waar was – maar ze voelde zich dapperder hier, in deze groep. Ze waren zo vriendelijk. Maar Harriet vond ze het aardigst. Harriet was geestig en openhartig, en Clare verdacht haar er heimelijk van dat als ze het boek niet uit had, of het te snel had gelezen om over details te kunnen praten, ze gewoon een grote discussie bedacht over een detail. Clare vond dat heel slim. Misschien was dat wel wat ze nu deed.

'Kom op, professor, zeg het maar.' Nicole lachte naar Harriet.

'Ik geloof niet dat ik van boeken hou die door mannen zijn geschreven.'

Polly lachte. 'Goed, daarmee is dan het grootste deel van de literatuur van de laatste tweeduizend jaar van de baan. Laten we maar naar huis gaan.'

'Wacht even, wacht even. Dat is niet alles.' Harriet was niet defensief, en dit was niet een van haar geplande afleidingen. Ze had elk woord van *Boetekleed* gelezen, en het had haar een geprikkeld en onvoldaan gevoel gegeven. 'Het gaat erom hóe je leest. En waarom. En we zijn allemaal anders.'

Nicole schonk nog een glas wijn in voor zichzelf. 'Verdraaid, ze wordt diepzinnig. Nóg iemand?' Ze zwaaide met de fles.

Susan boog zich naar voren. 'Wat bedoel je, Harriet?'

'Oké. Ik heb een denkbeeldig uur – nee, denkbeeldige ochtend –

waarin ik niets anders te doen heb dan te lezen, oké?' Gesnuif rond de tafel. 'En ik heb de keus tussen de nieuwe Penny Vincenzi en de nieuwe Ian McEwan. Dan kies ik altijd de nieuwe Vincenzi. Zo ben ik altijd geweest, zelfs al toen ik nog studeerde. Nu heb ik altijd gedacht dat het was omdat het minder van me eiste. Dat ik minder hoefde na te denken, dat het minder intelligent was. En tot op zekere hoogte ben ik altijd tevreden geweest met die diagnose – dat ik liever het verhaal las van een vrouw dan de intellectuele roman van een man omdat het gemakkelijker was. Maar nu,' en hier sprak ze op de toon van Agatha Christie's Miss Marple die een vals spoor onthult, 'nu besef ik dat het komt omdat de karakters die door vrouwen worden gecreëerd, me zoveel meer te zeggen hebben. En als een personage me na ongeveer vijftig pagina's nog niet boeit, als ik er geen sympathie voor kan opbrengen, vergeet het dan maar. Ik kan het lezen, meestal begrijp ik het ook wel, maar nou ja. Wat kan het me schelen?' maakte Harriet luchtig een eind aan haar zin.

Clare knikte. Nicole schudde haar hoofd.

Susan sprak het eerst, ze koos haar woorden zorgvuldig. 'Daar zit wel wat in. Maar ik moet je zeggen dat ik vind dat je absoluut ongelijk hebt wat betreft de man-vrouwscheiding. Kijk eens naar... D.H. Lawrence, Thomas Hardy – Shakespeare, mag ik het zeggen? Druipend van emotie. Sentimenteel tot en met. Stuk voor stuk.'

'Historische literatuur. Aha. Iets heel anders. Ik wil geen klassieken. Het leven was toen zo anders. Ik praat liever over moderne schrijvers.'

'Maar ik lees juist om die reden graag klassieke boeken. Ik leer graag over die dingen – ik wil het idee hebben dat ik iets wijzer ben geworden als ik een boek heb uitgelezen, niet het gevoel of ik door een emotionele mangel ben gehaald. Dan kan ik ook naar *Oprah* kijken.' Dat was Nicole. Niet verbazingwekkend, dacht Harriet. Alles bij Nic ging over beheersing en controle. 'Of Harriet bellen!'

'Ik ben het eens met Harriet,' mengde Polly zich in de discussie. 'Denk eens aan de boeken waarvan je gehouden hebt, echt gehouden hebt, al die jaren lang, of ze literatuur zijn of niet. *Jane Eyre*? *Rebecca*?'

'*De macht van een vrouw*.' Clare begon geïnteresseerd te raken in Harriet en Polly's thema, zozeer zelfs dat ze zich niet schaamde om met Barbara Taylor Bradford op te proppen te komen.

Polly was opgetogen. 'Precies. Groot, dik, fantastisch boek. Ik kan me hun namen nog herinneren. Emma, Paul, Blackie. En het moet, hoe lang, twintig jaar geleden zijn dat ik het heb gelezen. Je wilde gewoon niet dat er een eind aan zou komen.'

'Maar ze zouden een leesclub niet veel goed doen, toch?' zei Nicole. 'Al hield je nog zoveel van de personen erin, waarover zouden we moeten praten? Je moet iets gecompliceerders hebben, iets met "thema's" en "uitgangspunten".'

Harriet zat nog steeds na te denken over mannelijke auteurs. 'Mannen zijn emotioneel achtergebleven schrijvers. Niet allemaal, maar wel veel. Ze hebben de fantasie en creativiteit om intriges en complicaties te verzinnen, maar het gevoel ontbreekt. Net als in *Boetekleed*. Koud, gewoon koud.'

'Geloof je niet dat dat misschien wel precies is waar "literatuur", als je het zo wilt noemen, om draait? Dat de emotie wel aanwezig is maar onder de oppervlakte, tussen de regels, verborgen in de taal en de actie, en dat je die er zelf moet uithalen? Je verpersoonlijkt die aan de hand van je eigen ervaringen. Toch?' Susan keek hen vragend aan.

'Ik veronderstel van wel, ja.' Harriet dacht erover na.

'Ja, ik ben het met je eens, Susan. Het probleem met jullie...' Nicole maakte een gebaar naar Harriet, Polly en Clare, 'is dat jullie willen dat al het werk voor je gedaan wordt. Alsof er een recept bestaat voor het raken van een gevoelige snaar, en dat je wilt dat elke auteur zich aan dat recept houdt.'

'Dat is niet eerlijk. Ik wil alleen gevoel, medeleven voor een boek hebben.'

'Ik ook.'

'En dat had je niet? Niet voor deze mensen?'

'Niet echt.' Harriet haalde haar schouders op. 'Ze irriteerden me.'

Polly lachte. 'Dat is in zekere zin toch een emotionele reactie.'

'Nou ja, wees eens eerlijk, wát voor boetedoening? Typisch katholiek. Zolang je spijt hebt, God vertelt dat je spijt hebt, is dat voldoende. In het werkelijke leven hoef je niet echt alles in orde te maken. Ze doet helemaal geen boete, ik geloof er niet in.' Harriet was tegendraads. Opgewekt, geïnteresseerd en tegendraads. De anderen waren blij als ze zo was. Nicole nam graag een standpunt in – zij ging vaak dwars tegen Harriet in. Maar Polly begon ook dapperder te worden. Susan bleef soms achter, dacht te diep na over Harriets achteloze opmerkingen. En Clare stelde zich heel vaak tevreden met alleen maar luisteren. Haar boek was meestal beduimeld, en Harriet, die naast haar zat, zag geschreven aantekeningen, omgevouwen hoeken. Ze hoopte dat Clares zelfvertrouwen mettertijd zou toenemen. De club had het nodig dat iedereen haar steentje bijdroeg – iemand die zweeg was toeschouwer, geen medespeler, en belemmerde de anderen. Ze wist dat Clare dingen dacht die de moeite waard waren om te worden uitgesproken.

'Ik denk gewoon dat jij veel meer in zwart-wit denkt over schuld en berouw. Je wil dat ze stoned over straat loopt voor je gelooft dat ze spijt heeft,' zei Nicole. 'Je bent er kennelijk niet zo blij mee dat ze duidelijk de rest van haar leven vol spijt en berouw zal zijn.'

'Berouw is één ding. Schuld is iets anders. Ik spreek over de titel van het boek zelf. Betekent "het boetekleed aantrekken" niet "het goedmaken"?'

'Ja, en dat probeert ze ook.'

Harriet schraapte haar keel. Ze wist niet zeker meer of ze praatten over Briony of Gavin. Ze was misschien eerder bereid Briony te vergeven.

Ze bleven nog een uur discussiëren, tijdens het eten en de koffie. Het was een luide discussie, vol onafgemaakte zinnen en verhitte interrupties. De conversatie schoot heen en weer als het balletje in een flipperkast, over katholicisme, Harriets scherpe kritiek op mannelijke auteurs, Susans bewering dat ze echt heel veel voelde voor Briony en Cecilia, Nicoles enthousiasme voor McEwans sfeervolle sociologische geschiedenis, en Polly's heerlijke appeltaart.

'Kijk, hier, pagina driehonderdtwintig: "alles wat ze niet onder ogen wenste te zien ontbrak ook in haar novelle – en was daarvoor noodzakelijk. Wat moest ze nu doen? Het was niet de ruggengraat van een verhaal die ze miste. Het was de ruggengraat zelf." Eind van mijn pleidooi.' Harriet, de geboren, zij het enigszins despotische leider, sloeg met een dramatisch gebaar haar boek dicht. 'Wiens beurt is het om het boek voor de volgende maand te kiezen?'

'Die van mij, geloof ik,' zei Susan.

'Laat je niet onder druk zetten, Susan. Kies alleen niet een boek dat geschreven is door een man of een katholiek of iets wat niet druipt van het sentiment!'

'Wat zou je zeggen van *Love Story*?' Ze meende het niet serieus.

'Aha!' riep Polly theatraal uit. 'Ik denk dat je zult ontdekken dat het door een man geschreven is. Een tranentrekker van jewelste!'

Harriet lachte. 'Oké, oké – punt voor jou.'

'Ik ben bang dat ik al een boek gekozen had.' Susan haalde een boek uit haar tas. 'Roddy Doyle, *De vrouw die tegen de deur aan liep*. Ik heb dit uit de bibliotheek.'

Harriet was onder de indruk – zij haalde het nooit voorbij de kinderafdeling, met de banken in primaire kleuren en de eindeloze voorraad uitklapboeken waarin de uitklapbare plaatjes ontbraken.

'Het is al een paar jaar uit, geloof ik,' ging Susan verder, 'dus waarschijnlijk kunnen jullie wel een paperback kopen. Ik had erg veel belangstelling voor het onderwerp. Het gaat over mishandeling van echtgenotes.'

'Is er iets wat je ons wilt vertellen?' Ze vroegen het niet in ernst. Roger leek de gedroomde echtgenoot – misschien een beetje saai, dacht Nicole.

Susan giechelde. 'Ik heb nog nooit iets van hem gelezen. Een van jullie?'

'Dat hadden ze niet, maar ze hadden allemaal de film van *The Commitments* gezien en die erg goed gevonden.

Nicole neuriede 'Try A Little Tenderness' in de auto op weg naar huis.

Harriet

Harriet bekeek zichzelf aandachtig in de spiegel. Benzinestations langs de snelweg waren niet ideaal om je uiterlijk te beoordelen – het licht was blauwwit en veel te schel, en de spiegels waren bepaald niet complimenteus. Ook al wist je dat je er in werkelijkheid beter uitzag, toch leed je trots er enorm onder. Ze had ooit ergens gelezen dat Liz Hurley het aanbeval je wenkbrauwen te epileren in de business-classwc van een vliegtuig vanwege de kwaliteit van het licht daar. (Was het donkerder in economy?) De camouflagecrème onder haar ogen wist niet helemaal de kringen te verbergen die waren ontstaan nadat Chloe een week lang last had gehad van 'kuchen-hoesten-behoefte-aan-saproze-medicijn-en-een-knuffel-mammie'-nachten. De lippenstift, waarvan de veelvuldig gepiercte man in de exclusieve winkel haar had verteld dat die haar leven zou veranderen, had inderdaad de tand des tijds doorstaan – nou ja, in ieder geval een uur – maar de lipgloss helaas niet; het gaf haar mond het uiterlijk van een onafgemaakte cartoon. Haar Bridget Jones-onderbroekje hield haar buikje weliswaar in bedwang, maar duwde het weer naar buiten halverwege haar dij. Maar toch was er ruim drie kilo minder van haar, dankzij het dieet dat van een toegeeflijk 'Ik laat de zoutjes en biscuitjes achterwege, ik heb nog acht weken de tijd' was overgegaan in een wanhopiger 'Als ik de komende tweeënzeventig uur niet eet én liters water drink, dan red ik het.' En op het etiket in haar pakje stond maat 38. Harriet was zo trots op zichzelf dat ze overwoog het etiket aan de buitenkant te dragen. Niet voor het eerst wenste ze dat ze meer op Nicole zou lijken, die er altijd uitzag of ze net uit de schoonheidssalon kwam: haar, gezicht, nagels, kleren, alles even perfect. Harriet zag er altijd uit of ze op weg ernaartoe was, te weinig haar, te veel boezem, niet elegant genoeg, met veel opschik. Maar het was een mooi pakje, en Harriet moest toegeven dat het zelfs in dit afgrijselijke licht een fantastische kleur had – precies de juiste tint voor haar ogen en huid. Natuurlijk had Nicole het uitgezocht, die autoritair door de winkel was gelopen en al Harriets eigen keuzes had afgewezen: 'Te extravagant, ze zullen nog denken dat je de bruidstaart bent!'; 'Alleen als je van plan bent op te staan en te zingen: "It Should Have Been Me"'! (Ik had daar horen te staan)'; 'Alsjeblieft – ben jij een bruidsmeisje?' Ze voelde zich chic. Succesvol. Huilerig.

Terug in de shop van het benzinestation kon ze Tim gemakkelijk ontdekken in de menigte – opvallend zelfs in zijn jacquet. Waarom moest hij met mij naar binnen komen? Ik ben Chloe niet, verdikkeme, dacht Harriet nijdig. Hij ziet eruit als een idioot. Straks krijgt hij nog een mes in zijn lijf zoals hij er nu uitziet.

Het was duidelijk een dag waarop Tim niets goed kon doen. Hij had Josh en Chloe vanmorgen vroeg naar zijn moeder gebracht, had gedacht aan hun zwemkleding én de zwembandjes voor om hun armen. Hij was niet in de badkamer gekomen zolang zij daar bezig was, had de auto laten wassen zodat hij glansde, en had mooie corsages gekocht voor hen beiden bij de bloemist op de boek. Een witte roos voor hemzelf, fresia's voor haar. Nogal nadrukkelijk, dacht Harriet. Als hij een hond was zou hij op me geürineerd hebben om zijn terrein af te bakenen. Een klein deel van haar probeerde de rest eraan te herinneren dat het niet gemakkelijk kon zijn voor Tim om met haar naar Charles' bruiloft te gaan. De twee mannen hadden elkaar jaren geleden één keer ontmoet, en tegenwoordig werd de naam Charles praktisch nooit meer genoemd, zeker niet door Harriet. Maar toch had ze haar gevoelens niet onder stoelen of banken gestoken. Goeie hemel, Tim was er van begin af aan bij geweest – hij had zich vrijwillig gemeld: hij had geweten wat hij zich op zijn hals haalde, ja toch?

De eerste keer dat ze hem ontmoette, had ze zich bijna in zijn armen geworpen. Zij en Charles hadden een vreselijke ruzie gehad, en ze had in haar eentje – een beetje kleumend – als een dramatische diva op het kleed gelegen in de gang van de flat in Wimbledon, die zij en Amanda samen deelden, snikkend en wachtend op zijn terugkeer, zijn onderdanige verontschuldigingen. Bij het horen van de deurbel was ze overeind gesprongen, had gecontroleerd of haar gezicht op een aantrekkelijke manier de sporen droeg van haar ellende, en de deur opengegooid om de volle kracht te ondergaan van Charles' schuldbesef en affectie. In plaats daarvan stond Tim voor haar, in een sober pak gestoken, met een uitgestreken gezicht, geschrokken, op zoek naar zijn collega Amanda, met wie hij had afgesproken die avond te gaan squashen. Tim had meteen medeleven getoond, ontdaan bij het zien van haar gehavende, bedroefde uiterlijk, weliswaar enigszins overdreven voor het effect, maar ongetwijfeld echt. Harriet voelde zich vernederd en was zo pissig dat hij Charles niet was dat ze niet veel nota van hem nam.

Feitelijk de geschiedenis van hun leven, meende Harriet, terwijl ze toekeek hoe hij de krantenkoppen doornam.

'Je ziet er heel mooi uit, Harry,' zei Tim, toen ze in westelijke richting reden. 'Die kleur staat je erg goed. Ik ben trots op je.' En hij haalde zijn hand van de versnellingspook en legde hem op haar hand, die op haar schoot lag. 'Ze boffen met het weer, hè?'

De week ervoor was het erbarmelijk weer geweest, grauw en druilerig. Maar deze ochtend was het het soort weer waarvan je droomde als je een huwelijk plande in maart – een strakblauwe lucht, niet te koud.

Hemel, we praten over het weer! dacht Harriet. Flitsend, hoor! Tegen Tim mompelde ze dat het, ja, een mooie ochtend was, en zette toen de radio aan. Whitney Houston zong luidkeels 'I Will Always Love You'. Niet zo best. Zelfs niet met waterproof mascara. Charles had haar een keer een walkman gegeven voor Kerstmis. Met een bandje erin. Van 'hun' liedjes. Niet allemaal zo afgezaagd en cliché als dat van Whitney, maar wel een paar die vanmorgen flinke tranentrekkers hadden kunnen zijn. Over naar Radio 4, naar iets wat vanmorgen minder op haar gevoel werkte, in afgemeten BBC-Engels. Het zou een lange dag worden.

Het waanzinnig drukke verkeer op de A343 betekende dat Tim en Harriet geagiteerd aankwamen – precies wat ze niet gewild had. Ze voelde zich als Hugh Grant in *Four Weddings and a Funeral*, met de

Rolls-Royce van het bruidspaar vlak achter hen aan tijdens de laatste anderhalve kilometer naar de irritant perfecte kerk in het bonbondoos-pittoreske, onschuldige dorp waar Imogen moest zijn opgegroeid. Bah!

Halverwege het middenpad glipten ze snel een rij met banken binnen, net op het moment dat de muziek inzette. Iets heel traditioneels, maar goddank niet de bruidsmars. Iedereen stond op, en Harriet zag dat Charles zijn schouders rechtte en een kwart draai maakte om naar zijn bruid te kijken. Ze had het gevoel dat ze een klap kreeg. Haar hart bonsde, haar adem stokte, haar palmen waren vochtig. Ze legde haar handen op de bank vóór haar om zich tot kalmte te dwingen. Charles. Charles.

Hij zag haar niet. Al zijn aandacht was gericht op de naderende Imogen. Die zelfs niet het fatsoen had gehad om een schuimtaart van een bruidsjurk te dragen met mogelijkheden tot kritiek voor verbitterde ex-vriendinnen. Ze zag eruit zoals het een bruid betaamde, op haar best. Geen catwalk-materiaal, maar ook geen rijbroekdijen, moest Harriet erkennen. Ze zag er, nou ja, mooi en aantrekkelijk uit. Stralend. Innemend. En smoorverliefd op haar bruidegom. Er waren twee dingen waarvan Harriets moeder het meest hield – afgezien, hoopte Harriet, van haar gezin: verfilmde musicals en Christopher Plummer. 1965 was derhalve een uiterst goed jaar voor haar, met Plummer en de verschrikking van *The Sound of Music*. 'Edelweiss,' placht Harriet minachtend op te merken. 'Moet ik nog meer zeggen?' Harriets familie was gedwongen de film telkens als hij vertoond werd weer te zien, tot de video uitkwam, waarna haar moeder hem – vaak   opgewekt in haar eentje bekeek. En elke keer als Julie Andrews had getriomfeerd over die intrigante van een societydame en haar kapitein had gestrikt, plengde Harriets moeder echte tranen bij de huwelijksscène en zei: 'Stel je eens voor dat dát op je staat te wachten aan het eind van het middenpad!' Zó zag Imogen eruit – zoals Harriets moeder er zou hebben uitgezien als ze door de kerk naar Christopher Plummer huppelde. Harriet kon begrijpen waarom.

Tijdens de plechtigheid maakte ze een serieuze studie van haar handen. Telkens als ze opkeek voelde ze Tims ogen op haar gericht, zijn bezorgdheid was bijna tastbaar. Wat het nog erger maakte. Het leek een eeuwigheid te duren. Onze huwelijksvoltrekking duurde niet langer dan tien minuten, dacht Harriet. Plotseling had ze het gevoel dat het uitspreken van al die woorden, het zingen van die gezangen, en de aanwezigheid van talloze bekenden met hoeden op dit huwelijk belangrijker maakten. Alsof het ontbreken daarvan op haar eigen huwelijk dat min of meer tot een bedrog maakte. Geen wonder dat het geen succes was.

Zo had ze zich niet gevoeld in 1993, toen ze met Tim was getrouwd. Maar misschien had ze zelfs toen al geweten dat het een tweederangs huwelijk was met een tweederangs echtgenoot en had ze daarom met opzet gekozen voor een tweederangs plechtigheid. Nee, dat was niet waar. Ze had van Tim gehouden. Dat wist ze zeker. Ze waren naar Sint Lucia gegaan, alleen zij beiden, hadden het huwelijk gepland voor de tweede week – lang genoeg om een vergunning te krijgen en een bruin kleurtje voor de foto's, met tijd voor een huwelijksreis daarna. Haar moeder was er gek van geworden, al was Harriet er heimelijk van overtuigd dat haar vader opgelucht was dat hem de kosten van een traditionele bruiloft met alle poespas werden bespaard. Toen had het haar een groot avontuur geleken, iets anders dan gebruikelijk.

Een paar avonden voor ze vertrok was Harriet dronken geworden met Amanda, had een paar tranen gelaten over Charles, en toen met dubbele tong beweerd dat ze 'echt van Tim hield, heus waar'. Al was ze nog zo dronken geweest, Harriet herinnerde zich tot de dag van vandaag wat Amanda had gezegd: 'Flauwekul! Je weet heel goed wat dit is. Een van de twee. Eén: (zwaaiend met haar duim) je speelt een heel stom spelletje met Charles om hem uit te dagen, en dat heb je verloren. Hij zal niet uit de branding in Paradise oprijzen om zijn protest te laten horen, dat verzeker ik je. Of twee: (en ze stak omhoog wat ze dacht dat twee vingers waren, al was ze daar niet helemaal zeker van) dit is een stoelendanshuwelijk.'

'Wat is dat in godsnaam?'

'Je bent bang dat de muziek gestopt is en dat je op jezelf bent aangewezen, dus pak je de eerste de beste stoel. Wat belachelijk is, omdat je pas – hoe oud? – vijfentwintig bent. Zo denk ik er tenminste over.'

'Je kunt de pot op met je stomme amateuristische psychologie, dronken todde,' had Harriet tegen haar vriendin gesnauwd. 'Het gaat prima tussen ons, wacht maar af.' Maar ze was het nooit vergeten. Misschien was het daarom Sint Lucia geworden. Alsof het een geheim was, of zoiets. Het was eigenlijk een beetje raar geweest, trouwen op het strand. Harriets uitzicht tijdens de belangrijkste plechtigheid van haar leven, was op een onmogelijk parmantig mannelijk achterwerk, keurig in tweeën gedeeld door een zwart touwtje. Op dat moment had het haar in een onbeheerst gegiechel doen uitbarsten – op alle foto's, tien in totaal en gestoken in een luxueuze fotomap van het hotel, stond ze een beetje zweterig en lachend afgebeeld in haar niet helemaal geschikte trouwjurk. Tim keek ongelooflijk trots. Sint Lucia was niet zijn ideaal geweest, maar hij had haar dicht tegen zich aangedrukt en gezegd dat ze overal konden trouwen, het kon hem niet schelen, zolang zij er maar was en ja zei...

En toen was het voorbij. Alle mooie woorden waren gezegd, ze hadden hun handtekening gezet op de klanken van iets smaakvols, en Charles en Imogen kwamen recht op haar af, met een brede glimlach. Vrienden en familie mimeden tegen Imogen 'Je ziet er prachtig uit' en 'Goed zo, lieverd'. Ze had Charles een arm gegeven – hij had zijn linkerhand uitgestoken om haar vingers beet te pakken en kneep zo hard dat zijn knokkels wit zagen. Hij was natuurlijk zenuwachtig, besefte ze. Hij haatte spreken in het openbaar of het middelpunt van de belangstelling te zijn. Toen ze langskwamen, draaide hij zich om en keek haar recht aan, glimlachend. Harriet wachtte op een knipoog, een verandering in die glimlach, een bepaalde uitdrukking op zijn gezicht, maar hij liep door en keek met dezelfde glimlach naar een tante in de bank achter haar, de enigszins geschokte blik van nietsziende vreugde waarop iedereen vergast werd. Hij had haar niet echt gezien.

Eenmaal buiten de kerk wilde ze niet blijven rondhangen voor de gebruikelijke borrel vooraf, waar iedereen net deed 'of de fotosessie een interessant intermezzo is', en naar Charles keek die naar Imogen keek. 'Kom mee, Tim, laten we het hotel opzoeken. Ik moet dringend plassen – moet van al die koffie zijn die ik vanmorgen gedronken heb.'

'Oké, liefste.' Tim wilde haar hier weg hebben, ergens brengen waar ze wat rust kon vinden voor de beproeving van de receptie. Het moest een verdomd vreemd gevoel voor haar zijn, hield hij zich voor. Zij en Charles waren lange tijd samen geweest – ze moest al die familieleden en mensen kennen. Hij wenste opnieuw dat ze niet voor die verrekte bruiloft waren uitgenodigd. Het maakte alleen maar al die oude gevoelens weer wakker. Bij Harriet én bij Tim. Waartoe diende die belachelijke pretentie van beleefdheid en vriendschap? Harriet had vroeger echt van Charles gehouden, en die idioot had niet beseft hoe wonderbaarlijk dat was en had haar hart gebroken. Had het wrak achtergelaten dat Tim had gevonden. Een geluk voor hem. Hij dacht dat hij waarschijnlijk al vanaf de eerste dag van haar had gehouden.

Hij had het nooit willen geloven als iemand dat tegen hem zei. Maar die avond toen hij naar Amanda's flat was gegaan, had hij niet die stroom van gevoelens verwacht die zich van hem meester had gemaakt bij het zien van het verwilderd kijkende meisje met de rode gezwollen ogen dat hem had binnengelaten. Hij had haar op willen pakken en meenemen, hij had haar een veilig en gelukkig gevoel willen geven. Dat wilde hij nog steeds. Vooral vanmorgen. Maar hij kende Harriet goed genoeg om te begrijpen dat hij zich juist vandaag op een afstand moest houden.

Harriet moest heel snel een glas champagne drinken voordat ze zich kon beheersen. Toen pakte ze een tweede glas van een passerend zilveren blad en ging in de lange felicitatierij staan. Ze had haar derde glas al halfleeg toen ze bij het bruidspaar en de familie kwam. Ze maakte een gepast enthousiaste opmerking tegen het chique paar, kennelijk Imogens ouders (nog steeds getrouwd natuurlijk), liep toen door naar Charles' vader, een vriendelijke man met een fonkeling in zijn ogen, die ze altijd erg aardig had gevonden. Toen zij en Charles het die laatste keer hadden uitgemaakt, had hij haar geschreven, een lief briefje waarin hij zei dat hij hun gesprekken en wandelingen zou missen en dat hij wist dat ze een fantastische, geestige vrouw zou zijn voor een gelukkig man, en hoe jammer het was dat het niet die domme ouwe Charles was. Hij gaf haar een zoen op beide wangen, hield haar schouders vast en vertelde haar dat ze eruitzag om op te eten. Tegen Tim zei hij slechts: 'Gelukkige kerel!' Charles' moeder was aanzienlijk minder hartelijk – ongetwijfeld vond ze het hoogst ongepast, om niet te zeggen onacceptabel, dat ex-vriendinnen bij de plechtigheid aanwezig waren, vooral een meisje dat zo... zullen we zeggen geëxalteerd? was als Harriet. 'Wat jammer dat je de kinderen niet kon meebrengen, lieve. Het zou prettig zijn geweest ze te leren kennen.' Je weet mij niet te overtuigen, uitgedroogde ouwe heks, dacht Harriet achter haar allercharmantste glimlach. Tim duwde haar zachtjes naar voren, en liet een kort charmeoffensief los op Charles' moeder. Imogen, die verwikkeld was in een giechelend gesprek met een vrouw vóór haar, trok haar jurk aan de voorkant op om haar schoenen te laten zien en Harriet keek recht in het gezicht van Charles.

'Hats! Wat enig om je te zien. Je ziet er fantastisch uit. Het moederschap en het buitenleven doen je goed. Bedankt voor je komst. We waren zo blij dat je kon komen.' Au bij dat 'we'. Liet hij zijn hand een tikje te lang in de hare rusten? Was zijn glimlach spijtig? Wellustig?

Dubbelzinnig? Niets van dat alles. 'Tim, ouwe jongen! Goed je weer te zien. Bedankt dat je bent gekomen!' En zo ging hij door.

Tim zag dat Charles het verlangen in Harriets ogen had opgemerkt. Verlangen en drie glazen champagne. Was het voor één keer met hem eens dat ze in bedwang moest worden gehouden. Hij reikte langs haar heen om de bruidegom een hand te geven, zodat ze niet de kans kreeg om te dralen.

Nou, verrek dan maar, dacht Harriet, en liep met tegenzin de feesttent in. Hij kon verrekken. En Tim ook. Waarom had hij niet weg kunnen blijven? Was dat waarom ze haar hadden uitgenodigd? Zodat Charles het me heel zelfingenomen en verheugd nog een keer onder de neus kon wrijven? Was het de laatste keer niet voldoende geweest? Ze wenste vurig dat ze ergens anders was, overal elders was beter dan hier. Had ze zich verbeeld wat er tussen hen geweest was? Had ze gedagdroomd over iets wat nooit bestaan had? Nee, dat had ze verdomme niet! Dat Charles het negeerde, veranderde niets aan het verleden. Dat was van haar, van hem en van haar, wat hij ook deed. Ze wíst het.

Harriet liep naar een ober om nog een glas champagne te halen. Ze waren nauwelijks twintig minuten in Imogens huis, met de enorme hal, de statige en serieuze kunst, de brede trap. De eerste drie glazen hadden haar niets gedaan, maar ze kon de bubbels voelen in haar benen en in haar vingers.

'Hats! Hats!' Weer haar oude naam van de universiteit. Jezus, als het hier vol oud-studenten was, kon ze maar beter nu naar huis gaan. Ze was niet in de stemming om gezellig oude herinneringen op te halen. Ze draaide zich om keek naar de borst van een heel lange, zwaargebouwde man. 'Herinner je je mij nog? Nick?'

O, ja, en óf ze zich hem herinnerde... Nick was een van Charles' beste vrienden geweest op de universiteit. Ze waren eendrachtig in hun liefde voor bier, rugby en mooie meisjes, en hun afkeer van economiecolleges. Harriet had hem altijd een knappe jongen gevonden, blond en met blauwe ogen à la de familie Von Trapp, maar dik en een beetje een klootzak. Een vriendin van haar, wier naam ze zich nu niet kon herinneren, was hopeloos verliefd op hem geweest en hij had haar misselijk behandeld – kon niet van haar afblijven als hij bezopen was en zij toevallig in de buurt was, om zich de volgende dag geringschattend en aanmatigend te gedragen. Stomme meid, had Harriet gedacht, om zich zo belachelijk te maken, maar zelfs zij had moeten toegeven dat hij wel iets hád. Hij was die zomer ook op Ios geweest met

Charles, Rob, Amanda en de anderen, en hij was leuk gezelschap, je kon plezier met hem hebben. Ze had hem in jaren niet gezien, maar hij was, meende ze, 'iets in de City'. O, ja, bedacht ze toen, luisterend naar Tims beleefde gesprek, hij was makelaar – Tim scheen over zijn firma te hebben gehoord – en 'hij leeft er goed van op het ogenblik. Zo gewonnen, zo geronnen, en zo.' Wát en zo? Gepraat over de City vond Harriet mateloos vervelend. Ze begreep schandelijk weinig van financiën (ze negeerde altijd de knop van de 'saldo-informatie' op de geldautomaat – als je geld kreeg, was het in orde, zo niet, dan was het mis, dat was alles wat je hoefde te weten) en nog minder van wat mannen als Tim en ook Nick blijkbaar deden. Terwijl de mannen op hun gemak stonden te praten, nam ze Nick van top tot teen op. Ze was vergeten hoe lang hij was, en hoe aantrekkelijk. Had hij altijd die sproeten op zijn neus gehad die zijn ogen nog blauwer deden lijken? Had hij zijn haar korter gedragen op de universiteit? Ze herinnerde zich iets van flaporen, maar die waren nu niet te zien, verborgen onder het haar dat er overheen krulde, maar niet op een vrouwelijke manier die haar wel aanstond. Hij leek nogal rijk – hij droeg een das van Hermès, dat zag ze, en een Jaeger Le Coultre-horloge. Geen trouwring. Grote handen. Terwijl ze haar inspectie tot aan zijn voeten toe voortzette, voelde Harriet zich een beetje duizelig, en toen ze zich concentreerde op de zwarte veterschoenen, viel ze bijna om, waardoor haar hoofd even bleef rusten op Nicks kostuum. Tim sloeg zijn arm om haar schouders en hield haar zo onopvallend mogelijk rechtop. Hij zei: 'Twee, een jongen en een meisje...' maar Nick luisterde niet: hij glimlachte – ondeugend, dacht Harriet – naar haar. De eikel.

Susan

Toen de wekker om kwart over vijf afging, draaide Roger zich om en nam Susan in zijn armen. 'Goeiemorgen, schat.'

'Mmm. Nee, dat is het niet.' Susan opende onwillig één oog, deed het weer dicht. Ze had de dag van vandaag met angst en beven tegemoet gezien. Ze leunde tegen Roger en gaf zich over aan zijn warmte.

Roger knuffelde haar even, draaide zich nogmaals om en stapte uit bed. 'Neem jij gauw een douche, dan krijg je een lekkere kop thee van me.'

Terwijl ze bezig was zich aan te kleden, kwam hij terug met twee koppen thee en een geroosterd broodje met boter. 'Weet je zeker dat je zelf de confrontatie met haar wilt aangaan? Ik zou met je mee kunnen gaan, weet je. Ik hoef niet eens het begin van het spreekuur te missen – ik heb net geïnformeerd en ze vliegen op tijd. Als het verkeer op de weg niet te druk is kunnen we om halfnegen terug zijn.' Hij ging zitten.

'Nee, maar dank je. Het was míjn beslissing wat mam betreft, en ík moet het met Maggie regelen.'

'Goed, schat, doe wat je wilt. Maar ik verzeker je dat als ze het je moeilijk maakt, ze het met mij aan de stok krijgt. Ik duld niet dat ze na al die jaren hier binnen komt banjeren en de baas gaat spelen. Daar kan geen sprake van zijn.'

Susan keek naar het gezicht van haar man. Gewoonlijk zo minzaam, maar nu strak van woede. Haar held. Wat zou ze zonder hem moeten beginnen? Ze pakte haar handtas van de stoel aan haar kant van het bed, bukte zich en gaf hem een zoen op zijn voorhoofd. 'Hoor eens, het moet voor haar ook erg moeilijk zijn. Ik neem haar hier mee heen en dan kunnen we behoorlijk met elkaar praten. Waarschijnlijk is ze niet zo pissig als ze aan de telefoon klonk. Ze heeft tijd gehad om aan het idee te wennen – de redelijkheid ervan in te zien.'

'Je hebt meer vertrouwen in haar goede karakter dan ik.'

'Ze is mijn zus.'

'Ik weet het.' Hij rimpelde zijn voorhoofd. 'Ik wil alleen niet dat ze jou verwijten maakt. Dat is alles.'

'Begrepen, Sir Galahad. Kruip onder de dekens en ga weer slapen. Je hebt nog minstens een uur de tijd.'

'Nee, ik ben klaarwakker. Ik denk dat ik maar wat ga doen – een paar rekeningen betalen en zo.'

'Oké. Tot vanavond. We eten met z'n drieën. Een beetje vroeg – Maggie zal wel moe zijn na de vlucht.'

Susan keek om zich heen naar de reality soaps die zich overal afspeelden. Ze hield van luchthavens omdat er zoveel verwachting en opwinding in de lucht hing. En ze hield vooral van al het drama in de aankomsthallen waar de reizigers van verre reizen terugkeerden, zoals deze hier. Een vlucht van British Airways uit Sydney die in de ochtendschemering op Heathrow landde was een van de meest emotionele: hereniging van families, na maanden, jaren van afwezigheid; ongeruste ouders die wachtten op smoezelige rugzaktieners, zoals zij verleden jaar op Edward had gewacht, die – tot zijn ergernis – met zijn enkel dik in verband door het grondpersoneel in een rolstoel naar de

aankomsthal was gereden; hij had spottend opgemerkt dat hij de held-
haftige reis door het binnenland ongedeerd had doorstaan, om vervolgens oneervol in een straat in Melbourne op de avond voor zijn
vertrek over zijn veter te struikelen. Susan herinnerde zich hoe ze met
tranen in de ogen na zes maanden van haar zoon gescheiden te zijn
geweest, op de hoogste plek was gaan staan die ze kon vinden, hoe
haar hart stilstond bij het zien van de rolstoel, tot ze Eds gezicht zag
en zijn vertrouwde stralende lach. Opgelucht had ze haar adem laten
ontsnappen, die ze, besefte ze later, sinds zijn vertrek had ingehouden.

Naast haar achter de metalen reling stond een bejaard echtpaar te
wachten, hadden ze Susan verteld, op een dochter die ze tien jaar niet
hadden gezien en op de twee kleinkinderen die ze nog nooit hadden
gezien. In gespannen verwachting wipte de vrouw van de ene voet op
de andere, en de tranen schoten Susan in de ogen toen twee kleine
blonde hoofdjes onder de reling door doken en hun armpjes uitstrek-
ten naar mensen die ze alleen op foto's hadden gezien. Boven hen
klampte de vader zich vast aan zijn dochter. Haar gebruinde, sterke lichaam deed hem nog tengerder lijken. Beheers je, Susan, vermande
zichzelf. Ze was de laatste tijd een beetje over haar toeren met al dat
gedoe over haar moeder. Het deed haar denken aan haar reactie toen
de jongens geboren werden: alles trof je heftiger als je net was bevallen – het nieuws was droeviger, zelfs de advertenties waren droeviger,
alsof je huid er af was gestroopt, en al je emoties en zenuwen aan de
oppervlakte lagen. En zo was het nu ook, telkens als ze dacht aan Alice
in dat tehuis.

En toen stond Margaret voor de reling.

'Hallo, Maggie.'

'Hallo, Suze.'

Geen omhelzing over de reling heen. Ze liepen samen door, ieder
aan een kant ervan, de mensen om hen heen vermijdend, en ontmoetten elkaar aan het eind in een onbeholpen omarming, Margaret
met één arm omdat ze haar tas tegen zich aan hield.

'Kom, ik zal je helpen.' Susan nam de tas van haar over. 'We staan op
een kort-parkerenplek – hier vlakbij. Goede vlucht gehad?'

'Onder de gegeven omstandigheden? De reis was oké.' Margarets
stem klonk effen, bijna uitdrukkingsloos. Susan voelde zich nog gede-
primeerder. Dit zou niet gemakkelijk worden. Toen ze naar de parkeerplaats liepen, Margaret achter haar aan, wenste ze dat ze Rogers
aanbod om mee te gaan had geaccepteerd.

Margaret was nooit een gemakkelijk mens geweest om van te houden, moeilijker nog om aardig te vinden. Hoewel ze in leeftijd niet veel verschilden, Margaret was net een jaar ouder dan zij, hadden ze nooit de intimiteit gekend van andere zussen, die Susan benijdde. Mensen hadden zelden de indruk dat ze familie van elkaar waren. Uiterlijk leken ze niet op elkaar – Margaret leek meer op hun moeder: er had thuis een foto gestaan toen ze klein waren, een ouderwetse formele foto van Alice toen ze een jaar of vier was, op een stoel met hoge rug, met haar broer Alexander, die stijfjes naast haar stond. Ze leek op die foto precies op Margaret, de heldere blauwe ogen vielen zelfs op een zwartwitfoto op. Susans ogen waren bruin. Maar al leken ze op elkaar, toch hadden Margaret en haar moeder een heel ander karakter: Alice was zachtaardig en kalm, Margaret was ruw en snel opgewonden. Waar Alice en Susan het prettig vonden om aan tafel te zitten en uitvoerige gefantaseerde verhalen met tekeningen uit te beelden, gaf Margaret er de voorkeur aan te klimmen en te ravotten in de tuin, met kastanjes naar hoog vliegende vogels te gooien en bedekt met modder te graven in de moestuin die hun vader voor hen had aangelegd in de hoek van zijn eigen tuin. Als Maggie jaloers was op de intieme verstandhouding tussen Alice en Susan, liet ze daar als kind weinig van blijken; ze behandelde hen ongeïnteresseerd en zelfs met een zekere minachting. Ze was altijd verbluffend onafhankelijk. Elke dag als Alice hen van de dorpsschool haalde en ze de driekwart kilometer over de meent naar huis liepen, bood ze haar dochters ieder een hand aan, maar slechts één werd aangenomen. Dus liepen zij en Susan samen door, waarbij Susan alle bijzonderheden van haar dag vertelde, terwijl Margaret eindcloos zigzaggend voor hen uit liep, en pas op haar moeder wachtte bij de grote weg die ze halverwege moesten oversteken. 's Nachts sliepen ze in dezelfde kamer, in smalle bedden met een hoge ladekast tussen hen in, zodat ze elkaar konden horen maar niet zien bij het schemerige licht van de overloop. Maar Margaret leek altijd onmiddellijk in slaap te vallen nadat hun moeder hen had voorgelezen; ze scheen nooit te willen praten.

En zo bleef het tussen hen, op school en daarna, tot de dag waarop Margaret thuis was gekomen met Greg, een jongeman die ze niet kenden. Susan en Roger gingen toen al bijna een jaar met elkaar om. Roger was een vaste gast geworden op de zondagse lunch, slenterde naar de pub voor een glas bier met Susans vader, terwijl Alice en Susan wortels schrapten en de tafel in de eetkamer dekten. Margaret, die samen met een vriendin een flat bewoonde en als receptioniste werkte in een van de grote nieuwe kantoorgebouwen aan de rand van de stad, ontbrak drie van de vier keer op deze heilige wekelijkse familie-etentjes. Maar op een zondag belde ze op en zei dat ze zou komen, en of ze een vriend mee kon brengen?

Greg had het huis gevuld met zijn kolossale, gebruinde lijf en zijn diepe Australische stem. Ze hadden elkaar een paar maanden geleden op een feest leren kennen, had Margaret gezegd. Greg had haar ten huwelijk gevraagd en zij had ja gezegd. Greg, een beetje beschaamd door de uitdrukking op het gezicht van Margarets vader, had er haastig aan toegevoegd: 'Als het uw goedkeuring kan wegdragen, meneer?' Zijn stem eindigde op vragende toon aan het eind van die en van elke zin die hij sprak. Ze zouden gaan trouwen zodra ze het konden regelen. Misschien alleen een feest hier, voor de familie, voordat ze vertrokken. Niets extravagants. En er waren foto's van de boerderij, hectaren en hectaren grond, enorme kuddes schapen, en een gebruinde, verweerde groep naast de boerenhoeve – een handjevol vrouwen en kinderen en een stuk of twaalf mannen, allemaal even zwaargebouwd en zonverbrand als Greg. 'Zoveel ruimte, mama,' had Margaret gezegd, met wijd opengesperde ogen. 'Hard werk, dat is waar, maar... ik weet gewoon dat ik daar thuishoor. En hij is de juiste man voor mij.' Ze leek gelukkiger dan Susan haar ooit had gekend.

Toen ze weg waren, zaten Susans ouders naast elkaar in hun stoelen, starend naar de tuin die hen zo na aan het hart lag, terwijl Susan en Roger in de keuken stonden af te wassen.

'Jee, Susie, ik sta altijd weer versteld van je zus.' Roger en Margaret waren geen vrienden. Als ze hem niet negeerde, maakte ze stekelige opmerkingen tegen hem, half lachend omdat hij zo serieus en degelijk was. Ze gaf hem duidelijk te kennen dat hij misschien goed genoeg was voor Susie, maar dat zij hem veel te alledaags en saai vond om zich met hem bezig te houden. Susans enige zorg was hoe Margarets sensationele mededeling op haar ouders zou overkomen.

'Ik weet dat Margaret al een tijdje uit huis is en dat ze niet erg vertrouwelijk met elkaar zijn, maar Australië? Dat is aan de andere kant van de wereld. En dan daar trouwen – ze weten dat mam en papa onmogelijk die reis kunnen maken, zelfs al hadden ze het geld ervoor, wat ik betwijfel nu papa met pensioen is. Ze zijn nooit verder geweest dan Malta.'

'Dat, lieverd, is nu precies waar het om gaat. Ze willen hen er niet bij hebben. Margaret heeft zich altijd gedragen alsof ze probeert hen te straffen – God mag weten waarvoor – maar dit is gewoon weer iets om te kunnen scoren.'

'O, Roger, is dat niet te ver gezocht? Ik denk eerder dat het gewoon egoïsme is – ze heeft er niet goed over nagedacht. Die Greg heeft haar het hoofd op hol gebracht, heeft haar doen vergeten waar ze vandaan komt, zo opgewonden is ze over de plaats waar ze naartoe gaat. Ik weet zeker dat ze zich zal bedenken, in ieder geval hier zal trouwen – zich door papa naar het altaar zal laten leiden en mama zich druk laten maken over een jurk.'

'Wedden van niet?' Hij gaf haar een zoen op haar oor. 'Maar je moeder heeft jóu toch. Ik zie een grote mogelijkheid dat hier binnen niet al te lange tijd nóg een huwelijk wordt voltrokken, ja toch?' Susan bloosde en keek strak maar met een heimelijke glimlach naar de braadslee die ze bezig was schoon te maken.

Een halfuur later, toen ze klaar waren en met een pot thee binnenkwamen, waren Alice' ogen gezwollen van het huilen, maar haar beide ouders waren kalm, berustend. Susan bleef zich altijd afvragen wat ze precies gezegd hadden, hoe ze de aankondiging van haar zus hadden opgenomen, maar dat was iets wat ze voor zich hielden. Alice zei slechts: 'Dat kind heeft altijd naar avontuur verlangd. Ik ben blij dat ze het gevonden heeft.'

Margaret had zich niet bedacht. Drie maanden later was ze vertrokken. Diezelfde maand vroeg Roger Susans vader toestemming om met haar te trouwen, en toen die van harte werd gegeven, had hij haar ten huwelijk gevraagd en had ze zijn aanzoek geaccepteerd. Zes maanden daarna waren ze op een stormachtige lentedag getrouwd. Alice kreeg de kans haar plannen te maken voor het huwelijk, en Susans vader kon zijn dochter trots over het middenpad leiden. Margaret had een telegram gestuurd, maar had het op de boerderij te druk met de oogst om de lange reis naar huis te maken voor het huwelijk.

Clare en Elliot

Er brandde geen licht toen Elliot thuiskwam. Clares auto was nergens te bekennen. En de voordeur was op het nachtslot. Pas toen hij boven was besefte hij dat ze weg was. Niet uitgegaan, maar weg. Ze had hem verlaten. Vreemd eigenlijk dat er beneden maar zo weinig dingen waren die ze nodig had. Alsof ze een kamer bewoonde in een pension. De zitkamer, de keuken, de gang, alles was nog precies hetzelfde. De woorden van een gedicht van Philip Larkin dat hij eens had gelezen, gingen door zijn hoofd terwijl hij enigszins verbijsterd van kamer naar kamer liep:'*Home is so sad... it stays as it was, shaped to the comfort of the last to leave.*' (Het huis is zo triest... gecreëerd voor het comfort van de laatste die vertrekt.) Alleen was het niet gecreëerd voor het comfort van Clare. Ze had nauwelijks een eigen stempel gedrukt op het huis dat ze samen hadden gedeeld. De praktische toiletartikelen die ze gebruikte waren van haar plank in de badkamer gehaald, haar tandenborstel was verdwenen uit de beker die naast de wastafel hing, haar kant van de klerenkast was leeg. Hij nam aan dat de laden dat ook waren, maar hij controleerde het niet. Ze had de doos tissues aan haar kant van het bed laten staan. De boekenkeus voor de leesclub volgende maand was verdwenen, maar de foto van hen beiden, genomen in de felle mediterrane zon, stond er nog. Belachelijk, dacht hij, dat het zo stil was in huis, want ze had nooit lawaai gemaakt toen ze er nog was. Maar nu, alsof haar spulletjes op de een of andere manier hadden bijgedragen aan het rumoer in huis, was alles nog stiller, holler, zonder haar bezittingen.

Elliot kon niet goed wijs worden uit zijn gevoelens. Misschien was het een combinatie van droefheid, eenzaamheid, angst, opluchting en een soort van blijheid, waarvan hij wist dat dat onzin was. Maar wat was dan geen onzin? Hij voelde zich ook schuldig dat het Clare was die dit dramatische gebaar had gemaakt, Clare die de hopeloosheid van hun situatie had onderkend, en de eerste was geweest om er iets aan te doen. En kwaad ook, omdat haar daad hem tot lafaard bestempelde, een struisvogel die zijn kop in het zand had gestoken.

Hij wist natuurlijk waar ze was. Haar ouders woonden vijf minuten hier vandaan in het huis waar Clare was opgegroeid; ze hadden sinds haar vertrek niets aan haar slaapkamer veranderd.

Elliot pakte de telefoon op, legde hem toen weer neer. Hij wilde het van haar persoonlijk horen, haar gezicht zien terwijl ze het zei, en niet informatie over hemzelf en zijn leven distilleren uit de woorden van haar ouders.

Clares vader liet hem binnen, hield de deur wijdopen. Zijn gezicht was vertrokken, in tweestrijd: hij had Elliot zoveel te zeggen, en hij wist dat er niets te zeggen víel.

Clare zat met haar moeder op de bank. Ze had een glas whisky in de hand. Om zich moed in te drinken. Mary stond op, kneep even in

Clares hand, en liep naar Elliot toe. Ze keek hem met een droevige glimlach aan. 'Hoe gaat het met je?'

'Goed hoor, Mary, dank je.'

Ze omhelsde hem, en toen was ze verdwenen, de deur viel dicht en hij was alleen met Clare. Ze was de eerste die iets zei, en ze ging van start alsof het gesprek al aan de gang was en ze middenin verderging. En natuurlijk was het in hun gedachten al maanden aan de gang. Maar toch was het onwerkelijk om de woorden te horen.

'Ik heb er gewoon genoeg van om altijd maar zo verdomd triest te zijn, en alles in huis... en jij,' Elliot kromp even ineen, 'maakt het nog erger. Ik kan het niet meer, niet nu.'

Er lag een mogelijkheid besloten in die laatste woorden, hoop. Elliot wist niet of hij daarin mocht geloven of niet, maar die twee woorden maakten het hem op dat moment mogelijk om weg te gaan. Het was niet definitief.

'Ik weet het,' zei hij. 'Ik ben thuis als je me nodig hebt. Wanneer dan ook.'

Clare glimlachte, dankbaar dat hij het haar gemakkelijk maakte. 'Oké.'

Hij sprak niet met Mary of met Clares vader, al wist hij dat dat had gekund. Ze wisten niet wat hij deed, ze maakten hem geen verwijt. Ze wilden helpen, dat besefte hij. Ze konden het alleen niet.

Wat nu?

Harriet en Nicole

Ze noemden het gesynchroniseerd winkelen, en ze deden het meestal op maandag na de rit naar school. Ze ontmoetten elkaar in de koffieshop van de supermarkt om hun belevenissen van het afgelopen weekend uit te wisselen, reden dan hun winkelkarren elk naar een andere kant, Nicole naar brood en gebak, Harriet naar fruit en groenten. Ze kwamen elkaar in het midden tegen, bekritiseerden de inhoud van elkaars kar ('Dat is geen kaas, dat is geel plastic'; 'Leg dat terúg!'; 'Hoe kun je je kinderen dat te eten geven?') en gingen in de rij staan. Soms nam de koffieshop uren in beslag, en moest het boodschappen doen in sneltreinvaart gebeuren, binnen een kwartier. Dit was zo'n ochtend. Er waren twee koppen koffie voor nodig om Harriet elk afschuwelijk detail van de bruiloft te laten vertellen.

'Het was vreselijk. Vreselijk. Ik heb me zo belachelijk aangesteld.'

'O, kom nou. Het klonk niet of het zó erg was. Ik weet zeker dat ik wel erger van je heb meegemaakt – denk maar aan die quizavond op school verleden jaar.'

'Nic, ik viel tegen iemand aan. Viel. Toevallig tegen een meer dan doorsnee sexy man.'

'Je viel niet. Je leunde. Trouwens, je had wel op zijn schoenen kunnen overgeven. Dát zou pas iets zijn om je voor dood te schamen.'

'Ja. Dat zou nog vernederender zijn geweest. Maar niet heus.'

'Ik weet zeker dat niemand erop gelet heeft. De helft was waarschijnlijk net zo dronken als jij. Ik word altijd straalbezopen op een bruiloft – dat komt door al dat wachten tot al die verrekte foto's zijn gemaakt terwijl er aan de lopende band champagne wordt geschonken.'

'En dat is bijna nog het ergste. Niemand hééft erop gelet. O, nee! Behalve die Nick, veronderstel ik. En ik denk dat hij me een idioot vond.'

'Laat hem opvliegen. Waarschijnlijk zul je hem nooit meer zien. En wat de anderen betreft, wat verwachtte je in vredesnaam? Een hoofdrol in de toespraken? Opstaan voor de eerste dans met Charles?'

'Nee, nee, nee! Drijf jij niet ook nog de spot met me. Ik kan er nu echt niet tegen.'

'Dat doe ik niet, Harry, echt niet.' Nicole glimlachte. 'Het is nu achter de rug. Hij is niet langer vrij man, je hebt je "streep eronder". Je dacht toch zeker niet dat je je daar kostelijk zou amuseren, hè? Dat is niet de reden waarom exen op een huwelijk worden uitgenodigd. Je was er zodat Charles kon bewijzen dat hij o-zo-volwassen en goed aangepast is en zo'n geweldige kerel dat zelfs zijn ex-vriendinnen hem niet los kunnen laten, zodat hij Imogen kon bewijzen dat ze zich veilig kan voelen en jij geen bedreiging vormt. En om er zeker van te zijn dat het goed tot je doordringt. Ik mag aannemen dat je de boodschap luid en duidelijk hebt ontvangen. Het enige wat je nu kunt doen is het vergeten. Er niet meer aan denken.'

'Gemakkelijker gezegd dan gedaan. Ik wou dat we niet gegaan waren, dat meen ik echt.'

'Dat meen je níet! Daar ken ik je te goed voor. Je móest zien hoe het ervoor stond. Het was alleen niet precies wat je gehoopt had. Al zou de uitnodiging voor het huwelijk voor de meesten van ons een duidelijke vingerwijzing zijn geweest...' Ze glimlachte weer ironisch.

Harriet glimlachte terug. 'Oké. Maar ik weet niet hoe ik het uit moet leggen. Ik wilde... ik wilde een of andere aanwijzing, al was het nog zo gering, van hem, dat dat wat er tussen ons geweest is niet niks was. Dat hij het zich nog herinnerde. Het zelfs koesterde. Net als ik.'

'Schat, ik weet zeker dat hij dat doet. Maar dat was niet de juiste tijd of plaats, wel? Toe nou, kom op. Waarom is het nog steeds zo belangrijk voor je? Na al die tijd?'

En het bleef de hele weg rond Waitrose in Harriets gedachten hangen. Goeie vraag. Waarom was het verdomme nog zo belangrijk?

Terwijl ze haar winkelwagentje verstrooid over het pad langs de dranken duwde, voelde Nicole zich opgelucht dat Harriet bij haar was. Ze miste haar als het de verkeerde kant opging tussen hen. Het was een beetje moeilijk geweest sinds ze Harriet had verteld over haar... Plan klonk te berekenend: het was meer een droom, een mooie dagdroom. Nicole was ervan overtuigd dat zij en Gavin nog een kind moesten krijgen, met zijn ogen en haar haar, en kleine vingertjes en teentjes. Harriet vond haar een idioot, en had dat ook ronduit gezegd. Dat was het probleem met een intieme vriendin: eerlijkheid maakte het soms moeilijk. Ze wilde horen dat ze gelijk had. Harriet had gezegd: 'Je wilt toch niet dat ik tegen je lieg, hè? Als ik echt vind dat dit verkeerd is, moet ik je dat vertellen. Dat begrijp je toch?' Nicole wilde het niet begrijpen, en wilde het niet horen. Wilde niet dat haar droom uiteenspatte. Dus was het goed dat ze over dat huwelijk en die ex konden praten. Harriet was verstrooid geweest en in zichzelf verdiept – het werd slechts vergoed door de grappige manier waarop ze haar spijt betuigde. Ten slotte was ze er zo in opgegaan dat ze vergat om te vragen: 'Hoe gaat het eigenlijk met jou?' zoals ze normaal zou hebben gedaan. Misschien, dacht Nicole, wil zij er ook niet over praten. Maar er niet over praten zou haar niet van gedachten doen veranderen, evenmin als wèl erover praten.

Bovendien was Gavin een schat. Voorbeeldig gedrag, noemde Harriet het. Het was het bekende patroon: Gavin was betrapt, dus had Gavin berouw (en Nicole geloofde nog steeds dat hij oprecht spijt had, dat zijn gedrag meer een verslaving was dan echt overspel) en had hij zich sindsdien als een modelechtgenoot gedragen. Deels verachtte Nicole zichzelf dat ze de kracht had in te zien en te erkennen dat dit patroon bestond, maar dat ze zo zwak was dat ze er nog steeds in trapte. Maar ze trapte er niet in, ze sprong erin. Elke keer, en er waren verschillende keren geweest in hun huwelijk, dacht ze erover hem niet terug te nemen, ging ze in gedachten na hoe het gesprek zou verlopen. Ze zou een koffer pakken met zijn spullen en die op de stoep zetten. Ze zou op zijn kantoor komen en iedereen vertellen wat hij had uitgehaald. Ze zou de sloten veranderen, de telefoon neersmijten, een advocaat raadplegen en de papieren laten overhandigen. Maar ze geloofde niet echt dat ze ooit een van die dingen zou doen. Nicole wilde – hartstochtelijk en wanhopig – dat haar huwelijk en haar gezin een succes zouden zijn. Ze hield van Gavin zoals ze wist dat ze van niemand anders zou kunnen houden. Anders dan Harriet, blijkbaar, wist ze zeker dat geen andere liefde, in het verleden of de toekomst, ooit zou kunnen opwegen tegen haar passie voor Gavin. Daarom was Venetië zo perfect. De stad betekende, met zijn paar vierkante kilometer, het hoogtepunt in haar liefde. Als ze daar nu samen naartoe gingen, zou dat al die gevoelens van hun huwelijksreis terugbrengen, versterkt door wat er sindsdien was bij gekomen: twee kinderen, een huis, een leven samen. Zelfs Nicoles vergevensgezindheid hoorde het sterker te maken. Eén nacht herinnerde ze zich het best van alles. Ze hadden rode wijn gedronken uit enorme glazen en naar muziek geluisterd. Ze lagen naast elkaar – ze hadden eerder al samen gevrijd, en zouden dat later weer doen, tot diep in de nacht en de volgende ochtend. Dit was beter, intiemer. Dit betekende meer. Ze lagen als lepels tegen elkaar op de kussens te luisteren naar de diepe, verlangende stem op de stereo, stil en zwijgend. Nicole had zich volmaakt gelukkig gevoeld, één met hem, en ze had altijd geredeneerd, en geloofd, dat ze dat niet had kunnen voelen tenzij hij dat ook voelde. En dat deed hij – ze wist het. En als je dat met iemand gevoeld had, al was het maar één keer, kon dat dan ooit overgaan? Was dat gevoel niet veel te sterk daarvoor? Verhalen als dit waren voor Nicole de medicijn die ze gebruikte om zichzelf te genezen. In haar hoofd speelde ze de bandjes af tot de andere beelden verdwenen.

Daarom wilde ze niet naar Harriet luisteren, want zij zou alles laten verbleken. Ze kenden allebei een vrouw met een dochtertje op school. Ze was een alleenstaande moeder, en het meisje was het gevolg van een nog steeds bestaande relatie met een getrouwde man, die duidelijk niet van plan was zijn vrouw en kinderen te verlaten. Daar waren Harriet en Nicole achter gekomen tijdens een etentje met haar ongeveer een halfjaar geleden, waar de drank rijkelijk had gevloeid. Ze was een rustige vrouw die altijd naar haar werk moest en niet op de parkeerplaats bleef hangen om bij te praten, en het verhaal kwam eruit als een steenpuist die wordt doorgeprikt, vol liefde en haat, angst en verzet. Later had Harriet haar voor gek verklaard, een logisch standpunt ingenomen ('Ze verspilt haar leven door te wachten op een trein die nooit het station binnenrijdt – we worden er geen van allen aantrekkelijker op, we komen alleen maar dichter in de buurt van het graf') en gerechtvaardigde verontwaardiging getoond ('Er zijn altijd slachtoffers in een dergelijke situatie, maar zij is daar niet een van! Het verbaast me dat uitgerekend jij haar partij kiest!'). Maar Nicole voelde dat zij het begreep. Dat deed de liefde met mensen die dat niet verdienden en met mensen van wie je het niet voor mogelijk had gehouden. Gavins veroveringen neukten hem gewoon, net zoals hij die vrouwen neukte. Dit was iets anders. Dit was triest. Ze zocht vriendschappelijke toenadering tot de vrouw, maar die had haar mond stijf gesloten gehouden, ontsteld door haar eigen indiscretie, en haar kind aan het eind van het schooljaar naar een andere school gestuurd.

In het weekend had Gavin de kinderen meegenomen naar het sportcentrum in de stad (een enorme concessie, want hij haatte de stank van zweetsokken, de plakkerige vloeren en de glasversplinterende decibellen). Voor ze wegeingen had hij haar een blad met toast en thee gebracht, en de krant. Toen ze de deur achter zich dicht hadden gesmeten, had Nicole uit de la van haar nachtkastje een reisgids over Venetië gehaald. In het boek, bij het hoofdstuk over restaurants (waarin de gelegenheden waar zij en Gavin tijdens hun huwelijksreis hadden gegeten omcirkeld waren en daarna met rood aangekruist na te zijn geboekt) had ze een dun notitieboekje gestoken met een lijst van wat ze moest inpakken. In de marge, naast 'met kraaltjes bestikte top en bijpassende sjaal', waren data en nummers gekrabbeld. Haar cyclus. Gavin had het niet beter kunnen plannen. Zelfs Nicole kon zich er niet toe brengen te geloven dat het een teken was dat ze zwanger zou moeten worden. Maar het zou geen kwaad kunnen...

Cressida
'Cressida Bradford.'

De verpleegster had een uiterst vriendelijk gezicht, echt moederlijk. Het was een opluchting dat ze binnen werd geroepen, want ze had zes glazen lauw water gedronken en moest dringend plassen, en het was zenuwslopend om in haar eentje in die wachtruimte te zitten. Alle anderen hadden schijnbaar iemand bij zich, van het verlegen kijkende paar met glimmende gouden trouwringen tot de luide, pissig kijkende vrouw met de reusachtige buik wier nogal kleine echtgenoot voortdurend in de gang liep te ijsberen met twee andere kinderen.

Misschien was het wel goed om in je eentje te zijn. Mam had gezeurd of ze mee mocht, maar Cressida was zich ervan bewust dat dat haar het etiketje zou opplakken van 'stomme zwangere meid'. Ze hield het op 'onafhankelijke vrijdenkster'. Híj wist niet eens dat ze hier was, wist nog helemaal niets, en Polly maakte zich alleen maar zorgen.

'Ah, Cressida – mooie naam.'

'Dank u.'

'Goed, ga hier maar liggen. Topje omhoog, broekje omlaag, stop dit verband maar in uw broekje, dan wordt het niet vies. Mooi. De röntgenoloog komt zo bij u. Eerste keer?' Cressida knikte en de verpleegster kneep zachtjes in haar schouders. 'Maak je niet ongerust – het is zo gebeurd.' En toen verdween ze.

Ongerust? Hè? Cressida vroeg zich af hoeveel mensen er op deze bank hadden gelegen en zich net zo hadden gevoeld als zij. Je bent niet de enige idioot in de wereld. Ze wist, dacht dat ze wist... nee, wist *heel zeker* dat ze het niet kon 'vermoorden'; de gedachte dat ze daar zou liggen terwijl iemand een menselijk leven uit haar schraapte was onverdraaglijk. Afgezien daarvan, wie had de oplossing? Het houden? Hoe? Thuis wonen met mam en Jack, de universiteit opgeven? Bij de vader wonen, het gelukkige gezinnetje spelen, echtgenote, moeder worden? Op haar twintigste? Op zichzelf wonen, zich er met moeite doorheen slaan?

Of het afstaan? Plotseling zag Cressida zichzelf in elke film die ze ooit over dit onderwerp had gezien, een gekwelde vrouw van middelbare leeftijd – Julie Walters of Alison Steadman – en dwong haar gedachten weer terug naar het heden. Eén ding tegelijk. Gewoon kijken hoe het ging.

Cressida wist niet wat ze moest verwachten toen de röntgenoloog kwam en de koude gelei op haar nog platte buik werd gesmeerd ('Misschien zul je die navelpiercing er op een gegeven moment uit moeten halen, Cressida. Die zit straks niet meer prettig naarmate de zwangerschap vordert.' Het leek surreëel als ze naar haar ingevallen buik keek, als een hangmat met de omhoog stekende heupbeenderen aan elke kant, en zich voorstelde dat die dik en rond zou worden – vreemd en afstotelijk en opwindend tegelijk). Ze staarde naar dat ding dat eruitzag als iets waarmee ze artikelen scanden in de supermarkt en dat op haar volle blaas gedrukt werd. Toen de grijze kolking van haar bloed plaatsmaakte voor de niervormige boon van haar baby, waarvan het hartje naar haar knipperde, sprongen de tranen in haar ogen. Wat ze zag leefde, dat wist ze onmiddellijk. Wat ze voelde was verbijstering, fascinatie. Het was krankzinnig dat dit ding – dit kleine *mensje* – zich in haar bevond. Wat ze zei was: 'Hallo, baby.' En wat ze wilde was dat ze iemands hand kon vasthouden, dat iemand het samen met haar kon zien. Cressida verlangde naar haar moeder.

Polly

Polly bewerkte de kussens met haar vuisten tot het stof naar buiten dwarrelde. Ze rangschikte tijdschriften en boeken, legde de afstandsbedieningen keurig naast elkaar op de televisie – ook het apparaatje dat al weken in de zijkant van de bank verstopt lag – en verwijderde de vuile kringen van de melkflessen in de koelkast. Zo zenuwachtig was ze.

Misschien had ze langer moeten volhouden toen Cressida zei dat ze haar niet mee wilde hebben naar het ziekenhuis. Of gewoon naar de wachtkamer moeten gaan – Cressida zou haar vast niet hebben weggestuurd? Nou ja, de oude Cressida niet. De nieuwe, zwangere Cressida was onvoorspelbaar – soms was ze als een klein kind, dat zich naast Polly wilde nestelen en geknuffeld wilde worden, en andere keren was ze zo stekelig en hard dat Polly haar niet kon benaderen. Ze was zo vastbesloten het in haar eentje te redden, en daar zo duidelijk niet toe in staat. Het maakte Polly immens bedroefd. Cressida moest dit niet doen, nog niet. Haar leven behoorde te draaien om welke muziek ze wilde horen, naar welk optreden ze zou gaan, en met welke jongen ze erheen zou gaan. Díe beslissingen, díe dilemma's, niet die over leven en dood. Meer dan ooit wilde Polly nu leiding geven aan Cressida's leven. Ze wilde verantwoordelijk zijn voor het nemen van de beslissingen. In het begin van de week hadden ze laaiende ruzie gehad. Polly had geprobeerd zelfverzekerd te zijn, zelfs streng: ze wilde niet dat Cressida die echo zou laten maken, ze wilde Joe's moeder bellen en het met haar bespreken. Ze had tegen Cressida gezegd dat ze zich moest laten aborteren en het achter zich moest laten. Haar studie voortzetten, haar graad halen, een heleboel padden kussen en een knappe prins vinden. Vrij zijn.

'Maar mam, hoe kun juist jij zoiets zeggen? Hoe kún je? Je was niet veel ouder dan ik toen je mij kreeg. Heb je zo'n hekel aan je leven? Was het zo erg?'

'Ik was jong, ja, maar ik was getrouwd. Ik had een man, een huis, ik kreeg steun.' Terwijl ze dat zei besefte ze dat dat niet waar was. De houding van haar moeder, je-hebt-je-billen-gebrand-nu-moet-je-op-de-

117

blaren-zitten, was moeilijk te verteren geweest, en van Dan had ze weinig hulp gekregen. Het was niet zo'n goed thuis geweest, en ze wist nu dat het ook niet zo'n goed huwelijk was geweest. Ze had een hekel aan zichzelf omdat ze terugviel op clichés en retoriek, haar eigen geschiedenis had verzonnen. Maar ze wist dat het de moeite waard was als ze Cressida daarmee op het juiste pad kon brengen. En toen hadden Cressida's gedachten plotseling een andere wending genomen, en haar boze stem was kalmer, beangstigender geworden. 'Bedoel je dat je wenst dat je mij niet had gekregen? Dat je me liever weg had laten maken?'

'Cressida, dat is niet eerlijk. Je bent er, je bent mijn dochter, en ik hou van je.'

'Dat heb ik je niet gevraagd, mam. Dat weet ik heus wel allemaal, en ik wil niet dat je je daarachter verschuilt. Ik vroeg je me de waarheid te vertellen over toen, hoe je leven is geworden omdat je mij niet weg hebt laten maken.'

Polly gaf geen antwoord.

'Kom, mam.' Cressida's stem klonk luider. Ze was zich bewust van de angst van haar moeder en van het feit dat het niet langer over deze baby ging. 'Had je liever een abortus ondergaan? Vertel eens, mam?'

Polly's ogen waren nat van de tranen. Ze kon de leugen niet over haar lippen krijgen die ze zo graag wilde vertellen.

'Nee. Geen moment. Voor niets ter wereld. Jij bent, nee, jullie zijn, jij en Daniel, het allerbeste wat me ooit is overkomen. Als ik daar spijt van zou hebben, zou mijn hele leven bedrog zijn geweest.'

En het 'maar' dat zei: 'Ik wil meer voor jou dan ik zelf had,' dat zei: 'Ik wil je beschermen tegen sommige dingen die ik heb moeten meemaken' – dat 'maar' bleef onuitgesproken.

Ze hadden ook ruzie gehad over Joe. Polly wilde met hem praten. Ze was kwaad omdat Joe terug was gegaan naar Warwick en hij helemaal niets van dit alles samen met Cressida beleefde. Ze wilde weten hoe hij erover dacht.

Op dat punt, meer dan op enig ander punt, was Cressida onverbiddelijk geweest. 'Hij mag het niet weten. Je hebt niet het recht het hem te vertellen, mam. Geen enkel recht.'

Niets had tot enig resultaat geleid. Polly had geprobeerd te zeggen dat hij zijn verantwoordelijkheid onder ogen moest zien, dat hij zijn verplichtingen had. Toen dat niet was doorgedrongen, had ze gesmeekt: 'Heeft hij niet het recht het te weten? Ligt het werkelijk op jouw weg om een beslissing te nemen over een kind dat van jullie beiden is?'

Dat was verkeerd geweest, en Cressida's woede was weer opgelaaid. 'O, ik begrijp het. Vijf minuten geleden kon je het niet eens opbrengen om het een kind te noemen, zo graag wilde je dat ik het weg zou laten maken. En nu is het plotseling een kind. Joe's kind notabene, nu het je zo uitkomt. Jezus, mam, het heeft niets met Joe te maken, oké?' Dat had ze al eerder gezegd. 'Het is mijn probleem, en ik zal het oplossen, oké?' (Nee, niet oké, dacht Polly. In de verste verte niet.) En toen: 'Als je het hem vertelt, ga ik weg. Dan ga ik gewoon weg, en dan zul je niet weten waar ik ben en zul je me niet kunnen vinden.'

Het dreigement had Polly verkild. Jack had gezegd dat ze het nooit ten uitvoer zou brengen: 'Waar zou ze in vredesnaam naartoe moeten? Het is puberale angst. Een beetje melodramatisch. Dat is alles.' Jack vond dat ze het Joe of zijn moeder niet mocht vertellen. 'Het is niet jouw nieuws, liefste.'

Polly keek hem aan, en voor het eerst leek hij de man te zijn die hij werkelijk was, een man die nooit zelf kinderen had gehad. Die het niet kon begrijpen. Ze zat te huilen aan Susans keukentafel toen ze haar vertelde wat hij gezegd had. 'Het is wél mijn nieuws. Ze is mijn kleine meid. Ik word buitengesloten en Jack vindt dat prima.'

'Hij vindt het niet prima, Poll, hij past alleen op je.'

'Maar hij begrijpt het niet, Suze. Dat kan hij niet.'

Polly raakte uitgeput door de inspanning om te trachten de moeder te zijn die Cressida verlangde. Ze richtte een muur op tegen Jack – strafte hem, veronderstelde ze, omdat hij niet Cressida's vader was of die van iemand anders. Ze probeerde Daniel tegen alles te beschermen. Susan deed haar best, maar had zelf haar handen vol aan Alice en Margaret.

En nu was ze bezig kussens recht te leggen op een keurig opgeruimde bank, wachtend tot Cressida thuis zou komen uit het ziekenhuis. Ze had er bij moeten zijn: dit was een cruciaal moment, dat kon niet anders. De jury was bijeen, en wachten op de uitspraak was ondraaglijk.

Harriet

Hij was absoluut met haar aan het flirten. De eerste keer had ze gedacht dat het per ongeluk was. Nu wist ze zeker dat dat niet het geval was. En ze zou het hem niet beletten. Het had niets met frivoliteit te maken. Harriet was een andere vrouw. Het zou niet eens waar zijn om te zeggen dat ze was zoals vroeger – ze wist niet zeker of ze ooit geweest was zoals nu.

In haar eerste studiejaar was er een meisje geweest, Lucy, een wilde, mooie meid met lang dik donker haar en jadegroene contactlenzen. Harriet leek op háár. Lichtzinnig en ongebonden, amoreel, begeerlijk, gewaagd en... het was heerlijk. De truttige, saaie oude Harriet was thuis gebleven, en dit nieuwe schepsel had de trein van tien uur zeventien genomen naar Waterloo om zich over te geven aan ronduit geil gedrag in een chique hotelbrasserie. Alleen al de aanwezigheid van bedden een paar meter boven haar hoofd vervulde de lucht van mogelijkheden. (Al kon ze natuurlijk onmogelijk bij daglicht met hem naar bed – god, nee. Verduisterende rolgordijnen, een streepje maan en bij voorkeur een elektriciteitsstoring waren essentieel voor die ontwikkeling.) Maar ze dacht er wél aan. Heel vaak.

Het was een paar weken na het huwelijk begonnen. Harriet had vastberaden geweigerd aan die hele klotedag te denken: de hartelijke, liefdevolle maar toch amusante toespraken, de tafels met daar aan al die op elkaar lijkende charmante gasten, die verdomde bruidstaart, het smaakvolle strijkkwartet, dat bezweek voor een soort nostalgische en hippe Dexy's Midnight Runners-disco, het perfecte Armanipakje van de bruid voor het paar op huwelijksreis vertrok, de Aston Martin voor de verdomde safari tijdens de wittebroodsweken... de zwijgend afkeurende Tim en de rondtollende hotelkamer. O, en de kater. Te veel. Te verrekte veel. De eerste week was de herinnering aan de vernedering haar eerste besef geweest bij het wakker worden en haar laatste voor het in slaap vallen. De tweede week had ze voor zichzelf besloten het te vergeten. Dus was ze niet zo blij toen de telefoon ging en ze Nicks stem hoorde.

'Hats?' Jasses, weer die naam. 'Met mij, Nick.' En toen Harriet geen antwoord gaf: 'Van de bruiloft? Ik bedoel, ik weet dat je dronken was, maar breek alsjeblieft niet mijn hart door te zeggen dat je het je niet meer herinnert.'

'Ik was niet dronken. Ik was moe. Ik was de hele nacht op geweest omdat een van de kinderen behoorlijk ziek was, als je het per se wilt weten.'

'Sorry, Hats. Heb zelf geen kinderen. Had dat niet van je mogen denken. Ja, natuurlijk. Moe. Is de kleine schat... nu beter?' Harriet kon de glinstering in zijn ogen zien en de geamuseerde klank in zijn stem horen. Nick wist precies in welke toestand ze die dag verkeerd had – en waarom.

Hij belde blijkbaar om te zien of ze naar een of andere reünie ging van hun universiteit. Ze ging niet. Ze had er niets over gehoord. Ze zou er nooit achter komen of er werkelijk een reünie gepland was.

Ze voelde zich toen al te veel gevleid door zijn telefoontje om zich er iets van aan te trekken. Nick Mallory had haar opgespoord.

En toen had Nick Mallory haar niet meer met rust gelaten. Hij had haar telefonisch achtervolgd. Leerde haar gewoontes kennen – wanneer ze de kinderen naar school bracht, wanneer ze trainde (nou ja, ze had hem verteld dat ze naar een fitnessclub ging; als hij wilde denken dat ze zich in het zweet werkte op de tredmolen in een krap gympakje in plaats van de *Sun* te lezen bij een koffie verkeerd in de lounge van de fitnessclub, waarom zou ze hem dan een idee uit zijn hoofd praten dat hem kennelijk plezier deed?), en hij belde haar als hij op zijn werk was, aanvankelijk een of twee keer per week, toen bijna elke dag.

Hij toonde geen belangstelling voor Tim, omdat Harriet hem niet de kans gaf. Ze zette Tim op een zijspoor, zodat hij in Nicks ogen weinig meer zou lijken dan een huisgenoot. Wat geen excuus was voor Nicks schofterige gedrag, dacht Harriet. Maar toch, ze gedroeg zich lullig. Dat wist ze. Ze wist het vooral omdat ze Nicole niet verteld had wat ze in haar schild voerde. Durfde het eerlijk gezegd niet aan. Nicole was als het ware haar geweten, dat op een van haar schouders rustte. Gek dat niet Tim op die schouder zat, om haar te herinneren aan haar verplichtingen, haar beloftes, haar gezin. Ze had er goed aan gedaan hem buiten te sluiten. Bovendien deed ze niets verkeerds, toch? Het was gewoon een lunch met een oude vriend.

Fout. In werkelijkheid was ze stapelgek op hem. Voornamelijk, dat had ze tenminste zichzelf verteld, omdat hij het heel duidelijk maakte dat hij stapelgek was op háár. Wauw! Dát was nog eens een afrodisiacum!

'En, Harriet...' zelfs de manier waarop hij haar naam zei, nu hij haar eigen naam gebruikte, was sexy '... wat heb je zelf te zeggen? Ik heb je deze schandalig dure lunch aangeboden, die je trouwens nauwelijks hebt aangeraakt...' O, hemelse vreugde, het verlies van eetlust. Dat gebeurde nooit. '... en heb je overladen met complimentjes terwijl je zat rond te prikken op je bord, terwijl jij mij alleen maar beledigde.'

Dat was waar.

Ze had hem genadeloos geplaagd met vroeger, de veroveringen en zelfs de flaporen. Ze had het enig gevonden om dat te doen. En hij vond het enig dat ze het deed, behalve misschien wat ze had gezegd over zijn oren. Achillesoren, dacht ze.

'Je kunt het je veroorloven,' zei ze nu. 'Heb je me niet net verteld over die enorme bonus die je hebt gekregen en die luxe vrijgezellen-flat die je hebt gekocht, en de auto's, en die gehuurde villa in Le Saint-Géran? Ik weet alles van jullie stadsjongens.'

'Vergeet je niet dat je met een ervan getrouwd bent?'

Het was de eerste keer dat hij over Tim sprak tijdens de lunch. Har-riet had een kort visioen van Judas, maar ze keek op haar horloge – het was al over twaalven.

'Nauwelijks. Tim is een analyticus, geen makelaar.'

'O, ja, de serieuze kant. Die jongens verdienen een aardige duit. Ik heb er eens naar geïnformeerd,' hemel, hij was wel nieuwsgierig naar haar, 'en die man van je wordt heel serieus genomen.' Was dat zo? Har-riet had geen idee. 'Hij heeft een paar serieuze ijzers in het vuur, hoor ik.' (Hou op met dat 'serieus'. Ik snap het, oké.)

Ze haalde haar schouders op. Nick boog zich naar voren, zijn ogen richtten zich strak op een paar centimeter onder haar kin. 'Maar niet erg sexy, hè? Het brengt je bloed niet op dezelfde manier aan het koken, hè?'

Harriet was er vrij zeker van dat ze het niet langer hadden over de relatieve verdiensten van makelaars en analytici.

Hij rook lekker. Een paar bruine haren krulden aan de rand van zijn helderwitte overhemd, dat open stond aan de hals. De huid eronder was bruin – echte winterzon. 'Wat jullie uit je krachten gegroeide jon-gens presteren in jullie bovenmaatse kinderbox met je elektronische gadgets en massieve... ego's doet trouwens ook niet veel voor mijn bloeddruk.'

Nick lachte. En toen, met zijn hoofd schuin alsof hij een sculptuur taxeerde, zei hij: 'Ik was vergeten hoeveel plezier je met jou kunt heb-ben.'

Harriet was het ook vergeten, maar ze vond het prettig eraan her-innerd te worden.

Nick stak zijn hand op voor de rekening. Terwijl hij het bonnetje van de creditcard tekende, keek Harriet op haar horloge. Drie uur. Ze had de oppas beloofd dat ze om vier uur terug zou zijn, en nu zou ze te laat komen. De huiselijke, gezette mevrouw Cartwright had haar verzekerd dat tijd voor haar onbelangrijk was. 'Trek je er maar niks van aan, kind-lief. Zolang ik maar om zeven uur terug ben om meneer Cartwright zijn eten te geven, is alles in orde. Ik kan wel voor die kleintjes zorgen als je wordt opgehouden, met al die slechte treinverbindingen en zo.'

Mevrouw Cartwright zou er waarschijnlijk anders over gedacht hebben als ze had geweten dat Harriet in plaats van te lunchen en winkelen met vriendinnen een relatie plande met een oude... nou ja, zo geen vlam, dan toch zeker een lucifer. Mevrouw Cartwright had niets op met dat soort dingen, vooral niet als ze gebeurden in *Coronation Street*. Daarom had Harriet beloofd om vier uur thuis te zijn. Naar huis gaan naar mevrouw Cartwright was een getrouwde vrouws equivalent van een kostschoolmeisje dat na de avondklok langs de directrice naar binnen glipt. Ze wilde het doen met een weliswaar niet geheel zuiver, maar toch slechts licht bezoedeld geweten.

Buiten, op het trottoir, keek ze uit naar een taxi. Er was er niet één. Ze draaide zich om teneinde in de andere richting te zoeken, en hij was dichtbij – veel te dichtbij. Hij legde zijn hand in haar nek, onder haar haar, en trok haar gezicht naar het zijne. Harriet had in geen jaren een andere man gezoend dan Tim – had hém al in geen maanden góed gezoend – en dit was een echte zoen, hartstochtelijk, een zoen voor als de schooldisco ten einde loopt en als Spandau Ballet '12' of 'True' speelt en je vader buiten op het parkeerterrein staat te wachten. Is het niet mal dat we allemaal zoveel beter zoenen als dat alles is wat er gaat gebeuren? dacht ze. Ze reageerde op zijn zoen op een gepaste Barbara Cartland-manier. Hart? Bonzend. Knieën? Knikkend. Pols? Gejaagd. Plus alle andere delen van haar die Barbara achterwege had gelaten. En die allemaal perfect functioneerden.

Hij pauzeerde. 'Hm. Ik wou dat ik dat jaren geleden had gedaan.' En hij zoende haar opnieuw, drukte haar tegen zich aan met zijn hand op haar onderrug. Hij smaakte naar tabak en knoflook. En, ondanks de driegangenlunch, heel erg hongerig.

APRIL

De vrouw die tegen de deur aan liep

RODDY DOYLE

Een agent komt Paula Spencer vertellen dat haar man is doodgeschoten door de politie. Aan de keukentafel overdenkt ze zeventien jaar huwelijk, drank en geweld. Dat ze van hem hield en hij van haar. Dat hij haar ogen blauw sloeg en de tanden uit haar mond. Dat niemand ooit vragen stelde. Dat ze een gelukkige jeugd had gehad. Dat ze terugkwam voor de kinderen. Dat hij haar aan haar haren over de vloer sleepte. Dat ze van hem hield. Dat ze hem uiteindelijk het huis uit smeet. Dat hij dood is. Dat ze nog steeds van hem houdt.

Vloeiend, sexy, geestig, weergaloos en scherp: *De vrouw die tegen de deur aan liep* bewijst hoe Roddy Doyle van het gewone dagelijkse leven grootse literatuur weet te maken.

Roddy Doyle (Dublin 1958) schreef met *Paddy Clarke Ha Ha Ha* (Booker Prize 1993) een internationale bestseller die in negentien talen werd uitgegeven.

'De beste romanschrijver van zijn generatie.' *Literary Review*

De vrouw die tegen de deur aan liep, de Nederlandse vertaling van *The Woman Who Walked Into Doors*, © 1996, verscheen bij uitgeverij Nijgh & Van Ditmar in 1996.

'Bel ze op en zeg het af.'
'Dat doe ik niet.'
'Waarom niet?'
'Om te beginnen vind ik ze aardig. Ik verheug me op mijn leesclub. Ik geniet ervan.'
'Meer dan hiervan?' Hij stootte weer tegen haar aan met zijn heupen.

Nee, niet meer dan hiervan, gaf Polly toe. Dit gaf haar een goed gevoel. Daniel was uit: het was donderdag, dus was hij naar voetbaltraining en hij had vanmorgen iets achterom geschreeuwd tegen haar dat hij daarna naar Ben ging. Ze wist niet waar Cressida was: ze was tegenwoordig zo prikkelbaar dat Polly haar niet naar haar plannen had durven vragen. Jack en Susan hadden haar allebei gezegd dat ze geduld moest hebben, haar de ruimte geven. In ieder geval had ze niet de energie voor nog meer twistgesprekken.

Ze was thuisgekomen uit haar werk in een leeg, eenzaam huis, geen licht aan, geen blèrende radio. Tien minuten later had Jack voor de deur gestaan met een fles rode wijn, en nog eens tien minuten later lagen ze naakt in bed, twee marineblauwe pakken met witte hemden naast elkaar op de grond, onmiddellijk vergeten, gelijk met alle zorgen van de zaak.

'We lijken meer op een paar wanhopige tieners dan op een respectabel paar van middelbare leeftijd, die van elk moment moeten profiteren dat ze alleen zijn, met die drukke programma's van die twee kinderen van je,' had Jack met spottend klagende stem gezegd.

Polly haalde lachend naar hem uit. 'Ik ben niet van middelbare leeftijd.'

Hij hield haar stevig tegen zich aan, drukte haar borsten plat tegen zijn lijf, pakte toen het dekbed en trok het over hun schouders. 'Je voelt goed, voor een ouwetje.'

Ze wreef liefdevol met haar wang tegen zijn borst. Ze vond het prettig zo te liggen. 'Jij ook, voor zo'n ouwe bok.' Even waren ze stil, loom. 'Bovendien vind je het prettig om het 's middags te doen.'

Hij grinnikte. 'Ik kan het niet ontkennen. Het geeft een ondeugend gevoel.'

Het gaf haar een heerlijk gevoel, zich zo tegen hem aan te vlijen. Vredig. De avonden begonnen lichter te worden, en warmer. Ze had de gordijnen van de slaapkamer niet gesloten, en de lucht had een prachtige kleur. Ze voelde zich bemind en begeerd en, besefte ze, gekoesterd. Die emotie had ze al heel lange tijd niet gekend, tot Jack kwam. Ze had zichzelf er bijna van weten te overtuigen dat ze makkelijk zonder kon.

'Kom, sta op. Ze kunnen elk moment hier zijn. Danny en Cress misschien zelfs nog eerder.'

Jack bewoog zich onwillig, gaf haar een zoen op haar hoofd en een plagend tikje op haar billen. 'Ik heb alle recht hier te zijn, te genieten van mijn verloofde.'

'Niet op een avond van de leesclub. Wat ga je vanavond doen?'

Met geveinsde melancholie begon Jack zich aan te kleden. 'Ik ga terug naar mijn lege huis en eet een kant-en-klaar-diner. Ik neem de wijn, denk ik, maar weer mee. Raar, hoor, een man komt langs met een fles wijn, wordt uitgekleed, gebruikt, misbruikt, en de deur uit gegooid voordat hij zelfs nog maar een glas ervan heeft gedronken.'

Ze gaf hem een aai over zijn hoofd toen ze langs hem liep, rond het voeteneind van het bed. 'Je overleeft het wel.'

Ze praatten terwijl ze zich aankleedden. Seks met Jack was fantastisch, maar babbelen terwijl je je aankleedde, zonder je je erom te bekommeren of je er misschien wat onelegant uitzag als je je voeten in je slipje zette of hard aan je ritssluiting moest trekken, was ook fijn.

'Ga je het je vriendinnen vanavond vertellen?'

'Van Cress? Nee. Suze weet het natuurlijk al, maar de anderen niet.' Ze zag de vragende uitdrukking op Jacks gezicht. 'Niet omdat ik me voor haar schaam, maar omdat, nou ja, er eigenlijk nog niets te vertellen valt. Geen verhaal, bedoel ik. Ik kan niet gewoon zeggen: "Mijn dochter is zwanger." Mensen verwachten details. Wat gaat ze doen, en zo. Dat weet ik immers niet,' antwoordde ze somber.

Jack kuste haar zacht, stopte een krul achter haar oor. 'Vertel het ze maar niet. Dat hoeft niet per se vanavond.' Ze stond stil met haar armen langs haar zij; ze zag er zo jong uit in dit licht. Hij drukte haar teder tegen zich aan. 'Het komt allemaal in orde, heus.'

Ze wilde hem graag geloven. 'Beloof je dat?'

'Ik beloof het.'

Zo bleven ze een eeuwigheid staan, half aangekleed, zijn armen om haar heen in het vervagende licht.

'Ik vind dat ze absoluut de meest levendige, unieke vrouw is over wie ik volgens mij ooit heb gelezen. Paula Spencer. Ze is alcoholiste, mishandelde echtgenote, ze is moeder – ze is ongelooflijk.'

'Ik heb een vraag voor je, Harry... Hoe verklaar je dat een man dat heeft geschreven?'

'Dat kan ik niet. Ik heb daar de hele tijd aan lopen denken. Hoe kan een man die dingen weten, die gevoelens begrijpen?'

'Precies. En zo triest. Ik heb het hele boek in één avond uitgelezen, met pijn in mijn hart. Het is een allerdroevigst verhaal.'

'Het bezorgde mij ook min of meer hoofdpijn. Ze springt voortdurend heen en weer – het was echt moeilijk om het tijdsverloop bij te houden – de dialoog is niet gemakkelijk te volgen, en ze herhaalt zichzelf voortdurend.'

'Ze is in de war. Ze is dronken, ze heeft verdriet, en ze probeert de dingen op een rijtje te zetten.'

'Ik vond het net een episch gedicht. De herhalingen en zo hoorden er gewoon bij. Het is een monoloog. Ik betrapte me erop dat ik stukken eruit hardop las, in dat moeilijke accent uit Dublin.'

'Ik ook.'

'Ik vind dat er te veel in gevloekt wordt. Daarin ben ik een beetje puriteins. Ik kan ook niet naar een film kijken waarin voortdurend wordt gevloek en vuige taal voorkomt. Het verstoort mijn concentratie.'

'O, daar las ik na een tijdje overheen. Zo praat Paula nu eenmaal, toch?'

'Ik vind dat de recensent, die ze op de omslag citeren, zich vergist. Hij spreekt over een "liefdeloos huwelijk". Ik vond het juist het tegendeel. Dat is eigenlijk het meest trieste ervan. Ze zou jaren geleden al zijn weggegaan als ze niet nog steeds van hem had gehouden.'

'Ik vind het briljant, zoals het boek je Paula's liefde voor Charlo laat begrijpen en het dan tegen een achtergrond van misbruik plaatst. Haar liefde voor Charlo is fysiek en allesverterend, vind je ook niet?'

'Hoewel hij voor het oog van de wereld niets bijzonders is – en feitelijk wordt dat onderstreept door zijn dood bij een mislukte ontvoering tijdens een verprutste overval.'

'Maar op die dansavond, als ze hem gadeslaat, wat ze zegt over hem als hij rookt – "Hij nam de peuk uit zijn mond – ik voelde hoe zijn lip een beetje meegaf voor hij losliet" – die chemische reactie. En op hun huwelijksreis, als ze de seks ontdekt, die echte, intense hunkering naar hem. Het plaatst het misbruik in zo'n briljante context. Toen ik dit boek las, kon ik er bijna begrip voor opbrengen dat vrouwen bij een man blijven die hen mishandelt.'

'Ja, ze blijft het zeggen, hè? Dat hij van haar houdt, tot aan het eind toe van haar gehouden heeft.'

'Hoe kun je van iemand houden en hem de keus geven – de linker of de rechter – welke van je twee pinken hij zal breken?'

'Of geloven dat iemand van je houdt die jou, iemand, dat kan aandoen?'

'Dat ze zich zo waardeloos voelt, dat heeft me zo getroffen. Zelfs in haar schoonmaakwerk. Ze werkt zich een ongeluk, maakt de hele avond kantoren schoon, en zegt dat ze een essentieel radertje in de machine is, en dat geen van de andere radertjes haar ooit heeft gezien.'

'En over het alcoholisme zegt ze: "Dat heb ik tegen niemand ooit toegegeven. Niemand wilde het weten." Dat is toch tragisch?'

'En al die mishandelingen... als ze zich in de kerk en in de winkels vertoont met al die afgrijselijke verwondingen. "Gebroken neus, tanden uit mijn mond, gekneusde ribben. Vraag het me vraag het me vraag het me." Het lijkt of ze onzichtbaar is of zo.'

'Vind je het niet interessant dat het voor haar was afgelopen toen ze dacht dat hij het op haar dochter voorzien had? Ze had nooit de moed opgebracht er iets aan te doen toen alleen zij het slachtoffer was – pas toen ze dacht dat een van haar kinderen gevaar liep, maakte ze ten slotte een eind aan de cyclus, die in haar eigen huis was begonnen.'

Susan hielp Polly met het inruimen van de afwasmachine. Clare was in de badkamer. Harriet glimlachte naar Nicole. 'Bij Charlo vergeleken lijkt Gavin een ideale echtgenoot, hè?'

'Hou op.' Nicole was niet kwaad, maar soms was ze meer in de stemming om op hem af te geven dan vanavond. Ze schonk nog een glas wijn in. Harriet reed haar naar huis en Gavin was er vanavond niet – wat deed het ertoe? Straks zou ze negen maanden op een droogje staan: ze kon er nu maar beter van profiteren.

Maar ze had aan hem gedacht toen ze het boek las. Natuurlijk had hij haar nooit geslagen – hij leek niets op de man die Paula had beschreven. Dat was het niet. Het had meer te maken met de manier waarop Paula probeerde te blijven geloven dat hij van haar hield, dat hij er spijt van had. Als ze praatte over het smetteloos schoonhouden van het huis en de zorg voor de kinderen, was het om 'hem te bewijzen dat ik het waard was, de liefde waard.' Was dat wat Nicole deed? En de manier waarop hij naar haar keek als hij haar had mishandeld, alsof het hem speet en alsof hij werkelijk van haar hield – de blik die het je mogelijk maakte te geloven, en te blijven geloven, en de cyclus te laten voortduren. Dat wás hetzelfde, al wilde ze nog zo graag denken dat het niet zo was. En het verdriet. Paula had gezegd dat ze gaten in haar hart had die nooit stopten haar te doden. Nicole had die gaten ook.

Maar voor haar zou het niet op die manier eindigen. Ze zou Gavin niet de deur uit gooien. Dat zou niet nodig zijn. Zover zou het niet komen.

'Kan ik je een lift naar huis geven?' bood Susan aan. Clares auto stond in de garage.

Clare schudde haar hoofd. 'Nee, maak je geen zorgen. Ik ga met de bus. De halte is aan het eind van de weg.'

'De bús?' Wat Harriet betrof, had Clare ook kunnen zeggen 'raket'. Ze had in jaren niet in een bus gezeten. Als je ergens niet in een rechte lijn met vierwielaandrijving kon komen, had ze geen zin om te gaan.

'Doe niet zo idioot.' Susan begon bazig te worden. 'Het is echt geen moeite.'

'Graag dan, dank je,' mompelde Clare in de kraag van haar jas.

Wat was ze toch een aparte meid, dacht Harriet. Ze kan enthousiast over een boek praten, en ze kan haar meningen en gedachten abstract naar voren brengen, maar dan vervalt ze weer in zwijgen. Geeft er de voorkeur aan om te luisteren.

Ze namen afscheid van de anderen, en Clare volgde Susan naar haar auto, die iets verderop stond.

Pas toen Susan de motor gestart had en had aangegeven dat ze van plan was weg te rijden, zei Clare: 'Ik ga niet naar huis. Ik slaap vannacht bij mijn moeder. Mijn vader is weg, zie je, en ik heb beloofd haar gezelschap te houden.' Het kwam er in één adem uit.

Mary had met geen woord gezegd dat ze alleen thuis zou zijn, maar iets in de houding van Clares hoofd belette Susan ernaar te vragen. Een paar minuten reed ze zwijgend door, maar stilte was niets voor

Susan en ze zocht naar woorden. 'Het was goed deze maand, vind je niet? We schijnen echt onze draai te vinden.'

Clare knikte. 'Ik hield van het boek. Nou ja, ervan houden is misschien niet de juiste uitdrukking, maar ik ben blij dat ik het heb gelezen.'

'Ik ook. Een andere wereld. Zet je aan het denken.' Susan huiverde. 'Ik wist niet zeker wat ik van de leesclub moest denken toen Harriet het voorstelde. Ik dacht niet dat ik ervoor zou deugen. Op school was ik nooit zo'n uitblinkster, niet in Engels tenminste.'

'Ik ook niet. Ik dacht dat iedereen verschrikkelijk intelligent zou zijn, en dat ik niets over die boeken zou kunnen zeggen.' Ze glimlachte naar Susan. 'Ik ben alleen gegaan omdat mijn moeder me er min of meer toe heeft gedwongen,' bekende ze. 'Belachelijk, hè? Een volwassen vrouw die doet wat haar moeder zegt.'

'Ik vertel mijn twee kinderen nog steeds wat ze moeten doen – probeer het tenminste.'

Clare wist niet hoeveel Susan wist, hoeveel Mary haar had verteld. 'Het is alleen dat, nou ja, je weet waarschijnlijk hoeveel mijn moeder voor me doet, en ik denk dat ze... nou ja, ik heb het gedaan om haar een plezier te doen. Ze denkt dat afleiding en een hobby buitenshuis het gemakkelijker voor me zullen maken.'

'Hoopt, niet denkt. Ik denk dat je moeder alleen maar wil dat je...' Susan wist niet hoe ze de zin af moest maken. Wil dat je de baby krijgt naar wie je hunkert, zo graag dat ze die zelf zou dragen als het kon.

'Ik weet het. Ze wil dat ik iets omhanden heb. Ze is geweldig geweest. Daarom ben ik gekomen – het was iets wat ik voor haar kon doen.'

'Ik ben blij dat je het hebt gedaan.'

'Ik ook.' Clare stak haar handen met een brede glimlach diep in haar zakken.

Ze lijkt zo jong, dacht Susan. Nog jonger dan Ed en Alex. Onvruchtbaarheid was kennelijk een van die dingen – zoals kanker, een ontrouwe echtgenoot of een ouder met Alzheimer – waarover gefluisterd wordt en niet openlijk gesproken.

Ze wilde er met Clare over praten, maar ze wist dat ze daar niet het recht toe had. Zij had twee fantastische, gezonde zoons. Waarom zou Clare met haar willen praten?

Cressida en Polly

Cressida had niemand de foto laten zien die ze haar in het ziekenhuis hadden gegeven. Ze bewaarde hem in haar portefeuille, onder haar studentenkaart. De naam BRADFORD was met zwarte letters geschreven op de rand van de scan die uitstak boven het plastic van de kaart. Telkens als ze ernaar keek voelde ze zich in haar besluit bevestigd. BRADFORD. BABY BRADFORD.

Nu was het tijd om met Polly te praten. Het was zaterdag; Jack was met Daniel naar voetballen, zodat ze alleen thuis waren. Polly was al een tijdje op en dacht ongetwijfeld dat Cressida nog sliep, met haar hoofd onder het dekbed. In plaats daarvan was ze volledig gekleed, en zat op de rand van haar bed met de foto van de scan in haar hand. Peinzend streek ze met haar vinger erover, stopte hem in de achterzak van haar jeans en stond op om haar moeder onder ogen te komen.

Beneden hoorde Polly Cressida rondscharrelen en schonk nog een kop koffie in uit de cafetière. Ze verlangde naar een gesprek, maar was vastbesloten het niet te laten merken. 'Goeiemorgen, lieverd. Je bent vroeg op.'

'Goeiemorgen, mam.' Cressida nam plaats achter de mok die Polly voor haar had ingeschonken. 'Kunnen we praten?'

'Natuurlijk, schat.'

'Waarmee ik eigenlijk wil zeggen, kan ík praten? Ik heb veel nagedacht en heb een en ander op een rijtje gezet, en ik wil het je gewoon vertellen. Ik wil geen ruzie, daar kan ik nu niet tegen. Dus, kan ik praten en kun jij naar me luisteren?'

Polly was onder de indruk van haar kalmte, en besefte dat Cressida goed had nagedacht over die toespraak. 'Oké.' Ze had trouwens geen keus – haar dochter had alle troeven in handen. Dat had Jack haar doen inzien.

'Goed. Om te beginnen wil ik je zeggen dat ik zo goed als zeker weet dat het uit is tussen Joe en mij.'

Polly was geschokt. Het was niet wat ze verwacht had.

'Het ging niet zo geweldig in de tijd dat hij in Warwick was, en toen hij met Kerstmis thuiskwam, nou ja, het is gewoon allemaal anders tussen ons. Ik veronderstel dat het zo wel móest gaan toen hij wegging en een nieuw leven begon.'

Ze keek naar Polly, moest de vraag op haar gezicht hebben gezien, maar kon zich er niet toe brengen haar blik vast te houden terwijl ze antwoordde: 'Nee, dat is het niet – hij heeft niet iemand anders leren kennen.'

Terwijl ze het zei realiseerde ze zich twee dingen: ten eerste dat ze geen idee had of hij iemand had leren kennen of niet, en ten tweede dat ze echt hoopte dat het wél zo was, een aardig en ongecompliceerd meisje.

'Het is gewoon voorbij, dat is alles. Ik denk dat het min of meer als een nachtkaars is uitgegaan, en dat we dat allebei hebben ingezien, die laatste avond voor hij terugging. Ik heb hem sinds die tijd niet meer gesproken.'

Polly wist niet wat ze ervan moest denken. Wilde Cressida daarom zo verschrikkelijk graag dat hij het niet zou weten? Was ze bang dat hij zou denken dat ze probeerde hem voor het blok te zetten? Ze had niet gedacht dat dat het was, al leek het nu natuurlijk volkomen logisch – dat gebeurde immers met de meeste kinderen van hun leeftijd als ze naar de universiteit gingen? Arme Cress. Polly vroeg zich af of ze er goed aan had gedaan haar dochter aan te moedigen thuis te blijven terwijl al haar vrienden een nieuw leven begonnen. Was ze alleen maar egoïstisch geweest?

Cressida was nog steeds aan het woord: 'En ik vind het best. Echt waar.'

'Mooi.' Polly boog zich naar voren en raakte Cressida's arm aan. 'Het spijt me, lieverd.'

'Het is oké.' Een diepe ademhaling. 'En het tweede is, wel, ik heb besloten het te houden. Ik wil deze baby krijgen.' Ze keek niet naar Polly toen ze het zei, maar naar de vurenhouten tafel. Toen hief ze haar hoofd op en keek haar moeder recht in de ogen. Haar stem klonk krachtiger dan ze zich voelde. 'Wat je ook zegt, mam, ik wil dit kindje krijgen. Vraag me niet waarom. Ik vind gewoon dat ik geen keus heb. Ik heb aan de andere mogelijkheden gedacht, geloof me, en dit is het enige wat juist aanvoelt. En het zou gemakkelijker en prettiger zijn als jij achter me stond. Dus, alsjeblieft, mam, sta je achter me?'

Het was een vraag.

Wat moest ze zeggen? Polly keek naar het meisje (of vrouw?) dat tegenover haar zat, en een aaneenschakeling van herinneringen ging door haar hoofd. Al die keren dat ze Cressida had bijgestaan. De doorwaakte nachten waarin Cressida ziek was geweest, de eerste schooldag, concert- en sportdagen, als ze werd overgeslagen voor uitnodigingen voor een feest of puistjes had, en als de examens goed waren gegaan.

Al die keren. Waar anders zou ze staan dan aan Cressida's kant. Ze knikte en stond op. Ze wilde haar aanraken. Moeder en kind. En kind. Ze omarmde haar en hield haar heel lang stevig vast. Toen ze elkaar loslieten, beiden met vochtige ogen, besefte Polly dat er een stilte, een soort vreedzaamheid over hen was gekomen die had ontbroken sinds ze het had ontdekt van de baby. Dat stadium was voorbij.

Cressida haalde de foto uit haar zak en liet hem zien. Polly nam hem aan en besefte dat ze voor het eerst naar haar kleinkind keek. Dit was de baby van haar baby. Het was een beetje angstaanjagend, en het was niet zoals het hoorde, maar het was zo.

'O!' was alles wat ze uit kon brengen.

'Ik weet het,' zei Cressida. En zo begon de nieuwe fase.

Beste Joe

Het spijt me heel erg van Kerstmis. Ik weet dat het niet goed ging tussen ons, en ik ben je een verklaring schuldig, voor een heleboel dingen. Het was laf van me dat ik toen niet met je gepraat heb, en misschien is het laf van me dat ik je nu schrijf. Maar ik kan niet naar Warwick komen – dat zou te ver gaan, en ik weet zeker dat dat het laatste is wat je zou willen, in ieder geval als je dit eenmaal hebt gelezen.

Ik schrijf je dit niet om je te kwetsen.

Denk dat alsjeblieft niet. Ik wil dat je van mij en niet van iemand anders hoort wat er aan de hand is. Maar het zal je pijn doen, dat weet ik. En dat spijt me.

Ik ben zwanger, Joe, ongeveer vier maanden. Je kent de vader niet, ik zweer het je. Ik weet niet of dat helpt. Ik leerde hem een paar maanden geleden kennen, toen jij in Warwick was. Daarom ben ik je niet komen opzoeken. Ik had het niet moeten doen, niet achter je rug, en ik kan het je niet kwalijk nemen als je nooit meer een woord tegen me wilt zeggen. Ik denk dat ik dacht dat je me zou vergeten als je daar eenmaal was en een heel nieuwe vriendenkring kreeg. Dat zou in zekere zin gemakkelijker zijn geweest. Ik zal me altijd schamen dat ik je dit heb aangedaan – het is niet echt iets voor mij, maar ik veronderstel dat het zo moest zijn. Ik geloof dat ik van hem hou, van de vader. Ik hield echt van jou, ik heb jarenlang van je gehouden, sinds we kinderen waren. Maar misschien is dat juist de essentie – misschien was wat wij met elkaar hadden nooit bedoeld als iets voor volwassenen. Ik zal altijd van je houden, al weet ik dat het banaal is om zoiets te zeggen, en waarschijnlijk zul je het kul vinden. Maar het is zo. Ik heb het aan jou te danken dat ik als tiener een heerlijk leven heb gehad. Waar-

schijnlijk klinkt dit heel naar, maar ik ben blij dat we nooit seks hebben gehad. Wat wij hadden was zonder dat heel bijzonder. Begrijp je wat ik bedoel? Hoor eens, ik weet niet hoe het met die jongen verdergaat. Ik weet alleen dat ik het kindje niet kwijt wil, of het wil afstaan of zo. Ik wil het hebben en ik zal ervoor zorgen. Jij hoeft je hier allemaal niets van aan te trekken, dat is niet meer dan billijk.

En ik neem je de vreselijke dingen die je nu over me denkt of zegt niet kwalijk. Ik wilde het je alleen zelf vertellen. En ik wil dat het goed met je gaat. Het spijt me, Joe, dit alles.

Misschien zie ik je nog eens als je thuis bent. Ik hoop het, maar ik begrijp het als je dat niet wilt.

Heel veel liefs,
Cressida
xxx

Joe stopte de brief in zijn jaszak. Hij nam het zichzelf kwalijk dat hij hem had opengemaakt in de portiersloge. Hij had moeten weten dat het een afscheidsbrief was, na die toestand met Kerstmis, al had hij nooit kunnen raden hoe vernietigend de inhoud zou zijn. Maar hij had de envelop gezien, en haar handschrift, en die maffe jadegroene inkt die ze per se altijd wilde gebruiken, en hij was zo blij geweest.

Verdorie. Het had hem zo overdonderd dat hij niet wist waar hij het eerst over moest denken. Ze had iemand anders leren kennen. Ze was met hem naar bed geweest. Dat deed Joe meer verdriet dan hij ooit had ervaren. Hij had altijd gedacht dat hij het zou zijn, dat zij het met elkaar zouden doen. Ze hadden urenlang gezoend, met verfomfaaide kleren, op sofa's, op bankjes in het park, in de bioscoop, en ze waren altijd bijtijds gestopt, al had het hun beiden de grootste moeite gekost. Cressida zei altijd dat ze wilde dat het iets bijzonders en weloverwogens zou zijn, niet iets stiekems en heimelijks. In een bed, zei ze: 'In een bed waarin we het recht hebben te zijn, op een plaats waar we wíllen zijn, als het juist en goed is.' En dat had hij gerespecteerd. Hij had gewacht. Er waren jongens, hij kende er zoveel, die zich er niet druk om zouden hebben gemaakt. Joe had seks kunnen hebben met een ander. Maar dat had hij nooit gedaan. Hij wilde seks met Cressida. En hij kon wachten. Hij kon het niet verkroppen dat een ander waarschijnlijk meer voor haar had betekend. Iemand anders was de juiste geweest en ze had zíjn bed gekozen. Hij sloot zijn ogen voor het beeld dat hem voor ogen zweefde: naakt, haar huid tegen die van een anonieme man, een man die hij niet was, maar hij kon het niet uit zijn hoofd zetten.

En zwanger. O, mijn god. Daar kon hij niet bij. Twee minuten geleden was Cressida een maagd geweest. Nu zou ze een kind krijgen. Het kind van een ander. Het was te veel om te kunnen bevatten.

God, laat ik alsjeblieft hier niet gaan huilen. Een paar meter verderop was het rugbyteam bezig te trainen. Vóór hem stonden een paar aantrekkelijke tweedejaars meisjes te praten. Niet waar iedereen bij was. Joe gespte zijn rugzak om en boorde zijn nagels, met witte knokkels, in zijn palmen. Laat me eerst naar mijn kamer gaan, dacht hij smekend. Aan de overkant van de gang, die deur door, hier omhoog. Waarom was hij zo geschokt? Hij had geweten dat het niet goed ging – hij was er zelfs al over gaan denken hoe het zou zijn om niet meer samen met haar te zijn, maar met een ander meisje van hier. Hij had zich voorgesteld hoe het zou zijn om een vriendin te hebben die hij iedere dag kon zien, in Grumpy Johns, op de studentenvereniging, op colleges. Hij holde met twee treden tegelijk de trap op, met gebogen hoofd, en stopte pas toen hij op de tweede verdieping was. Hij was er bijna. Sommigen hielden hun deur open door er een stoel tegenaan te zetten, en ergens stond de radio aan. Een paar van de meisjes met wie hij de keuken deelde waren aan het dansen bij de broodrooster toen hij langsliep. Een van hen was Issie. 'Hoi, Joe. Wil je wat toast?'

'Nee, dank je.'

Ze kwam naar hem toe, keek hem strak aan. 'Het gaat niet goed, hè?' Ze legde haar hand op zijn arm. Dat was beter dan alleen in zijn kamer zijn.

Hij kon met Issie praten. Hij wílde met haar praten. Maar niet hier; hier kon hij alleen maar zijn hoofd schudden.

'Kom.' Ze duwde hem haar kamer in en deed de deur achter hen dicht.

Margaret en Alice

De brochures voor De Dennen lagen op de lage tafel. Susan had ze haar zus laten zien, haar verteld over de andere tehuizen die ze had gezien en wat haar aan dit tehuis beviel. Ze hield zich dapper. Het had grote kamers met hoge plafonds, zei ze, een prachtig uitzicht over open velden, en Alice had een kamer waar de zon het grootste gedeelte van de dag naar binnen scheen. Ze had Margaret niet verteld dat ze na haar bezoek in de auto had zitten huilen. Dat ze zich had afgevraagd of het niet menselijker zou zijn naar huis te gaan en een kussen op Alice' gezicht te drukken dan haar daar achter te laten. Dat Alice zo klein en nietig had geleken op de dag dat ze erheen was gegaan, verward en gedesoriënteerd. En dat Susan thuis was gekomen en urenlang bij Roger had uitgehuild, jammerend dat ze een slechte dochter was, dat ze Alice thuis had moeten houden. Roger, altijd even vriendelijk en aardig, ook bedroefd om Alice, bleef maar zeggen: 'Dat kun je niet. Al wil je het nog zo graag, je kunt haar niet de zorg geven die ze nu nodig heeft. En dat kunnen zij wel. Liefste, alsjeblieft, geloof me. Dit is het enige wat je nu voor Alice kunt doen.' Ook dat vertelde ze niet aan Margaret.

'Ik ga er morgen heen,' zei Margaret. 'Tenslotte is dat de reden waarom ik ben gekomen.'

'Goed. Ik heb het op het ogenblik niet te druk met mijn werk, dus ga ik met je mee.'

'Ik ga liever alleen, dank je. Roger zei dat ik de auto kon lenen, toch?'

'Ja, natuurlijk, maar…'

'Geen gemaar, Susan. Hoor eens, jij hebt besloten dit met mam te doen. Het minste wat je nu kunt doen is me zelf mijn mening te laten vormen over die instelling.'

Dat gaf de doorslag. Susan had er genoeg van.

Ze viel uit tegen haar zus – gooide weken en weken van emoties eruit. 'Ik heb er schoon genoeg van.'

Margaret leek even iets in te tomen door Susans uitval. 'Hoe durf je hier zomaar binnen te komen lopen en mij te beschuldigen? Ik heb niets met mam gedáán, behalve het enige wat ik kón doen. Ik kan haar thuis niet verzorgen, Maggie. Ik heb Roger en de jongens en de zaak. Ik heb een eigen leven. Net als jij. Mam is ziek, Maggie. De moeder die jij je herinnert is er niet meer. En dat doet verdriet en ik mis haar en ik wou dat ze nog hier was. Maar ik heb eraan moeten wennen, en dat zul jij ook moeten doen.'

Margaret was stil, en Susan realiseerde zich dat Maggie haar nog nooit zo had meegemaakt. Toen ze naar Australië was vertrokken, was Susan de passieve, stille zus geweest, maar het moederschap, het werk en het leven hadden haar harder gemaakt. Gewend raken aan wat er met Alice gebeurd was, had haar nog sterker gemaakt – tot Margaret haar die beschuldigingen naar het hoofd had gegooid.

Ze probeerde zich kalm te houden, het te vertellen zoals Roger het haar had uitgelegd. 'Weet je, Maggie, de eerste paar beroertes hebben haar veranderd. Haar geheugen begon haar in de steek te laten en ze vergat bijvoorbeeld dat ze het gas had aangestoken, ging zonder jas naar buiten – dat soort dingen. Daar konden we mee leven. Ik heb het altijd heerlijk gevonden om mam om me heen te hebben, en dat was allemaal nog niet zo erg. Al viel het niet mee om voortdurend op haar te moeten letten. Maar ik heb het gedaan. De zware beroerte, die ze had op de dag dat ik je belde, toen we niet zeker wisten of ze zou blijven leven, veranderde alles. Ze is nu net een kind. Haar geheugen werkt niet meer goed. Soms leeft ze in 1940, soms ben ik háár moeder, soms herkent ze Roger niet. Ze heeft hulp nodig bij het eten, wassen en naar de wc gaan. Ik kan het niet, Maggie, en ik wil het ook niet.'

'Dat is wél wat ze voor ons heeft gedaan, niet?'

'O, in godsnaam, doe niet zo schijnheilig. Je denkt dat jij immuun bent voor dit alles, hè? Dat je gewoon even hiernaartoe kunt vliegen, me vertellen dat ik er een rotzooitje van maak, en dan weer teruggaan naar je perfecte echtgenoot en je perfecte leven. Zo werkt het niet, Maggie. Sorry.'

Margaret stond op, om een eind te maken aan het gesprek. Susan had haar wel kunnen slaan. 'Ik ga er morgen naartoe.' God, ze maakte je des duivels.

Bij de deur draaide ze zich om. 'En ter informatie, Susan, Greg en ik zijn tien jaar geleden uit elkaar gegaan. Hij heeft me in de steek gelaten voor een van mijn beste vriendinnen. Ze hadden al zeven jaar een relatie. Je weet minder over mijn "perfecte leven" dan je denkt.'

En wiens schuld is dat? dacht Susan, terwijl ze achteroverleunde in de kussens van de bank.

De kamer waar Margaret heen werd gebracht door de enorme, bedrijvige assistente, was groot, met een hoog plafond en schuiframen. Hij moest opnieuw geschilderd worden en de inrichting paste er niet bij – vurenhouten meubels die gemaakt waren voor houten huizen op landgoederen: de bovenkant van de klerenkast bevond zich een halve decimeter onder de schilderijenrail en twee ladekasten leken al net zo buiten proportie. De kamer leek vaag absurdistisch, als kindermeubels in een kamer voor volwassenen. Alleen het bed was groot, breed en hoog, van wit metaal, met stangen en een rode belknop met een koord dat rond het hoofdeinde was gewikkeld. Alice had haar eigen badkamer, met een witte stang naast de wc en langs het bad. Er hing een groot kurken prikbord, waarop Susan vrolijke foto's had bevestigd van haar en Roger, de jongens, een van Margaret en Greg op de farm. Margaret voelde zich getroffen door het feit dat ze er zo jong op uitzag. Er stonden meer foto's op de ladekast: Susan in haar trouwjurk, de jongens op kindertractors, die langgeleden op een jaarmarkt waren genomen. Boven Alice' bed hing een foto van haar en papa, op hun veertigste trouwdag, zijn arm trots om haar schouder geslagen. Margaret hield niet van foto's van dode mensen, maar ze veronderstelde dat Alice hem hier wilde. Ze hield ook niet van de stank – de geur van de waterige kool uit de schoolkantine en de scherpe reuk van urine. Ze walgde van het hele huis. Het neerbuigende personeel, dat in belachelijk luide en langzaam uitgesproken zinnen sprak, deed haar haren overeind staan. En die zitkamer waar ze langs was gekomen, hemel! In elke hooggerugde velours armstoel zat een nietig oud mensje, met troebele ogen starend naar een of ander stom programma op de grootbeeldtelevisie, waarschijnlijk zittend in zijn eigen uitwerpselen, wachtend... God mocht weten waarop. Er zat een kleinkind, of achterkleinkind, in de zitkamer toen ze voorbijkwam, schreeuwend om te worden opgepakt, natuurlijk doodsbang voor die oude vrouwen met hun droge, flinterdunne huid, hun gekromde, knokige vingers en verwrongen tandeloze lach.

Nu, in de betrekkelijk normale omgeving van Alice' kamer, deed Margaret haar uiterste best om haar weerzin en haar impuls om te vluchten te onderdrukken. Goddank dat ze erop had gestaan alleen te gaan. Een secondelang voelde ze iets van medelijden met Susan – zij werd hier bijna dagelijks mee geconfronteerd. Maar even snel was het gevoel weer verdwenen. Het was Susan die haar moeder hier had opgeborgen.

'Alice, we hebben een verrassing voor je. Het is je dochter die helemaal uit Australië is gekomen. Wat vind je daarvan?'

Hou je mond, hou je mond, dacht Margaret. Ze klinkt als een bibliothecaresse van een kinderleeszaal die kleuters een sprookje voorleest.

En toen zag ze Alice. En Margaret keek naar haar voor het eerst in misschien tien jaar.

Wat ze zag gaf haar een schok. Alice was een oude vrouw. Ze leek centimeters gekrompen. Haar schouders hingen af, en ze had als gevolg van osteoporose een bult onder aan haar hals. Haar haar was dunner en verward, met een scheiding aan een andere kant dan vroeger, en door het haar heen schemerde een roze schedel. Ze kon zich niet herinneren haar moeder ooit zonder lippenstift te hebben gezien – haar leven lang dezelfde kleur – maar nu waren haar lippen dun, bleek en droog. Haar vest was verkeerd geknoopt en zat vol kruimels.

'Susan?'

'Nee, Alice. Weet je nog dat we het je verteld hebben? Niet Susan, het is Margaret, die uit Australië is gekomen.'

Margaret kon die stem niet langer verdragen. 'Bedankt. Hoor eens, ik red het verder wel. Misschien wil ik toch wel die kop thee hebben die uw collega me heeft aangeboden.' Alles om haar de kamer uit te krijgen.

Maar toen ze naar voren liep om haar moeders arm te pakken, keek Alice geschrokken op.

'Het is oké, mam. Ik ben het.'

Maar Alice leek nog steeds verward.

'Ik ben Margaret, mam. Ik ben overgevlogen uit Sydney. Weet je nog wel?'

Het meisje ging weg. Ze fluisterde boven Alice' hoofd: 'Misschien kan ze het zich niet herinneren – we hebben een beetje moeite met haar vandaag.' Als een puppy die ze zindelijk probeerden te maken.

Margaret knikte met op elkaar geknepen lippen, waarna het meisje verdween. Ze trok Alice mee de kamer in en liet haar in een leunstoel zitten, duwde de tafel met wieltjes opzij. Ze haalde de foto van haar en Greg van het prikbord en liet hem aan Alice zien. 'Je weet wel, mam – Margaret. Ik ben met Greg getrouwd en we zijn teruggegaan naar Australië, waar hij vandaan kwam, nu al meer dan twintig jaar geleden.'

'Twintig jaar?' Alice keek op. 'Margaret, ja.' Ze zei de naam langzaam, weloverwogen.

'Precies. Margaret. Hoe gaat het met je, mam?' Ze sloeg een arm om Alice heen, verontrust dat haar moeder niet vertrouwd rook. Kwam dat alleen door het verstrijken van de tijd?

'Margaret,' herhaalde Alice. 'Eindelijk bij ons terug. Helemaal uit Australië. Je vader zal zo blij zijn je te zien. Als hij terugkomt van het golfen.'

'Golfen?'

'O, ja, lieverd, dat is het enige wat hij doet sinds hij met pensioen is. Achttien holes, elke dag. Ik ben een onbestorven weduwe, weet je.' Ze lachte zacht.

Margaret wist niet goed raad met de situatie en bijna wilde ze dat het meisje terugkwam. 'Mam? Papa is dood. Hij is acht jaar geleden gestorven. Ik vind het heel erg, mam.'

'Dood, zeg je? Papa? O, nee!' En Alice begon te huilen, echte tranen van verdriet.

Susan had gezegd dat het kortetermijngeheugen van hun moeder dat nieuws niet meer kon verwerken. Iedere keer als ze het hoorde, leek het of hij pas was gestorven. 'Ik vertel het haar niet meer, Maggie,' had ze gezegd. 'Wat heeft het voor zin haar dat telkens weer te laten doormaken? Laat haar maar geloven dat hij aan het golfen is.'

'Dat is belachelijk,' had Margaret gezegd. 'Zo kun je haar niet behandelen.' Maar terwijl ze Alice' magere hand vasthield, wenste ze dat ze naar Susan geluisterd had.

Cressida

Ze was hier nog nooit geweest. Had het ook nooit gewild – had niet willen toegeven dat ze nieuwsgierig was. Maar nu was ze er. En, zoals zo vaak de laatste tijd, reageerde ze niet zoals ze gedacht had.

Hij was heel stil geweest toen hij haar had afgehaald, en hij had met haar hand onder de zijne op de versnellingspook gereden. Ze had niet willen vragen waarom ze hiernaartoe waren gegaan. En ze had begrepen, zelfs in de korte tijd dat ze met elkaar omgingen, dat hij alleen maar troost van haar verlangde, geen vragen maar aanrakingen, geen gepraat. Op die momenten had ze het gevoel dat zij de oudste was van hen beiden – hij kon bijna kinderlijk zijn in zijn simpele behoeften. En daarna, nadat ze hem in haar armen had gehouden, met hem had gevrijd, was hij anders – blij en rustig. Grappig ook, en interessant.

Hij had de deur opengemaakt met de sleutel in de verkeerde hand, morrelend, zachtjes vloekend, terwijl hij haar met de andere hand stevig vasthield. Hij was altijd vol passie, gaf haar altijd het gevoel dat hij naar haar verlangde, maar vanavond had het iets urgents. Hij leek bijna wanhopig.

Hij had met haar gevrijd in de zitkamer, op de bank, op de grond, in het donker – slechts een oranje gloed uit de straat scheen door de vitrage en verlichtte hen vaag. Hij vertelde haar dat ze er zo mooi uitzag in dat licht, beeldschoon, stralend. Hij streek met één vinger langs haar lippen. Hij bewoog haar lichaam, armen, benen, draaide ze rond en keek ernaar terwijl ze het licht opvingen, liet zijn blik volgen door zijn vingers, lippen, alsof haar lichaam iets wonderbaarlijks was voor hem. Hij had nu meer tijd om haar te bekijken, en hij genoot ervan. Zijn liefdesspel leek extravagant, en tegelijk behoedzaam. Hij maakte dat ze zich voelde als een godin, als iets heel kostbaars. Ze had altijd al genoten van seks met hem, maar deze keer voelde het alsof ze zich op een ander niveau bewogen. Alsof hij het al wist.

Alle angst die Cressida kon hebben gehad om het hem te vertellen leek nu onnozel. Hij leek op haar afgestemd, alsof zijn lichaam wist wat ze hem zou gaan vertellen voordat de woorden haar mond uit waren. Plotseling voelde het aan als een geschenk.

Toen ze klaar waren en hun ademhaling weer kalm was en hij hen in een deken had gewikkeld terwijl ze samen op de grond lagen en hij zijn palm met gespreide vingers op haar gladde, naakte buik had gelegd, vertelde ze het hem: 'Elliot, ik ben zwanger.'

Ze hadden elkaar op de eerste dag van haar studie aan de universiteit leren kennen. Het was niet begonnen met vioolsolo's en zinderende spanningen, maar met een toevallige vriendelijke geste. Cressida was laat en kende de weg niet. Elliot kwam langs en wees haar hoe ze moest lopen. Die middag, alweer op de juiste plaats op het juiste moment, hield hij de deur voor haar open terwijl ze zich erdoorheen wrong met een grote map met tekeningen, een rugzak en een paar zware bibliotheekboeken. 'Hoe is het gegaan?'

Cressida verbaasde zich over zijn familiaire toon – die ochtend was ze te zenuwachtig en gespannen geweest om zijn gezicht of zijn stem tot zich te laten doordringen.

'We hebben elkaar vanmorgen ontmoet,' zei hij.

'O, ja, sorry. Ik was een beetje...'

'Ik weet het. Dat was ik ook toen ik hier voor het eerst kwam.'

'Maar jij bent toch niet...' Elliot zag er niet uit als een student. Hij was ouder dan zij, een jaar of tien, dacht ze. En zijn kleding was anders dan die van de meeste andere mannen op de campus, maar hij zag er aardig uit.

'Een student hier? Nee, nee. Was het maar waar! Ik werk op de administratie. Al acht jaar nu.'

'O. Ja.'

'Ja. Eh, kun je dat allemaal dragen?'

'O, best, ja, dank je. En bedankt voor vanmorgen. Ik was een beetje een warhoofd, vrees ik. Het was me na de zomer allemaal ontschoten. Het zou pijnlijk zijn als ik nog later was geweest dan ik al was.'

'Graag gedaan.'

'Dag dan.'

'Ja. Dag.'

Vijf minuten later stopte hij naast haar in een kleine rode Mazda, toen ze voor de tweede keer bleef staan om haar vracht van de ene arm in de andere te nemen, in een poging haar last wat te verlichten. 'Hoor eens, ik maak geen gekheid als ik zeg dat je er zo een eeuwigheid over doet. Ik schaam me als ik jou zie worstelen terwijl ik hier prinsheerlijk in mijn eentje in de auto zit. Kan ik je ergens afzetten? Ik moet naar de andere kant van de stad.'

Hij had een open en vriendelijk gezicht. Hij leek geen engerd, en hij werkte op de universiteit. En Cressida's armen deden pijn.

'Graag. Ik woon in Rosedale Road. Ken je die straat?'

'O, ja. Geen probleem.' Elliot sprong uit de auto om het portier voor haar open te houden, pakte haar spulletjes aan en legde ze op de achterbank. Hij leek zo blij dat ze ja had gezegd. Voordat hij het portier achter haar dichtdeed, zei hij: 'Ik heet Elliot. Elliot Thomas.'

'Cressida Bradford.' Ze keek hem stralend aan.

En dat was het moment waarop Elliot het voor het eerst gevoeld had, plotseling en hevig, alsof hij voor eeuwig en altijd alleen maar die argeloze glimlach van dit meisje op zich gericht wilde voelen.

Natuurlijk had het bij Cressida weken langer geduurd. De universiteit was zo anders dan de laatste klas van de middelbare school, zo vol nieuwe mensen, en de studie was zoveel interessanter. Ze schrok bijna als ze eraan dacht, wat ze niet vaak deed, hoe weinig ze Joe miste. Maar dan dacht ze weer dat het voor hem net zo moest zijn – meer nog, omdat hij ook nog in een studentenhuis was gaan wonen.

Ze zag Elliot vaak, sprak hem in de gang, of buiten op het gras in de herfstzon. Verschillende keren bood hij haar een lift aan naar huis, en een paar keer, als ze niet met haar nieuwe vrienden naar de pub ging of met Polly had afgesproken, nam ze zijn aanbod aan. Eén ochtend had hij haar zelfs opgepikt bij de bushalte.

Ze vond het prettig met hem te praten: hij was geestig, vertelde grappige verhalen over de docenten en mentors. Ze had zich even afgevraagd of het wel passend was om zoveel tijd met hem door te brengen. Maar hij was geen docent en zij was geen kind meer, dus wat kon het voor kwaad? Voor Cressida was hij de eerste weken gewoon een van de nieuwe gezichten in haar nieuwe omgeving. Dat was alles.

Ze dacht er niet bij na toen hij op een dag, toen het vreselijk druk was op de weg, het parkeerterrein van een pub opreed.

'Verrek, als het dan toch zo laat gaat worden, kunnen we net zo goed even uitstappen, iets drinken, en weer verder rijden als het rustiger is. Wat vind jij?'

Perfect. Pubs waren een essentieel deel van Cressida's universitaire leven. Ze had bijna al haar nieuwe vrienden leren kennen in rokerige ruimtes die naar bier roken, waar je moest schreeuwen om je verstaanbaar te maken boven het lawaai van de jukebox uit met de housecollectie van de uitbater en elke willekeurige bokswedstrijd of rugbywedstrijd die op het grote TV-scherm te zien was.

Ze zaten te praten tot de pub dichtging. Cressida voelde zich sprankelend. Er viel plotseling zoveel te zeggen. Ze praatten over films, het nieuws, kunst, Cressida's vader en Elliots ouders, over fantastische vakanties, hun eerste platen, geïmproviseerde etentjes en... over alles. Ze luisterden naar elkaar, praatten door elkaar heen, lachten naar elkaar. Vonden elkaar aardig.

Later die avond, toen Elliot haar thuis had afgezet en Cressida naar binnen was gegaan, was ze Polly in de gang tegengekomen, die met een beker thee op weg was naar bed. Spontaan had ze haar moeder geknuffeld. Toen Polly zich lachend losmaakte, zei ze: 'Je hebt geen idee hoe heerlijk ik het vind je zo blij te zien, lieverd. Het is het beste wat je ooit gedaan hebt, hè, die universitaire cursus?'

'Ik geloof het wel, mam. Je hebt gelijk.'

Cressida had die avond moeite om in slaap te vallen.

Ze had half en half verwacht hem de volgende ochtend bij de bushalte te zien, en ze werd niet teleurgesteld. Hij boog zich naar haar toe en opende het portier aan haar kant.

'Hoi!' zei ze.

Maar zijn gezicht stond ernstig. 'Wat heb je voor college vanmorgen? Zin om eerst ergens heen te gaan om koffie te drinken of te ontbijten of zo? Ik wil met je praten.'

'Tot halfelf niets bijzonders – ik wilde wat gaan lezen in de bibliotheek. Waarom niet, lijkt me heel gezellig.'

Bij een geroosterde muffin en een enorme mok thee haalde Elliot diep adem en begon. 'Weet je, ik heb een heerlijke avond gehad gisteren...'

O, mooi, dacht Cressida, hij gaat me vertellen dat verbroedering tussen staf en studenten niet is toegestaan. We hebben de regels overtreden.

'Ik vond het heerlijk om met jou samen te zijn. Gisteravond, zie je, in de pub. Ik wil je graag vaker zien,' zei hij.

Cressida wachtte op het 'maar'. Dat kwam.

'Maar er is iets wat ik je eerst moet vertellen. En waarschijnlijk wil je me dan niet meer zien.'

Ze begon zich een beetje angstig te voelen. 'Wat is er dan?'

'Ik ben getrouwd.'

'Je bent wát?' Geen ring. Geen woord erover. Geen foto op zijn bureau.

'Al tien jaar getrouwd.'

'O.'

Elliot ging verder met zijn verklaring, staarde naar zijn bord, vertelde haar de feiten – deed zijn duistere bekentenis. 'Mijn vrouw heet Clare. Ze is verloskundige.'

'O.'

'We zijn eigenlijk al samen sinds we kinderen waren.'

Cressida schoof haar stoel achteruit. 'Oké. Bedankt dat je het me verteld hebt. Ik begrijp eerlijk gezegd niet goed waarom je dat niet eerder hebt gedaan. Of waarom je het nú doet. We hebben per slot van rekening niks verkeerds gedaan. We hebben alleen een paar borrels gedronken samen. En samen gepraat.' Maar zo voelde het niet. Ze had het gevoel dat ze een trap had gekregen. En ze wilde terugtrappen. Ze stond op.

'Luister, ga alsjeblieft niet weg. Ik wil je erover vertellen. We zijn... het gaat allemaal niet zo best... we kunnen niet...'

'O, Elliot, alsjeblieft,' zei ze op snijdende toon. 'Kom me niet aan met dat afgezaagde mijn-vrouw-begrijpt-me-niet. Ik geloof niet dat dat bij je past. En bij mij zeker niet. Tot ziens.' Ze draaide zich om naar de deur.

'Cressida, wacht…' Hij haalde geld uit zijn zak. 'Alsjeblieft, ik wil er alleen maar met je over praten.'

'Er valt niets te praten, Elliot. Zoals ik al zei, ik zie je nog wel.' En ze was verdwenen.

Een paar weken lang zag ze hem niet, bijna lang genoeg voor haar om te stoppen met naar hem uit te kijken. Bijna lang genoeg voor haar om te stoppen met aan hem te denken als ze zich 's morgens aankleedde, en ze zich afvroeg of hij deze trui, dat kapsel mooi zou vinden.

Op een avond was ze met een clubje in een pub, op een karaokeavond. Een van de jongens, een zelfverzekerde Zuid-Afrikaan, Rowan genaamd, flirtte met haar, bood haar drankjes aan. Ze was er bijna nog voor gevallen ook. Ze liet hem een liedje voor haar aanvragen, lachte om de hysterie die hun clubje opwekte toen hun namen werden omgeroepen – 'Wauw, jullie moeten eens goed luisteren naar die twee, Cressida en Rowan – verdomme, ze klinken eersteklas. Kom op, jullie tweeën, jullie hebben een swingend nummer gevraagd uit *Grease*. Herinneren jullie je nog "You're The One That I Want?" Olivia Newton-John in die strakke zwarte broek. Applaus voor Cressida en Rowan...'

Rowan, een knappe stoere knul, trok haar het podium op, nam de swingende houding aan van John Travolta en begon te zingen.

'*I've got chills, they're multiplying, and I'm losing control.*'

Cressida wendde haar blik af van de autocue – en zag Elliot, die op een afstandje van de menigte stond en naar haar glimlachte. Ze voelde een bijna onweerstaanbare neiging naar hem toe te gaan.

Ze zong het liedje uit, weigerde in te gaan op de sensuele dansbewegingen van haar partner en liep van het podium af, Rowan Travolta achterlatend om het applaus in ontvangst te nemen.

Daarna praatten ze, in zijn auto. Het werd kouder buiten, en hij moest de verwarming aanzetten, zodat de ramen besloegen. Elliot praatte. En Elliot huilde. En hij zei dat hij zichzelf, zijn leven, zijn zwakheid haatte. Maar ze moest hem geloven, dit was nog nooit eerder voorgekomen. Hij wist niet of het was omdat hij het niet meer zag zitten tussen hem en Clare en hij aan het eind van zijn Latijn was, of omdat het alleen maar was omdat zij zo mooi en liefallig was. Maar hij kon er niets aan doen. Hij was niet van plan geweest vanavond te komen, en hij had ook niet bij de bushalte of op de campus op haar gewacht. Hij had geprobeerd weg te blijven. Maar hij móest zijn waar zij was – god, wat klonk dat pathetisch, maar ook al gebeurde er niets tussen hen, wilde ze hem dan tenminste niet haten, niet veroordelen, niet zijn gezelschap weigeren.

En zo was het begonnen. Cressida kon het zelf niet geloven. Ze kon Polly's stem horen – 'Heb ik je niet geleerd om verstandiger te zijn?' Ze had het huwelijk van haar eigen ouders zien stuklopen. En een deel van haar haatte het dat ze zo zwak was – maar een ander, veel groter deel had het overgenomen. Ze maakte zichzelf van alles wijs. Verbijsterend hoe je de dingen oké kon doen lijken, je gedrag rechtvaardigen, het mogelijk maken met jezelf te leven. Zij bedroog Clare niet, dat deed Elliot. Zij bedroog Joe niet – wie weet wat hij uitspookte in Warwick? Elliot en Clare waren slechts in naam getrouwd. Elliot kon haar niet in de steek laten als ze zo verdrietig was. Alle clichés en alle leugens leken plotseling geloofwaardig. Een paar dagen lang, een week of zo, als ze elkaar ontmoetten na die keer bij de pub, praatten ze over Clare en Elliot. Hij vertelde haar alles: over de baby's die ze hadden verloren, de behandeling, en nog verder terug, over de tijd toen ze zo oud waren als Cressida, en hoe simpel het toen allemaal was. En Cressida wist dat hij in haar de mensen zag die zij waren geweest voordat hun leven was ontspoord. Zij was het blanco doek dat zij waren geweest voordat het leven er een Picasso van maakte.

En toen het gepraat achter de rug was, en ze dacht dat ze het begreep, ging Cressida op een avond alleen naar huis en nam een besluit. Ze zou het doen: ze zou een relatie hebben met Elliot.

De volgende keer dat ze elkaar zagen vrijden ze samen. Ze parkeerden zijn auto, haalden een plaid uit de kofferbak, en liepen ongeveer twintig minuten zonder iets te zeggen. Toen kleedden ze elkaar gedeeltelijk uit en gingen naast elkaar liggen. Het waterige zonnetje verwarmde hun huid.

Cressida was negentien en het was de eerste keer. En het was wat ze wilde. In stilzwijgende afspraak praatten ze nooit meer over Clare.

En nu had ze het hem verteld. Ze probeerde er niet aan te denken wat een enorme uitwerking dat nieuws op Elliot zou hebben, want als ze dat deed, zou ze Clare en de tragedie van hun kinderloosheid erkennen, en dat wilde ze niet, niet nu.

Maar zodra ze het gezegd had, liggend in Clares steriele huis, drong het tot haar door. Hij zei niets. Zijn eerste reactie was geweest zijn hand weg te rukken van haar buik, alsof die gloeiend heet was, en overeind te gaan zitten. Hij steunde met zijn ellebogen op zijn knieën en verborg zijn gezicht in zijn handen. Hij zag er kwetsbaar, naakt, uit. Zijn huid was heel bleek onder zijn armen en leek bijna doorzichtig; ze kon de blauwe aderen onder de huid zien. Ze wist niet wat hij dacht. Voor het eerst voelde de grond koud en ongemakkelijk aan. Ze ging rechtop naast hem zitten en raakte hem zorgvuldig niet aan, hoewel ze haar handen naar hem uit wilde strekken.

Toen Elliot zijn gezicht ophief, was het nat van de tranen. Hij lachte en huilde en schudde zijn hoofd, alles tegelijk. Hij had nog steeds geen woord gezegd, maar nu trok hij haar op zijn schoot en wiegde haar in zijn armen.

Nicole en Gavin

Venetië was beslist de meest fantastische stad ter wereld. Het schouw-spel dat je begroette als de watertaxi de laatste bocht van de lagune nam was het prachtigste wat ze ooit had gezien. Ze was in Venetië ge-weest in de zomer, toen het stampvol was en het er nogal stonk; ze was er hartje winter geweest, met Interrail als studente, het was er zo koud dat je het gevoel had dat je voeten zouden versplinteren als je te hard op de straatstenen trapte. Maar het voorjaar was absoluut haar favorie-te tijd. Deze ochtend was de lucht volmaakt blauw, en het water kab-belde tegen de weg. Nicole lachte.

Vijf minuten eerder waren zij en Gavin, dwars op hun reusachtige bed liggend, verward geraakt in het witte linnen laken. Ze had hem, al zei ze dat zelf, zojuist een verdomd goeie beurt gegeven, en ze lag achterover in de kussens, met verwarde haren, triomfantelijk, het laken over één borst. Gavin keek naar haar, sprong toen van het bed. 'Ik wil een foto van je zoals je nu kijkt. Beweeg je niet.'

Hij pakte de camera.

Nicole giechelde. 'Waarom?'

'Ik wil me je herinneren met die blik van een katje dat van de room heeft gesnoept.' Hij drukte af.

Ze knipperde met haar ogen tegen de lichtflits.

'Ik denk dat alle artiesten op deze manier hun beste schilderijen en foto's maakten. Leonardo had waarschijnlijk een flinke vrijpartij met Mona Lisa vlak voordat hij haar schilderde.'

'Interessante theorie... Wat denk je dat Munch deed?'

'Neukte ze gek.'

Ze lachten nu allebei.

'Of Picasso?'

'Nu word je kinky.'

Hij had de camera nog steeds in zijn hand. 'Nee, niet goed genoeg...' Hij trok haastig zijn broek aan, zonder onderbroek, rukte een trui over zijn hoofd. 'Ik moet de locatie erbij hebben. Jij...' hij trok aan haar armen '... kom hier staan, ja, zo, perfect, blijf daar een minuutje wach-ten, precies zoals je nu bent.' En hij holde weg met de camera.

Daar stond ze dan, naakt op het laken na, haar haren totaal in de war, bij het raam vlak boven de A van Danieli, een van de dertig centime-ter hoge gouden letters op de muur van het hotel. En beneden op straat stond Gavin, die er al even verfomfaaid uitzag, maar erg lang, bijna ver-loren tussen de drom Japanse toeristen, en nam foto's van haar.

Dit weekend beloofde alles te zullen zijn wat ze had verlangd. Gavin was terug, zij waren terug. En het was even leuk en intiem en sexy en goed als altijd.

Nicole had het gevoel dat haar huwelijk een achtbaan was, een rit met ingehouden adem. Hier, op de top, waren de momenten perfect, en je herinnerde je nooit hoe plotseling, snel en angstwekkend de dalingen waren. Als je kon, zou je die rit nooit een tweede keer maken. Als je boven was, zei je dat het het allemaal waard was voor het uitzicht en het gelukzalige gevoel dat het je gaf, en als je beneden was, zou je alles doen om in plaats daarvan in een draaimolen te zitten. Nicole wist zeker dat ze die metafoor uit een film had, maar het klopte precies. En, o, wat genoot ze van deze rit. Misschien zou er deze keer geen duik omlaag zijn na de bocht.

Ze ging op bed liggen om op Gavins terugkeer te wachten, legde haar beide handen op haar buik en vroeg zich af of ze al zwanger zou zijn... ze kneep haar ogen dicht in een zwijgende bede. De eerste keer, met de tweeling, had ze het gevoel gehad dat ze het wist zodra het gebeurde. Gavin had gelachen toen ze dat zei, had haar gezegd dat ze in de war was omdat hij zo goed was in bed. Maar een paar weken later, voordat ze enige reden had om een test te doen, had hij op een ochtend naar haar gekeken toen ze naakt door hun slaapkamer liep en had hij het ook geweten. 'Je bent zwanger!' had hij gezegd. En ze wist dat het waar was. Ook al had ze schertsend gezegd dat hij haar alleen maar aan het verstand probeerde te brengen dat ze dik werd, toch hadden ze het allebei gevoeld.

Dat had ze niet kunnen zeggen bij Martha – ze was uitgeput door de onophoudelijke eisen die twee kleine jongens (en één grote) aan haar stelden. Ze was te uitgeput om haar verleidingskunsten te plannen, laat staan een zwangerschap, en blijkbaar veel te uitgeput om haar pil elke dag op dezelfde tijd te nemen. De tweeling was nog geen twee toen ze zwanger werd, en ze had liever nog wat langer gewacht.

Gavin, als een echte man, was verschrikkelijk trots op haar vruchtbaarheid – of liever gezegd, op zijn vermogen om haar zwanger te maken ondanks chemische interventie. Hij weerde haar bezorgdheid af dat ze er niet tegen opgewassen zou zijn. 'Luister, schat, we nemen gewoon iemand aan. Het gaat goed met de zaak, dus kunnen we het ons permitteren. Maak je geen zorgen, verdraaid, je bent een rijke, bevoorrechte dame,' en hij had haar iemand laten aannemen om te wassen en strijken, en voor de kinderen te zorgen, en ze had geleerd dat ze een rijke, bevoorrechte dame was – en dat hij dacht dat ze hem dankbaar hoorde te zijn omdat hij zonder één klacht voor al die zegeningen betaalde. Maar toch, als ze naar Martha en de jongens keek, voelde ze zich schuldig. Vooral jegens Martha: de jongens hadden elkaar, maar ze was bang dat ze niet voldoende tijd had doorgebracht met haar dochter.

Harriet lachte haar uit. 'Alsjeblieft, gun jezelf toch ook eens wat. De kinderen zijn dol op je. Je bent het prototype van de ideale mammie, slank en betoverend, en veel *quality time*. Waarom zou je je schuldig voelen omdat je iemand anders voor het speelgoed en de snottebellen laat opdraaien? Madonna heeft nog nooit in haar leven een luier omgedaan, maar denk je dat haar kinderen haar dat kwalijk zullen nemen?' Harriet was een bron van kennis op het gebied van showbizznieuwtjes, en gebruikte graag beroemdheden als voorbeeld om alledaagse handelingen te rechtvaardigen.

Gavin had nog minder geduld met haar schuldgevoelens. 'Waag het niet om de fitnessclub op te zeggen omdat je vindt dat de jongens je nodig hebben. Wat ze nodig hebben is een moeder op wie al hun vriendjes jaloers zijn als ze naar school gaan.'

Na het boek van vorige maand waren ze in discussie geraakt over het onderwerp 'schuldbesef van moeders' – ze hadden gesproken over het seksisme van het pioniersleven zoals dat in het boek werd beschreven, en de moeders die hun kinderen ertoe veroordeelden hun eigen leven te herhalen. Ze waren het er allemaal over eens geweest dat schuldgevoelens en bezorgdheid vrouwen met de paplepel werden ingegoten. Polly had naar de jonge moeders gekeken en gezegd: 'En, geloof me, hoe ouder je wordt, hoe erger het wordt.' Een opwekkende gedachte.

Maar deze keer zou het anders worden, dacht Nicole. De jongens en Martha waren op school. Ze had meer tijd, meer zelfvertrouwen als moeder, was minder moe. De baby zou een zegen kunnen zijn voor hen allemaal. Martha zou het prachtig vinden – ze was gek op Baby Annabelle, een gehavende plastic pop die overal mee naartoe moest met haar eigen miniatuuruitrusting – wat een plezier zou ze hebben met een echte baby. En Gavin hield van zijn kinderen. Dat wist ze. Wát die andere vrouwen hem ook konden geven, zij was de enige die hem ooit kinderen had geschonken. Dat kwam haar en alleen haar toe.

Gavin holde naar binnen, trok zijn trui uit en sprong op haar af.

'Wat kan een man nog meer verlangen? Een hete vrouw in een warm bed! Heb je nog energie over voor nog één wip voor de lunch?'

'Ik zou er maar een vluggerdje van maken – je hebt me een Bellini beloofd in Harry's Bar.'

Hij keek haar met spottende boosheid aan. 'Ik, mevrouw Thomas, doe niet aan "vluggerdjes". Ik vrees dat ik strikt een kwaliteits- en kwantiteitsman ben.'

'Hm...' hij kuste haar oor, precies zoals ze het prettig vond, '... ik denk dat Harry wel even kan wachten.'

Gavin kreunde.

'Ja, dat kan hij zeker wel, verdomme.'

Later die middag, op het San Marcoplein, belde ze de kinderen via zijn mobiel. Martha vroeg naar de duiven, George of ze een cadeau voor hem hadden en of hij en zijn broer naar *Buffy the Vampire Slayer* mochten kijken voor ze naar bed gingen.

'Nee, dat hebben we niet. En, nee, dat mag je niet, brutale vlerk. Nou, goed dan, tien minuten. Maar dan meteen naar bed, geen onzin. Beloof je dat?' Gavin lachte. 'Ik hou ook van jou. Geef elkaar een dikke zoen van ons beiden. Tot zondag. Dag dag.'

'Ze klinken goed, hè?' vroeg Nicole toen hij een arm om haar heen sloeg en ze gingen lopen.

'Ja, moederkloek.' Hij gaf haar een zoen. 'Je bent een geweldige moeder, weet je dat?'

Ze kon zich niet herinneren dat hij dat ooit eerder gezegd had. Ze kruiste stiekem haar vingers, herhaalde in stilte weer haar mantrawens. Laat me alsjeblieft zwanger zijn. Alsjeblieft.

Harriet en Tim

Harriet had geprobeerd het te verbergen, al zou hij het uiteindelijk natuurlijk zien. Gewoonlijk had hij zich al gedoucht en aangekleed, en was hij al verdwenen terwijl zij nog in bed zat, leunend tegen de kussens, de thee drinkend die hij haar gebracht had. Gewoonlijk zouden de kinderen, Chloe, de vroege vogel, als eerste, daarna Joshua, onwillig gewekt door het rumoer van een huis dat tot leven kwam, bij haar in bed zijn gekropen om naar tekenfilms te kijken terwijl hij zich gereedmaakte om weg te gaan. Maar niet vanmorgen: hij had een afspraak in het centrum van de stad met hun accountants, iets over pensioenen of zo, had hij tegen Harriet gezegd, al was ze het vergeten, en dus kon hij langer thuis blijven en Josh naar school brengen.

Nu ze het zich weer herinnerde, ergerde het haar, zoals alles aan hem haar ergerde. Ze kon het zachte geluid van de radio uit de badkamer horen. De sombere klanken concurreerden met die van de pratende das waar de kinderen naar keken. Zelfs zijn eigen thee, naast die van haar op het nachtkastje, irriteerde haar: meestal dronk hij koffie op het station. De waarheid was dat ze wilde dat hij weg was. Ze had er geen enkel bezwaar tegen om zijn was te doen en zijn kleren naar de stomerij en zijn schoenen naar de schoenmaker te brengen, en zijn administratie te doen en zelfs zijn telefoontjes aan te nemen overdag. Ze had alleen bezwaar tegen zijn lijfelijke aanwezigheid. Arme stakkerd. Ze wist dat het gemeen van haar was, maar ze kon er niets aan doen. En nu zou hij het zien. Zes nachten achter elkaar was ze naar bed gegaan met haar onderbroek aan, wat tegenwoordig niet zo ongewoon was, dus had hij al die voorgaande dagen niets gezien.

Het nieuwigheidje dat papa om deze tijd thuis was had Chloe gestimuleerd en had het gewonnen van de televisie. Ze zat op de brede vensterbank naar hem te kijken terwijl hij zich schoor, en nu 'hielp' ze hem zich aan te kleden, en beweerde met de overtuiging van een vierjarig kind dat, ja, de roze das de enig mogelijke keus was. Haar pony werd te lang en 's ochtends vroeg, voordat de klitten er uit waren gekamd en de haarband in haar haar was bevestigd, moest ze haar hoofd achterover houden om iets te kunnen zien. Tim verdween, kwam met een haarband terug uit haar kamer, hurkte neer tot hij op één hoogte met haar was en stak hem voorzichtig achter haar oren, waarna hij zich bukte om haar een zoen op haar neus te geven. Toen drukte hij haar in een verpletterende omhelzing tegen zich aan.

'Wat zijn je plannen voor vandaag?'

'Hetzelfde als altijd,' mompelde Harriet knorrig. 'Twee keer naar school om te halen en brengen, balletles, een hoop boodschappen doen, o, en de was – vijf ladingen of zo, gewoon voor de lol.'

Tim keek of ze hem een klap in zijn gezicht had gegeven. Het was overduidelijk dat al dat huishoudelijke gedoe zijn schuld was. Hij was niet zo dom om voor te stellen dat ze meer hulp zou aannemen – hij had geleerd dat Harriet geen belangstelling had voor oplossingen, al zou hij graag een heel leger in dienst nemen om het haar gemakkelijker te maken, als hij daarmee het sprankelende, geestige meisje terug kon krijgen met wie hij getrouwd was. Hij vreesde – nee, hij wist dat het niet het huishouden was en de zorg voor de kinderen en al die andere dingen waarover ze klaagde die ze wilde veranderen. En hij wilde niets veranderen. Dus zei hij: 'Sorry, lieverd. Ik had eraan moeten denken.' Antwoord op de onuitgesproken beschuldiging. Hij richtte zich tot Chloe. 'Ballet vandaag, hè, schat? Trek je blauw of roze aan voor miss Polly?'

'Roze. Roze. Roze.' Chloe maakte een pirouette, haar vaste antwoord op elke vraag.

'En jij, Joshie? Rugbytraining na school?'

Josh antwoordde zonder zijn hoofd van de televisie af te draaien. 'Ja. Meneer Cuthbert zei dat hij me deze week misschien als middenvelder zou plaatsen.'

'Prachtig. Goed dat we in het weekend geoefend hebben in het park. Laat hem maar zien wat je kunt!'

Josh lachte. 'Ja, dat zal ik doen. Bedankt, paps.'

Toen draaide Tim zich om en keek naar Harriet, die op weg was naar de badkamer. Hij hield van de wijze waarop ze liep. Het extra gewicht dat ze droeg maakte haar alleen maar begeerlijker – haar achterste wiebelde. Zoals het altijd had gedaan.

Dat van Chloe was een mini-uitgave ervan. Hij vond het prachtig, zoals Chloe's kontje bewees dat ze Harriets dochter was – hij keek altijd naar zijn kinderen om zichzelf te zien, die genetische eigenschappen die Joshua en Chloe onmiskenbaar, publiekelijk bestempelden als zijn nageslacht. Maar Harriet hield er niet van als hij haar gadesloeg. Niet meer. Soms gaf ze hem het gevoel dat hij een beetje een perverseling was. 'Je bent een seksmaniak.' Dat zei ze altijd als hij probeerde iets met haar te beginnen. Of: 'Je maakt een geintje, makker. Na de dag die ik achter de rug heb?' Als ze toegaf, en zo voelde dat aan, nooit of ze het echt zelf wilde, moest hij altijd het licht uitdoen. Ze zei dat ze niet wilde dat hij haar wiebelende lijf zou zien. Hij dacht dat ze misschien niet wilde dat hij haar ogen zou zien. Eén keer had hij halverwege het vrijen met zijn hand over haar gezicht gestreken, en toen had ze haar ogen stijf dichtgeknepen.

Op dat moment zag hij de tatoeage. Linkerbil, rechtsonder, net binnen de bescherming van haar ondergoed. Hij kon de vage, bruinig witte streep zien waar haar badpak vorige zomer eindigde; de tatoeage was aangebracht op de nog blanke huid. Het was een mooi klein vlindertje, zwarte omtrek, met alleen blauw en groen, tinten als van gebrandschilderd glas op de kleine vleugeltjes. Het was volledig genezen – ze moest die tatoeage al een week gehad hebben.

Plotseling voelde Tim zich misselijk worden. Hij zag dat Harriet hem aandachtig opnam. Ze stak haar kin uitdagend in de lucht, maar er klonk een trilling in haar stem toen ze zei: 'Ik heb het verleden week laten doen. Door een man in Kingston. Hij was me aanbevolen. Schone naalden en zo – het is niet meer zoals vroeger. Alles van regeringswege gecontroleerd. Tatoeages zijn nu populair, hopen mensen nemen ze.'

Feitelijk was een tatoeage niet haar eerste keus geweest. Ze had een navelring willen hebben – die vond ze verbluffend mooi. Maar een openhartige confrontatie met haar spiegelbeeld had haar ervan overtuigd dat een sieraad in haar navel, vreemd uitgerekt door haar zwangerschap, geflankeerd door twee zilverkleurige zwangerschapsstrepen en gerimpeld vlees, (a) heel moeilijk te zien zou zijn, en (b) anderen een gevoel van misselijkheid zou bezorgen. Dus was het een tatoeage geworden, de vlinder. En was dat niet precies wat zij deed – uit de pop tevoorschijn komen, haar mooie vleugels ontdekken? Eigenlijk was het het mooiste ontwerp geweest dat de man aan de muur had hangen, een beetje ordinair, vond Harriet zelfs. Ze wilde niet een of ander Beckhamachtig Keltisch of oriëntaals symbool dat 'liefde en eeuwigdurende vrede' zou betekenen, maar voor hetzelfde geld kon zeggen 'geef me hier een trap'. De duif was leuk, maar een paar extra kilo's aan gewicht konden er gemakkelijk een albatros van maken, of een pelikaan. De gewichtskwestie had ze kunnen voorkomen door de tatoeage op haar enkel of schouder te laten aanbrengen, maar ze kon zich niet voorstellen dat ze dan ooit nog haar benen over elkaar zou slaan op een ouderavond of een strapless geval letje zou dragen op een van Nicoles pretentieuze liefdadigheidsbijeenkomsten met zo'n ding op haar schouder. Dus werd het een bil. En ze was er heel erg blij mee – het maakte dat ze zich ondeugend voelde, al had het verdomde pijn gedaan en stond het op de schaal van vernederingen op dezelfde hoogte als uitstrijkjes. Al werden die, in haar ervaring, niet uitgevoerd door uitzonderlijk knappe mannen met slangachtige heupen die Troy heetten. Troy, de tatoeagekunstenaar, had een heel strak t-shirt gedragen en had haar bil een 'uitstekend schildersdoek' genoemd, wat Harriet misschien wel het aardigste vond wat iemand er ooit over had gezegd.

Het was het allemaal waard geweest. Ook al deed Tims gezicht haar minder een Spice Girl voelen en met de minuut meer een Delilah. Maar daar wilde ze niet over denken. Het was háár bil; of ze daar wel of geen graffiti op wilde moest ze zelf weten. Het had trouwens toch niets te betekenen?

Moest hij daar nu echt zo met een gekwetste uitdrukking op zijn gezicht blijven staan? Tim bewoog zich, keek naar de kinderen, die verdiept waren in het kinderprogramma op tv. 'Oké.' Hij kwam dichterbij, bukte zich. Harriet dwong zich stil te blijven staan. 'Eigenlijk vind ik het heel leuk. Staat je goed.'

Wat de grootste leugen was die hij haar ooit had verteld.

De hele dag, tijdens de vergadering bij Baker Tilly, in de eersteklascoupé van de trein, op de voorpagina van *The Times*, tijdens een sobere lunch in Corney and Barrow, op het scherm van zijn computer, en zelfs op de foto van zijn glimlachende gezin, een solide waarborg in een gouden lijst, bleef een piepklein vlindertje hem spottend uitlachen.

Harriet en Nick

Het was ongemakkelijk om een mobiele telefoon met je schouder tegen je oor te houden. Verleden jaar had Tim haar in haar kerstsok een hands-freeset gegeven, 'zodat je achttien uur per dag met Nicole kunt praten in plaats van de zestien die je nu haalt', maar ze wist dat hij wist dat ze in de auto telefoneerde als ze de kinderen naar school bracht, en ze vermoedde dat hij zich bezorgd maakte over Joshua en Chloe. Niet dat ze het ding gebruikte. Mensen die schijnbaar in zichzelf pratend rondliepen zagen eruit of ze kandidaat waren voor de psychiater. Of als keiharde carrièrevrouwen die nog nagenoten van de dialoog uit *Wall Street*. Niet dat zij kon doorgaan voor een al dan niet keiharde carrièrevrouw in een regenjas met een vette handafdruk op de ene schouder en iets wat verdacht veel op snot leek op de andere. Ze zag er op en top uit als de gekwelde moeder. Behalve dat ze zich niet op de zuivelafdeling van de supermarkt bevond, maar op de lingerieafdeling van John Lewis, waar ze zocht naar ondergoed om het beeld van de regenjas te verjagen. Niet de praktische verstevigde spullen in de tint die ze belachelijk genoeg 'vleeskleur' noemden, of de grote maat broekjes die zogenaamd niet te zien waren onder een lange broek, maar ondergoed met merknamen die seks suggereerden – Appassionata, Silhouette, Fantasie, Rigby en Peller. Nou ja, misschien dat 'Rigby' niet direct seks suggereerde, maar hemel, de slipjes wél. Goed, oké, dat speciale slipje was feitelijk niet meer dan drie stukjes kant die aan elkaar waren genaaid en een schimmelinfectie suggereerden, maar je snapt het wel.

Harriet was op zondige inkopen uit, en toen ze telefoneerde met

Nick had ze een gesprek dat ze later voor zichzelf zou beschrijven in de innerlijke Lief Dagboek-monoloog, die ze gedwongen was te houden sinds Nicole haar mening over het onderwerp te kennen had gegeven, als zijnde 'Strikt Voor Volwassenen'.

'Ooo,' zei Nick, met de bepaald niet helemaal juiste stembuiging van John Inman. 'Ga door.'

'Zwart?'

'Zwart is goed. Zwart en klein.'

'Kant.'

'Kant is goed. Transparant is beter.'

Het was een heel nieuwe wereld. Vriendjes uit de tijd vóór Tim hadden er nooit erg op gelet, meestal hadden ze te veel haast om het uit te trekken. Behalve één die kennelijk te veel films van Sharon Stone had gezien en wilde dat ze de avond begon met niets eronder. O, en één die ook al duidelijk onder de invloed van het witte doek stond en een slipje van haar lijf had gescheurd – wat, omdat het nieuw was en niet goedkoop, niet erotisch was maar hoogst irriterend. Charlie had niets tegen een striptease gehad, maar wilde haar net zo graag bespringen in haar bezwete grijze trainingspak vlak na de hockeytraining. Tim had haar gewoon het liefst naakt gezien. Of in wit katoen. Nick wilde de dingen kennelijk een beetje anders – ze had het gevoel dat tepelloos en kruisloos precies in zijn straatje zouden passen, hoewel ze daar de grens trok. Gek eigenlijk.

'Hou je mond, smeerpijp.' Harriet had gezien dat de kleine, verkrampte verkoopster haar met afkeer opnam. 'Waarom bel je me?'

'Je weet wel waarom.'

Dat wist ze inderdaad. 'Ik heb het je al gezegd. Nee.'

'Ik heb de woorden gehoord, maar niet geloofd. Ik hoor ook het verlangen in je stem – om ja te zeggen.'

'Je bent een arrogante klootzak, Nick. Weet je dat?'

'O, jawel. Herinner me er dus aan: waaróm niet?'

'Ik kan niet mee. Ik ben een getrouwde vrouw. Met kinderen. En een goed leven.'

'Geweldig! Dus is er een echtgenoot die voor de kinderen kan zorgen als jij met mij meegaat. En zo'n geweldig leven is het niet, als je nu al wekenlang met me omgaat.'

'Met jou omgaan is tot daaraan toe. Een weekend met je op stap gaan is iets heel anders.' En dat was het ook. Tot dusver hadden ze gelachen en gezoend, en verleden week hadden ze iets gedaan wat je zou

kunnen beschrijven als geknuffel, maar een weekend betekende bed
en seks. Angstig en opwindend en... angstig en... opwindend.
'Daarom wil ik het. Kom op, Hats, je weet dat je het wilt.'
Zijn gelikte aanpak irriteerde haar niet. Ze voelde dat ze zich liet
overhalen.
'Ik ken je. Ik weet nog hoe... vindingrijk je kunt zijn. Je kunt dit
mogelijk maken. Als je wilt.'
Hij kende haar niet natuurlijk. Dat was het hele punt. Ze had zichzelf nooit beschouwd als erg vindingrijk, en wist niet zeker welke stu-
dentikoze onderneming hij bedoelde, zo die al bestond. Maar ze zou
dit inderdaad mogelijk kunnen maken. Ze had het eeuwen geleden al
helemaal uitgedokterd. Ze had een vriendin in Norfolk, Sally, die haar
al zo vaak had gevraagd om op bezoek te komen. Zij en Tim hadden
het vermeden omdat Sally's kinderen veel ouder waren dan Josh en
Chloe. En krengerig. En omdat Sally met crèmekleurig linnen over-
trokken meubels had. En Tim haatte haar man, Ian, een onroerend-
goedontwikkelaar, een arrogante vlerk, die een gesprek altijd opende
met de vraag: 'En wat zijn je woorden waard?' Ze kon zeggen dat ze
bezweken was voor Sally's aandringen. Had toegestemd haar ergens te
ontmoeten, misschien in een beautyfarm. Geen enkel gevaar dat Tim
Ian zou opbellen om het te controleren. En het mooie van een mobiel was dat je nooit een nummer hoefde op te geven – je was je eigen
bestemming. O, ja, ze had er heus wel over nagedacht. 'Waarom zou
ik?'
'Omdat je erachter wilt komen hoe het zou zijn. Omdat je er genoeg van hebt me staande in een portiek te zoenen. Omdat je niets
liever wilt dan me die vlinder laten zien waarover je me verteld hebt.'
En dan de genadeklap. 'Omdat je doodsbang bent dat het leven aan
je voorbijgaat zonder in al die jaren ooit een risico te hebben genomen. Omdat je je verveelt. O, en omdat ik ontzettend geil ben.'
Harriet moest onwillekeurig lachen. Arrogant, maar doeltreffend. 'Ik
zal zien wat ik kan doen.' En ze hing op. Wat ze behoorlijk cool vond
van zichzelf.

Polly en Jack
Jack had een bericht achtergelaten op het antwoordapparaat. 'Het
wordt laat, liefste. Zou je het heel erg vinden om op eigen gelegenheid naar het restaurant te komen? Dan zie ik je daar. Neem het boek
van je leesclub mee, misschien ben ik een minuut of vijf te laat – die

verdomde vergadering is nu pas afgelopen en ik moet nog een paar dingen afhandelen die ik niet tot morgen kan laten liggen. Ik zie je in het restaurant. Ik verheug me er erg op. Ik hou van je.'

Eigenlijk kwam het Polly heel goed uit. Het zou meer op een afspraakje lijken, als je ieder apart binnenkwam. Ze frunnikte aan haar haar voor de gangspiegel. Ze moest zich toonbaar maken. Liefst meer dan toonbaar: vanavond wilde ze er extra goed uitzien.

Sinds februari hadden ze niet meer samen gegeten, dacht Polly. Ze waren natuurlijk wel uitgegaan – met anderen, naar een paar feestjes en een vreselijke zondagse lunch bij Susan met die zure zus van haar, naar de bioscoop met Dan voor een paar lawaaierige en stompzinnige films, maar ze hadden niet echt samen afgesproken. Al een eeuwigheid niet meer. Ze wist dat ze hem te veel als vanzelfsprekend had beschouwd. Dat was de paradox: ze waren een jong stel, maar gevangen in een middelbare leeftijd, geconfronteerd met de problemen van jong-volwassen kinderen voordat ze zelfs nog maar getrouwd waren. Háár jonge volwassen kind, om precies te zijn: hij had geen enkele emotionele bagage op haar stoep gedumpt – het was allemaal eenrichtingverkeer. De vreugden van het moderne gezin.

In het weekend had ze een artikel gelezen in de krant, een interview met een of andere zelfingenomen tv-persoonlijkheid over haar tweede huwelijk, die haar kinderen had meegenomen in de nieuwe relatie. 'Hij wist van meet af aan wat hem te wachten stond,' zei ze. 'We kwamen als een stelletje ongeregeld.' De nieuwe echtgenoot had er snel en gedwee aan toegevoegd: 'Het was niet moeilijk, vanaf de eerste dag hield ik van de jongens.' Nou, even een kort nieuwsbericht voor deze perfecte mensen uit tv-land: een stelletje ongeregeld was voor íedereen moeilijk. En er zijn verschillende soorten liefde: je kon nooit van een kind dat niet van jou was met dezelfde intense liefde houden als van je eigen kind. Als je nooit een eigen kind had gehad, zoals die zelfvoldane tv-meneer, of Jack, begreep je die liefde niet, niet echt.

Ze had hem een beetje afgehouden, dat wist ze, gedeeltelijk omdat ze er zo aan gewend was alles zelf te regelen, zodat het, misschien niet helemaal een reflex, maar wel een erezaak was dat te blijven doen. En gedeeltelijk omdat ze zo'n beschermende houding had ten opzichte van Cressida, maar ook omdat ze aanvoelde dat hij niet helemaal begreep hóe het voelde. God weet dat hij zijn best had gedaan, en hij had zich als een held gedragen met Daniel, door de praktische kant

159

van zijn leven zo goed als over te nemen – de rugbytraining, de wedstrijden in het weekend. Voor Cressida was hij heel aardig geweest; hij had haar met een zekere tederheid bejegend. Het kwam door Cressida dat er spanningen waren ontstaan tussen Jack en Polly. Hij leidde elk gesprek met haar over Cressida in met de woorden dat hij, omdat hij niet Cressida's vader was, niet precies kon begrijpen wat ze voelde. Toen vertelde hij Polly een paar waarheden. Objectieve onpartijdige, beschouwende waarheden, bijvoorbeeld dat ze niet het recht had het Joe of zijn moeder te vertellen. Dat was wat haar kwaad had gemaakt, moest ze eerlijk toegeven. Ze wilde niet voortdurend te horen krijgen dat ze verstandig moest zijn. Soms wilde ze alleen maar gesteund worden, een sussend 'kalm maar' horen. Mannen wilden oplossingen zoeken, de dingen in orde maken. Jack wist dat ze sterk was, en dacht waarschijnlijk dat troost neerbuigend was. Ze had niet altijd meer de energie, na Cressida, om hem uit te leggen waar ze behoefte aan had, nam het hem alleen maar kwalijk dat hij niet automatisch daarnaar handelde.

Hij was nog steeds fantastisch, veruit de beste man die ze kende. En Dans reactie op Cressida's zwangerschap had Jack nog meer in het zonnetje gezet. Polly was op een avond, op Cressida's verzoek, naar hem toe gegaan – ze was niet bang voor wat hij zou zeggen, had ze beweerd, voelde zich alleen maar dom en verlegen.

Dans eerste reactie waren weidse armgebaren en vloeken, en Tina had hem gekalmeerd met gemompel en strelingen. Polly keek gefascineerd toe – hoe één man twee zulke verschillende vrouwen kon kiezen verbaasde haar nog steeds. Maar het was haar nu heel duidelijk geworden dat Tina precies was wat hij al die tijd nodig had gehad. Geen wonder dat hun eigen huwelijk was stukgelopen. Het had nooit een kans gehad!

Toen hij gekalmeerd was, nam Polly onwillekeurig Cressida's rol over, met een herhaling van alle gesprekken die ze beiden al gehad hadden. Toen had hij gezegd dat ze abortus moest laten plegen. Ze kon geen kind krijgen. Hoe moest het dan met haar studie? En wat had Joe hierop te zeggen? Cressida's besluit verdedigen was een nuttige oefening: het klonk zinvol als je het hardop zei. Het klonk redelijk. Dan had zich teruggetrokken in zelfmedelijden. Waarom had Cressida het hem niet zelf verteld? Hij was toch een goede vader geweest? Hij was er altijd voor haar geweest.

Op dat moment was Tina tussenbeide gekomen. 'Kom, Dan, bedenk

160

eens hoe moeilijk het moet zijn om jou dit te vertellen. Ze wist waarschijnlijk dat je onbesuisd zou reageren en tekeer zou gaan. Ze wist dat het je zou kwetsen, je van streek zou maken. Ik vind dat ze het goed heeft gedaan door Polly te sturen, zodat je kunt kalmeren voor je haar spreekt en de dingen op een rijtje kunt zetten. Over de schok heen kunt komen.'

Het was de langste toespraak die Polly Tina ooit had horen maken, en ze was haar dankbaar.

Jack had het aan Daniel verteld. Ze hadden het hem natuurlijk gevraagd. Hij zou het nooit hebben durven voorstellen. Daniel gruwde ervan. Dat Cressida zwanger was, was het onweerlegbare bewijs dat Cressida aan seks deed. Het was al erg genoeg dat Jack en mam het deden, maar Cressida ook? Het was hem te veel allemaal. Dus dachten ze dat Jack het hem beter kon vertellen. En het zag ernaaruit dat ze gelijk hadden. Op een ochtend, toen Jack Daniel had afgehaald van de rugbytraining, was Daniel de keuken binnengekomen, slikte even bij het zien van zijn zus, en toen hij langs haar liep op weg naar de koelkast, had hij haar een halve knuffel, halve mep gegeven en zijn gezicht een seconde lang in haar hals verborgen. 'Alles goed, lelijkerd?' zei hij, en dronk toen een fles melk achter elkaar leeg.

Later, toen de kinderen naar boven waren gegaan naar hun eigen kamer, had Jack glimlachend naar Polly gekeken. 'Dat was een mooi moment, vond je niet?'

'O, ja, Kodak-kwaliteit.' Polly had zijn glimlach beantwoord.

'Ik geloof dat hij dacht dat ik hem zou gaan vertellen dat jij zwanger was, dus voelde hij zich waarschijnlijk opgelucht toen het Cressida bleek te zijn. Ik denk dat een nichtje of neefje iets draaglijker is dan een broertje of zusje.'

Ze sloeg haar arm om zijn middel. 'Bedankt, Jack.'

'Bij de service inbegrepen.'

Hij was zo goed daarin. Haar een veilig gevoel geven, of ze deel uitmaakte van een team en niet voor elk wissewasje zelf verantwoordelijk hoefde te zijn.

In het restaurant bestelde ze een gin-tonic en wat mineraalwater, en leunde achterover om een paar pagina's te lezen van *Oma van Amelia*, de keus van deze maand. Het was erg mooi geschreven – Polly kon nauwelijks geloven dat de auteur, Marika Cobbold, zo goed kon schrijven in haar tweede taal – en las prettig, maar misschien niet voor iemand die op de grens van de ouderdom stond, en, vooral niet, dacht ze, voor Susan. Ze vroeg zich af of het een tactloze keus was geweest. Clare had het boek maanden geleden voorgesteld, nadat ze er met iemand in het ziekenhuis over had gesproken, en het was verschenen op de lijst voor deze maand. Susan was toen aanwezig, en had schijnbaar geen bezwaar gemaakt, maar, dacht Polly, dat zou ze ook niet doen. Susan was een vechter, een doorzetter, een stoïcijn. Waarschijnlijk kende alleen Roger het hele plaatje, maar Polly meende dat ze meer zag dan de meesten. Susan had in de laatste weken sinds Margarets vertrek weinig over Alice gezegd. Ze had hun gesprekken altijd op Cressida en de baby weten te brengen. Als Polly probeerde terug te komen op Alice, keek Susan triest. 'Cressida heeft keuzes, Poll – daar valt zoveel meer over te praten. Mam heeft geen keuzes, en Roger en ik ook niet. Wat kun je dan zeggen?' En daarbij het schouderophalen en de afwezige blik.

Ze was één keer met Susan meegegaan naar Alice – Susan ging elke dag, soms meer dan één keer. In Polly's ogen was het niet zo erg – of niet zo erg als Margaret je wilde doen geloven: het was er schoon, er hingen mooie prenten aan de muren, en in alle gemeenschappelijke ruimtes stonden mooie zijden boeketten. Ze waren tijdens lunchtijd gekomen, stom natuurlijk, dat was niet zo plezierig geweest – tientallen oude mensen die zwijgend op hun stoel zaten, soep morsten, en één arme vrouw die zat te snikken om haar Colin. De privé-patiënten zaten aan tafels die gedekt waren met wit linnen. Belachelijk. Alsof ouderdom en ziekte het speelveld niet volledig glad hadden geëffend.

Maar zij, Polly, zag het objectief: deze nieuwe, onverzorgde, hologige Alice was Susans moeder, en dat moest verschrikkelijk zijn.

Ze hadden haar gered van een onsmakelijk bord met iets onbestemds met custard en haar teruggebracht naar haar kamer. Polly hield dapper de schijn op, babbelde tegen een niet-begrijpende Alice over Cressida, Daniel en Jack. Ze liet de baby achterwege, maar vertelde Alice over het huwelijk.

'Ga je trouwen?' vroeg Alice ongelovig, voor het eerst naar Polly kijkend en toen verbaasd naar Susan.

Polly en Susan hadden gelachen.

'Ja, ik denk dat het wel een uitdaging voor haar zal zijn,' spotte Susan.

'Nou zeg, zo gek is het nou ook weer niet. Ik ben verdikkeme pas vierenveertig.'

Alice glimlachte toegeeflijk naar hen, of ze een stel tieners waren die lachten om de jongens. 'Die jonge kinderen toch! We zullen maar gauw gaan sparen. Wat hebben jonge mensen toch altijd een haast.'

Ze giechelden weer. 'Konden de kinderen haar dat maar over ons horen zeggen!' zei Susan. Onder het praten kamde ze voorzichtig Alice' haar, en Alice bleef stil zitten, met gesloten ogen, genietend van de zachte aanrakingen van haar dochter.

Later gaf Susan Polly een arm toen ze langs goed onderhouden bloemperken naar buiten en naar de auto liepen. Het gegiechel ging over in een onderdrukte snik, zoals wel vaker gebeurt met giechelen. 'Bedankt dat je gekomen bent, Poll. Dat was erg lief van je. Je bent goed in dit soort dingen. Tot vandaag had ik haar nog niet zien glimlachen sinds ze daar woont.'

'Graag gedaan. Wanneer je maar wilt. Ik meen het.' Polly haalde diep adem. 'Suze?'

'Ja?'

'Roger en ik hebben laatst met elkaar gesproken. Hij maakt zich ongerust over je, lieverd. Hij vindt dat je te vaak hier komt en dat het je vermoeit.'

Susan verstijfde, maar nam haar arm niet weg. 'Ze is mijn moeder, Polly.'

'Ik weet het, ik weet het. Heus. En Rog weet het ook. Het is alleen...' dit was niet gemakkelijk om te zeggen '... nou ja, als ze niet zo'n goed begrip meer heeft van de tijd, en ze niet eens zeker weet of je wel of niet geweest bent, moet je er dan echt zo vaak heen? Kun je jezelf niet een beetje rust gunnen?'

Nu haalde Susan haar arm weg. 'Ze is mijn moeder, Poll.' Alweer. 'Je denkt toch niet dat ik alleen voor haar daarnaartoe ga, hè?'

Jack was een luidruchtig mannetje – zodra de deur van het restaurant openging wist ze dat hij het was. Luide verontschuldigingen tegen iemand die hij per ongeluk een duw had gegeven, vragend naar haar, sorry dat ik zo laat ben, werd opgehouden, en toen was hij er, licht bezweet, een aktetas, een jasje over zijn arm en een overbodige paraplu – zo'n dure zakelijke.

Hij zag er goed uit, met een brede glimlach op zijn gezicht. Polly voelde een steek van bezitterige trots.

'Hallo, schat. Sorry dat ik zo laat ben. Heb je mijn boodschap gekregen?'

'Ja, geen probleem. Ik heb zitten lezen.'

'Goed, goed. Goed?'

'Hm, eerlijk gezegd heb ik zitten denken aan Sus
min of meer waar het boek over gaat.'

'Aha.' Jack maakte een grimas. 'Zwaar op de han
'Een beetje.'

Jack pakte het uit haar hand, legde een kaartje va
de pagina waar ze gebleven was, klapte het dicht en
tas die op de grond naast hen stond.

'Zo, genoeg daarvan. Vanavond, mevrouw bin
wordt uitgeroepen tot probleemloze avond. Ik he
keer voor mij alleen, en ik verbied elk woord over
en ook over Susan en Alice, al houden we nog zo
een vrolijk, verrukkelijk, misschien dronken diner
rende en, als ik het mag zeggen, heel erg sexy verlo
de het ouderwetse woord resonantie en ernst. Ho
hem kunnen houden? Hij verdiende het zonder m
een elegant gebaar haar hand.

De ober kwam naar hun tafel. 'Wat wenst u te dr
Ze hief haar glas op. 'Ik drink gin.'

'Niks daarvan, dat goedje is de pest voor je. Ik w
snotteren boven je tiramisu. Een fles champagne g
Hij gaf de gin-tonic aan de ober. 'Die mag u hebb

'Zeker, meneer.' De ober glimlachte, hij genoot van

Jack zocht in zijn aktetas. 'En ik heb precies h
meegebracht om het gesprek gaande te houden.'

Polly begon te lachen. Hij hield een oud, beduim
van een bruidstijdschrift, kennelijk gestolen uit een
kamer. Drie uur, twee flessen en een hoop gegrinn
haar had verboden minstens driekwart van de getoo
gen maar met een ballpoint de lingerie had aanges
in de smaak viel, na een verhitte discussie over de h
toegeven dat hij er inderdaad als een idioot uit zo
quet, hadden ze een datum geprikt. Hij had naar ha
terwijl ze de diverse maanden in overweging nam
hand opgestoken. 'Aha. In de meeste dingen hebb
dinnen het voor het zeggen. Maar dit, evenals de w
sing.' Hij had het al helemaal bedacht. 'Ik heb altij
willen hebben. Wat zeg je ervan?'

Ze had nog nooit zoveel van hem gehouden.

Susan en Mary

Rolgordijnen waren vervelend om te maken. Je moest je goed concentreren omdat het naaiwerk vermoeiend was, en het was een geprutts met al die koorden van verschillende lengte. Bovendien leverden ze niet veel op; aan gewone gordijnen kon je veel meer verdienen door de stof, die ze tegen inkoopsprijs kochten en met een kleine winst doorverkochten – tenzij Susan erg gesteld was op een klant die haar hart verpand had aan iets wat ze niet kon betalen. Soms was het hartverwarmend om de blijdschap te zien als je aanbood afstand te doen van je winst. De voorzienige Sinterklaas.

Susan hield het meest van tot op de grond reikende gordijnen van meters zacht materiaal. Niet bij haar thuis natuurlijk – stofnesten! Voor zichzelf gaf ze de voorkeur aan rolgordijnen, schoon, simpel en, van het juiste materiaal, prachtig. Misschien met een deklat als het raam of de inrichting van de kamer het toeliet.

Goddank dat Mary graag rolgordijnen maakte. Dat was een van de redenen waarom ze zulk goed gezelschap was in het atelier. Ze maakte ook geweldige haverkoekjes, die ze elke maandag meebracht, en deelde Susans passie voor Radio 4, die de hele dag aanstond tijdens het werk. Zoveel interessanter dan roddeltjes. Mary was al een jaar of vijftien bij Susan – Susan had haar gedwongen ongeveer zes maanden geleden met haar te gaan lunchen, om dat feit te vieren. Deze ochtend hadden ze beiden gedaan waar ze het best in waren. Susan had een rijke jonge bankiersvrouw geholpen met het doorkijken van de boeken waarin een uitgebreide selectie van magnoliakleurig linnen voor honderd pond per meter stond, om uit te zoeken welke stof perfect paste bij de enorme ramen in haar nieuwe huis. Toen ze wegging, in een wolk van Chanel, met twaalf stalen om aan haar binnenhuisarchitect te laten zien, had Mary drie geruite rolgordijnen gemaakt voor een nieuwe keuken.

'Briljant! Ze zien er schitterend uit. Ik zal ze vanmiddag afgeven op weg naar mijn moeder. Henry gaat er morgenochtend heen om de latten en stokken aan te brengen.' Henry was hun vaste medewerker, een ex-accountant die het bijltje erbij neer had gegooid toen zijn jongste kind uit huis vertrok. Nu bevestigde hij latten en palwielen voor hun klanten, en adviseerde nu en dan wanhopige huisvrouwen over de betaling van de belasting en de sociale verzekeringen voor hun kindermeisje. 'Heb je iets bereikt met mevrouw Spilziek?' Dat was hun bijnaam voor de jonge bankiersvrouw die net binnen was. Ze hadden al eerder de kamers aangekleed van het nieuwe buitenverblijf van de familie en amuseerden zich heimelijk over haar pompeuze plannen en minder authentieke accent – Susan dacht dat het waarschijnlijk dromen waren waaraan ze sinds haar kindertijd had gewerkt in haar eenpersoonsslaapkamer in een achterbuurt.

'Wie zal het zeggen? Ik weet niet waarom ze die verrekte binnenhuisarchitect niet gewoon hier mee naartoe neemt – het zou ons een vermogen schelen in stalen, en bovendien is het overduidelijk dat er precies gebeurt wat hij zegt.' Ze dacht dat de smaak van Lady Bountiful meer in de richting ging van het kleuriger chenille en fluweel dan de aardse, natuurlijke tinten die de mode voorschreef. Tinten als lichaamsvocht, noemde Mary die. 'Wil je koffie? Laten we buiten lunchen – het is verrukkelijk weer, de eerste warme dag van het jaar.'

Het atelier was onderdeel van een collectief dat twee van de drie grote schuren in beslag nam die aangebouwd waren aan een oude boerderij; de huidige eigenaar hield de derde als een schildersatelier, waar hij in de zomer cursussen gaf in aquarelleren. Mary en Susan deelden de ruimte met een stoffeerder en een kastenmaker. De schuren stonden aan het eind van een stil pad, drie of vier kilometer van de weg, en ze hadden een spectaculair uitzicht over het dal erachter. Alleen al hier zijn, maakte dat Susan zich rustig voelde.

Buiten zaten ze naast elkaar, dronken koffie en aten hun sandwiches. De zon was warm in hun hals.

'Clare vroeg me je te vertellen dat ze deze week niet naar de leesclub komt. Het spijt haar, maar ze kan echt niet.'

'Jammer. We zullen haar missen. Ze is echt uit haar schulp gekropen, weet je. Ze leest de boeken vanuit een heel ander perspectief dan de rest van ons – ze heeft hopen interessante dingen te vertellen. Ze is toch niet ziek, hoop ik?'

'Nee, dat is het niet.' Mary zuchtte. 'Je mag het wel weten, ze is weg bij Elliot. Is een paar weken geleden bij mij en haar vader ingetrokken.'

'O, Mary, wat erg. Ik had geen idee.'

'Nee, nou ja, je kent me – ik praat niet graag over zulke dingen. Zij schijnt ook blij te zijn met de club. Ze is altijd een beetje een boekenwurm geweest. Toen ze nog klein was, moest ik de boeken met drie of vier tegelijk voor haar uit de bibliotheek halen; ze verslond ze gewoon. *Er groeit een boom in Brooklyn* was een van haar favorieten. En *Rebecca* – daar was ze dol op.' Susan herinnerde zich dat Clare dat boek had voorgesteld. 'Ze was een slimme kleine meid – haar leraren zeiden dat ze naar de universiteit had kunnen gaan als ze dat gewild had. Maar dat heeft ze nooit gedaan. Ze had altijd al haar hart verpand aan een opleiding tot verpleegkundige, toen tot verloskundige. Dat – en Elliot – was alles wat ze wilde.'

Ze wisten allebei dat dat niet waar was. Ze had zoveel meer gewild dan dat. Alsof ze dat erkende, ging Mary verder. 'Weet je, ik lees soms in de krant die verhalen over vrouwen die een baby krijgen voor hun dochter die geen kind kan krijgen. Ik zou het ook hebben gedaan, maar ik ben te oud. We hebben te lang gewacht met de beslissing of we wel of niet een kind wilden. En nu heb ik de overgang al achter de rug. Ik zou van alles gedaan hebben als ik kon. Wij allebei. Reg zei dat hij het huis zou verkopen om de behandeling te betalen als ze iets voor haar konden doen, maar dat kunnen ze niet. We denken tegenwoordig dat artsen en geld het antwoord zijn op elk probleem, maar sommige vrouwen zijn gewoon niet voorbestemd om zelf kinderen te krijgen, en zij is een ervan, mijn kleine meid.'

Mary was geen vrouw om fysiek contact uit te lokken, en Susan wist niet wat ze moest zeggen. Ten slotte merkte ze op: 'Denk je dat ze weer bij elkaar kunnen komen? Er is toch geen ander in het spel, hè?'

'Ik geloof het niet, niet op die manier. Niet een bestaand iemand.' Mary draaide zich om en keek haar aan. 'Ik geloof dat dat huis behekst is. Zíj zijn behekst – achtervolgd door de geesten van alle baby's die ze hebben verloren, het leven dat ze wensten.' Ze schudde even met haar hoofd, alsof ze iets stoms had gezegd. 'Ik dacht dat die twee bij elkaar houden het beste was wat ik voor haar kon doen. Ik dacht dat ze in de loop van de tijd elkaar zouden genezen, dat ze zouden leren een gelukkig leven te hebben zonder kinderen. Ze waren zo gelukkig, weet je nog?'

Susan herinnerde het zich vaag. Ze herinnerde zich hen op een dag, jaren geleden, toen Elliot en Clare nog tieners waren, waarop ze rondscharrelden in het atelier. Ze waren naar buiten gegaan, en hij had haar lachend achternagezeten. Ten slotte had hij haar gevangen, hield haar schouders vast terwijl hij met zijn voet achter haar benen haakte, zodat ze samen op de grond vielen. Hij had haar haar achter haar oren gestreken en haar gezoend, zijn handen op haar wangen. Toen herinnerde ze zich Mary, die binnen was gekomen met trouwfoto's, honderden leek het wel, Clare stralend van geluk terwijl ze opkeek naar haar kersverse echtgenoot.

'Ja, ik weet het nog.'

'Maar ze is niet langer gelukkig. Thuis is nu de beste plaats voor haar, en voor mij. Ik wil haar bij me hebben. Ik moet voor haar zorgen.'

Dat was het, niet? dacht Susan. De stalen banden die ons verbinden – Mary en Clare, mij en mam, Polly en Cressida, Cressida en haar ongeboren baby. Harriet en Nicole en hun kinderen. Ik en mijn fantastische jongens. Dat zou Clare nooit hebben.

Mary haalde haar schouders op. 'Nou ja, hiermee komt het werk niet af, hè? Ik ga weer verder. Bedankt voor de koffie en de schouder.'

'Dat is oké. Ik vind het heel erg, Mary. Zeg tegen Clare dat ik van haar hou. En dat ze welkom is op de leesclub, zodra ze zich daar fit genoeg voor voelt. Ik zal je laten weten wat het volgende boek is, en dan kan ze beslissen.'

'Prima. Ik weet zeker dat ze dat fijn zal vinden.'

Susan had Mary de rest van de middag geobserveerd, maar ze was weer dichtgeklapt, even snel als ze buiten op de bank haar hart had uitgestort.

Cressida

Wat een walgelijke ironie. Vier maanden geleden ging ze naar de wc in de vurige hoop dat ze bloed zou zien in haar broekje, op het toiletpapier. Nu had ze al die shit achter de rug, de echo, de ruzies met mam, de breuk met Joe, de biecht aan Elliot, en na dat alles had ze haar besluit, en dat van bijna alle anderen, genomen en had ze er bijna een goed gevoel over gekregen. En nu was er bloed.

Wat kon het betekenen? Alles was gegaan zoals het moest met de baby. Ze voelde zich absoluut zwanger. Haar borsten waren enorm, en haar heupbroek begon ongemakkelijk te zitten – de zwarte had ze voorlopig al af moeten danken. Haar haar was dik en stevig, de laatste paar puistjes waren verdwenen, en ze moest ongelooflijk vaak naar de wc om te plassen. Tot dusver een zwangerschap volgens het boekje. Ze had het boek gelezen dat haar moeder voor haar gekocht had – een nogal clichématig boek, met een zwangere vrouw in een Laura Ashley-jurk in een schommelstoel op de omslag, dat een fantastisch referentiemiddel bleek, want ze kon haar symptomen elke week checken met die die in het boek werden beschreven. Ze had een reusachtige paperclip aangebracht op de hoofdstukken van de bevalling. Nu nog niet, dank je wel. Het zat in haar en het zou eruit komen, en dat was alles

168

wat ze in dit stadium hoefde te weten. De verloskundige die ze in het ziekenhuis had gesproken had gezegd dat jonge moeders het gewoonlijk gemakkelijker hadden bij de bevalling dan oudere, 'of je erwten dopt', zei ze, wat weinig troost bood; het hoofdje van de baby, de doorgang bij de moeder – reken maar uit. Als ze in de stad was keek ze nieuwsgierig naar de jonge moeders die langskwamen. Zij hadden het gedaan, en ze konden nog steeds lopen. Sommigen konden nog heupbroeken dragen. Hoe erg kon het dan helemaal zijn?

Ze had urenlang naar haar naakte lichaam gestaard in de spiegel in haar slaapkamer, zich naar alle kanten draaiend, attent op de subtiele maar onverbiddelijke veranderingen in haar lichaam. Soms, als ze helemaal aangekleed was, had ze een kussen onder haar trui geschoven en melodramatisch haar onderrug vastgegrepen, terwijl ze probeerde zich voor te stellen hoe ze er tegen het einde uit zou zien. Ze had een paar telefoonnummers genoteerd van het prikbord bij de verloskundige; ze voelde zich vooral aangetrokken tot een yogacursus, want dat leek haar een relaxte manier om je voor te bereiden op de geboorte. De zwemcursus in het plaatselijke zwembad leek aantrekkelijk, als je je eroverheen kon zetten om je te vertonen aan de spetters van badmeesters terwijl je eruitzag als Moby Dick met spataderen.

Dat was het probleem. Als je eenmaal het besluit had genomen de baby te houden, sloegen je gedachten op hol, via de zwangerschap naar de peutertijd en nog veel verder. Je betrapte je erop dat je over de gekste dingen aan het dagdromen was: wat het zou zijn, wat je samen zou doen, wat het prettig zou vinden en wat niet. Cressida was ervan overtuigd dat de baby een jongen zou zijn, want haar fantasie werkte altijd in zachtblauw, ze wist niet waarom. Ze had zitten krabbelen tijdens het college gisteren, een lijst van jongensnamen.

Ze mocht het nu niet verliezen. Alsjeblieft.

Ze stond op, maakte haar broek dicht, trok de wc door en liep de gang op. 'Mam!'

Polly liep naar de trap, gealarmeerd door Cressida's wanhopige stem. 'Wat is er, lieverd?'

Cressida begon te huilen. 'Ik bloed, mama.'

'O.'

Polly sprong de trap met twee treden tegelijk op. 'Maak je niet ongerust, schat. Ga liggen.' Ze liep met Cressida naar haar bed. 'Hoeveel bloed, schat? Een druppel of veel meer? Doet het pijn? Voel je je goed?'

'Druppels, niet meer dan druppels, geloof ik, op mijn ondergoed. Ik heb helemaal geen pijn.' Ze klampte zich met een doodsbleek gezicht vast aan Polly's arm. 'Mam, wat betekent dit? Ik raak de baby toch niet kwijt?'

Polly had de telefoon opgepakt en toetste een nummer in. 'Natuurlijk niet, lieverd. Blijf stil liggen en probeer je kalm te houden. Ik bel Roger.'

Ze ging naast Cressida zitten terwijl de telefoon overging in Susans huis. Zondagmiddag. God, alsjeblieft, laat hem thuis zijn.

Hij was er. Hij reageerde met zijn gebruikelijke, capabele, kalme vriendelijkheid. 'Je hebt haar naar bed gebracht, hè? Goed, maak een kop thee voor haar klaar met wat suiker, en ook voor jezelf. Ik ben direct bij je. Maak je niet bezorgd, Polly, dit is niet ongewoon. Waarschijnlijk is alles volkomen in orde.'

Cressida wilde niet dat Polly haar alleen liet om thee te zetten. 'Ga niet weg, mam. Blijf alsjeblieft bij me.'

Ze wilden allebei liever bij elkaar zijn dan dat ze een kop thee met suiker wilden. Polly hield haar dochter tegen zich aan, streek over haar haar, mompelde dat het in orde was, dat Roger onderweg was, dat ze zich niet ongerust moest maken. Al die tijd tolden de gedachten door haar hoofd. Cressida kón geen miskraam krijgen, niet nu, niet na al die toestanden. De angst van haar dochter sloeg op haar over. Ze wist niet voor wie ze het meest bevreesd was, voor de baby, Cressida of haarzelf. Geschaafde knieën kon ze aan, voor gebroken harten kon ze haar best doen. Een baby kwijtraken naar wie je verlangde – daar was ze niet tegen opgewassen. Het was niet eerlijk dat Cressida een tragedie zou meemaken die zij zelf nooit ervaren had – hoe kon ze troost bieden, hoe kon ze begrip tonen, hoe kon ze het beter maken? Je eigen kind te moeten zien met opengesperde ogen van angst en niet in staat te helpen was afschuwelijk.

Toen de bel ging sprong Polly op en holde naar beneden. Roger glimlacht even geruststellend naar haar en liep toen regelrecht naar boven. 'Ze is in mijn kamer, Roger.'

Susan was met hem meegekomen en omhelsde haar vriendin in de hal.

'Bedankt dat jullie er zo gauw zijn,' zei Polly.

'Doe niet zo gek. Laat Roger maar een paar minuten bij haar, terwijl wij iets te drinken maken.'

Polly keek weifelend omhoog langs de trap.

'Het is waarschijnlijk niets.' Susan had aardig wat ervaring omdat ze getrouwd was met een huisarts. 'Er zijn talloze redenen waarom een vrouw in dit stadium kan bloeden. De baby maakt het meestal uitstekend.' Ze glimlachte naar haar vriendin. 'En met de moeder gaat het altijd uitstekend.'

Roger legde het haar op dezelfde manier uit. Hij zei dat hij Cressida de volgende dag een scan in het ziekenhuis moest laten maken, maar dat dat zuiver en alleen een voorzorgsmaatregel was. Hij dacht niet dat ze zich ergens zorgen over hoefden te maken, al was het misschien beter dat Cressida vandaag in bed bleef en uitrustte na de schrik.

Polly verbaasde zich erover dat ze zich zo enorm opgelucht voelde – voor hen allemaal. Toen Roger en Susan weg waren, viel Cressida in slaap. Het was kinderlijk, dacht Polly, zo'n volledig verrouwen te hebben in de dokter. Als hij zei dat het in orde kwam, dan kon dat niet anders. Lange tijd bleef Polly naar haar zitten kijken, tot ze zich weer kalm voelde worden. Niet één keer vandaag had ze gedacht dat het misschien beter zou zijn als Cressida de baby verloor. Niet één keer was die gedachte zelfs maar bij haar opgekomen. Ze wilde dat Cressida de baby zou houden.

Elliot

Elliot kon zich niet concentreren. Niet op zijn computerscherm. Niet op de ernstige student die tegenover hem zat en informatie vroeg over het huren van een flat in de buurt van de campus. En blijkbaar ook niet op het scheren; hij had zich vanmorgen twee keer gesneden en moest wegrijden met die belachelijke plukjes tissue op zijn kin en nek. Dat kwam omdat hij niet naar zijn eigen spiegelbeeld kon kijken zonder het zich te herinneren, en die herinneringen maakten hem tot een onhandige dwaas. Cressida was zwanger. Ze kreeg een kind. Zijn kind. Hij zou een kind krijgen.

Het was onwerkelijk. Zijn reacties op het nieuws waren heel verschillend, van voor de hand liggend tot volkomen onlogisch

Hij wist dat het stom klonk, maar hij was zo geschokt toen ze het vertelde. Seks met Clare was altijd over baby's gegaan – althans in de laatste jaren – maar dat onderwerp was nooit bij hem opgekomen als hij seks had met Cressida. Ze hadden het nooit gehad over voorbehoedsmiddelen – als hij er al aan gedacht had, en tot zijn schande moest hij bekennen dat hij dat niet had gedaan, zou hij hebben aangenomen dat ze aan de pil was of zo. Zwangerschap en kinderen waren er niet aan te pas gekomen. Seks tussen hen was op de een of andere manier zo zuiver geweest: twee mensen die gek op elkaar waren en elkaar genot gaven, zodat ze zich gelukkig en gewenst voelden. Het had een ongelooflijke mate van vrijheid – niet beladen met hun leven, met routine of droefheid. Hij kon zich niet herinneren dat hij seks ooit zo heerlijk had gevonden. Cressida's maagdelijkheid had hij opwindend gevonden en hij wilde dat het goed zou zijn voor haar. Na die eerste keer vertelde ze hem verlegen dat het hem gelukt was, dat ze blij was dat ze op hem gewacht had.

Nu blaakte hij van trots over zijn eigen viriliteit; plotseling werd het hem duidelijk hoe door en door onmannelijk het was geweest om niet in staat te zijn tot die ene simpele functie. Hij en Clare wisten al heel lang dat het fysieke probleem bij haar lag, en niet bij hem, maar het moest zijn idee over mannelijkheid toch hebben aangetast. Alsof op een rare manier zijn sperma alle obstakels had moeten overwinnen die Clares lichaam voor hen opwierp in hun fanatieke vastberadenheid om nageslacht te kweken. Hij wist dat het idioot klonk, zelfs in zijn eigen hoofd, maar hij voelde zich weer een beetje een fokhengst – hij kon het niet ontkennen.

En plotseling was het licht gaan branden in de gangen van zijn brein die hij al lang geleden had afgesloten: Elliot als vader. Hij had dat verlangen van zich afgezet zodat hij meer ruimte had om zich neer te leggen bij het idee dat Clare geen moeder werd. Als mensen hem iets vroegen, zei hij: 'Het gaat minder om mij, weet je, Clare lijdt er het meest onder. Alle meisjes willen moedertje spelen, toch? Dat begint met de poppen, denk ik, en dan krijgen hun vriendinnen ze, en dan... Het is het ergst voor Clare. Mij doet het niet zoveel.' En dat had zolang geduurd dat hij het bijna was gaan geloven. Maar het was niet waar. Vanaf het moment dat Cressida het hem had verteld had hij filmpjes afgespeeld in zijn hoofd: een baby op zijn schouder, poezelige vingertjes die aan zijn haar trokken, een kind dat lacht omdat het werd gekieteld, tegen een bal trappen, bij het kleintje gaan kijken voor het ging slapen. Natuurlijk had hij dat allemaal gewild. Natuurlijk was hij kwaad geweest op Clare, niet omdat ze hem geen kind kon geven – hij wist dat hij haar dat geen moment kwalijk had genomen – maar omdat ze nooit had meegeleefd met zijn verdriet zoals hij had gedaan met het hare. Het evenwicht was totaal verdwenen.

Hij zou het haar moeten vertellen. Niet zozeer dat hij het haar verschuldigd was, maar niemand anders dan hijzelf kon die woorden uiten. Mary of Reg zouden ertoe bereid zijn, dat wist hij, maar hij moest het zelf doen. Alleen nu nog niet. Hij wilde haar gezicht niet zien met het nieuws erop weerspiegeld. Hij vond het nog steeds geweldig om zijn eigen gezicht te zien in de spiegel met dat nieuws in zijn ogen, en in die van Cressida, zo mooi, toen ze het hem vertelde. Hij had toen niet veel kunnen zeggen, hij was zo geschokt en zo blij en zo ontroerd. Ze had hem alleen maar vastgehouden – dat kon ze zo goed – en hem niets gevraagd.

MEI

Oma van Amelia

MARIKA COBBOLD

Amelia heeft een grootmoeder die ze adoreert, een moeder die ze verdraagt en een vriend die ze beter kan vergeten.

Gerald sméékte haar twee jaar geleden om bij hem in te trekken, maar heeft nu duidelijk andere prioriteiten.

Dagmar is in de ban van wassen, schoonmaken, ontsmetten en is als moeder totaal ongeschikt.

Selma is in een verzorgingstehuis ondergebracht en vindt het er vreselijk. Ze is in de war, gedraagt zich onmogelijk en wil maar een ding: naar huis!

Amelia geeft Selma haar onvoorwaardelijke steun, maar Selma's huis is verkocht, dus hoe kan Amelia haar grootmoeders hartenwens in vervulling laten gaan?

Ze knokt tégen de staf van het tehuis, vóór de rechten van haar oma en mèt haar eigen twijfels. En terwijl ze knokt doet ze verrassende ontdekkingen; niet in de laatste plaats over zichzelf.

Oma van Amelia, de Nederlandse vertaling van *Guppies for Tea*, © 1993, verscheen bij uitgeverij Van Reemst in 2004 in een speciale leesclubeditie.

Harriet had de deur op de klink gelaten, zodat Polly zelf naar binnen ging en het geluid volgde van het gelach in de keuken. Ze hield van heel Harriets huis maar vooral van deze ruimte, met zijn grote geschuurde grenen tafel (ze dacht dat Harriet die vóór gebruik had laten schuren, want ze leek niet het type voor rubberhandschoenen en staalborstels), het onvermijdelijke fornuis (in felroze; een gruwelijke zonde in landelijke keukens, maar heel erg Harriet), en de grote Amerikaanse koelkast, bedekt met de kunstzinnige uitingen van de kinderen. Vandaag hing een kwal van karton en bubbelplastic dreigend aan de lamp boven de tafel. Het effect was gezellig chaotisch, net als Harriet zelf, en heel comfortabel.

Nicole, uit de toon vallend in smetteloos crèmekleurig linnen, stond bij de openslaande glazen deuren met een glas witte wijn in de hand. Susan zat gehurkt op de grond, in diep gesprek met Chloe, terwijl Harriet glimlachte naar haar dochter, trots en vol liefde. Chloe, met haar dat vochtig was aan de uiteinden, schattig in een barbiepyjama, liet Susan plechtig de tenen zien van haar linkervoet: ze had net ontdekt dat de derde teen heel natuurlijk onder de tweede krulde.

'Zo ben je gemaakt, hè?' zei Susan bijna fluisterend, samenzweerderig.

'Zo heeft God me gemaakt,' antwoordde Chloe triomfantelijk.

Harriet rolde met haar ogen. 'We gaan door een religieuze fase, vrees ik.'

Chloe wist wanneer er neerbuigend over haar gesproken werd. Ze richtte zich geveinsd woedend met de handen op haar heupen tot haar moeder, en zei: 'Het ís zo, mammie. Ze hebben het op school gezegd.'

Harriet knikte. 'Ja, schat. Je hebt gelijk. Je hebt je drinken op, dus nu ga je naar bed.'

In plaats daarvan keek Chloe weer naar Susan. 'Heeft God tenen? Denk je dat die ook een beetje krom zijn, net als die van mij?'

'Chloe! Zo is het genoeg! Vraag het morgenochtend maar aan je juf – zij is de expert.' Harriet duwde haar aan haar schouders naar de deur. 'Zeg maar welterusten tegen iedereen. Polly, de wijn staat op tafel. Chloe?'

'Welterusten iedereen.'

Een koor van stemmen gaf antwoord, en Chloe was verdwenen.

'Ze is een schatje.' Susan draaide zich om naar Polly, die een groot glas witte wijn inschonk. 'Alles goed?'

'Prima. Sorry dat ik zo laat ben. Maar ik zie dat ik niet de laatste ben – Clare is er nog niet?'

'O, ik heb nieuws voor je.'

Harriet kwam weer binnen. Chloe was dankbaar in bed gestapt en haar ogen vielen dicht zodra haar hoofd het kussen raakte. 'Wat voor nieuws?'

'Ze komt niet deze maand. Ze heeft haar moeder gevraagd het mij te vertellen.'

'Is ze ziek?'

'Niet precies. Ze is weg bij haar man, terug bij haar ouders. Ik denk dat ze op het ogenblik niet veel zin heeft om alles uit te leggen. Ik heb begrepen dat het nogal kortgeleden is.'

'Arme Clare.'

'Wat afschuwelijk. Weet je ook waarom?'

'Ik denk dat het allemaal te maken heeft met het feit dat ze geen kinderen kan krijgen. Mary gelooft dat dat alles verpest heeft. Het is ontzettend jammer – zo lang waren ze nog niet getrouwd.'

Susan hief haar handen op. 'Ik denk dat geen van ons weet hoe het voelt om zoiets door te maken.'

Nicole streek bijna onbewust over haar buik, die nog plat en strak was onder het linnen. Vrijdag. Ze kon vrijdag een test doen. Maar ze wist het zeker. Als ze zich concentreerde, kon ze visualiseren hoe de cellen zich in haar vermenigvuldigden, bruisend van leven.

'Ik vraag me af waarom ze niet gedacht hebben aan een adoptie of een langdurig pleegouderschap?' Dat was Polly.

'Ik denk dat het voor sommige mensen niet hetzelfde is. Bovendien kennen we haar man niet. We weten niet hoe belangrijk het voor hem is om een kind te hebben. Het kan te veel van één kant zijn gekomen. Het is niet voor iedereen het begin en het eind van alles, toch?'

'Voor mij wél.' Harriet keek naar de parafernalia van haar eigen kinderen. 'Ik heb altijd geweten dat ik ze wilde hebben. Ik dacht altijd dat ik, als ik veertig zou worden zonder iemand te hebben gevonden, er gewoon voor gezorgd zou hebben dat ik zwanger werd. Moeder zijn was echt het enige waarvan ik heel zeker wist dat ik dat wilde.'

'Ik niet. Ik zag kinderen als een geschenk dat ik Gavin kon geven, iets wat ons zou binden in deze unieke, privé-wereld. Vruchtbaarheid zag ik als een soort zegen op ons huwelijk. Ik dacht eigenlijk nooit aan kinderen voor ik hem leerde kennen.' Ze zag dat Harriet haar peinzend aankeek en voegde eraan toe: 'Natuurlijk, zodra ze geboren waren, was ik gek op de kinderen zelf.'

'Dat weet ik.' Harriet wendde zich rechtstreeks tot haar, kalm en geamuseerd.

'Ik heb er nooit echt bij stilgestaan,' zei Susan glimlachend. 'Jullie, jonkies...' Harriet en Nicole grijnsden '... analyseren altijd alles. Roger en ik deden gewoon wat alle anderen deden. We leerden elkaar kennen, werden verliefd, trouwden, en zodra we zoveel gespaard hadden dat ik niet meer hoefde te werken, stopte ik met de pil en kregen we de jongens.'

'Ik ook. Min of meer. Ik bedoel, Dan en ik ontmoetten elkaar, deelden bed en wellust, misschien meer dan liefde. Natuurlijk trouwden we pas later... maar in wezen is het hetzelfde. Ik denk dat vrouwen van onze leeftijd niet anders verwachtten.'

'Maar er moeten ook vrouwen zijn geweest die onvruchtbaar waren. Het is niet iets nieuws.'

'Niet iets nieuws, nee. En natuurlijk waren die er. Maar we bleven er niet op dezelfde manier bij stilstaan. IVF, in vitro fertilisatie, was net uitgevonden – Louise Brown was net geboren toen we Cress en Ed kregen, ja toch, Suze? Andere tijden.'

'Soms denk ik dat al die pogingen om zwanger te worden net zoveel problemen scheppen voor mensen als Clare en haar man als het mislukken ervan. Al die injecties en scans en "Gauw, gauw, nu, nu meteen doen." Dat moet afschuwelijk zijn.' Susan schudde haar hoofd.

'Ze is toch niet definitief weg, hè?' vroeg Harriet.

'Ik geloof het niet. Het ging gewoon een beetje te snel.'

'Ik hoop het. Ik vind haar erg aardig.' Iedereen knikte.

Na *Boetekleed* hadden ze besloten dat eenieder haar keus moest verklaren. Omdat Clare er niet was, kwam Susan als eerste aan bod: ze keken haar allemaal vol verwachting aan, zich ervan bewust dat Clares keus meer impact op Susan moest hebben dan op hen. 'Tja, zoals jullie allemaal weten is dit voor een deel van toepassing op mij. Het gaat over een jong meisje wier grootmoeder in een tehuis verblijft, net als mijn moeder. Maar het gaat om nog veel meer – haar romance met die ontstellend egoïstische man loopt in diezelfde tijd op de klippen, en ze heeft een moeder met een obsessief-dwangmatige stoornis, dus krijgt ze heel wat voor haar kiezen.'

'Vond je het goed?'

'Ik vond het prachtig. Briljant.'

'Vond iemand het niet goed?' viel Harriet haar in de rede. Ze wilde het graag weten. Ze schudden ontkennend het hoofd.

Susan ging verder. 'Ik had moeite met het lezen ervan. Zoveel van wat er in dat tehuis gebeurt, geldt ook voor mijn moeder. Ik heb heel wat afgehuild. Sommige verhalen over het vernederende van de manier waarop je behandeld wordt – bijvoorbeeld het afnemen van al je mooie kleren omdat je incontinent ben, dat soort dingen. Ik voelde heel erg mee met Amelia. Als ze thuiskomt van een zeer deprimerende dag en een speciaal etentje wil klaarmaken voor Gerald, met champagne en seks – als een eerbewijs aan het leven. Ik snapte dat zo goed. Dat is precies zoals ik me elke keer weer voel als ik bij mijn moeder vandaan kom. Alsof ik van elke minuut moet profiteren tot ik zelf daarheen verhuis. En je schaamt je omdat je blij bent dat jij het niet bent.'

'Ze zegt toch, ergens tegen het eind, dat ze zich afvraagt "waarom wat juist is en wat goed is vaak zulke totaal verschillende dingen lijken"?'

'En die impuls die ze heeft om haar daar weg te halen en haar thuis te laten sterven – niet dat het nog haar thuis is – ik begrijp dat zo volkomen. Niet dat mijn moeder doodgaat, maar ik krijg soms flitsen van haar, momenten dat ik niet kan geloven wat ze me vertellen, dat mijn moeder niet weet wat er met haar gebeurt, en dat is heel pijnlijk. Ik heb geluk. De grootmoeder in het boek smeekt voortdurend om naar huis te mogen. Mijn moeder heeft het me niet één keer gevraagd. Ik geloof niet dat ik het zou kunnen verdragen. Ik zou waarschijnlijk precies doen wat Amelia doet en haar uit het tehuis halen.'

'Je zou haar moeten verstoppen voor Roger.' Polly glimlachte. 'Het kwam toevallig wel goed uit dat het haar lukte thuis dood te gaan voordat de politie kwam om ze op straat te zetten? Dat stuk aan het eind was een beetje een farce.'

'Ja,' antwoordde Harriet, 'maar het is immers een verhaal? Het boek zou niet zo goed zijn als ze zes hoofdstukken nodig had om weg te kwijnen, en je pas aan het eind een doodsrochel krijgt. Ik vond het prachtig dat ze aan het eind rechtop ging zitten en vlak voordat ze stierf zei: "Ach, lazer op met die pillen."'

'Ik vond één ding heel interessant,' zei Nicole. 'Als Amelia zegt dat "God haar gebed spiegelbeeldig had verhoord, en haar Selma had gegeven", dan zegt ze eigenlijk – een beetje net als jij, Harry – dat ze een ongelooflijke drang voelt om te koesteren, maar dat het allemaal verwrongen raakt, en ze ten slotte met een geriatrische baby zit. Uiteindelijk is dat alles wat haar overblijft – haar oude vriendje laat haar in de steek, het nieuwe vriendje ook, in zekere zin is haar moeder een verspilling van ruimte, dus is de zorg voor Selma vrijwel alles wat haar overblijft.'

'En dat is het verschil met mij, neem ik aan,' gaf Susan toe. 'Ik heb Roger en de jongens, en mijn werk. Ze is in alle andere opzichten een beetje mislukt, hè? Ik veronderstel dat het de leeftijd is. Selma is haar grootmoeder, niet haar moeder – dat is waarschijnlijk een van de redenen waarom de auteur er een extra generatie in heeft opgenomen.'

'Maar ik dacht altijd,' zei Harriet, 'dat als je getrouwd was, een eigen gezin had en in de dertig was, je er dan op de een of andere manier op voorbereid zou zijn je ouders te verliezen, je moeder te verliezen. Ik ben nog niet zover. Ze woont niet in de buurt, ik zie haar niet voortdurend, en ze weet niet alles wat er met me gebeurt, maar ik ben er nog absoluut niet aan toe om haar kwijt te raken. Ik moet gewoon weten dat ze er is. Ik kan wel huilen als ik er alleen maar aan denk.' Ze keek naar Susan, die vocht tegen haar tranen. 'God, sorry, Susan. Wat een idioot ben ik.'

'Het geeft niet.' Susan snoot haar neus, veegde haar ogen af. 'Ik ben in de veertig. Over een paar jaar ben ik misschien grootmoeder, ik ben haar praktisch nu al kwijt. En ik ben er ook nog niet klaar voor.' Harriet legde haar hand op die van Susan.

Polly bladerde het boek door. 'Hier. Een van hen, Henry, geloof ik, zegt: "Als mensen van wie je houdt sterven, is het net alsof ze je de halve delen van je gezamenlijke leven nalaten. De persoon die jij in hun ogen was, sterft met hen." Is dát het niet? Is onze moeder niet de belangrijkste factor in het proces van hoe we zijn geworden wie we zijn, en daarom het moeilijkst om los te laten?'

'Ik vond die beschrijving van de verhouding tussen Amelia en Gerald ongelooflijk goed. Dat had ik niet verwacht.'

'Ze had een briljante manier om woede te beschrijven – als lava.'

'En ze laat je voelen hoe gekwetst Amelia is. Het is ongelooflijk schrijnend, vind ik, hoeveel moeite ze doet om er goed uit te zien voor hem, omdat ze voelt dat het voorbij is, maar dat het nog niet helemaal, niet officieel voorbij is, en ze vindt dat ze vol moet houden.'

'Met een hele hoop lippenstift en parfum. Alle vrouwen gebruiken dat als een schild. En een steun.'

'Wie niet.'

'Als ze hem betrapt terwijl hij in de stoel een nummertje maakt met zijn secretaresse – dat is briljant. En de manier waarop ze beschrijft hoe Clarissa probeert met enige waardigheid haar slipje weer aan te trekken!'

'Kun je je dat voorstellen?'

'Ik kan me niet voorstellen dat ik cool genoeg zou zijn om te zeggen – wat zegt ze ook weer als ze hen betrapt? – "Ik wist niet dat je thuis was" of zoiets?'

'Nee, of cool genoeg om zijn auto de voorkamer in te rijden.'

'Ze weet wel het een en ander van relaties af, hè?' Harriet was bezig de borden langzaam op te stapelen. 'Die scène waarin ze zegt dat je het succes van een relatie niet moet beoordelen naar het aantal keren dat je seks hebt, maar naar hoe vaak je eerst in een restaurant met elkaar hebt zitten praten.'

'Arme Jack! Bedoel je dat hij je eerst een dineetje moet aanbieden elke keer dat hij een wip wil?'

'Ik spreek natuurlijk metaforisch. Vrouwen moeten verleid worden vanaf het hoofd naar omlaag, toch?'

'Absoluut!'

'Ik kan het me niet meer herinneren. Ik ben al vierentwintig jaar getrouwd, vergeet dat niet!' Susan lachte.

Polly gaf haar een knipoog. 'Onzin. Jij krijgt waarschijnlijk meer dan de rest van ons bij elkaar. Harriet en Nicole zijn uitgeputte jonge moeders, ik heb een minnaar buitenshuis. Ik denk dat jij en Roger degenen zijn die alle lol hebben.'

Harriet was ervan overtuigd dat ze bloosde. Ze herinnerde zich hoe Nicks mond en handen aanvoelden op haar lichaam, en dacht aan hun weekend waartoe ze Tim net had overgehaald om mee in te stemmen. Hij had naar haar geglimlacht toen ze het vroeg. Zei dat ze natuurlijk moest gaan, dat het prettig voor haar zou zijn om haar vriendin te zien zonder hem en de kinderen. Ze had gewild dat hij mokkend had gekeken. Maar toch, elke seconde dat ze alleen was had ze het zich in gedachten voorgesteld, zichzelf gezien als Jane Seymour in een fotoserie in *Hello!*, in een transparante jurk over een zonnig gazon in de armen zwevend van een knappe vreemdeling die haar weer op *die manier* zou kussen. En steeds opnieuw. Ze stond op, bracht de borden naar de keuken en spoelde ze af met haar rug naar Nicole. Toen pakte ze Josh' sporthemd van het fornuis, klapte de afdekplaat omhoog en zette de enorme, zware ketel op. 'Wil iemand koffie, of zijn we vanavond allemaal aan de muntthee?'

'Hoe gaat het met Cressida?' De discussie over het boek was nu afgelopen. Ze dronken hun thee. Harriet had Tim ongeveer een halfuur geleden binnen horen komen, en ze voelde dat de andere vrouwen zich gereedmaakten om op te stappen. Ze wilde niet dat ze weggingen.

Susan hoorde dat Harriet de vraag stelde en luisterde niet meer naar Nicole, die haar iets vroeg over het maken van een rolgordijn voor een bizar gevormd raam. Het was zoiets of je arts was en iemand je tijdens een diner een onverklaarde huiduitslag liet zien. Ze hád het met roze krijt getekend op de achterkant van een van Chloe's veelkleurige tekeningen – Harriet had geen ander vel papier kunnen vinden.

Polly haalde diep adem en klemde haar mok stevig tussen haar beide handen. 'Zwanger.'

'Nee, toch?'

'Clare is er niet, dus misschien is het nu een goed moment om het jullie te vertellen. Susan weet het al. Ik zag ertegenop om het jullie te vertellen als zij erbij was, snap je?'

Nicole snapte het precies.

'Ze is ongeveer vijf maanden. Ze heeft het me pas verteld' – Polly vergaf zichzelf dat leugentje om bestwil – 'in februari. Ze was doodsbang – ze was blijkbaar vergeten dat de pot de ketel niet moet verwijten dat hij zwart ziet.' Polly glimlachte ironisch. 'Ik was maar een paar jaar ouder toen ik zwanger was van haar.'

Vijf maanden, Harriets gedachten tolden door haar hoofd. Arme meid. Ze herinnerde zich nog duidelijk hoe bang ze een keer was geweest toen ze net zo oud was. Ze zat op de wc van de universiteit, zwijgend wachtend op het resultaat, met het gevoel dat de witte muren en het plafond langzaam op haar neervielen. Ze hadden naar *Neighbours* gekeken in het aangrenzende studentenvertrek en ze hoorde nog de titelmuziek door de muur heen terwijl ze daar zat. Al die idiote fantasieën die ze had gehad over het krijgen van Charles' baby waren vervlogen. Maar Cressida had geluk gehad – stom, maar een geluksvogel. Vijf maanden. Ze moest van plan zijn het kindje te houden. 'Wat gaat ze doen?'

'Ze houdt het.' Polly leek zo kalm: hoe kreeg ze dat voor elkaar? 'We hebben het de laatste paar weken wel een miljoen keer besproken. Ze heeft zelf het besluit genomen. Ze is ongelooflijk kordaat geweest sinds ze het me verteld heeft. Heeft in haar eentje een echo laten maken en alles.'

'Dat moet moeilijk geweest zijn voor jou.'

'Natuurlijk. Ze is mijn kind. Hoe oud ze ook worden, je blijft op die manier aan ze denken, en je wilt ze beschermen, niet, Suze?'

'O, ja. En ze wurgen!'

'Beschermen en wurgen. Klinkt bekend,' zei Nicole.

'Nou ja, het verandert niet veel, geloof me.' Polly lachte. 'Ze mag dan mijn kind zijn, maar ze is wél twintig, en ik heb geen andere keus dan me aanpassen aan haar beslissingen. En haar beslissing is dat ze dit kind wil houden. In het begin wist ik niet goed of ik haar wel geloofde – ik was bang dat ze te veel in de war was, niet nuchter kon denken, snap je? Maar verleden week was ze geschrokken, een kleine bloeding, niets ernstigs – alles is in orde – maar een paar uur lang verkeerden we in onzekerheid, en ze was doodsbang dat ze het zou verliezen. Ik kon het aan haar gezicht zien.' Susan, die naast Polly zat, knikte.

'En de vader?'

'Joe? Ik geloof dat hij totaal uit het beeld is verdwenen. Hij studeert in Warwick – ze hebben elkaar nauwelijks gezien sinds hij weg is. Het was in wezen iets van de hoogste middelbareschoolklas, zegt ze. Ze gingen elk een heel andere richting uit.'

'Weet hij het?'

'Ik weet het niet. Ze heeft er niets over gezegd.'

'Heeft hij niet het recht het te weten?' vroeg Nicole.

Polly voelde zich plotseling beschermend, en haar reactie was scherper dan ze bedoeld had. 'Daar kan ik niet over oordelen. Dat is Cress' beslissing. Ik weet zeker dat ze zal doen wat juist is. Ze krijgt een hoop te verwerken op het ogenblik.'

'Natuurlijk. Ik bedoelde niet...' verontschuldigde Nicole zich onmiddellijk.

'Dat weet ik. Sorry. Het is oké. Let maar niet op mij, ik oefen me in het beschermend zijn.' Zij en Susan wisselden een blik.

'En hoe voel jij je eronder?'

Harriets gezicht stond vriendelijk, maar Polly kon geen simpel antwoord geven: verbijsterd, bang, opgewonden, teleurgesteld, machteloos, trots? Ze haalde nietszeggend haar schouders op. 'Ik ben haar moeder. Ik hou van haar.'

Susan
'Margaret? Met Susan.'
    'Susan? Wat is er gebeurd?'
    'O, maak je niet ongerust – sorry, het was niet mijn bedoeling je te laten schrikken. Alles is in orde.' Margaret vulde de gevallen stilte op de lijn niet.
    'Het is alleen, nou ja, ik was vandaag bij mama, en ik wilde je vertellen over het bezoek.'
    'Wat is daarmee?'
    Misschien was dit niet zo'n goed idee. Het was een impulsief gebaar geweest – Alice had haar zo aan haar eigen jeugd doen denken dat ze haar zus gemist had. Ze had haar willen betrekken bij de herinneringen die zij en Alice hadden gedeeld. 'Ze was ongelooflijk helder van geest, beter dan ik haar in maanden heb meegemaakt. Ze leek volkomen bij de tijd. Ze wist precies wie ik was, wie jij was, het was geweldig. Ze had het over de tijd toen we nog klein waren.'
    'Nou, en? Ik begrijp niet waar je heen wilt, Susan.'
    Kom nou, Maggie, kom op. Sluit me niet buiten. 'Nou, ze haalde gewoon, je weet wel, herinneringen op. Ze maakte dat ik eraan moest denken hoe het was toen wij nog klein waren en buiten op die lage muur speelden aan de voorkant van het huis – doktertje, verpleegster, winkeltje. Ze had het erover dat we alle andere kinderen uit de straat tot patiëntjes bombardeerden. Weet je nog? Ik wilde er gewoon even met je over praten.'
    'Susan.' Margarets stem klonk niet kwaad; ze was vastberaden, nuchter en meer dan een beetje neerbuigend. 'Jij herinnert het je kennelijk niet veel beter dan zij. We waren de Waltons niet. We hadden altijd ruzie en deden graag verschillende dingen.'
    'Ja, dat weet ik. Dat herinnerde zij zich ook. Maar we waren zussen, Maggie. Dat doen toch alle zussen?'
    Margaret gaf geen antwoord, en Susan voelde zich stom. 'Het was alleen, nou ja, het was zo heerlijk haar weer te horen zoals ze vroeger was. Dat is alles. Ik dacht dat je het prettig zou vinden dat te horen.'
    'Maar het heeft weinig zin, hè? Ze is immers niet meer zoals vroeger? Je zou er vandaag weer naartoe kunnen gaan en dan zou ze je voor iemand van het personeel houden.'

Het nobele experiment was mislukt. Margaret was zelfs jaloers op dat ene uur van blijdschap dat Susan en Alice hadden beleefd in al die ellendige weken.

Ze legde zich erbij neer. 'Je hebt gelijk. Dom.' Ze pijnigde haar hersens af om een legitieme reden te vinden voor haar telefoontje. 'Ik dacht dat je misschien ook wilde weten dat mama's vriendin Mabel een paar maanden geleden gestorven is.'

'Ik heb nooit een Mabel gekend.'

'Dat weet ik. Ik dacht alleen dat mama je er misschien over geschreven had of zo. Ze waren de laatste jaren erg goed bevriend – ze werden allebei in dezelfde tijd weduwe. In ieder geval, ze is overleden, de arme ziel.'

'Heel erg, ja,' zei Margaret op een toon alsof het haar geen moer kon schelen.

Susan kon geen seconde langer aan de telefoon blijven. 'Ik moet ervandoor. Spitsuur en zo. Gaat het goed met je?'

'Prima. Bedankt voor je telefoontje.'

'Ik zal mam een knuffel van je geven als ik haar morgen zie. Oké?'

'Je doet maar. Als je tenminste denkt dat ze weet wie je bedoelt.'

Susan wilde geen ruzie, niet vandaag. Vandaag voelde ze zich gelukkig – ze had een heel klein stukje van de vroegere Alice teruggekregen, en dat zou ze zelfs door Margaret niet laten bederven. 'Ik zal het doen. Voor het geval dat. Daag.'

'Dag, Susan.'

Clare

Het was altijd stil op de afdeling als er een baby dood was. Op de een of andere manier raakte het nieuws – of een schaduw ervan op het gezicht van de verloskundigen – bekend bij de andere, gelukkiger patiënten. Zij stuurden snel hun bezoek weg, voelden zich schuldig over de bloemen en ballons. Ze probeerden hun baby stil te houden, veegden vaak hormonale tranen af aan de dekentjes waarin ze gewikkeld waren, alsof het lawaai van hun eigen pasgeboren baby een krenking was. Clare vond van niet: zij had het gevoel dat de ouders die dat doormaakten zich al tijdelijk van de rest van de wereld hadden afgesloten. Een had tegen haar gezegd: 'Het maakt me niet uit wat daarbuiten gebeurt. Waarom zou ik niet blij zijn dat zij hun baby's hebben? Het maakt voor ons toch geen verschil,' wat Clare heel logisch vond klinken. Gelukkig gebeurde het niet vaak. Negen van de tien keer werden ze geboren te midden van een drama dat eeuwig voortleefde in de herinnering en verhalen van hun ouders, maar niet de minste deining veroorzaakte op de kraamafdeling. Soms waren er problemen die ze op kalme, efficiënte wijze oploste. Een baby kon een of twee minuten stoppen met ademhalen, en moest door zuiging weer worden opgewekt, onder bijna verontwaardigd gesputter. De baby kon geel zien waardoor hij een paar dagen onder de hoogtezon moest liggen, of plakkerige oogjes hebben, of een lage Apgar-score bij de geboorte, zodat hij een paar dagen geobserveerd moest worden. En dus zoog ze, en prikte, maakte zorgvuldig schoon met watjes, en troostte de moeders die niet konden verdragen dat er met hun baby getut werd, en stuurde de baby's naar huis in splinternieuwe maxicosi's die zenuwachtig werden geïnstalleerd. Als het gebeurde, was er niet veel wat je kon doen. Dat maakte het zo moeilijk. Je ruimde de rommel op van de bevalling, je hielp de baby aankleden, maakte foto's, als ze dat wilden – ze hadden speciaal daarvoor een camera op de zaal. (Die niet gebruikt werd voor de gezonde baby's, wier vaders filmrolletjes of weggooicamera's kochten in de hal, waar ze ook de roze of blauwe bloemen en telefoonkaarten aanschaften.) Je waakte angstvallig voor hun privacy, zette thee voor ze zolang ze dat wilden. En dat was alles.

Maar vandaag niet. Deze dode baby had een tweelingbroertje dat een en al leven was, en ouders wier emoties onmiddellijk afgekapt waren. Twee jongens, de een zoveel groter en sterker. Zijn vader hield hem in zijn armen, beiden huilend om troost die niet kwam. Het kleintje was bij zijn moeder, die hem een fonkelnieuw wit babypakje met geborduurde blauwe beertjes had aangetrokken, dat paste bij het pakje van zijn broer. Ze had ook het mutsje opgezet, 'om je hoofdje warm te houden', had ze gezegd. Ze wiegde hem, probeerde een heel leven van liefde en zorg op het kindje over te dragen, al kon het dat niet voelen.

Ze keek op naar Clare. Haar ogen waren droog en leeg. Clare wist dat ze nu sterker was dan ze in weken zou zijn, verdoofd door shock en pijn. 'We hebben de namen gekozen – we wisten maanden geleden al dat het jongens waren. Matthew en James. Goede, degelijke namen, vonden we. Matt en Jamie. Klinkt goed, hè?' Ze staarde naar de stille baby in haar armen. 'Ik heb nooit bedacht hoe we moesten kiezen wie wie was.' Ze keek naar haar man, bij wie de tranen over de wangen stroomden. Sprakeloos. 'Ik denk dat we een paar uur gewacht zouden hebben – tot we zouden weten of de een meer op een James

187

of een Matthew leek.' Ze glimlachte grimmig, met enige zelfverachting, maar toen brak haar stem. 'Ik denk dat we deze James zullen noemen. Dat was mijn lievelingsnaam, weet je. Dat lijkt me het eerlijkst.' Clare drukte haar hand. 'Goed.' Maar plotseling wilde ze weg. Ze knikte naar de verpleegster die haar plaats bij het bed innam en zei: 'Ik kom zo terug. Ik ga even naar de dokter.'

Buiten op de gang huilde ze, omdat ze sommige emoties gelukkig nooit zou meemaken.

Harriet

Er was zo'n mooie scène in *Bridget Jones* (de film, niet het boek) waarin Renée Zellwegger met Hugh Grant in zijn sportwagen over een ongelooflijk rechte weg naar een buitenhuis rijdt voor een weekendje varen en seks (anaal blijkbaar – sinds wanneer was het gewone werk, goed gedaan natuurlijk, zo saai?). Ze wenst zichzelf geluk met het feit dat ze de vrouw is die ze altijd gefantaseerd heeft dat ze was. Harriet hield van die film en vooral van die scène – de heldin losgeketend van haar oude vrijsterbestaan.

Haar stiekeme weekend met Nick was zo niet begonnen. Die verdomde BJ – die nooit iets anders deed dan klagen over haar ongehuwde staat – had niet te kampen gehad met het loodzware schuldbesef waar een overspelige vrouw onder gebukt ging. Tim had opgewekt en enthousiast toegestemd in een weekend met haar oude vriendin Sally (goed idee, je moet eens even bevrijd zijn van de kinderen), en was vrolijk aan het werk gegaan om de twee dagen van haar afwezigheid te vullen – 'We zullen een hoop pret hebben samen, denken jullie ook niet?' – en gedrieën hadden ze dagenlang, als de heksen van Macbeth, over de keukentafel gebogen gezeten, uitstapjes gepland naar het Science Museum, de bioscoop en de gevreesde Leisure Lagoon (water met de temperatuur – en de chemische samenstelling – van pis, vol dikke ouders en hun jengelende nageslacht, omringd door witte watervallen en afschrikwekkende waterstromen, bemand met broodmagere kinderen zonder haar op hun lijf, gniffelend tegen de dikke ouders in het midden). Niet voor het eerst dacht Harriet dat ze het misschien veel leuker zouden vinden als hun vader elke dag voor hen zorgde.

Ze was pissig toen ze die zaterdagochtend in de auto stapte – pissig omdat ze het niet erg vonden dat ze wegging en niemand had gehuild of zich aan haar been had vastgeklampt, en nog pissiger op zichzelf omdat ze daar pissig over was. Chloe had een slechte nacht gehad en had om middernacht in haar bed geplast, gevolgd door een tweede natte sessie om twee uur, en als klap op de vuurpijl het nachtmerrie-debacle om vier uur. Toen had ze, dankzij haar uithoudingsvermogen, toestemming gekregen om in het bed van haar ouders te kruipen, waar ze de positie had aangenomen die ze reserveerde voor het bed van mama en papa – de spartelende zeester. Zo was ze in een diepe, zij het beweeglijke slaap gevallen. Normaal vond Harriet het heerlijk de kinderen in bed te hebben – ze roken zo lekker en ze haalden zo vredig adem en je kon hun gezicht of hun babyzachte haar strelen zonder dat ze je hand wegsloegen. Je kon naar ze kijken bij het licht van de overloop en proberen je hun volwassen gezicht voor te stellen, en met wie ze zouden trouwen en wat ze zouden worden. Soms pakten ze je hand vast en knepen er op hun beurt in, of knikten, van heel ver weg, als je vroeg of ze van je hielden. Maar soms was acht uur on-onderbroken slaap beter.

En dit was een van die keren geweest. Toen ze alleen was in de bad-kamer – dat was tenminste mogelijk met Chloe in bijna bewusteloze toestand in de kamer ernaast – bekeek Harriet de donkere kringen onder haar ogen. Ze was naar The Clinic geweest (een schoonheidssa-lon, al suggereerde die belachelijke naam meer een behandeling van soa) maar het was dichtbij en de meisjes kenden haar nu, en er was een grens aan het aantal mensen dat je graag het overtollige haar op je dijen liet zien en je met gerimpeld eelt bedekte hielen, dus ging ze naar The Clinic om haar benen en bikinilijn te laten ontharen – wat had het voor zin om dure broekjes te kopen als ze eruitzagen of ze werden ge-dragen door de zwakste schakel? Ze had ook haar voeten laten doen, maar had een vals zonnebruinkleurtje geweigerd – Tim zou dat vreemd hebben gevonden voor een uitje met een oude schoolvriendin. Maar als ze zichzelf nu in de spiegel bekeek, was het verkeerd geweest: ze zag bleek, absoluut niet sexy, en misschien zelfs een beetje angstig.

Drie uur, honderdvijftig kilometer en een dikke laag gekleurde dag-crème later voelde ze zich beter, en een beetje Renée Zellweg-gerachtig. Ze had zichzelf beloofd dat ze vanaf de seconde dat ze weg-reed tot de seconde dat ze terugkwam niet aan Tim, Josh of Chloe zou denken, al had ze beloofd dat ze ze zaterdagavond voor ze naar bed gingen zou bellen, wat weleens een probleem zou kunnen zijn. Ze reed vaag in de richting die ze Tim had verteld dat ze zou nemen – alsof de geografie zijn voornaamste zorg zijn in het geval hij haar zou betrappen. Ze had een aardig georgiaans hotel uitgezocht, en Nick had er een kamer gereserveerd. Het was van rode baksteen en werd omgeven door geometrisch aangelegde tuinen (geschikt, dacht ze, voor een Jane Austenachtige flirt) en een enorm park (voor de wat meer DH Lawrenceachtige momenten van het weekend). De zon scheen helder en de lucht was blauw – je kon jezelf voorhouden, als je een rechtvaardiging zocht, dat de goden je toelachten. Ze herkende het nummerbord van Nicks Audi TT, en haar hart bonsde – hij was er eerder dan zij. Dat was vleiend.

Hij stond niet, zoals ze misschien had gehoopt, bij de receptie in de grote lounge, van de ene voet op de andere wippend, met een geruite plaid over zijn ene arm en een picknickmand met champagne aan de andere, verscholen achter een krant de cricketuitslagen te lezen om zijn snelkloppende hart te kalmeren. 'Meneer Mallory...' was dat een veroordelende pauze? – doe niet zo mal, berispte ze zichzelf – deze mensen zijn gewend om geen spier van hun gezicht te vertrekken als je met een volkomen vreemde kwam inchecken – discretie kost geld, en Nick betaalt, 'is al naar zijn kamer, mevrouw. Suite vijf, deze trap op, eerste deur links. Als u zo vriendelijk wilt zijn uw autosleutels hier af te geven, dan zal ik meteen iemand met uw bagage naar boven sturen.' Harriet hoopte dat die iemand niet zou merken dat de auto vol sinaasappelschillen en snoeppapiertjes lag.

Ze telde vijftien treden, breed, met duur tapijt, zoals de trap waar Vivien Leigh van afvalt, dwars op blijft liggen en op omhoog wordt gedragen in *Gejaagd door de wind*. Ze dacht niet dat ze zenuwachtiger zou zijn geweest als ze naar een executiekamer had moeten lopen. Behalve dat ze oprecht het gevoel had, of zich dat tenminste voorhield, dat ze niet op weg was naar haar dood maar naar het leven. Geen leven met Nick – zelfs Harriet was niet zo naïef – maar het leven met een hoofdletter L, vol ervaringen, emoties, plezier en... alle dingen waarvan ze nu bijna zeker wist dat een leven met Tim die niet bood.

Ze liep zo langzaam als ze durfde naar boven, onder de blikken van het personeel van de receptie, zodat ze boven gekomen niet ademlozer zou zijn dan ze beneden was geweest. Klopte kalm op de deur. Nick antwoordde onmiddellijk. Ze besefte dat ze hem sinds de universiteit niet meer in een hemd met open hals had gezien: op het huwelijk en hun wekelijkse afspraakjes was hij altijd keurig en correct gekleed – hij zag er knapper uit in een dichtgeknoopt hemd met das, dacht ze.

Hij trok haar de kamer in en schopte de deur dicht. 'Hallo! Wat doet een ondeugend meisje als jij in een keurig hotel als dit?' Hij gaf haar niet de kans om te antwoorden. Hij drukte die mooie mond van hem op de hare en kuste haar, even fantastisch als al die andere keren; zijn handen tilden haar achterste op, zodat ze dicht tegen hem aan geperst werd. Hij had er zich op verheugd haar te zien – dat was duidelijk.

Ze trok zich terug, haar handen duwden tegen zijn borst. Er waren toch zeker wel een paar dingen te zeggen. 'Je bent vroeg.' Sprankelend.

'Ja, ik ben al vroeg weggegaan. Ik kon niet slapen met de gedachte aan jou.' Hij zoende haar weer.

'Ze... ze brengen direct mijn bagage boven.'

'O, nee, dat doen ze niet.' Nick maakte zich van haar los. Hij haalde het NIET STOREN bordje van de binnenkant van de deur en hing het aan de buitenkant. 'Dat hoort het duidelijk te maken.' Hij lachte.

Harriet voelde zich plotseling nerveus. Het was pas kwart voor twaalf in de ochtend en ze voelde zich gegeneerd door dat bordje. Ze wist niet zeker of ze het personeel tijdens de lunch onder ogen durfde te komen. Ze zag een fles champagne in een koeler op het bureau staan, met twee sierlijke glazen ernaast. 'O, Nick, champagne. Wat lief van je. Laten we de fles openmaken.'

'Straks. Ik heb geen dorst.' Hij stond weer naast haar. 'Kijk eens aan,' zei hij. 'Mooie jurk, schat.' Hij duwde haar met zijn knieën en schouders achteruit naar het bed. 'Je ziet eruit om op te eten. Eerlijk gezegd...' Ze zat nu op het bed, op de satijnen sprei, en hij duwde haar zachtjes, maar stevig omlaag, met één hand op haar schouder '... denk ik dat dat precies is wat ik ga doen...' Hij zat op zijn knieën aan het voeteneinde van het bed, tussen haar benen, en schoof met zijn grote handen haar rok omhoog, op haar beide heupen tastend naar het elastiek van haar ondergoed. Hij keek. Het was klaarlichte dag. Hij liet een waarderend geluid horen. 'Ik zie dat je mijn raad opgevolgd hebt wat je ondergoed betreft. Heel mooi.' En toen praatte hij niet meer, kreunde alleen wat.

Harriet sloot haar ogen, maar haar lichaam was stijf en ze kon zich niet ontspannen, dus deed ze ze weer open en keek naar het plafond met de roze bloemen. Hij legde zijn handen onder haar knieën en probeerde die verder uit elkaar te duwen. Blijkbaar voelde hij hoe gespannen ze was, want hij hief zijn hoofd op. 'Ontspan je, Hats. Laat het aan mij over. Geloof me, ik ben hier erg goed in.'

Dat was de druppel voor Harriet. Hij mocht dan misschien een tien hebben op zijn seksuele CV voor dit speciale onderdeel, en hij kon het blijven doen tot hij een permanente stijve nek had, maar hij zou bij haar niets bereiken – niet op deze manier. Waar bleven de zoenen? Het verrukkelijke, intense, verboden zoenen in portieken, in taxi's en op stations? Ze had zich voorgesteld dat hij hier langzaam, teder met haar zou vrijen, zonder kleren, verantwoordelijkheid en publiek, met heel veel gezoen. Ze had gedroomd van een geleidelijk, sexy toewerken naar de daad zelf – een langdurige lunch met wijn, en een wandeling in die heerlijke zon buiten, in die tuinen. Als ze hadden gepraat en hand in hand hadden gewandeld en hadden gelachen, als ze dat allemaal hadden gedaan, zouden ze hier terugkomen, elkaar uitkleden (het zou inmiddels donker zijn geworden, en duisternis was essentieel voor Harriets grootse plan) en elkaar opeenvolgende geweldige orgasmen bezorgen (allemaal gelijktijdig natuurlijk) die haar zouden doen denken aan golven die stuksloegen op het strand en een orkest dat een crescendo bereikte en de tranen in hun ogen bracht van ontroering over die perfectie.

Nee, nee, nee. Al dat 'Ik verlang er zo wanhopig naar je te bezitten dat ik in de eerste drie minuten mijn hoofd onder je rok moet steken en in het eerste uur de hele *Kamasoetra* wil afwerken' was misschien bedoeld als een compliment, dacht ze, maar haar deed het niets.

Ze duwde zijn hoofd weg, ging overeind zitten, streek haar rok met beide handen glad en wrong zich in bochten toen haar verschoven ondergoed in haar vlees sneed. Ze probeerde te lachen. 'Hé, je hoeft niet zo hard van stapel te lopen. Ik bereken niet per uur, weet je.'

Nick keek zuur toen hij opstond. 'Dit hotel verdomme wél.' Hij streek met zijn hand door zijn haar en liep naar de champagne. Harriet zat er als verloren bij op het bed, zich afvragend wat ze nu moest zeggen. Hij gaf haar een vol glas, en dronk het zijne geërgerd in één teug leeg. Hij was kennelijk niet gewend aan een afwijzing. Een paar minuten gingen voorbij, terwijl ze op het bed van de champagne nipte, verlegen kijkend naar zijn kwade rug. Hij keek uit het raam. Het was doodstil.

'Ik ga even naar de fitnessruimte. Tot straks.' En hij ging weg voordat ze had bedacht wat ze moest zeggen of hoe ze het moest zeggen.

Zij wilde ook niet in de kamer blijven – als ze tenminste langs de receptie durfde te lopen. God, ze voelde zich een idioot, als een vroegrijp schoolmeisje wier bravoure op het sportveld haar in gevaarlijk vaarwater met de grote jongens heeft gebracht. Nick was niet geïnteresseerd in haar gevoeligheden, hè? Waarom had ze dat ooit gedacht? Zijn enige belangstelling ging uit naar neuken. Als hij iets wilde van de psychologische, niet vleselijke soort, zou hij dat vinden met iemand die een stuk minder gecompliceerd en harmonischer was.

Ze deed haar best om elegant de trap af te lopen, te glimlachen naar de meisjes achter de balie van de receptie, die weinig aandacht aan haar schonken, en liep naar buiten de tuinen in, die nog heel mooi en kindvrij waren (altijd welkom, zelfs in tijden van emotionele stress) al miste ze plotseling het ontroerende, vruchtbare dat ze er eerder in had gezien. Ze ging op een bank zitten waar ze een mooi uitzicht had, en probeerde er blij en aantrekkelijk uit te zien, onafhankelijk maar toch benaderbaar, om te zien of ze zich dan beter zou voelen. Over het geheel genomen lukte dat niet. Toen hij haar daar een uur later vond, had Nick zich weer in de hand. 'Sorry, ik gedroeg me als een olifant in een porseleinwinkel. Dat was niet mijn bedoeling. Kan ik het helpen dat je me gek maakt?' En hij glimlachte naar haar met zijn stadsjongensglimlach.

Ze vergaf hem. 'En het mokken?'

'En het mokken. Sorry.'

'Ik ben een beetje uit de running,' bekende ze, 'dat is alles. Ik ben al niet meer verleid in een hotel sinds, o, nou ja, eigenlijk nooit.'

'Belachelijk en een groot gemis.'

Hij was aardig. Onbeschaamd en opportunistisch en min of meer amoreel, maar toch aardig. Ze had zich niet helemaal in hem vergist. 'Ik denk dat ik eigenlijk verwachtte...'

'Een beetje romantiek?'

'Eh, een beetje wel, ja.' Harriet voelde zich onnozel. 'Ik ben een trut, hè? Een doodgewone huisvrouw die probeert een beetje Bouquetreeks-romantiek in haar leven te injecteren.'

'Nee. Je bent mooi en aantrekkelijk.' Nick pakte haar hand en drukte die even. 'Om heel eerlijk te zijn, de meisjes die ik gewoonlijk op dit soort uitstapjes meeneem kunnen geen seconde wachten – het soort meisjes dat je ontmoet in bars en clubs. Ze merken dat je wat geld bij je hebt, vinden dat je er goed uitziet, dat zal het wel zijn, denk ik. Meestal hebben ze hun hand al in je gulp terwijl je de kruier een fooi geeft.'

En zij had zich afgevraagd wat zij van haar zouden denken. 'Ik moet wel ongelooflijk preuts en truttig overkomen.'

Nick keek haar aan. 'Je komt ongelooflijk aardig over. Dat doe je altijd. Ik ben een schoft. Ik weet niet wat ik me in mijn hoofd haalde.'

'Aardig? Jakkes. Hoe zeggen ze het ook weer, iemand afbreken met vage complimentjes?'

'Nee,' zei hij ferm, en draaide haar gezicht met één vinger naar hem toe. 'Te aardig voor dit en beslist te aardig voor mij. Maar genoeg hierover. Als het bekend wordt dat ik een zachtmoedige kant heb en dat een vrouw niet is bezweken voor mijn aanzienlijke slaapkamercharmes, word ik aan alle kanten uitgelachen.' Hij stond op. 'Je wilde tuinen, je krijgt tuinen.' En met een elegant gebaar werd het onderwerp afgedaan.

Maar het voldeed niet echt. De tuinen waren prachtig en de zon was warm; de lunch was verrukkelijk en Nick ook. Laat in de middag gingen ze op het gras liggen, hielden elkaar vast, maar de zoenen waren niet langer opwindend en Harriet verlangde niet naar meer. Ze probeerde het gevoel weer terug te krijgen, maar het moment was voorbijgegaan in de slaapkamer. Onder haar rok. Het was geen spel meer, en Nick was geen eendimensionale speler meer erin, en Harriet was geen vrouw meer die kon liegen en bedriegen, of ze nu van haar man hield of niet. Ze voelde zich dwaas en huilerig. 'Ik kán het gewoon niet,' bekende ze.

'Dat weet ik.' Zijn arm bleef om haar schouders liggen.

'Het spijt me, Nick, ik ben een verschrikkelijke drooggeilster geweest.'

'Mijn pik en ik overleven het wel – waarschijnlijk is het onze verdiende loon.'

Hij glimlachte en haalde diep adem, zodat haar hoofd dat op zijn borst lag, omhoogging. 'Ik denk dat ík degene moet zijn die spijt hoort te hebben. Je leek me een beetje kwetsbaar toen we elkaar weer ontmoetten en ik profiteerde ervan.'

Ze richtte zich op en steunde op haar elleboog om hem in het gezicht te kunnen kijken. 'Wanneer ben jij zo gevoelig geworden? Ik kan me niet herinneren dat je op de universiteit zo was.'

'Ik denk eigenlijk dat het een paar uur geleden gebeurd is. God, je hebt me waarschijnlijk verpest voor vluchtige avontuurtjes. Misschien ben ik binnen een jaar al getrouwd. Wil je in een heel korte rok op mijn huwelijk komen en dronken worden?' De ondeugende schittering in zijn ogen was weer terug.

Ze gebruikte haar elleboog om hem een por in zijn ribben te geven. 'Ik denk er niet aan! Zo ben ik om te beginnen in deze warboel verzeild geraakt. Ik blijf op een veilige afstand. Ik ga naar huis en leg me neer bij de situatie.'

'Dat moet je niet doen, weet je – bij hem blijven als je niet gelukkig bent. Niet voor de kinderen, het luxe leventje en al dat soort gelul. Je bent veranderd, Hats – je had dat sprankelende verloren toen ik je op Charles' bruiloft zag. Jullie vrouwen zijn allemaal hetzelfde. Jullie maken je zorgen over rimpels en gewicht en hangende tieten, maar je maakt je geen zorgen over de sprankeling, en dat is het belangrijkste – zelfs voor een seksmaniak als ik ben. Die mag je niet verliezen. Ik herinner het me met zoveel plezier.'

Ik ook, dacht Harriet, en het stemde haar triest.

Nick was de eerste die vertrok. 'Je hebt tegen hem gezegd dat je morgen pas terugkomt, hè? Houd je daaraan. Blijf, slaap lekker uit, neem een massage of zo. Ik ga naar huis. Zoveel vrouwen, zo weinig tijd – ik kan me niet permitteren een zaterdagavond hier te verprutsen met een getrouwde griet die niet over de brug komt.'

'Goed geprobeerd, Mallory,' zei Harriet, en gaf hem een afscheidszoen. 'Je schandelijke geheim is veilig bij mij. Als ik een van die meisjes tegenkom over wie je het hebt, zijn je talenten tussen de lakens legendarisch, je hebt de kloten van een paard, en je eet zeer beslist geen quiche.'

Ze omhelsden elkaar bij de Audi.

'Dank je, Nick. Ik ben je erg dankbaar.'

'Hm, als je zo dankbaar bent, wat zou je ervan zeggen me even te pijpen? Niemand kijkt...'

Ze kneep in zijn arm. Hij lachte nog toen hij wegreed.

Nicole en Harriet

De deurbel ging terwijl Nicole nog ronddraafde met het staafje van de zwangerschapstest in haar hand, en probeerde te bedenken hoe ze het Harriet moest vertellen. Zíj wist het al sinds gisteravond, ongeveer twaalf uur te vroeg voordat je redelijkerwijs een zwangerschapstest kon doen. Nou ja, ze wist het eigenlijk al sinds Venetië, als je instinct meetelde. Maar een chemische bevestiging was altijd goed. Ze was volkomen zeker geweest van het blauwe lijntje, en had zichzelf een korte overwinningsknuffel gegeven toen ze alleen in de badkamer was. Een nieuwe baby, een nieuwe band, een nieuwe start (de zoveelste). Ze zou het Gavin nog niet vertellen. Het ging zó goed tussen hen sinds ze terug waren uit Venetië – hij werkte 's avonds niet meer zo laat, en ze had het gevoel dat ze zich vastklampten aan de intimiteit die ze weer teruggevonden hadden. Ze wilde het perfecte moment afwachten. De eerste keer, met de tweeling, was ze zo geschokt en bang en opgewonden geweest toen de huisarts haar vermoeden bevestigde, dat ze Gavin op zijn werk had gebeld en het er uit had geflapt, en toen vijf uur had moeten wachten op een omhelzing. Met Martha was ze op een ochtend kotsmisselijk geweest na een diner waarvoor ze waren uitgenodigd, en Gavin, die haar had gehoord, had geroepen: 'Ik dacht niet dat je zo zat was gisteravond, Nic − je bent vast weer zwanger.'

Er lag een stapel gidsen voor de zomervakantie op de keukentafel voor haar, waarvan er één opengeslagen bovenop lag. Een gepast slank en roombruinkleurig koppel staarde elkaar verliefd in de ogen boven een glas met iets kouds op de voorgrond, terwijl hun kleine 2,4 kinderen met hun perfect gevormde lijfjes in het zwembad erachter dartelden. Ze had er vanmorgen een villa gehuurd, voor twee weken in augustus. Ze zou het hem vertellen van de nieuwe baby als ze dat stel op die foto waren.

Maar Harriet zou ze het vandaag vertellen, en dat maakte haar meer nerveus dan opgewonden. Ze hadden er niet meer over gesproken sinds die eerste keer toen Harriet zo afkeurend had gereageerd, zo overtuigd dat het een rampzalig idee was. Ze wilde niet dat haar vriendin zo hard tegen haar zou zijn nu het te laat was. Als ze de zwangerschap afkeurde, zou ze afkeurend staan tegenover de baby en, als dat zo was, kon Nicole zich niet voorstellen dat het ooit weer echt goed tussen hen zou komen. Haar vriendschap met Harriet was de meest stabiele relatie die ze had en degene die ze het meest koesterde; ze zou het niet kunnen verdragen die kwijt te raken.

Ten slotte legde ze het staafje naast de gootsteen voordat ze open ging doen.

Harriet omhelsde haar en liep de keuken in. Haar oog viel onmiddellijk op het staafje. 'En...' vroeg ze.

'En... ja.'

'Iets in het water in Venetië, hè?' Harriet glimlachte. Wat kon ze anders doen? Ze had al maanden geweten dat Nicole dit plande. Ze vond het stom, maar was het werkelijk stommer dan het halve land door te rijden om NIET een ordinair avontuurtje te hebben? In ieder geval was Nicole dapper genoeg geweest om haar in vertrouwen te nemen − zij had gelogen, zelfs tegen haar beste vriendin, waar ze het weekend naartoe ging.

'Gefeliciteerd, Nic.' Ze strekte haar armen uit.

Nicole vleide zich gretig tegen haar aan. 'Meen je dat?'

'Natuurlijk.'

'Dank je. Heel erg bedankt. Ik denk niet dat ik het had kunnen verdragen als je kwaad op me was geweest.'

'Waarom zou ik? Je had je besluit genomen. Het is niet mijn taak om over jou te oordelen, wel? In ieder doe je je best om een succes te maken van je huwelijk.'

Dat was iets nieuws, dacht Nicole. Ze wist dat Harriet haar zou helpen met pakken, de sloten veranderen en de advocaat bellen als ze zei dat ze Gavin in de steek liet, dus waarom was het proberen om met hem getrouwd te blijven iets aanbevelenswaardigs? Toen drong het tot haar door dat Harriet er bleek en moe uitzag. Er was iets mis. 'Wat is er?' vroeg ze.

Harriet zuchtte. Er waren maar twee antwoorden mogelijk op die vraag – kort, met een leugen, of huilerig, met de waarheid. Ze wilde niet blijven liegen, vooral niet tegen Nicole. Ze plofte neer op de dichtstbijzijnde stoel en verborg haar gezicht in haar handen. De tranen die ze maandenlang had bedwongen, stroomden nu over haar wangen.

Nicole bleef een paar minuten naast haar zitten, zonder iets te zeggen, met één hand op de schouder van haar vriendin. Toen ze voelde dat Harriet enigszins begon te bedaren, zei ze op een toon die ze meestal reserveerde voor haar kinderen, vriendelijk, troostend: 'Vertel me wat er mis is, Harriet. Alsjeblieft.'

'Alles.' Harriet zuchtte melodramatisch. 'Alles verdomme.' Toen hief ze haar hoofd op. 'Ik geloof niet dat ik van hem hou, Nicole. Ik kan me niet herinneren of ik dat ooit gedaan heb. Ik ben niet verliefd op hem. Ik wil geen seks met hem, of bij hem zijn, of dingen samen met hem beleven. En ik dacht dat ik dat allemaal kon laten verdwijnen en net doen of het niet waar was, maar dat kan ik niet meer. Echt niet.'

'Is er iets gebeurd?'

'Ja, nee. Nou ja, niets belangrijks. Ik heb geen relatie met iemand, al was er wél iemand. Maar het ging niet om hem. Het gaat om mij. En Tim.'

Nicole begreep het niet, maar ze wilde Harriets woordenstroom niet onderbreken.

'Het is of je op een bepaalde leeftijd komt en je degene kiest met wie je gaat trouwen; je trouwt met hem en wordt lid van de club, en het is een heel prettige club, en je vindt alle andere leden aardig, en je krijgt een mooi huis en mooie kleren en vakanties en zo, en geweldige vrienden en vriendinnen, en je krijgt kinderen, en die zijn – wauw – het mooiste wat je ooit overkomen is, en je kunt zelf niet geloven hoeveel je van ze houdt, maar aan het eind van de dag, als ze in bed liggen en je vrienden naar huis zijn en je in je mooie huis zit, dan houden al die andere dingen op te bestaan en gaat het alleen nog om degene die je hebt gekozen, alleen om hem, en hij moet de juiste zijn, anders komen al die andere dingen er niet op aan. En dat is hij niet, Nic. Die man is hij niet. Hij is een schat en hij is aardig en hij is goed. Maar hij is niet die man.'

'Wat voor man wil je dat hij is?' vroeg Nicole.

'Dat is gemakkelijk te beantwoorden. Ik wil dat hij de man is van wie ik meer hou dan van wat ook – van wie ik zoveel hou dat ik liever zou sterven dan zonder hem te moeten leven. Van wie ik nog steeds vlinders in mijn buik krijg. Zoals Gavin.'

'Je zou niet getrouwd willen zijn met Gavin.'

'Natuurlijk niet. Maar ik wil voor iemand voelen wat jij voor hem voelt. En dat doe ik niet voor Tim. Ik dacht dat ik misschien iemand anders ontmoet had, maar hij was het ook niet – hij was niet de juiste man, maar het idee van die man, weet je, en ik sloeg alleen maar een belachelijk figuur.'

'Ik kan je niet helemaal volgen, lieverd,' zei Nicole. Ze was een beetje bang voor deze Harriet. Ze huilde nu tussen haar bekentenis door, zodat het in golven uit het diepst van haar ziel kwam. Nicole had geen flauw idee wie die ander zou moeten zijn – Harriet had kennelijk geheimen voor haar gehad. Ze probeerde het grievende te negeren – dit ging niet om haar. Wat had de dingen tot een climax gebracht? Harriet jammerde al maanden over Tim, maar Nicole had het nooit serieus genomen. Tim was een prachtkerel, en hij hield zoveel van Harriet, hield van de kinderen. Nicole wist beter dan wie ook dat het hart het hoofd regeerde, maar op papier althans was Tim perfect.

Ze bedoelde niet perfect voor iedereen, ze bedoelde perfect voor Harriet. Nicole zag het allemaal voor zich – ze had hen beiden al jaren en jaren gadegeslagen. Tim 'paste' bij Harriet, zoals ze hoopte dat Gavin en zij bij elkaar 'pasten' in de ogen van de rest van de wereld (of feitelijk, moest ze erkennen, in de ogen van Harriet). Harriet was maf en chaotisch, Tim was kalm en praktisch; Harriet was geestig en oneerbiedig, Tim verleende haar oprechtheid en soms luchthartigheid.

Er waren verschillen maar ook heel veel overeenkomsten in werkelijk belangrijke zaken – in warmte, zorgzaamheid, dezelfde wensen voor hun kinderen. Zelfs fysiek pasten ze bij elkaar, Tim lang en slank, Harriet kleiner en wat ronder, maar de perfecte lengte om onder zijn arm te passen en te worden omhelsd.

Nicole herinnerde zich wat Tim haar had verteld over hun eerste ontmoeting: een beetje dronken, er verschenen pretlichtjes in zijn ogen bij die herinnering. Hij had gezegd: 'Ik dacht dat liefde op het eerste gezicht flauwekul was, en misschien was het geen liefde, maar het was beslist geen wellust, want ze zag er verschrikkelijk uit – betraand en verfomfaaid – maar ik wist gewoon, alsof er een lampje boven mijn hoofd was gaan branden, zoals in een cartoon, weet je, dat zij mijn andere helft was. Ik was geboren om haar lief te hebben – daarom ben ik hier, weet je. Het is het antwoord op de grote vraag. Nu zijn zij het antwoord, Harriet en Josh.'

Nicole had gedacht, ja, ze wist het, dat het ook zo was tussen haar en Gavin, maar ze had het gevoel gehad... niet dat ze jaloers was, maar ze was zich ervan bewust dat Tims gevoelens mooier waren, nobeler, als dat niet te pompeus klonk, dan die van Gavin. Ze vond Harriet de gelukkigste vrouw die ze kende. Tims ogen volgden haar altijd in een kamer, niet oordelend of bezitterig maar trots. Ze had hem nooit met een ander zien flirten – ze dacht niet dat hij daartoe in staat zou zijn, of dat hij andere vrouwen zelfs maar opmerkte. Hij was verkocht, vanaf de eerste avond dat hij haar had gezien.

Toen biechtte Harriet het verhaal op van de afspraakjes, de lunches en het uiteindelijk rampzalige weekend met Nick. Het was niet doorspekt met haar gebruikelijke humor of zelfkleinerende ironie, maar met schaamte, nederigheid en nog meer tranen. 'Het spijt me zo dat ik het je niet eerder verteld heb. Ik wist dat je zou proberen het me uit mijn hoofd te praten – ik wist dat je aan Tims kant zou staan.'

Nicole hief Harriets gezicht op en keek haar in de ogen. 'Dat zou ik nooit doen – ik zal altijd aan jouw kant staan. Je bent mijn beste vriendin en je hebt je nooit tegen me gekeerd. Dat is wat vriendschap betekent.'

'Ook al heb jij doorgemaakt wat ik Tim aandeed? Ik geloof dat ik me daardoor nog het ellendigst voelde, wat me belette het je te vertellen.'

Nicole stelde zich Tims gezicht voor, en zijn verdriet. 'Ik zou hebben geprobeerd je tegen te houden, ja, niet omdat ik een kruistocht hou voor trouw, maar omdat het klinkt alsof het jou en Tim altijd pijn zal blijven doen. Die Nick mag dan misschien geen slechterik zijn uit een film, maar hij had duidelijk niet veel respect voor jou of je huwelijk, hè?'

Harriet glimlachte een beetje spottend. 'O, ik denk dat hij zich achter die façade van een goed leventje waarschijnlijk net zo'n puinhoop voelt als de rest van ons.'

'Waarschijnlijk,' gaf Nicole toe. 'Maar ik maak me op het ogenblik niet bezorgd over hem. Ik wil jou iets zeggen over Tim – niet dat hij een volmaakte echtgenoot is, en dat je gek zou zijn als je hem in de steek liet. Daar kan ik niet over oordelen – er zijn maar twee mensen die echt weten wat er in een huwelijk aan de hand is.'

Harriet keek naar haar vriendin en voelde de steek onder water.

'Ik wil je alleen zeggen dat ik zeven jaar jullie vriendin ben, van jullie allebei, en ik geloof dat je je vergist wat hem en jou betreft. Je hield absoluut van hem toen ik je leerde kennen, en je hield van hem toen Josh en Chloe werden geboren, je hield écht van hem, bedoel ik, op de manier zoals je net vertelde. Dat kun je niet veinzen, en ik heb het gezien. En je kunt er zeker van zijn dat hij elke minuut van die zeven jaar van jou heeft gehouden – ik weet het.'

Harriet luisterde en veegde haar neus af. Nicole wist dat ze zich aan de rand van de veilige zone van hun vriendschap bevond, maar ze gaf zo veel om hen beiden dat ze haar veiligheidsgordel afdeed en de sprong waagde. Toen ze eenmaal begonnen was, kwam de hele diagnose eruit. Ze keek Harriet niet aan, maar ze wist dat haar vriendin aandachtig luisterde.

'Ik denk dat je jezelf al die jaren hebt verteld dat Charles de enige ware liefde van je leven was – omdat er nooit echt een definitief einde aan kwam voordat je Tim ontmoette – en dat je trouwde met een vervanger, een tweede keus, en dat je daarom niet echt van hem gehouden kunt hebben. En je hebt een hekel aan jezelf omdat je je erbij neerlegt, en je voelt je schuldig omdat je jezelf hebt wijsgemaakt dat je hem gebruikt. Nu probeer je jezelf in te praten dat je hem moet verlaten omdat je denkt dat dat de beste oplossing is.'

Harriet zweeg nog steeds.

'En ik denk dat dat idee over Charles je reinste kul is. Je was nog zo jong, en hij was je eerste liefde, maar het was niet reëel – het werd nooit op de proef gesteld zoals het echte leven je op de proef stelt, en je viel bij de eerste horde. En die Nick, dat is precies hetzelfde. Spelletjes. Maar gooi niet weg wat echt is. Ik geloof in jou en Tim – uit de grond van mijn hart.'

Harriet wist dat Nicole in sommige opzichten gelijk had, wat Charles en Nick betrof. 'Waarom voel ik me dan zo, als het allemaal zo geweldig hoort te zijn?'

Daarop had Nicole geen afdoend antwoord. 'Dat weet ik niet. De beruchte zeven jaren wellicht?' Harriet schudde ongeduldig met haar hoofd. 'Nee, ik bedoel dat niet spottend. Ik bedoel dat wat al te vertrouwd is minachting kweekt, en je bent bang dat er iets beters te vinden is wat je misschien misloopt. Ik denk dat het hetzelfde is wat Gavin soms voelt.' Een waas van woede verscheen voor Harriets ogen.

'Nou ja, misschien is dat wat anders.' Nicole leidde het gesprek handig weg van het moeilijke punt. 'Dat huwelijk van Charles, het feit dat we midden dertig zijn, en zo – misschien is het gewoon een huilperiode. Misschien moeten jullie eens een tijdje weg van de kinderen en de dagelijkse sleur.'

Of weg van elkaar, dacht Harriet. Nicole kon de situatie en haar geestestoestand juist hebben ingeschat, als een professional, maar als het op oplossingen aankwam, had ze weinig hulp te bieden.

JUNI

My Antonia

WILLA CATHER, 1918

My Antonia maakt het mooie immigrantenmeisje met de prachtige ogen onsterfelijk, het meisje door wie Jim Burden zijn leven lang geobsedeerd is geweest. Voor Jim is Antonia Shimerdas het symbool van de opmerkelijke tegenstrijdigheden van het Amerikaanse Westen: de hardheid en de ongetemde schoonheid, de hete zomers en ijzige winters, de eindeloze mogelijkheden en uitgestrekte, onoverwinnelijke horizons.

'Ben je er klaar voor?'

Susan pakte haar tas van de tafel in de gang en sloeg de deur achter zich dicht. 'Nou, reken maar!' Bijna huppelend liep ze voor haar vriendin uit het pad af.

'Oké. Dus ik neem aan dat je het een goed boek vond?'

'Het boek! Nauwelijks! Ik heb het gelezen, snapte het niet helemaal, vond het ook niet erg interessant, al zal ik dat vanavond natuurlijk nooit toegeven, vooral niet tegen Harriet, en ik verwacht niet dat je me in de steek laat. Ieder zijn meug, nietwaar? Ik ben gewoon in de stemming om wat plezier te hebben. Ik wil op Nicoles heerlijke witte bank zitten, een glas heerlijke witte wijn drinken, en het hele verrekte stel vergeten!'

'Wie dan? Toch zeker niet de heilige Roger?'

'Nee, niet Roger. Hij is een schat. Duidelijk. Mijn klanten, om te beginnen, met hun afgrijselijke smaak en onredelijke eisen.'

'Goeie dag op het werk dus?'

'Geen goeie dag, nee. Absoluut niet. Een ellendige dag feitelijk. Mary is al weken in een rotstemming. Ik denk dat ze gestrest is over Clare, maar daar kan ik toch niks aan doen?'

'Ik moet bekennen dat ik dit al eens eerder heb gelezen.' Goedmoedig boe-geroep alom. Harriet stak haar hand op om ze tot stilte te dwingen. 'Maar niet sinds de universiteit, en iedereen weet dat kinderen je hersens in de war brengen, dus heb ik het nog eens gelezen voor deze bijeenkomst. Langzaam en zorgvuldig. Voor het geval ik was veranderd en ik het niet meer zo goed zou vinden. Maar dat vond ik het wel. Feitelijk maakt het me een beetje nerveus, omdat ik het riskant vind om een boek te kiezen dat je al gelezen hebt omdat je het prachtig vindt en je wilt dat iedereen het net zo mooi vindt als jij. Ik hield van het boek toen ik het bestudeerde. En ik wilde dat we dapper genoeg zouden zijn om iets te lezen wat niet nieuw was, niet iets dat we kozen omdat het op de bestsellerslijst stond, of in de etalage van grote boekenwinkels lag, of omdat iedereen het las. Dit is een klassieker, en ik geloof dat we daaraan toe zijn.'

'Jane Austen, ja – al moet je me nóóit vragen een boek van haar te lezen voor deze club. Charles Dickens, ja – maar eerlijk gezegd doet de BBC het beter dan hij, als je het mij vraagt. D.H. Lawerence, hm, ja. Dít, nee. De man in de boekwinkel moest me er zelfs aan herinneren hoe je het moet uitspreken. Pijnlijk toch? En leg me eens uit. Hoe kan het een klassieker zijn als de rest van ons er nooit van gehoord heeft?'

'Daag me niet uit om die vraag te beantwoorden.' Harriet knipoogde. 'Geloof me maar op mijn woord. Het is een Amerikaanse klassieker. De klassiekers hadden eigenlijk mijn voorkeur op de universiteit. Walt Whitman, Flannery O'Connor, Stephen Crane. Dat alles.'

'Nu volgen we je écht niet meer.'

'Hm, ja. Ik denk dat ik in de verkeerde leesclub verzeild ben geraakt.'

'Nee, ik geloof dat Harriet in de verkeerde leesclub zit. Wij staan allemaal op ongeveer hetzelfde niveau. Zij is de intellectueel.'

'Dan zouden we *Hello!* en Jane Green en Wendy Holden kunnen lezen.'

'Flannery wie?'

'Wacht even.' Nicole herinnerde zich plotseling iets en ze boog zich enthousiast naar voren. 'Had je Chloe niet Flannery willen noemen? Is dat de reden?'

'Ja!' zei Harriet geanimeerd. De anderen trokken een afkeurend gezicht. 'Goddank dat Tim ingreep.'

'Absoluut. Dat zou wreed zijn geweest. Flannery. Echt waar? Kun je je haar voorstellen bij softbal? Flannery! Flannery!' Ze lachten nu allemaal.

'Oké, oké. En ja, ik ben zo goed als zeker in de verkeerde leesclub terechtgekomen, maar ik ben bereid jullie te tolereren, om altruïstische redenen natuurlijk.' Ze wisten dat Harriet zichzelf uitlachte, en het feit dat ze harder om zichzelf lachte dan om hen maakte het weer goed. 'Maar vonden jullie het goed?' Ze keek de kamer rond, handen naar hen uitgestrekt, met de palmen omhoog. God, wat kon ze bazig zijn. Nicole verwachtte bijna dat ze zou eisen dat ze hun handen lieten zien en iedereen die weigerde zou laten nablijven.

Polly was de eerste die antwoordde. 'Ik wel. Ik vond het eigenlijk niet goed, maar toch ook wel. Ik hield van de natuurbeschrijvingen.'

'O, ja. Dat ongelooflijke gevoel van seizoenen, levendige kleuren, de ontberingen.'

'Ach, kom nou, Harriet. Jij bent degene die altijd hamert op passie en drama en zorgzaamheid. Heb je dat echt hierin gevonden, of is dit het soort boek dat je leest op een ander niveau?'

'O, je vindt alles erin – onbeantwoorde liefde, zelfmoord, verleiding, verlating, verloren jeugd, pioniersgeest, teleurstelling. Ga maar door.'

Clare: 'Dat zie ik allemaal wel, maar de stijl van schrijven is een beetje vreemd. Al die dingen gebeuren, maar het is op de een of andere manier niet de voornaamste handeling. Die belangrijke dingen – ze schrijft erover alsof ze niet meer dan incidenteel zijn.'

'Tegen de achtergrond zijn ze dat ook wel min of meer. Ik denk dat ze niet een of andere melodramatische vrouwenroman wilde schrijven. Dat is een van de punten. Het is het gigantische van alles.'

'Maar je beweert dat je juist van een melodramatische vrouwenroman houdt, Harry.'

Harriet begon zich te ergeren. Ze geloofde niet dat ze het boek mooi hadden gevonden, en ze was geneigd te denken dat het kwam omdat ze het niet doorhadden. Het niet hadden begrepen. Waarom wierpen ze het haar steeds weer voor de voeten?

Clare schoot Harriet te hulp. 'Ik hield van haar stoïcisme, van Antonia bedoel ik. Al die verschrikkelijke dingen die haar gebeurden – ik bedoel, haar leven was meestal één doffe ellende. Haar vader sloeg de hand aan zichzelf, de man van wie ze hield maakte haar zwanger en liet haar in de steek, maar ze bleef altijd positief denken, ze gaf het nooit op. En het heeft een gelukkig einde, niet? Ik weet niet of het wel echt een goed einde is. Voor Jim, de verteller, misschien niet, maar wel voor haar, voor Antonia. Ze krijgt een man die van haar houdt en voor haar het land gaat bewerken, en die het niet erg vindt dat ze een buitenechtelijk kind heeft, en ze krijgt al die kinderen, die duidelijk de enigen zijn waar haar leven om draait – zoals ze praat over de oudste die uit huis gaat als ze volwassen is en zelf een kind krijgt, en tegelijkertijd kan ze het niet verdragen dat ze weggaat.'

Harriet keek haar aan. Ze wisten allemaal dat ze Elliot had verlaten en bij haar moeder woonde, maar ze konden niets zeggen voordat ze het hun zelf vertelde. Harriet dacht niet dat ze daar veel haast mee zou maken. Ze is heel mooi, en heel aardig, en haar leven is een tragedie. Zij wil wat ik heb, dacht ze plotseling. Ze denkt dat ik een perfect leven heb – een man die van me houdt, en mijn kinderen die gezond en veilig zijn. Ze denkt dat mijn leven onberoerd is door verdriet. En als ik haar vertelde wat voor verdriet er allemaal in mijn leven is, zou ze denken dat ik gek ben. En ondankbaar, en zielig. Een beetje of je tegen iemand die verhongert klaagt dat je geen keus kunt maken tussen Indisch en Chinees eten. Ze voelde iets van schaamte. Als Clare wist wat ze gedaan had, bijna gedaan had, met Nick... Misschien zou ze met Clare moeten praten, en niet met Nicole. Misschien kreeg ze dan een wat betere kijk op de dingen en zou ze zichzelf beter in de hand hebben.

Clare zag dat Harriet naar haar keek. Ze wist niet wat ze dacht, maar ze zag een medelijdende blik in haar ogen. Ze wilde erover praten. Ze wilde dat Harriet haar zou vragen hoe het was om geen kinderen te kunnen krijgen. Dan kon ze vertellen hoe het was om een baby te verliezen die je in je buik droeg en elke keer zo bang te zijn dat het opnieuw zou gebeuren. Zodat je ten slotte alleen maar wachtte tot het zou gebeuren en er geen vreugde en opwinding aan te pas kwam. Zodat je dat gevoel als je die krampen kreeg of het bloed in de wc zag, bijna zou kunnen beschrijven als opluchting, omdat het wachten erop zo verschrikkelijk was. En ze wilde dat Harriet haar vroeg hoe het was om je huwelijk te zien mislukken omdat je geen kinderen kon krijgen en hoe het was als je niet langer wist hoe je elkaar moest helpen dat te accepteren. Ze wilde met Harriet over dat alles praten, maar de anderen waren erbij. Dat verbaasde haar eigenlijk: ze had nooit eerder het gevoel gehad dat ze erover wilde praten, zelfs niet met haar moeder. Ze kon de droefheid op Mary's gezicht niet verdragen als ze het er met haar over had. Maar met Harriet kon ze praten. Op een dag zou ze het haar vertellen, dat wist ze zeker, als ze haar wat beter had leren kennen, als de gelegenheid zich voordeed. Ze glimlachte naar haar terwijl de anderen naast hen zaten te babbelen.

Elliot

Mary had hem verteld waar Clare was. Elliot had niet uitgelegd waarom hij met Clare wilde praten, en Mary had het niet gevraagd. Hij was niet meer in het huis van zijn schoonouders geweest sinds die eerste avond, in april, toen Clare was weggegaan. Hij had Mary maar één keer heel kort gezien, toen ze op een zaterdagochtend had gebeld om hem te spreken en ze nogal gegeneerd samen thee hadden gedronken. Zonder Clare in zijn huis had de aanwezigheid van haar moeder vreemd en triest geleken, en ze hadden zich allebei opgelucht gevoeld toen ze opstond om te vertrekken. Reg had Clare afgezet, zei Mary, bij het huis van een van de vriendinnen van de leesclub, ze wist niet zeker van wie. Ze dacht dat ze gewoonlijk om een uur of halfelf klaar waren, en dat Reg haar zou afhalen. Ze vroeg niet waarom Elliot haar wilde afhalen, evenmin als ze ooit zijn bedoelingen ten opzichte van Clare in twijfel zou trekken: zij drieën hadden zo'n lange tijd één lijn getrokken. Ze vroeg aan Reg of hij Elliot de weg wilde wijzen naar Harriets huis. Ze boden hem iets te drinken aan, om de tijd te verdrijven, zeiden ze, maar Elliot bedankte hen en weigerde. Als hij samen met hen op een van de met chintz beklede stoelen en banken zat in de zitkamer waar hij een tiental kerstochtenden en duizend zondagslunches had uitgezeten, zou hij hun moeten vertellen over de baby en over Cressida. En of het nu uit lafheid was of juist uit een gevoel voor wat correct was, of allebei, dat kon hij nu niet. Hij wist zeker dat ze hem zouden haten, jaren van genegenheid zouden weggevaagd worden door een golf van beschermende liefde voor Clare. En hij zou hen missen, maar het begrijpen.

Hij had de middag in zijn eentje doorgebracht bij de rivier, de wereld bezien met die nieuwe ogen van de laatste tijd, ogen die zoveel meer zagen omdat de oude wereld plotseling bruiste van mogelijkheden. Alleen hing het spookbeeld van Clares gezicht nog boven hem, en daarom had hij het besluit genomen het haar vanavond te vertellen: de werkelijkheid kon niet erger zijn dan wat hij zich verbeeldde, en hij wilde van beide verlost zijn.

Hij dronk een glas cognac in de pub, dezelfde waar hij en Cressida al die maanden geleden dat eerste drankje hadden gedronken. Het deed hem goed zich onder het vrolijke zomerse publiek te bevinden. Het voelde zo normaal om te zeggen, al was het slechts tegen hemzelf: 'Ja, ik was samen met mijn vriendin in deze pub. Ze is zwanger, weet je, ja, de eerste baby. Proost, ja, we zijn er ontzettend blij mee.' Net als andere mensen. Zo moest je je voelen als je kanker had die tot stilstand was gebracht of als je net uit de gevangenis kwam. Hij kwam ook ergens uit, uit een slecht huwelijk. Want dat was het geworden, wat het vroeger ook geweest was. Een huwelijk waarin twee mensen ongelukkig zijn is een slecht huwelijk, al wilde je nog zo graag dat je het weer terug kon draaien, het weer laten worden zoals het eens was, of desnoods iets anders. Maar dat kon je niet, en nu was hij eruit. En het was een goed gevoel. Hij knipperde tegen het zonlicht na jaren ondergronds te hebben geleefd. Bijna meer dan wat ook wilde hij dat Clare hetzelfde zou voelen. Misschien zou vandaag twee stappen terug voor haar betekenen, maar hij wist, of geloofde althans, dat ze ook stappen vooruit zou kunnen doen... wankele stappen waarbij hij haar niet kon helpen.

Later, bij Harriets huis, zag hij de vrouwen vertrekken. Luid giechelend, blozend van plezier en van de wijn. Clare was de laatste die naar buiten kwam. Ze liep over het pad tussen Susan en een andere vrouw. Ze had rode wangen en zag er aantrekkelijk uit toen ze glimlachte. Jong en mooi. Ze bleef abrupt staan en de glimlach verdween toen ze hem zag door het raam van de auto. Ze liep stijfjes naar hem toe, siste bijna tegen hem: 'Wat doe je hier, Elliot?'

'Ik ben naar je huis geweest. Ik wilde je spreken – je vader vertelde me waar ik je kon vinden. Hij zei dat het in orde was als ik in zijn plaats kwam.'

Ze voelde zich kennelijk verlegen. Een beetje luider, kennelijk opdat de anderen het zouden horen, zei ze: 'Maar ik heb Polly net een lift naar huis beloofd – zij en ik gaan een andere kant op dan de anderen.'

Polly begon te protesteren en Susan kwam naar voren. 'Ik breng je wel, Polly. Geen probleem.'

Polly accepteerde het aanbod dankbaar, gaf Clare een zoen op haar wang en verdween in de richting van Susans auto. Elliot keek haar na.

Het was stil in de auto – Elliot draaide aan de knop van de radio.

Clare zei niets. Ze drukte zich zo dicht mogelijk tegen het portier aan haar kant, alsof ze erin wilde verdwijnen. Ze keek recht voor zich uit. Wat deed hij hier? Wat was hij van plan, verdomme?

Elliot voelde zich afgeschrikt door haar stilzwijgende verwijt. Hij wist dat hij het gesprek dat hij met haar moest hebben, niet kon voeren terwijl hij reed, maar hij kon niet terug naar het huis van haar ouders, en hij wilde haar ook niet meenemen naar wat nu uitsluitend zijn huis was. Een pub deugde ook niet. Hij stopte op een rustige parkeerplaats en zette de motor af. Ze waren maar een paar minuten lopen van Mary en Reg verwijderd.

'Wat doe je?' Een geërgerde zucht. 'Elliot, ik ben moe, het is laat, ik wil hier echt niet blijven zitten.'

'Luister nu maar naar me, wil je? Ik moet met je praten.'

Zijn toon trok haar aandacht. Ze had werkelijk geen idee waar Elliot heen wilde. Heel even vroeg ze zich af wat ze zou zeggen als hij haar vroeg om terug te komen, haar smeekte om weer thuis te komen. Ze zou het niet doen. Dit was de eerste keer dat ze zich dat realiseerde. Ze had niet het gevoel dat ze naar de man keek van wie ze hield, al had ze door de doffe pijn in haar maag aangenomen dat ze dat nog steeds deed. Merkwaardig, want ze had zo lang wél van hem gehouden. Ze keek strak naar zijn mond, en observeerde zijn lippen terwijl hij sprak.

Elliot keek haar recht in de ogen en praatte. Het kwam eruit als de ingestudeerde speech die het was, een beetje gehaast uit angst te worden onderbroken, een beetje afgemeten uit angst dat hij zou gaan stotteren en niet verder zou kunnen. 'Ik weet hoeveel verdriet dit je zal doen. Het spijt me meer dan je ooit zult weten dat het zo tussen ons is gelopen. We hadden allang uit elkaar moeten gaan, voordat er zoiets als dit gebeurde. Het zou voor ons beiden beter zijn geweest. We kunnen elkaars problemen niet meer oplossen, Clare. Al een hele tijd niet meer. Ik heb er een puinhoop van gemaakt, en het spijt me heel, heel erg.'

Clare keek hem recht aan terwijl hij sprak, zonder met haar ogen te knipperen of te reageren. Hij had haar nog niets verteld.

'Ik heb een ander leren kennen.' Een trap in de maag.

'We gaan al een paar maanden met elkaar om.' Een knietje in de lies.

'Ze is zwanger. Van mijn kind.' Een pistoolschot in de slaap. Alles daarna klonk van heel ver weg. Elliot ratelde door op kilometers afstand. Probeerde dingen te zeggen die die ene klap goed zouden kunnen maken.

'We hebben dit niet gepland, Cressida en ik.' Ze had een naam, en Clare wist wie ze was. Ze had haar nooit ontmoet, maar ze wist het.

'Het is gewoon gebeurd.'

Ze zei nog steeds niets, en Elliot had in de grond willen zakken onder haar strakke, kritische blik.

'Ik geloof... dat ik van haar hou. Ik geloof dat ze van mij houdt...'

Eindelijk sprak Clare, omdat ze die woorden wilde verdrinken. Inwendig gilde ze, maar haar woorden kwamen er kalm en kwaad uit. 'Dank je, Elliot. Je wordt heel erg bedankt. Niet alleen omdat je maandenlang achter mijn rug om met een ander hebt geneukt. Of omdat je het me vertelt in een verrekte auto. Of omdat je haar per ongeluk zwanger hebt gemaakt. Maar omdat je me deelgenoot maakt van het feit dat jullie van elkaar houden. Bedankt. Je bent een echte ster.'

Elliot voelde zich bijna opgelucht door haar woede. Woede was zoveel gemakkelijker te verdragen.

Ze wilde hem slaan, hard, op de mond die die dingen had gezegd. Ze deed het. Ze sloeg hem zo hard ze kon. Jaren van woede en verdriet legde ze in die klap, en het duizelde hem. Ze had nog nooit een vinger tegen hem opgeheven. Hij was blij dat ze het had gedaan.

Ze stapte uit en smeet het portier dicht. Elliot draaide het raam omlaag. 'Clare, wacht. Laat me je thuisbrengen. We moeten hierover praten.'

'Dat is precies wat we niet moeten doen. Dit heeft niets met mij te maken. Niet meer. Laat me met rust.'

En ze liep weg in de richting van Mary's huis.

Elliot opende zijn portier om haar te volgen. Maar hij stapte niet uit de auto. Het was niet eerlijk om haar achterna te gaan. En wat moest hij zeggen? Er viel niets te zeggen. Hij staarde naar haar rug; haar hoofd was weggedoken tussen haar schouders en ze hield haar handen in haar zakken. Waarschijnlijk huilde ze; hij kon het niet zien. Ze had hem niet nodig. Ze had haar moeder nodig. Toch bleef hij in de geparkeerde auto zitten en keek haar na.

Een soort rillerige angst beving hem. Wat had hij gedaan? Hij had het Clare verteld, iets wat Cressida hem uitdrukkelijk had gevraagd niet te doen. Was het niet de juiste beslissing geweest? Was het niet zijn recht?

Maar hij had niet gedacht aan zijn recht; hij was gewoon overmand geweest door de behoefte het bekend te maken. Cressida had Polly niet van Elliot verteld omdat Clare het niet had geweten. Dat was het, hij wist het zeker. Hij vond het vreselijk dat het geheim moest blijven, zij en de baby. Hij was nu bang voor Cressida, en hij zou later bang zijn voor Reg en Mary, en Polly. Maar hij voelde zich euforisch door het bevrijdende gevoel dat de onthulling hem gaf.

Clare vertelde het die avond aan haar moeder, en Mary vertelde het de volgende ochtend meteen aan Susan, en Susan vertelde het meteen aan Polly. Ze belde haar op kantoor, vroeg haar een koffiepauze te nemen, reed omlaag over haar mooie, vredige heuvel, en vertelde haar liefste vriendin dat haar dochter niet zwanger was van haar jeugdvriendje, een jongen die nauwelijks de puberteit ontgroeid was en die Polly bijna haar hele leven gekend had, maar van een man die ze nooit ontmoet had. Een man die twaalf jaar ouder was dan Cressida. Een man die getrouwd was met een vriendin van hen. Het was het moeilijkste gesprek dat ze ooit met Polly gehad had. Misschien wel met wie dan ook.

Polly kon haar oren niet geloven. Waarom had Cressida het haar niet verteld? En juist nu ze dacht een evenwicht te hebben gevonden, nu ze dacht dat ze alles gehoord had waaraan ze gewend zou moeten raken. Gisteren had ze het gevoel gehad dat niets haar meer kon schokken. De baby was geen geheim meer, niet op de universiteit en niet in de buitenwereld – kon ook niet meer, nu Cressida's buik die verraderlijke zwelling begon te vertonen die vlak onder haar borsten begon. Aan haar slanke gestalte was het duidelijker te zien dan aan een meisje met rondere vormen. Cressida hiield van haar nieuwe buikje (Polly was nieuwsgierig hoe lang dat zou duren, als de gezwollen enkels, rugpijn en fnuikende indigestie de kop opstaken) en droeg dezelfde korte T-shirts die ze altijd droeg in de zomer: het blote stuk lijf tussen T-shirt en tailleband van de broek zwol bijna elke week meer op. Polly had haar vorige week vanuit de deuropening van de zitkamer gadegeslagen: ze streek gedachteloos over haar dikke buik terwijl ze naar de televisie keek, in een houding die haar aan de Polly van twintig jaar geleden deed denken. Het wekte een reeks herinneringen bij haar op, die zo levendig waren dat ze ze bijna kon ruiken.

Maar wat moest ze in vredesnaam hiermee beginnen?

Een vlaag van intense woede tegen die Elliot ging door haar heen. Hoe dúrfde hij? Wat voor spelletje speelde hij? Een oudere man, getrouwd, met een verantwoordelijke functie bij een academische instelling. Dit was verkeerd. Zodra Susan weg was, en voor ze wist wat ze deed, had ze bij Inlichtingen het telefoonnummer gevraagd van het administratiekantoor van de universiteit en dat ingetoetst op haar mobieltje. Ze vroeg naar hem, noemde zijn naam. Het kalme meisje dat opnam zei dat hij in een vergadering zat. Ze liet haar naam en nummer achter en hing op.

Een halfuur later was ze thuis en wilde ze dat ze het niet gedaan had. Ze moest met Cressida praten. Haar ergste woede was gezakt, samen met de daardoor opgewekte energie, en ze plofte neer op een keukenstoel. Daniel was naar rugbytraining en ging daarna met een andere jongen van zijn team mee naar huis, en Cressida was ook niet thuis – ze had een briefje achtergelaten op de tafel dat ze uit was met een vriendin en dat ze misschien bij Dan en Tina zou gaan eten. Ze had ondertekend met twee kruisjes en een o voor een knuffel. Polly greep niet naar de telefoon om het iemand te vertellen die naar haar zou luisteren; ze wilde een tijdje alleen zijn om het nieuws te verwerken. Ze wilde ook met Jack praten, maar ze durfde hem niet te bellen, niet zoals ze zich nu voelde.

Ze was bijna in slaap gevallen in de zitkamer, een groot, leeg whiskyglas voor haar, toen de deurbel ging.

Het was Elliot. Hij stak beleefd zijn rechterhand uit en stelde zich voor. 'Ik heb uw bericht gehoord. Ik dacht dat het misschien beter zou zijn als we elkaar persoonlijk ontmoetten. Is Cressida hier?'

'Nee, ik ben alleen. Kom binnen.' Ze drukte zich tegen de muur om hem te laten passeren. Hij was in ieder geval dapper, de man die op het punt stond haar tot grootmoeder te promoveren.

'Ik neem aan dat Cressida niet weet dat u hier bent?'

'Nee.'

'En heeft ze enig idee dat u van plan was gisteravond met uw sensationele nieuws te komen?'

'Nee,' bekende hij.

Polly voelde zich woedend worden ter wille van Cressida. Met dit nieuws had hij zich, op de meest klunzige manier, tussen hen in geplaatst, en ze wist zeker dat Cressida razend zou zijn.

Haar zwijgen prikkelde hem om door te gaan. 'Ik wilde niet dat het nog langer een geheim zou blijven. Ik wilde niet dat we ons zouden moeten verstoppen.'

'Cressida verstopt zich niet. Ik ben ongelooflijk trots op de manier waarop ze dit opvangt. Ik weet alleen niet zeker welke rol u speelt in die hele geschiedenis, afgezien van de overduidelijke...'

Dat was gemeen. Ze wisten het allebei.

'Zo mag u het niet zeggen. Zo was het helemaal niet.'

'Hoe niet?'

'U denkt dat het alleen maar een avontuurtje voor me was. U zegt het alsof ik een of andere universitaire Don Juan ben die haar heeft opgepikt en gebruikt.'

'Ik kan ook moeilijk weten hoe het was, wel?' zei Polly. 'Gisteren was u een man die Cressida een of twee keer op de universiteit had ontmoet en die getrouwd was met een vriendin van me. Nu vertelt u me dat mijn dochter zwanger is van uw kind. U slaat niet zo'n erg best figuur, zou ik zeggen.'

Tot zijn verbazing voelde Elliot dat hij zich kwaad begon te maken. Ze wist niets over hem, en toch veroordeelde ze hem. Hij verlangde er plotseling wanhopig naar haar, en via haar Cressida, te bewijzen wat voor soort man hij werkelijk was. De woorden tuimelden uit zijn mond, te snel. Tot op dit moment waren het zelfs geen behoorlijk gevormde gedachten geweest in zijn hoofd.

'Ik hou van uw dochter.' Hij sprak de woorden langzaam en duidelijk uit. Het was heerlijk om ze te kunnen zeggen. 'Ik hou van Cressida, echt waar. Het spijt me dat ik er zo'n rommeltje van heb gemaakt en het spijt me dat we niet alles in de juiste volgorde hebben gedaan, maar ik hou van haar en we willen allebei dit kind hebben. Ik wil doen wat juist is, niet omdat het juist is, maar omdat ik niets liever wil. Een gezin stichten. Wij drieën.'

Polly twijfelde niet aan zijn gevoelens of zijn bedoelingen – hartstocht en opwinding stonden op zijn gezicht geschreven. Het was een van die gezichten die je meestal bij kinderen ziet, een gezicht dat elke emotie openhartig toont: het maakte dat hij kwetsbaar leek. Hij zag er nu knapper en aantrekkelijker uit dan een paar minuten geleden – die glimlach en die grote ogen waren zo veelzeggend.

'En Cressida? Wat wil zij?'

Elliot besefte te laat dat hij het niet echt wist. Hij wist dat ze de baby wilde, maar hij had haar niet gevraagd of ze hem ook wilde. Ze had gezegd dat ze van hem hield – het ook vaak getoond. En ze was in verwachting van zijn kind. Ze moest toch hetzelfde voelen als hij. Dat kón toch niet anders.

Polly zag zijn verwarring en paniek even duidelijk. Haar woede maakte plaats voor iets als medelijden. Hij wist zich kennelijk geen raad. Hij kwam op haar over als een man die op het punt stond te verdrinken en die iemand had gevonden om zich aan vast te klampen – en mee omlaag te trekken: Cressida. Ze was moe. Dit was weer een strijd die uitgevochten moest worden. Eerst was er de baby geweest, en nu was er Cressida's toekomst met deze man. Zes maanden geleden zou ze gedacht hebben dat Cressida die op haar twintigste zwanger werd terwijl ze nog studeerde, het ergste scenario was dat ze zich kon voorstellen. Nu wist ze niet zo zeker meer of dat wel waar was.

'Ik weet het niet.' Hij kon geen ander antwoord vinden. Al zijn zelfvertrouwen was verdwenen.

De moed die hem de afgelopen vierentwintig uur had bezield, was hem ontglipt. Geen confrontaties meer. Niet vanavond. 'Wilt u hier op haar wachten? Ze komt straks thuis.'

'Misschien kan ik beter later terugkomen.'

'Misschien hebt u gelijk.' Ze wilde zelf naar bed, erover slapen (of liever gezegd wakker liggen). 'Maar morgen? Morgen moet ik met haar praten. Nu de mensen het weten.'

'Oké. Praat met haar. Ik ben thuis als ze me nodig heeft.'

'O, nee.' Ze legde haar hand op zijn schouder. 'Jij moet hier zijn. Als je van mijn dochter houdt, ben je morgenochtend hier om uit te leggen wat je gedaan hebt, en haar te vertellen wat je voelt. Dat, Elliot, is het minste wat je kunt doen.'

Cressida

Cressida en Polly zaten bij elkaar, aten ontbijtgranen, dronken thee, en praatten over de formulieren die ze invulde voor het aanvragen van belastingvermindering en subsidies: kinderbijslag, bijslag voor alleenstaande ouders. Toen er gebeld werd, deed Polly open, liet Elliot in de keuken en ging naast hem staan. Cressida was stomverbaasd toen ze zag wie er was, ze had Susan verwacht of een of andere vriend van Daniel. 'Wat doe jij hier?' Ze was te geschokt, dacht Polly, om te stotteren of te proberen een leugen te vertellen.

'Je moeder weet het van ons Cress. Ik heb het Clare verteld, en zij heeft het haar moeder verteld, en die vertelde het kennelijk aan haar baas, die het weer aan je moeder vertelde. Het lijkt wel het bekende door-fluister spelletje, ik weet het. Ik ben gisteravond hier geweest om met je moeder te praten zodra ik ontdekt had dat ze het wist.'

'Wát heb je gedaan? Maar je had het beloofd!' gilde ze. Ze keek naar Polly. 'Wat heeft hij tegen jou gezegd, mam?'

'Dat jullie al een paar maanden met elkaar omgaan. Dat jullie met elkaar naar bed zijn geweest.'

Cressida bloosde.

'En dat het kind van hem is.'

'Ze moest het toch een keer weten, Cressida.'

'Het was niet aan jou om dat te doen. Dat was niet jouw taak.'

'Dat heb ik ook niet gedaan. Ik heb het niet aan je moeder verteld, Cress. Ik heb het mijn vrouw verteld.' Het kwam hard over. 'Ik moest wel – dat was ik haar toch minstens wel verschuldigd.'

Cressida gaf geen antwoord.

'Maar het spijt me niet dat iedereen het weet. Echt niet. Ik wist dat jij het moeilijk zou vinden...'

'Ga weg.'

Polly en Elliot zeiden allebei: 'Cressida...'

Ze beefde, hield zich staande aan de rug van haar stoel. Ze beefde over haar hele lichaam en haar stem trilde. 'Je had het recht niet dat te doen, Elliot. Geen enkel recht. Ga weg.'

'Het gaat niet om recht, Cress,' zei Elliot smekend. 'Het gaat erom dat we ons niet langer hoeven te verbergen – daar heb ik zo genoeg van. Jij niet? Snap je het dan niet? Ik wil dat iedereen het weet.'

'Maar zij is mijn moeder.' Ze huilde nu. 'Het spijt me, mam.'

Polly strekte haar armen uit, maar Cressida beheerste zich weer. Kwaad wreef ze met haar hand over haar gezicht en draaide zich weer om naar Elliot. 'Ik kan niet geloven dat je dit gedaan hebt.'

Elliot liet zijn hoofd hangen. 'Ik hou van je, Cressida. Ik hou van de baby.' De woorden kwamen er gesmoord uit, ingehouden, gemompeld. Ze hadden zo'n doorslaggevende reden geleken, maar nu, te midden van deze woede en zijn angst, leken ze zo nietig.

Ze kon er niet tegen, niet waar Polly bij was, niet nu. Dit voelde niet aan als liefde. 'Als jij niet wilt gaan, zal ik moeten gaan.' Ze stormde langs hem heen, negeerde hun smeekbeden om te blijven, pakte een vest van de haak bij de voordeur en vertrok, de deur achter zich dichtsmijtend. Ze kon merken dat Elliot weg wilde. En ze wilde niet dat hij bleef.

Toen Cressida een paar uur later thuiskwam, wachtte Polly op haar in de keuken. Ze was gekalmeerd: ze had wat rondgelopen in de buurt, zei ze. Ze glimlachte vaag om haar eigen dwaasheid. Ze was haar portemonnee vergeten dus was ze weer naar huis gegaan voor een kop thee. 'Ik ben niet zo goed in weglopen, dat is een feit.'

'En dat is vreemd, want het was een van je vaders beste trucjes.' Polly knuffelde haar.

'Het spijt me, mam. Alweer. Zal ik ooit ophouden met dat tegen je te zeggen?'

'Dat mag ik wel hopen!'

Cressida glimlachte weer.

'Maar het was wel een beetje een schok, Cress.' Wat een geweldig understatement.

'Ik weet dat ik het je had moeten vertellen. Maar je begrijpt wel waarom ik het niet gedaan heb, hè?'

'Maar het zou niet uit zichzelf zijn verdwenen, lieverd, net zomin als de baby. Je dacht toch niet dat je kon blijven volhouden dat Joe de vader was?'

'Ik heb nooit gezegd dat hij het was. Ik liet het jullie alleen maar geloven. Dat leek me de beste oplossing.'

'Niet voor Joe.'

'Joe weet alles – ik heb hem geschreven. Hij weet dat ik zwanger ben, en hij weet dat het niet van hem is. Joe en ik hebben zelfs nooit seks gehad, mam.'

Polly lachte kort. Daarin had ze dus gelijk gehad. Het was bijna een troost. 'Hoor eens, lieverd, ik wil niet de moralist gaan uithangen tegen jou en Elliot.'

'Mam, ik weet dat hij getrouwd is, en ik weet dat het verkeerd is, en ik had nooit in mijn leven kunnen denken dat ik het soort meisje was dat ervandoor zou gaan met de man van een ander, maar...' Haar stem ebde weg. Zelfs op haar twintigste kende ze al alle clichés. Clare begreep hem niet. Hij bleef bij haar omdat hij medelijden met haar had. Het leek niet juist die te gebruiken in het geval van haar en Elliot. Dat maakte dat alles goedkoop en smerig leek. Zo was het niet; zij wist het en hij ook. Ze wist niet eens zeker of ze het haar moeder wel wilde uitleggen. Het was iets van hen samen.

'Hé, hé, het is oké. Eerlijk. Ik wil je alleen maar zeggen...' Polly pakte Cressida's hand en drukte die tegen haar hart '... dat je niet kunt verwachten dat hij zoiets geheimhoudt voor zijn vrouw, Cress. Hij moest het haar vertellen. Dat is geen reden om kwaad op hem te zijn.'

Cressida was verbaasd. Het was het laatste wat ze van haar moeder verwacht had. 'Je klinkt alsof je hem wilt verdedigen.'

'Hij heeft mij niet nodig om hem te verdedigen of aan te vallen. Hij is een volwassen man die zich in een reusachtige warboel bevindt – en ik geloof dat hij oprecht probeert de best mogelijke oplossing te vinden. Dat moet je kunnen begrijpen.'

Cressida knikte.

'Deze baby betekent dat je in een hoop opzichten volwassen moet worden, schat, en niet alleen in de voor de hand liggende dingen. Je weet wat ik bedoel?'

Cressida dacht van wel.

Elliot

Het was Cressida die voor de deur stond. Hij had gehoopt dat zij het zou zijn. Hij opende de deur wijd en bleef met de armen langs zijn zij staan. Ze kwam naar hem toe en hij omhelsde haar. Ze zeiden niets. Toen ze haar hoofd naar hem ophief keek ze strak naar zijn gezicht en zei: 'Het spijt me.'

'Mij ook.'

Ze wisten niet wat ze verder moesten zeggen. Toen begonnen ze allebei tegelijk te praten.

'Ik had er gewoon genoeg van...'

'Je had gelijk, ze moest het weten...'

Ze lachten, nerveus. Cressida maakte een wegwerpgebaar met haar arm. 'Genoeg. Het is gebeurd. Het heeft geen zin er eindeloos over door te blijven gaan.'

Elliot was opgelucht. 'Wil je thee?'

'Graag.'

Ze ging aan de keukentafel zitten en legde haar handen kruiselings op haar gezwollen buik. Hij vond dat ze er fantastisch uitzag. Hij begreep de mannen niet die hun vrouw niet mooi vonden tijdens haar zwangerschap. Cressida zag er nu prachtig uit op een volkomen andere manier. Nog steeds sexy, nog steeds zijn vriendin, nog steeds al die dingen, maar ook met iets nieuws. Ze trok een bezorgd gezicht. 'Hoe ging het trouwens?' vroeg ze.

'Niet goed. Zoals ik verwacht had, denk ik.'

'Het moet afschuwelijk zijn geweest voor haar.'

'Ja, maar ik geloof niet dat ze me terug wilde hebben. Voor haar is het ook voorbij.'

'Heus?' Cressida vroeg zich af of hij soms probeerde haar te beschermen.

'Ik geloof het wel.'

'Maar zelfs al was ze tot de slotsom gekomen dat jullie definitief uit elkaar moeten gaan, dan durf ik te wedden dat dit wel het laatste was wat ze verwachtte te horen.'

'Waarschijnlijk wel, ja.' Elliot voelde zich niet op zijn gemak tijdens dit gesprek over Clare. Hij kon nu gewoon niet aan haar denken. Het was egoïstisch, dat wist hij, maar hij had het gevoel dat hij door het haar te vertellen een deur had dichtgeslagen. Hij zou altijd om haar blijven geven – dat was toch wat je zei? – en hij meende dat, natuurlijk, maar hun gezamenlijke leven was nu voorbij. Hij wilde vooruit. Hij wilde over de toekomst praten met dit mooie meisje dat aan zijn keukentafel zat met zijn kind in haar buik.

Dat was het enige wat hij niet had gedaan sinds ze het hem had verteld. Misschien omdat tot nu toe Clare tussen hen in had gestaan, of omdat hij bang was voor dat gesprek.

'Kunnen we over ons praten?' vroeg hij.

'Wát over ons?

'Is dat niet duidelijk? Over een paar maanden krijg je onze baby, en we hebben er nog helemaal niet over gesproken. Goed, een tijdlang was het een geheim, en dat maakte het misschien moeilijk, maar nu niet meer. Vind je niet dat we horen te praten over wat we gaan doen?'

'Ik weet echt niet wat je bedoelt.'

Elliot voelde dat hij gefrustreerd raakte. Was ze met opzet zo niet-begrijpend? 'Dit is ons kind.'

Ze knikte. 'Natuurlijk is het dat.'

Ze liet hem geen keus dan er openlijk voor uit te komen. 'Ik wil hem of haar samen grootbrengen. Ik wil dat we een gezin zijn. Ik weet dat het nu niet kan, ik ben nog met Clare getrouwd, de baby is nog niet eens geboren, maar ik zou niets liever willen dan dat jij en ik op een dag bij elkaar zijn, misschien getrouwd.'

Christus. Dat ging gemakkelijk. Hij had een levendige flashback van zijn huwelijksaanzoek aan Clare. Hij was eenentwintig en had wat geld van zijn moeder geleend om haar mee te nemen naar een chique restaurant. Hij had het grootste deel van zijn toegestane bankkrediet besteed aan een ring: negenkaraats goud met een vierkante smaragd en aan beide kanten een diamantje. Hij had haar verteld dat ze het behalen van hun diploma gingen vieren. Hij zou haar na het eten vragen, maar zijn zenuwen waren zo gespannen dat hij dacht dat hij misselijk zou worden als hij het er niet meteen uit gooide, dus vroeg hij het haar nog voordat het voorgerecht werd geserveerd, ging op één knie naast de tafel zitten. Haar ogen straalden, en ze had met haar handen voor haar gezicht gewapperd om te voorkomen dat ze zou gaan huilen. Ze had ja gezegd voordat zijn vraag ten einde was, en knielde naast hem op de grond om hem te omhelzen. Het bleek een slimme zet te zijn geweest het zo vroeg te doen, want het restaurant bood hun een fles champagne aan. Waar het om ging, was dat hij er geen moment aan gedacht had dat ze misschien nee zou kunnen zeggen. Hij zou het niet gevraagd hebben als hij niet zeker van haar was geweest.

Met Cressida was het totaal anders. Geen ring, geen chique restaurant, geen knieval. Hij was er net als toen zeker van wat hij wilde, maar zij?

'Elliot... je bent een schat.' Ze sloeg haar armen om hem heen zodat hij haar gezicht niet kon zien, maar hij wist zeker dat ze niet probeerde niet te huilen.

Cressida trok zich terug en keek naar haar handen. Ze zou proberen het uit te leggen.

Hij wilde hun beiden de uitleg besparen. 'Niet nu. Je kunt niet weten hoe je erover zult gaan denken nu alles nog zo in de lucht hangt. En ik ben geen vrij man. Het laatste wat ik wil is je onder druk zetten nu je met zoveel andere dingen te kampen hebt.'

Ze legde haar hand tegen zijn wang. Dat beviel hem niet: het leek moederlijk, meelevend. 'Luister, Elliot. Ik hou echt van je. En ik beloof je...' ze pakte zijn hand en legde die op haar buik '... dat dit kind van jou is. Dat zal het altijd blijven. Oké?'

Hij stond op, legde zijn wang naast zijn hand op haar buik. Naast de baby. Uiteindelijk was hij toch op zijn knieën geëindigd.

Susan

'Mevrouw...?'

'Ja?'

'Met Giles Higson. Ik ben de manager van De Dennen. We hebben elkaar al eens ontmoet.'

'Ja. Hallo.' Lang en een beetje gebogen lopend, met vochtige handpalmen en een slappe handdruk. 'Is er iets?' Ze voelde plotseling een golf van angst door zich heen gaan.

'Op het ogenblik niet. Alles gaat prima. Ik vond alleen dat we u beter even konden bellen omdat we vanmorgen een klein probleempje hadden met Alice.'

De manier waarop hij haar moeder 'Alice' noemde beviel haar niet. Alsof ze een klein kind was. 'Wat is er gebeurd?' Ze leunde tegen het bureau, keek door het raam naar de bomen. Mary had opgekeken toen de telefoon ging en ze haar had horen vragen of er iets mis was. Ze liet haar werk op de grote tafel liggen en liep zachtjes de kamer uit, met de twee koffiemokken die ze een paar minuten geleden hadden leeggedronken. Susan hield een gordijnhaak in één hand en friemelde er zenuwachtig mee tussen haar vingers.

'Een van onze verzorgers vond haar op het parkeerterrein. Ze had haar reistas gepakt, zei dat ze naar huis ging. Ze raakte erg opgewonden toen we probeerden haar weer naar binnen te brengen.'

'O, mijn god.'

'Er stond een taxi die net een bezoeker had afgezet, en ze probeerde de chauffeur over te halen haar naar een adres te rijden dat hij niet kende. Hij zei dat het niet in de buurt was. Hij werd kennelijk achterdochtig en waarschuwde iemand van onze staf.'

Hij praatte als een tot leven gebrachte brochure, zo een die je een thuis buiten je thuis beloofde. Jeez, geen wonder dat moeder geprobeerd had weg te lopen.

'Het gaat haar nu weer uitstekend. Ze heeft na de lunch goed geslapen, en zit nu in de zitkamer met de andere bewoners.'

Ongetwijfeld kijkend naar kindertelevisie. Weer dat neerbuigende toontje. Waarom vertel je me dat? had ze willen vragen. Wat heeft het voor zin dat ik het weet?

Hij beantwoordde haar stilzwijgende vraag. 'We moeten het melden aan de huisarts als hij komt, en als het nog eens gebeurt, zullen we wellicht haar veiligheidsmaatregelen moeten herzien – voor haar eigen bestwil natuurlijk.'

Haar opsluiten. Haar brein kwam met een simultane vertaling. 'Is de voordeur niet goed afgesloten?'

Zijn stem klonk nu zelfs nog belerender. 'Ja, maar uw moeder schijnt nu en dan heel helder te kunnen denken.' Ik weet het: dat zijn de momenten waarop ik bang ben dat ik haar veroordeeld heb. 'Ze moet bij de deur hebben gewacht tot er iemand kwam die niet op de hoogte was van haar... probleem.'

'Ik kom naar u toe.'

'Zoals u wilt.'

Ze hoorde de ondertoon: dat het weinig zin had, dat Alice niet zou weten of ze er was of niet.

'Het avondeten wordt geserveerd om vijf uur.' Aan tafels die met plastic kleden worden gedekt voor oude mensen die kwijlen en het voedsel door hun tanden naar binnen zuigen. Geen tijd om bij voorkeur op bezoek te komen. Iets dergelijks kan zich beter achter gesloten deuren afspelen.

'Ik kom zo gauw mogelijk.' Ze hing op, maar bleef op dezelfde plek staan, starend naar de bomen.

Naar welk huis dacht Alice te ontsnappen? Vast niet naar Maple Cottage, haar laatste thuis. Misschien het huis waar zij en Margaret waren opgegroeid. Of nog verder terug, het huis waar Alice zelf was opgegroeid. Susan was er nooit geweest, maar het leefde nog steeds – als haar thuis – in Alice' hoofd.

Met een diepe zucht pakte Susan haar handtas en stopte haar mobiele telefoon erin. 'Mary?' Ze verscheen in de deuropening. 'Ik moet weg, naar mijn moeder. Kun jij het hier zolang waarnemen?'

'Natuurlijk. Alles in orde?'

'Dat weet ik pas als ik daar ben. Moeder heeft blijkbaar geprobeerd weg te lopen.' Haar stem, die beheerst had geklonken, brak en trilde. Ze wreef met de vingers van één hand over haar ogen. 'Ze hebben haar buiten gevonden.'

'Goddank.'

Mary maakte er geen drukte over. Ze kende Susan goed genoeg om te weten dat ze geen prijs stelde op een meelevende knuffel of een moederlijk geklak met de tong dat zoveel zou zeggen als 'kom, kindje'.

Ze liep naar de gordijnen die ze had geknipt en pakte de schaar op. 'Ik zorg voor alles hier. Ik zal afsluiten als ik wegga, oké?'

'Bedankt, Mary. Prettige avond.'

Langzaam reed ze naar De Dennen. Het werd elke dag moeilijker zichzelf te dwingen daar naar binnen te gaan. Elke keer was ze er minder zeker van wat of wie ze zou aantreffen. En ze had de hoop vrijwel opgegeven om er haar moeder te vinden.

Nicole

Nicole keek naar Gavin. Een tien voor inspanning. Al was het niet meer dan een zes voor uiterlijk. Maar zelfs al was hij zo gekleed als nu, hij bleef een knappe man. Ze vroeg zich af of ieder ander zag wat zij zag.

Op dit moment bevond hij zich aan het andere eind van het speelveld, met de pas geschilderde, niet helemaal rechte lijnen, met een kanten tutu over de broek van zijn kostuum en een zes jaar oude schoolpet op, waar hij stond te wachten op zijn beurt in de race voor vaders op de sportdag, de eerste waarop hij zich liet zien. Tot nu toe was Nicole bij deze evenementen in haar eentje de vaandeldrager voor de kinderen geweest – had door de lens van de camcorder gekeken, nu en dan de tranen van het lachen of van trots weggeveegd, het allemaal vastgelegd zodat Gavin het later zou kunnen zien. Ze had meegelopen in de hardloopwedstrijd voor moeders sinds de tweeling op de kleuterschool zat, zelfs toen Martha nog een baby was en haar bekken er nog niet helemaal aan toe was. Maar die ochtend had Gavin aan het ontbijt verklaard dat hij een lunchafspraak had afgezegd, een vergadering had verschoven, en dat hij op de sportdag aanwezig zou zijn.

De jongens waren zo verrukt dat ze Rice Krispies over de tafel hadden gespuwd tijdens hun uitbundige gejuich, en Martha was naar boven geheld om haar 'mooiste sportkleding' aan te trekken ter ere van de gelegenheid. Het was niet eerlijk dat vaders maar zo weinig hoefden te doen om bewierookt te worden op een manier waar moeders slechts van konden dromen. Maar het kon Nicole niet schelen – vandaag niet. In plaats van een praktische broek en sportschoenen, en met het vooruitzicht dat haar pijnlijke borsten nog pijnlijker zouden worden door de inspanning, droeg ze een dunne zomerjurk met ondergoed dat niet geschikt was om in hard te lopen en mooie schoenen met hoge hakken. Ze voelde zich fantastisch. Als dit boetedoening was, en ze had er veel over nagedacht sinds de leesclub die roman van McEwen had gelezen en besproken, zou het misschien lang kunnen duren.

Verleden week had hij de barbecue verzorgd op het zomerfeest, een schort voorgedaan en een paar vrolijke uurtjes doorgebracht met het omdraaien van hamburgers en het drinken van bier met de andere vaders en moeders van Martha's kleuterklas. Hij profiteerde van de pauzes om Martha op de pony te zetten die van het ene eind van het speelveld naar het andere sjokte voor een pond per rit.

Harriet en Tim, die met een van de leraren stonden te praten, zagen haar en wenkten haar om te komen.

'Hoi!'

Nicole gaf Tim een hartelijke zoen. Ze had hem niet meer gezien sinds Harriet haar hart had uitgestort.

'Nou, dit is een opkomst die in de geschiedenis vermeld dient te worden.' Tim keek naar Gavin.

'Ik weet het.' Nicole lachte. 'Ik heb geen idee wat in hem gevaren is!'

'Jij doet toch mee aan deze wedstrijd?' vroeg Harriet aan Tim. 'Ik zou maar opschieten – ze schijnen op het punt te staan om te starten.' Haar stem klonk geïrriteerd.

'Oké, wil je deze voor me vasthouden?' Tim gaf haar het jack en de schoenen met zijn sokken. Harriet keek er afkeurend naar en legde alles op de grond.

'Succes, Tim,' riep Nicole, daar Harriet dat kennelijk niet van plan was.

Josh' stem steeg duidelijk op uit de grote groep klasgenoten die hem omringde: 'Zet 'm op, papa, zet 'm op!' Tim salueerde in Rocky-stijl naar zijn zoon en draafde weg om zich bij Gavin te voegen.

Harriet draaide zich om naar Nicole. 'Je ziet er beeldig uit. Is dat een nieuwe jurk?'

'Ja,' zei Nicole op zachte toon. 'Ik heb maat 38 gekocht, zodat er niets te zien is.'

Even zachtjes antwoordde Harriet: 'Oké, het is nu officieel: ik haat je. Hoeveel weken is het nu?'

'Vrijdag acht weken.'

'Wauw! Ik had toen al, o, minstens maat 42. Hij vermoedt nog niets?'

'Helemaal niets. Ik popel van verlangen het hem te vertellen. Hij zal het prachtig vinden. Moet je hem zien – hij lijkt wel een ander mens.'

Niet zo heel erg, dacht Harriet, naar Gavin kijkend, die alles op alles zette om de overwinning binnen te slepen.

'Hoe gaat het met jou?' vroeg Nicole.

'Z'n gangetje.' Harriet knikte vastberaden. 'Het gaat me goed.'

'Verheug je je op je vakantie? Een klein beetje?'

Harriet glimlachte met op elkaar geknepen lippen. 'Portugal. Weer de villa van Tims ouders. Niet echt. Maar de kinderen zullen het er heerlijk vinden.'

'Dat zou jij ook, als je het een kans wilde geven.'

'Ik weet het. Ik zal mijn best doen. Kijk maar hoe ik lach.' En ze trok een van haar komische gezichten. Nicole lachte.

'Je had met ons mee moeten gaan.'

'O, ja. Dat zou een goed idee zijn, ja. De jeugdige liefdesdroom. Ik zou geen moment rust hebben als Tim erachter kwam dat jullie weer een baby kregen.'

'Misschien niet zo'n gek idee, weet je.'

'Je wilt gewoon dat iemand met je mee lijdt tijdens de luiersores en de kleutergroep.'

'Ja.' Nicole giechelde weer.

'Bovendien,' ging Harriet verder. 'Ik geloof niet dat ik het kan verdragen om Gavin in z'n zwembroek te zien, niet dit jaar.' Gavin had een voorliefde voor belachelijk kleine zwembroekjes, die hij optrok in zijn bilspleet als hij op een strandstoel lag om zo bruin mogelijk te worden. Bij die gedachte begonnen Nicole en Harriet weer hard te lachen.

'Waar lachen jullie om?' Tim en Gavin waren terug, nog hijgend na de hardloopwedstrijd.

'Jullie lijken wel een stelletje ondeugende schoolmeiden. Wat heb ik gemist?' vroeg Gavin.

'Niks... nog niet,' flapte Harriet er uit, en de twee vrouwen begonnen weer te proesten van het lachen. De mannen haalden hun schouders op. Ze waren eraan gewend. Harriet en Nicole waren al zo vanaf de dag dat ze elkaar hadden leren kennen.

'De frisse lucht is hun naar het hoofd gestegen,' meende Gavin.

'Dat of de cafeïne in al die gezamenlijke koppen koffie,' was Tim het met hem eens.

Susan

Susan keek naar Alice die naar *Ground Force* keek. Ze glimlachte ge-
lukzalig. De Alice die hier afgelopen maand was geweest – degene die
zich Susan en Margaret had herinnerd toen ze nog klein waren – was
weer verdwenen, en in haar plaats was de verschrompelde vrouw gekomen met een huid als vloeipapier die door het tv-scherm heen
staarde naar god mocht weten wat.

Door de panelen met veiligheidsglas van de deur van de nooduit-
gang kon Susan Roger zien praten met Sandy, zijn collega van de
praktijk en de vaste arts van het tehuis. Roger knikte. Susan kon zien
dat ze vertrouwelijk fluisterden. Ze vroeg zich af wat Sandy zei.

Ze waren hier al bijna een uur. Susan had de foto's op de ladekast
van haar moeder opnieuw geschikt, haar kleren in de garderobekast
gecontroleerd. Susan en Roger hadden een wandeling met haar gemaakt. Het was een warme dag, en de golfbaan achter het tehuis werd
druk bezocht door mannen van middelbare leeftijd in hun Argyle
T-shirts en grote golftassen. Alice dacht dat haar vader daar zou zijn.
Het drietal had op een bank gezeten waarop een koperen plaat was
bevestigd ter herinnering aan Doris Johnson, die ergens anders gewoond had maar drie jaar geleden hier gestorven was, een maand
voordat ze honderd werd, en die blijkbaar van dit uitzicht genoten
had. Alice was net een kind dat om zich heen keek met een mengeling van verbijstering en enthousiasme. Ze hadden haar elk bij een
arm moeten pakken om haar weer naar binnen te brengen. Ze kwam
nog niet eens tot Rogers schouder, en hij moest zich bukken. Ze leek
zelfs te krimpen.

Terug in haar kamer, had ze het in haar broek gedaan, waardoor de
beschermlaag van haar stoel doorweekt was geraakt, dus waren ze naar
beneden naar de zitkamer gegaan. Susan had het raam zo ver open
laten staan als de veiligheidshaken toestonden, om de stank kwijt te
raken.

Voor ze wegging bracht ze haar moeder naar binnen voor het
avondeten, plaatste haar tussen twee andere vrouwen, die glimlachten
en knikten, en verliet hen in een stilte die slechts onderbroken werd
door het geluid van soep die werd opgeslurpt van de lepels. Later voelde ze zich altijd alsof ze een veldslag had geleverd, zelfs als Alice helder
was. Eigenlijk was dat nog erger – die dagen vocht Susan tegen de mar-
telende angst dat Alice misschien wist waar ze was en wat er met haar
gebeurde. Roger zei dat dat niet zo was. Maar hoe kon hij dat weten?

226

Maar toch, Ed was thuis. Hij had Alice een paar keer bezocht. Hij was een goeie jongen, en hij had van Alice gehouden. ('Had van haar gehouden'; ze dacht al aan haar in de verleden tijd.) Ze was verbaasd, en dankbaar, dat hij het meer dan één keer had weten op te brengen. Ze had hem gisteravond gevraagd hoe hij het presteerde.

'Gemakkelijk, mam. Ik doe gewoon of ik in een komische tv-serie speel.'

Misschien was dat niet zo'n gek idee.

In de auto vroeg Susan wat Sandy gezegd had. Was er nieuws?

'Nee, schat, niets nieuws. Ik heb hem alleen gevraagd hoe hij vond dat het met haar ging.'

'En?'

Roger ging langzamer rijden, zodat hij haar even aan kon kijken. 'Hij vindt dat ze achteruitgaat.' Dat wist Susan al. 'Ze keert zich steeds meer in zichzelf.'

'Komt dat door het tehuis?' Altijd dat schuldgevoel.

'Nee,' zei Roger vol overtuiging. 'Het komt door de ziekte. Haar lichaam haalt haar hersens in, dat is de beste manier waarop ik het je kan uitleggen.'

'Maar dat zou misschien niet zo zijn als ze bij ons thuis was?' Het eerlijke antwoord op Susans vraag was dat het natuurlijk sneller ging in het tehuis, verhaast door het gebrek aan liefde en aandacht. Roger had het al eerder zien gebeuren. Maar hij had zich vast voorgenomen dat Susan niet die enorme last zou dragen, reëel of denkbeeldig. Ze kon onmogelijk thuis voor Alice zorgen. 'Dat is onmogelijk te zeggen.' Daar hield hij het bij. 'Maar bedenk eens wat je moeder zou hebben gewild. Ze zou niet op die manier jaren en jaren hebben willen vegeteren, hulpeloos en afhankelijk. Nee toch?'

'Nee.' Susans antwoord was kort en kalm. Ze wist dat Roger gelijk had. Alice zou hebben willen sterven.

Die avond genoten ze gedrieën van een heerlijke maaltijd. Roger nam hen mee naar het Indische restaurant aan het eind van de hoofdstraat, en Ed vertelde alles over het nieuwe meisje dat hij had leren kennen. Hij had een foto van hen, die genomen was in een fotocabine op het station: ze lachten, dicht tegen elkaar aan gedrukt op die kleine draaiende kruk. Op één foto zoenden ze elkaar. Ze leek een beetje op Julia Roberts, zonder de krullen en met wat minder volle lippen, en volgens Roger was Ed smoorverliefd, al wilde hij niks weten van zijn vaders beschuldiging.

Hij was geweldig, haar lange, knappe zoon. Susan voelde zich, als ze naar hem keek, wat ze vaak deed, overmand door liefde en trots. Ze herinnerde zich hoe ze op hem afdook als hij aan het spelen was en hem optilde om hem te knuffelen, haar neus in zijn hals stopte en hem besnuffelde. Nu was hij veel te groot om opgetild te worden en rook hij meer naar aftershave en soms naar eau de toilette voor mannen dan naar een kleine jongen. Alles kon anders worden, maar die ongelooflijke fysieke liefde bleef precies hetzelfde.

Die avond kon ze niet in slaap komen. Ze lag ineengerold op haar zij, keek naar de zacht op en neer gaande schouder van Roger, die naast haar lag te slapen. Ze vroeg zich af of Alice ook wakker zou liggen, verlangend naar de dood.

JULI

The Memory Box

MARGARET FORSTER, 1999

Een moeder laat haar kleine dochtertje vlak voor haar dood een geheimzinnig verzegeld kistje na. Jaren later, als Catherine het kistje van haar moeder openmaakt, ontdekt ze dat het onverklaarbare objecten bevat, zorgvuldig ingepakt en genummerd, als aanwijzingen voor een puzzel. Catherine heeft haar moeder nooit gekend, maar haar imago, het geïdealiseerde beeld van de 'perfecte' mooie en talentvolle vrouw dat de rest van de familie zich herinnert, heeft een schaduw geworpen over haar leven. Als ze probeert het raadsel van de doos met geheimen op te lossen, wordt ze in het verleden en de geschiedenis van haar moeder getrokken, en ontdekt ze een vrouw die veel gecompliceerder, verrassender en gevaarlijker was dan de familielegende wil doen geloven. En op haar beurt komt Catherine, intens onafhankelijk en egocentrisch, onverwachte waarheden over zichzelf te weten.

'Hij is wel een lekker stuk, Suze.'
'Als ik tien jaar jonger was...'
'Vijftien, bedoel je zeker?'
'Oké, je hoeft het er niet zo dik op te leggen.'

Harriet en Nicole bevonden zich in de tijdelijke eind-van-het-schooljaar euforie. Er lagen negen weken voor hen waarin ze niet om halfzeven op hoefden om bevelen uit te delen als een drilsergeant en voldoende spullen in school- en ballettassen en kofferbakken te pakken om een derdewereldland gevoed en gekleed te houden. Die ochtend hadden ze de Toesprakendag 'gedaan', vervolgens in pastelkleurig linnen een lunch voor de moeders (nogal vloeibaar, voor Harriet, die samenzweerderig naar Nicole knipoogde telkens als ze een glas witte wijn weigerde) bijgewoond in de tuin van de plaatselijke pub, en daarna de hele middag in de stad rondgescharreld – giechelend in de kleedkamers op de badkledingafdeling – terwijl hun nageslacht bezig werd gehouden met diverse eind-van-het-schooljaar spelletjes. Nu hadden ze het hele stel gedumpt bij Cecile, waren hiernaartoe gereden en neergeploft op Susans grote sofa om de gebruikelijke, dubbelzinnige opmerkingen te maken over Ed, die vertrokken was zodra hij weg kon zonder onbeleefd te zijn. Hoewel hij heimelijk vond dat Nicole ook een stuk was, of dat althans zou hebben gedacht als het woord 'stuk' in zijn vocabulaire was voorgekomen. 'Cool' misschien. Voor een oudere vrouw tenminste.

Harriet keek naar haar vriendin. Waarom, terwijl ze de dag op precies dezelfde manier hadden doorgebracht – afgezien van drie of vier glazen Chablis – zag Nicole er nog steeds ongekreukt en fris uit? Ze wist na een vluchtige blik in Susans gangspiegel dat zij er zelf uitzag of ze net uit de draaiende trommel van een wasmachine kwam: heet, gekreukt en vochtig. Haar linnen jurk krulde aan de randen op als een sandwich van een dag oud, en ze had een 5-uurschaduw onder haar ogen. Ze sloeg zachtjes tegen haar voorhoofd. Schaf je de volgende keer een lelijke vriendin aan.

Susan herinnerde zich het eind van het schooljaar met een mengeling van nostalgie en jaloezie. De universiteit was niet hetzelfde. Het hele semester zag je ze niet, en dan doken ze op met een auto vol wasgoed, allerhande spullen en een onstuitbare behoefte om de volgende dag te gaan Interrailen. Lange zomerse dagen van spelen op het gazon, picknicks en sinaslolly's leken heel lang geleden.

Ze waren behoorlijk vrolijk, die twee, dus had ze weinig hoop voor Margaret Forster die avond. Maar je kon enorm met ze lachen als ze in zo'n stemming waren – een prachtig duo, Harriet als de zichzelf kleinerende clown, Nicole als de elegante, correcte man. Hun vriendschap deed haar denken aan die van haar en Polly tien jaar geleden, toen de kinderen jonger waren. Ze hadden nu misschien een hoop meer geld, maar ook, gek genoeg, een hoop meer stress. Het leven was veranderd, maar niet noodzakelijkerwijs verbeterd. Harriet en Nicole mochten dan de grote auto's en mooie kleren hebben, en hoefden niet te werken, maar hun man was nooit thuis als het tijd was voor het bad, zoals Roger vroeger, en die levensstijl leek haar riskant. De hiaten tussen koppels konden weleens te groot worden. Schoolhek-vriendinnen brachten meer tijd met elkaar door, dat was het eigenlijk wel. In sommige opzichten was je intiemer met je vriendinnen, je goede vriendinnen, dan met je man. Maar ze was blij dat ze er waren, ook al kreeg het boek niet de aandacht die het verdiende. Het was prettig om wat gelach en gebabbel in huis te hebben – het was er stil sinds Alice was vertrokken. Waar was Polly trouwens?

'Ik dacht dat ze zo graag kwam. Is er iets mis?'

'Is het Elliot? We hebben haar wel nodig, geloof ik. We zijn maar met zijn vieren zonder haar. Is dat wel genoeg? Of zijn we nu een leesclubje?' Harriets eerste gedachte gold de club. Nicole was meer geïnteresseerd in Clare.

Polly was van plan geweest het hun te vertellen. Het lag voor de hand dat ze zouden willen weten waarom Clare hen in de steek had gelaten, en ze vond het geen probleem als ze de waarheid zouden kennen. Het was alleen dat ze, nu ze hier zat, niet goed wist hoe ze moest beginnen. Misschien had ze het aan Susan moeten overlaten. Susan had wat wijn voor haar ingeschonken, en ze nam nu een ferme slok. Ze tuurde omlaag naar de touwzool van haar espadrille, zag een grasspriet eraan hangen toen ze haar been optilde om het over het andere te slaan, waarna het sprietje op het kleed viel.

'Ze komt niet, want ze heeft iets ontdekt en daarom blijft ze liever weg.'

Harriet kreeg een kleur, en Nicole tuurde naar haar glas mineraalwater. Was zij de oorzaak? Had ze soms geraden dat ze zwanger was? Hoe kon dat? Ze had haar niet meer gezien sinds de bijeenkomst van de vorige maand, en toen was er echt nog niets te zien. Harriet was de enige die het wist, en zij had het aan niemand verteld, dat wist Nicole zeker.

Polly ging door. 'Ze heeft ontdekt dat de vader van Cressida's baby... haar man is. Elliot.'

Dat was moeilijk te verwerken. Niemand zei iets; waarschijnlijk deden ze hun best het verband te leggen tussen de onbekende omstandigheden die het mogelijk maakten dat Polly's dochter een kind verwachtte van Clares man. Het leek een televisiedrama. Polly probeerde de vragen te beantwoorden voordat ze gesteld werden: 'Blijkbaar hebben ze elkaar leren kennen op de universiteit, waar hij werkt. Vorig jaar, in de herfst. En ze zijn kennelijk... spoedig daarna bijeengekomen (ze wist niet hoe ze het anders moest zeggen). Ik heb begrepen dat Clare hem had verlaten voordat ze het wist van Cressida en de baby. Ik geloof dat het al een tijd heel slecht ging tussen hen. Niet dat ik een excuus zoek voor Cressida – ze wist dat hij getrouwd was.' Ze zweeg even. 'En nu weet Clare het van de baby... en ik neem aan dat ze daarom niet meer wil komen. Ik denk dat ik wel begrijp waarom, jullie toch ook?'

'Eh, ja, ik denk dat het moeilijk zou zijn.' Harriet keek geschokt.

'Ik dacht dat Cressida's vriendje – Joe, geloof ik? – de vader was.'

'Dat dacht ik ook.' Polly glimlachte wrang. 'Het blijkt dat ze zelfs niet met elkaar naar bed zijn geweest. Ze maakte het uit tussen hen toen ze wist dat ze zwanger was.'

'Arme Clare,' mompelde Nicole. Gavin had zijn avontuurtjes, maar een baby? Dat was het enige wat ze op al die andere vrouwen vóór had, en daar was ze erg blij om. Zij was de moeder van Gavins kinderen. Dat zou Clare nooit meemaken, en dan erachter komen dat Elliot een ander zwanger had gemaakt – ze moest er kapot van zijn. Ze had zo'n medelijden met haar dat ze wel kon huilen. Nicole had Elliot maar één keer ontmoet, toen ze bij Clare thuis waren voor de leesclub, in maart. Hij was verlegen binnengekomen, had naar hen gezwaaid. Knap, op een bescheiden manier. Alles aan hem had bijna verontschuldigend geleken. Hij was beslist het type er niet voor. Niet zoals Gavin.

'Arme Cressida.' Harriet meende onmiddellijk door te hebben hoe het moest zijn gegaan. Haar fantasie was altijd klaar om de feiten te verfraaien met een verhaal dat samengeflanst was uit duizend tv-films, liefdesromans en een romantisch hart. Je was er niet verantwoordelijk voor op wie je verliefd werd. Niet Cressida had bedrog gepleegd, maar Elliot. Een man met een gebroken hart – welk meisje zou daar niet voor gevallen zijn?

'Wat gaat ze doen?'

'Clare of Cressida?'

'Allebei, denk ik.'

Susan viel hen in de rede. 'Clare is nu bij haar ouders. Ik geloof dat het echt over is tussen haar en Elliot. Ik weet niet wat ze uiteindelijk zal doen – definitief een eind maken aan het huwelijk misschien. Wie weet? Het kan niet gemakkelijk zijn zo dicht bij elkaar te wonen.'

'En Cressida? Zijn zij en Elliot...'

'Ik weet het niet. Ik denk dat ze eerst de baby moet krijgen.'

'Maar Elliot? Wil hij het kind?'

'O, meer dan zijn leven, denk ik. Ik krijg de indruk dat hij het even erg vond als Clare dat ze geen kinderen konden krijgen.'

'Dus je denkt dat hij en Cressida uiteindelijk samen verder zullen gaan?'

'Ik weet het echt niet.'

'Voel jij je daar goed bij?'

Polly moest bijna lachen. Mijn dochter van twintig heeft een relatie met een getrouwde man, en nu is ze zwanger, en ze wil haar studie opgeven, en misschien ook de toekomst die ze had gepland, en het kind houden, en die man, van wie ik echt niet geloof dat hij haar gelukkig kan maken, wil voorgoed bij haar blijven. Nee, daar voel ik me absoluut niet goed bij. Ze haalde haar schouders op. 'Het is niet wat je droomt als je in de wieg van je zes weken oude dochter kijkt, en het zal erg moeilijk worden voor haar en mij, wat er ook gebeurt. Maar zo staan de zaken nu eenmaal. Ze is volwassen. Ik ben niet langer degene die de beslissingen neemt.' Ze glimlachte triest. 'Ik krijg alleen te maken met de consequenties van de beslissingen die zij neemt.'

Nicole knikte. Ze wist alles van kwijtgeraakte zeggenschap en volgen in andermans kielzog. 'Het gaat wel goed met ons. Ik weet zeker dat alles goed zal gaan.'

De anderen mompelden instemmend. Wat konden ze anders doen?

Ze kwamen niet erg op streek met het boek. Harriet en Nicole waren toch al niet in de stemming ervoor. Ze waren veel te veel bezig met wat er in het echte leven gebeurde. Ze probeerden het, maar geen van hen wilde er echt voor pleiten. Polly had met veel enthousiasme *Georgy Girl* gelezen, maar de anderen kenden de auteur niet. En dit boek vond ze teleurstellend. Ze apprecieerde het vakmanschap, de kundigheid, waarmee het geschreven was, maar het liet haar achter met een gevoel van 'nou en?' Het deed haar niets. Ze voelde zich niet wijzer geworden, niet erbij betrokken. Ze dacht dat ze zich misschien niet goed geconcentreerd had. Het drong niet tot haar door. Het was de laatste weken niet gemakkelijk geweest: 's avonds naar bed gaan als Jack er niet was betekende niet langer rustig en ontspannen lezen. Het betekende luisteren en je verwonderen en je zorgen maken en piekeren. De anderen waren ook niet zo dol op het boek. Harriet schraapte haar keel. 'Het boek is geschreven door een vrouw, maar op een vraag in een quiz zou ik gegokt hebben op een man. Het houdt iets achter.'

Op dit punt was Nicole het met haar 'eens. 'Ik bleef wachten op de echte ontroering. Die kwam niet.'

'Ik bleef wachten op het grote mysterie. Dat kwam ook niet. Het ging een beetje als een nachtkaars uit, vond ik.'

'Ik ook. Briljant idee, een echte vondst. Een kistje vol geheime dingen, allemaal met hun eigen verhaal, een vlag op het landschap van haar moeders verleden, nagelaten door een dode moeder aan een eenentwintigjarige dochter, met de tijd en de bereidheid om uit te zoeken wat ze allemaal betekenen. Het probleem was dat ze nogal vreemd waren, en toen ze ten slotte de redenen ontdekte voor al die dingen in dat kistje — wat ze overigens deed in een reeks ongeloofwaardige toevalligheden — voelde je je niet voldaan.'

'Ik weet dat het de laatste tijd mijn paradepaardje is geweest, maar ik vond — jullie niet? — dat het interessante dingen te zeggen had over moeders en dochters. Over moeders voordat ze moeder waren, en hoe een dochter dat kan ontdekken als ze opgroeit,' zei Susan.

'En ik hield van Catherine vanaf het begin, als ze zegt dat ze zich niet kan neerleggen bij het idee dat haar moeder volmaakt gelukkig was, zelfs al wordt haar dat voortdurend verteld.'

'Eerlijk gezegd vond ik haar een verwend nest. Het interesseerde me niet zo erg wat ze ontdekte.'

'Maar geen van ons heeft een moeder verloren toen ze nog heel jong was, toch?' hield Susan vol. 'Je zou toch zeker vragen hebben, nieuwsgierig zijn, vooral als iedereen je een opgeschoonde versie van haar gaf?'

'Waarschijnlijk wel, ja. Het is een feit dat als je opgroeit en zelf kinderen krijgt, je je ouders in een ander licht ziet. Je stelt je hen voor in dezelfde situaties als waarin jij verkeert. En je begint je moeder in jezelf te zien.'

'Dat is zo. Ik herinner me dat mijn moeder tegen ons schreeuwde en dat ik dacht dat ik nooit zo tegen mijn kinderen zou schreeuwen.' Harriet lachte.

'Ja! En me plechtig voornam dat ik nooit zulke belachelijke dingen zou zeggen als "Wil je een draai om je oren?" En nu? Ik zeg het waarschijnlijk minstens één keer per dag tegen Martha.' Nicole dacht er even over na en glimlachte. 'Maar ik doe het nooit. Eén blik op dat kleine blonde hoofdje en mijn hand verstart midden in de lucht. Daarom is ze zo'n monster, denk ik. Ze weet dat ik het toch niet doe. Mijn moeder wel. Bovenkant van de dij, met de blote hand. Dat kwam aan.'

'Hoe gaat het?' Susan had net de anderen uitgezwaaid. Polly was nog in de keuken.

'Ik wou dat ik nog rookte. Ik kan best een saffie gebruiken.'

'Zullen we naar de kiosk gaan en een pakje halen?'

'Nee. Geen goed idee. Bij al het andere ook nog longemfyseem?'

'Nee. Het zou trouwens toch niet helpen.'

'Dank je, mevrouw de dokter, dat weet ik.' Ze glimlachte naar haar vriendin. 'Nou, dat is goed gegaan, vind je niet?'

'Wat dacht je dat er had kunnen gebeuren?'

'Ik dacht ze misschien meer...'

'Zouden veroordelen?' Susan schudde haar hoofd. 'Nicole en Harriet waren alleen een beetje geschokt. Je moet toegeven dat het een goed verhaal is – als je het hoort, bedoel ik, niet als je het beleeft.' Polly knikte. 'Ik had ook niet verwacht dat ze voor rechter zouden spelen. Ze zijn een andere generatie dan wij, hè?'

'Je praat of we dorpsoudsten zijn. Er zit maar tien jaar tussen.'

'Tien veelbetekenende jaren. Ik geloof niet dat ze de wereld op dezelfde manier zien als wij. Ik geloof om te beginnen niet dat zij het huwelijk beschouwen zoals wij dat deden.'

'Suze, ik ben gescheiden.'

'Dat weet ik, maar je dacht niet dat je dat ooit zou doen, wel? Je trouwde voor het leven. Dat deden we allemaal. Ik geloof dat ze tegenwoordig voorlopig trouwen, er waarschijnlijk het beste van hopen en de helft van de tijd er het ergste van geloven. Ik denk dat ze in wezen maar een poging wagen, en je kunt het ze niet kwalijk nemen. Als ze de radio of de televisie aanzetten, wordt hun ingeprent dat de kans groot is dat hun huwelijk zal mislukken. Een op de drie, of is het nu al meer?'

'Oké, dus het verbaast ze niet dat Clare en Elliot uit elkaar zijn. Dat wil niet zeggen dat ze geen mening hebben over het feit dat Cressida al vóór die tijd een relatie met hem had. Of stom genoeg was om zwanger te worden. God weet dat ik haar soms door elkaar zou willen rammelen als ik daaraan denk. Per slot van rekening wist ze toch heel goed hoe ze dat moest voorkomen.'

'Een ongeluk schuilt in een klein hoekje, Poll. O, kom. Dat deel is voorbij, dus wat heeft het voor zin om erop terug te komen? Ze is onvoorzichtig geweest. Of er is iets misgegaan. Meer niet. Heb je de anderen niet net verteld dat je ermee moet leren leven? Ik denk niet dat die twee het zo zien. Je zoekt naar dingen die er niet zijn.'

'En jij dan, Suze? Als een vertegenwoordigster van de "oude generatie"? Oordeel jij niet over haar?'

Susan gaf niet onmiddellijk antwoord. Toen: 'Ik heb Cressida het grootste deel van haar leven gekend – in ieder geval vijftien jaar. Ik weet wat voor meisje ze was en ik geloof dat ik een vrij aardig beeld heb van het soort vrouw dat ze is geworden. Nee, ik oordeel niet over haar. Ik wou dat het haar niet was overkomen – ik denk dat het een tijd die zorgeloos en gelukkig hoort te zijn gecompliceerd en moeilijk zal maken. Ik denk dat het rampzalig voor haar zou zijn om bij Elliot te blijven. Maar, nee, ik oordeel niet over haar. Of over jou. Of zelfs over hem.' Ze keek Polly recht in de ogen. 'Dat beloof ik je. Je bent mijn beste vriendin, Poll, en ze is jouw kind, en ik wil jullie allebei helpen, op elke mogelijke manier. Dat beloof ik,' herhaalde ze. Ze legde haar hand op haar hart om het te benadrukken.

'Dank je.'

'Graag gedaan.'

Harriet

Harriet lag op de bank, één oog gericht op een romantische film en één op Josh en Chloe die in de tuin aan het stoeien waren. Ze had ze een halfuur geleden buitengesloten. Het was pas halfdrie, pas de tweede week van de zomervakantie, maar ze was nu al uitgeput. Eerlijk gezegd voelde ze zich voortdurend zo. Zielig maar waar. Ze was de vakantie met goede bedoelingen begonnen: ze had de kinderen ingeschreven voor verschillende cursussen (Josh voor fietsen, Chloe voor ponyrijden), de helft van hun respectievelijke klassen uitgenodigd voor eindeloze afspraken om te komen spelen, en was naar de winkel geweest om verf en tekenpapier in te slaan en de gevreesde hobby-lijm, die de kinderen op de onmogelijkste plaatsen konden verspreiden, als je even niet keek. Ze waren naar de bibliotheek geweest, naar het park, het Lido, McDonald's. Nog zes weken te gaan. Ze zouden één week naar Portugal gaan – één week maar: ze had tegen Tim gezegd dat de kinderen meer stimulatie nodig hadden dan de villa hun kon verschaffen, dat ze enthousiast uitkeken naar hun cursussen en hun speelafspraken.

Natuurlijk was dat niet waar. Ze zouden in het huis van Tims ouders wonen onder die goudgele zon, zich ingraven in het zand, ijsjes eten en het hele jaar lang bruin worden in het kobaltblauwe zwembad als ze de kans kregen. Zij was degene die er niet tegen kon. Een week betekende zeven avonden alleen met Tim, nadat haar menselijke barrières, catatonisch van vermoeidheid, in bed gestopt waren. Zonder televisie om voor te wenden dat ze verdiept was in een programma, zonder huishoudelijk werk waarvan ze kon beweren dat het haar uitgeput had. Alleen met Tim. In de film was de als een schoonheidskoningin zo mooie heldin weduwe geworden en ze weende, slank en elegant in soepel zwart chiffon, perfect ronde tranen – die haar gezicht niet achterlieten alsof ze een allergische reactie had – bij een open graf. De volgende minnaar was de man die aan de andere kant van het graf stond en haar vol liefde maar toch wellustig aankeek. Het leven was gerieflijk voor dergelijke bouquetreeksheldinnen. Met de verkeerde man trouwen? Geen nood – in een paar minuten was hij dood en was je weer vrij om lief te hebben, fatsoenlijk, zonder het stigma van een hoerige vrouw. Niet zoiets vulgairs als overspel, of – vreselijk! – een man en kinderen in de steek laten.

Fantaseerde ze echt over Tims dood? Misschien wel, ja. De tranen sprongen in haar ogen. Ze wist niet zeker of ze zich oefende of dat het echte tranen waren omdat ze zo gemeen was. Een beetje van allebei natuurlijk.

Ze deed haar best, hield ze zich voor. Ze deed echt haar best. Ze was een model-echtgenote geweest sinds die ramp met Nick. De kinderen hadden grote vellen papier en ballons opgehangen aan de voordeur toen ze die zondag terugkwam. 'We hebben je gemist, mammie' stond erop in Josh' onregelmatige hoofdletters. Chloe had regenbogen getekend rond de woorden. Harriet dacht aan de pot met goud. Hij was daar niet geweest met Nick, en hij was niet hier. Behalve in de kinderen.

Ze zette de tv uit en ging voor de openslaande terrasdeuren staan om naar hen te kijken. Josh, altijd verfomfaaid, het haar over zijn voorhoofd, Chloe, altijd even netjes, de scepter zwaaiend over een theevisite voor haar poppen op de deken die Harriet had uitgespreid, opgewekt tegen zichzelf pratend.

Ze zou ze ongelukkig maken als ze Tim in de steek liet, of als ze hem dwong weg te gaan. Ze adoreerden hem. 'Familieknuffel,' zei Chloe, Tim en Harriet naar zich toe trekkend, terwijl Josh zich onder hun armen tussen hen in drong. 'Familieknuffel.'

Die verdomde tranen waren er nog steeds. Ze voelde zich alsof ze in de val zat.

Na gehuild te hebben bij Nicole was ze naar de dokter gegaan. Nicole zei dat ze erheen moest. Daar had ze ook gehuild, wensend dat de grond zou opensplijten en haar verzwelgen. De dokter was geweldig geweest. Ze raakte haar niet aan, staarde niet, zei geen gevoelige woorden. Ze had haar alleen maar een doos tissues overhandigd en gezegd, alsof Harriet haar een steenpuist had laten zien of zo: 'Maak je geen zorgen, dat gebeurt hier vaak.' En ze had gevraagd wat er mis was, en Harriet had gelogen. Hoe kon je tegenover een volmaakt vreemde zitten en zeggen dat je niet meer van je man hield? Dat je dacht dat je zou stikken? Dat je het gevoel had dat je leven voorbij was? Ze zei dat ze niet wist waarom ze zich zo voelde. Dat ze van haar man hield, van haar kinderen en haar leven, en dat ze geen problemen had met geld, gezondheid of iets anders, en dat ze het niet begreep.

Dus vertelde de dokter haar over een depressie, dat het een ziekte was, een chemische onevenwichtigheid in de hersens. Dat het geen enkele zin had je daarover schuldig te voelen omdat je er evenmin iets aan kon doen als aan gordelroos of multiple sclerose. Dat ze medicijnen moest slikken. Ze schreef een recept uit en zei dat ze over een maand terug moest komen.

Harriet had de pillen in de la met ondergoed geborgen. Ze had er niet één genomen en ze wist dat ze niet terug zou gaan. Ze geloofde niet dat ze depressief was, omdat ze dacht dat er een reden was waarom ze zich zo voelde. Een reden die ze de dokter niet verteld had. Als ze dat had gedaan, zou de dokter beslist geen Prozac hebben voorgeschreven: ze zou haar naar een relatietherapeut of naar een advocaat hebben gestuurd. Een deel van haar wilde zich niet beter voelen – het schuldbewuste deel.

De kinderen zagen haar.

'Kom spelen, mam,' riep Chloe. 'Zijn het blije tranen?' vroeg ze toen Harriet op de deken ging zitten.

Ze wreef hard in haar ogen. 'Ja, schat. Het zijn blije tranen.'

Chloe had al warme sinaasappellimonade in een theekopje geschonken; ze had geen verdere uitleg nodig. Dat was zo prettig van kinderen. Ze gaf het kopje aan Harriet. 'Ik vertel mijn vriendinnen alles over onze vakantie, mam.' Toen ging ze verder op het schoolmeesterachtige toontje waarmee ze altijd tegen haar poppen sprak. 'In Portugal eet papa graag harige vis. Walgelijk, hè? Ik eet graag roze ijs – dat is ijs met aardbeiensmaak.'

'Of frambozen,' kwam Josh tussenbeide. Hij was uitgeput van het schoppen van een bal in het doel en lag languit op de grond naast hen.

Chloe keek hem verontwaardigd aan. 'En dan begraaft papa Josh en mij altijd in het zand…'

'Of kersen.'

Weer een verontwaardigde blik. 'En weet je, het zand onder de grond is echt koud, en papa zegt dat dat komt omdat het nat is, en de zon het niet…'

'Of kauwgom.'

'*Maaaammmm!*'

Harriet miste Nicole.

Polly en Jack

'Klinkt serieus.'

'Dat is het ook. Kom je om een uur of acht?'

'Ik zal wijn meebrengen. Hou van je.'

Dit zou moeilijk worden, dat wist Polly. Ze bad in stilte dat hij het zou begrijpen. Ze wist dat hij de laatste paar maanden meer voor haar gedaan had dan hij ooit verwacht had te moeten doen. Ze hoopte, o, zo intens, dat hij dít ook voor haar zou doen.

Susan had haar op het idee gebracht. Toen ze haar zag met Alice. Hoe de rollen verwisseld waren. Niet gemakkelijk, maar ergens onvermijdelijk. Susan was blijkbaar een lid van de 'sandwichgeneratie'. Ze had gelachen toen ze het de leesclub op een avond had verteld toen ze klaar waren met het boek en verdergingen met de rest van het universum. Ze had erover gehoord in een talkshow: de zorg voor haar eigen kinderen en die voor een bejaarde ouder maakten haar tot de vulling in een zorgsandwich. Nicole en Harriet hadden hun eigen posities overwogen en toegegeven dat het hen waarschijnlijk ook zou overkomen.

Polly had geen ouders om wie ze zich moest bekommeren, maar ze was op een nieuwe manier gaan denken over Cressida en de baby. Ze wilde de gesmolten kaas zijn in een tosti, in plaats van de vulling van een sandwich, zodat ze zich kon uitspreiden om ham en brood te bedekken. En ze wilde dat Jack de mosterd was. Nu vond ze dat ze de voedselanalogie voorlopig beter kon laten rusten: een diner voor hem klaarmaken leek op omkoperij van de huisvrouw in de jaren vijftig. En hapjes en knabbeltjes klaarzetten was te vrolijk en feestelijk. De wijn moest voldoende zijn, en ze legde een fles in de koelkast om koud te worden.

Toen hij kwam, zoende Jack haar innig, en ze genoot van het gevoel om in zijn armen te liggen. Hij was lang en hij rook verrukkelijk, en hij hield van haar, en dat was allemaal goed.

'Zo,' zei hij, terwijl hij met een vloeiende beweging de wijn ontkurkte en twee glazen inschonk. 'De kinderen zijn nergens te bekennen – wil je praten?'

Polly nam een slok wijn. 'Ja. Laten we gaan zitten.' Het er uitflappen leek de beste manier. Hem alle informatie geven en het dan laten bezinken. 'Ik wil de baby opvoeden voor Cressida, niet adopteren of zoiets wettigs – hij of zij zal altijd haar kind blijven – maar er voorlopig voor zorgen. En op een dag, als ze afgestudeerd is en haar avontuurtjes heeft gehad, en carrière maakt of wat dan ook, dan hoop ik dat het kind bij haar zal wonen. Ik wil voor beiden een moeder zijn, alleen voor de eerste paar jaar, meer niet. Ik ben pas vierenveertig en ik kan het, met een beetje hulp.'

Jack nam een flinke slok, zei niets.

Ze ging verder. 'Het is gemakkelijk genoeg om te zeggen, hè? Je hoort het ouders voortdurend zeggen – "ik zou alles voor mijn kinderen doen". En dat zou ik ook, weet je, álles, zodat zij alle kansen kan krijgen. Ze wil de baby en, bij god, dat kan ik begrijpen, maar ik wil zoveel meer dan de baby voor haar...'

'Heb je hier met haar over gesproken?'

'Nog niet. Ik wilde het eerst met jou bespreken. Jij hebt er net zo goed mee te maken.'

Jack lachte gespannen. 'Een klein beetje wel, ja.'

'Maar we zouden het kunnen, ik weet dat we het kunnen. Cressida zal gewoon hier zijn, voor de vakanties en de weekends, en Dan zal ook meehelpen. En mijn vriendinnen. We zullen niet aan handen en voeten gebonden zijn. Ze is nog maar een kind, Jack, ze is pas twintig. Denk eens aan alle dingen die wij hebben gezien en gedaan – zij heeft nog niets daarvan beleefd.'

'Je praat alsof wij hebben afgedaan.'

'Nee, nee, zo bedoel ik het niet – we hebben nog jaren en jaren voor ons. Maar ze is nog maar pas van de middelbare school. Ik kan de gedachte niet verdragen dat het haar allemaal ontnomen zou worden.'

'Maar de tijden zijn veranderd, niet? Ze zou de baby mee kunnen nemen – ze hebben crèches en subsidies en weet ik veel wat voor dingen om meisjes als Cressida te helpen.'

De manier waarop hij zei 'meisjes als Cressida' beviel Polly niet. 'Maar dat zou niet nodig zijn als ik de baby had. Ze zou het allemaal op de juiste manier kunnen doen.'

Jack keek haar aan. 'Gaat dit over Cressida of over jou?'

Polly begon ongeduldig te worden. 'Over ons allebei. Natuurlijk wilde ik dat het anders was gelopen voor mij, maar als je moeder wordt zijn de dingen die je wel of niet zijn overkomen niet zo belangrijk meer. Het gaat nu over hén. Ik probeer niet om het goed te maken voor mijn moeder of zoiets, als je dat soms wilt zeggen.'

Ze was kwaad. Hij begreep het niet. Hij wilde iets wat zuiver en goed en redelijk aanvoelde doen voorkomen als gestoord en verkeerd. Ze probeerde een andere tactiek. 'En als ze er eens vandoor gaat met die Elliot en met hem trouwt?'

'Zoals jij hebt gedaan?'

Hij sloeg de bal naar haar terug. Verbale squash. Dit was niets voor Jack. 'Ja, precies. Zoals ik heb gedaan. Zelfs al zou het goed gaan, en ik betwijfel heel erg of dat het geval zou zijn, zou het zo moeilijk zijn voor haar – ze zou alles moeten opgeven wat ze gewild had, haar leven volledig veranderen.'

'Maar ze wil de baby, Poll. Misschien wil ze zelfs Elliot. Waarom weet je zo zeker dat het niet goed zou gaan?'

OMDAT IK HET NIET ZAL DULDEN, schreeuwde ze in zichzelf. 'Omdat het verkeerd is. Hij is verkeerd voor haar – dat kan ik zien. Het zou geen stand houden, en dan zou ze behalve de baby ook nog een mislukt huwelijk hebben, en geen goede opleiding om weer aan de slag te gaan.'

Jack legde een hand op de hare. 'Vind je niet dat je hier misschien een beetje, nou ja, melodramatisch over doet? Je maakt een soort tragische heldin van haar.'

Polly trok haar hand weg. 'Maak er geen grap van, Jack.'

'Ik probeer niet om er een grap van te maken, liefste. Ik denk alleen dat je te veel doordraaft. Ik geloof dat je denkt dat je Cressida moet "redden", niet alleen haar helpen. Je maakt er een soort kruistocht van.'

Zijn ogen en stem waren liefdevol en teder. Hij probeerde de zin ervan in te zien en ze kon zien dat het hem niet lukte.

Dit was niet wat ze gewild had. Ze had gewild – verwacht – dat Jack haar in zijn armen zou nemen en zou mompelen dat ze natuurlijk samen opgewassen zouden zijn tegen een baby, en dat hij er voor haar zou zijn, en misschien zelfs nog een tikje meer van haar zou houden omdat ze dat wilde doen. Hij zei niets in die trant, maar hij wilde geen ruzie met haar. Hij was nog steeds kalm, nog steeds teder.

Hij liep met zijn glas naar de andere kant van de kamer en keek door het raam naar de achtertuin, die straalde in de oranje avondgloed. 'Ik heb je nooit veel verteld over mijn eerste huwelijk, hè?' Hij was er nooit uit zichzelf over begonnen, en zij had er nooit naar gevraagd.

Polly geloofde in een tweede kans. En een nieuw leven. Ze wist dat hij jaren geleden gescheiden was, en dat hij daarna nooit meer een serieuze relatie had gehad tot hij haar ontmoette. Hij zei dat er niemand anders in het spel was geweest. 'Waarom we uit elkaar zijn gegaan?'

'Je zei dat jullie uit elkaar waren gedreven.'

'En dat was waar. Behalve dat "gedreven" misschien te zacht is uitgedrukt. Anna heeft me verlaten.'

'Dat wist ik niet.' Ze wist zelfs niet dat ze Anna heette.

'Waarom zou je? Het was al zo lang geleden en ik voelde me er niet langer door gekwetst. Al was ik nooit blij dat het geëindigd was, tot ik jou leerde kennen.'

Polly glimlachte. Ze vond het een heerlijk gevoel dat ze zijn leven weer op het rechte spoor had gebracht.

'Was er een ander?' Ze kon zich niet voorstellen waarom hij dat voor haar verborgen zou hebben gehouden.

Jack glimlachte. 'Nee. We waren heel jong toen we elkaar leerden kennen. We hadden allebei grootse ideeën, uitvoerige plannen – we zouden de wereld bereizen, een verschil maken, je weet wel. Ik zou iets goeds doen met mijn juridische studie. Hemel!' Hij meesmuilde.

'Standaard Miss-Worldgeklets, zo klinkt het nu, maar het was in de jaren zeventig en we waren nog kinderen.'

Zij en Dan waren vroeger ook zo geweest, vóór Cressida, herinnerde Polly zich.

'Ze veranderde. Ik denk dat we uiteindelijk allebei veranderden. Maar zij veranderde eerst. Op een dag realiseerde ze zich dat ze alle dingen wilde waarvan ik dacht dat we die allebei haatten. Een groot huis, twee auto's op de oprijlaan en kinderen. Ze wilde werkelijk kinderen, al hadden we altijd gezegd dat we die nooit zouden nemen. En ik meende het. Dat is ongeveer de reden waarom ze me ten slotte in de steek liet. Ik gaf toe wat het huis en de baan betrof, en we hadden zelfs twee stomme auto's en een verrekte jaarlijkse vakantie van twee weken in Zuid-Frankrijk. Maar ik wilde nooit de kinderen die ze er nog bij wilde.'

'Waarom niet? Je zou een geweldige vader zijn geweest.'

Jack wimpelde het cliché af. 'Nee, dat zou ik niet. In mijn hart ben ik een egoïstisch mens.' Polly schudde haar hoofd, probeerde hem te onderbreken. Ze herkende de man niet over wie hij sprak. 'Dat ben ik wél, geloof me. Ik wilde haar niet met een ander delen. Ik wilde niet dat er iets zou veranderen. Ik wil jóú niet delen.'

'Maar dat is lang geleden, Jack.'

'Ik ben niet veranderd.'

'En Cressida en Daniel dan?'

'Ik heb jou leren kennen en ik viel als een baksteen voor je. Ik ontdekte het pas van Cressida en Daniel toen het te laat was.'

Polly lachte nerveus. 'Wil je zeggen dat je niets met me te maken had willen hebben als je het geweten had van de kinderen?'

Hij boog naar haar toe, alsof hij zichzelf niet voldoende vertrouwde om de kamer door te lopen en haar aan te raken.

'Wat ik wil zeggen is dat het waarschijnlijk belangrijk voor me was dat de kinderen bijna volwassen waren, bijna het huis uit. Ik wist dat ik je binnen niet al te lange tijd voor mijzelf zou hebben.'

Polly was geschokt. Jack liep naar haar toe. 'Begrijp me niet verkeerd.' Nu wilde hij net zo graag dat zij hem begreep als zij wilde dat hij haar begreep. 'Ik hou van ze, echt waar. Tenminste, ik begin van ze te houden, zonder er zelfs mijn best voor te doen. Daniel en Cress – ze zijn geweldig. Echt waar. Ik geloof zelfs dat ik gewend begon te raken aan het idee dat ik stiefvader was, weet je, echt betrokken bij hun leven. Ik vind het heerlijk met jullie allemaal hier te zijn. Een gezin.'

'Maar net niet volledig erbij betrokken.' Polly wist dat ze onvriendelijk klonk, maar ze kon het niet helpen.

Jack wreef over zijn voorhoofd. 'Dat is niet eerlijk. Jij praat over iets anders. Je vraagt me feitelijk om een vader te zijn.' Polly schudde haar hoofd. 'Ja, ja, dat doe je wél.' Jacks stem klonk vastberaden. 'Ik weet niet of ik dat kan.'

Polly keek hem recht in de ogen. Hij kende de implicatie. 'Zelfs niet voor jou.'

'Ik weet dat ik dit moet doen als ze me de kans geeft.'

Schaakmat.

Ze zou hem niet smeken. Ze zou hem niet zeggen dat hij, als hij van haar hield, dit voor haar zou kunnen opbrengen. Ze wist dat het niet zo simpel was. Hij hield van haar. Het zou niet voldoende zijn. Plotseling was ze bang. Wat was er verdikkeme gebeurd met jongen ontmoet meisje en ze leven nog lang en gelukkig? vroeg Polly zich af.

Jack kuste haar toen hij wegging, een kus vol droefheid en tederheid. Ze had zich aan hem vastgeklampt maar niets gezegd. Ze wist nog niet echt hoe het tussen hen stond.

Maar nu ze in het donker op de bank zat, wist ze dat ze weer alleen was.

Polly en Susan

'Ik begrijp het niet,' zei Susan. Alles was zo veranderd sinds de bijeenkomst vorige maand van de leesclub. Die avond was goed geweest. Ze hadden een van hun beste discussies gehad tot dusver, en bovendien een gezellige avond.

Het leek toen heel goed te gaan met Polly, alsof alles met Cressida op zijn pootjes terechtkwam. Ze had zelfs enthousiast geleken, had over baby's gepraat met Harriet en Nicole, lachend omdat ze 'oma' genoemd zou worden. Zij en Jack hadden de datum van het huwelijk vastgesteld, met Kerstmis. Zij en Susan hadden erover gesproken dat ze een dag zouden prikken om samen kleren te gaan kopen. Susan had het sinds die tijd druk gehad met haar dagelijkse bezoeken aan Alice en met de jongens die in en uit vlogen met hun onverzadigbare eetlust en eindeloze wasgoed, en ze had Polly niet zo vaak gebeld als ze meestal deed, en nu was ze in de war. Op de leesclub in juni had Polly het niet geweten van Elliot. Ze veronderstelde dat dat alles had veranderd. Al wist ze niet goed waarom. Misschien had Polly meer het idee gehad dat ze de touwtjes in handen had toen ze dacht dat Joe de vader was. Nu ze wist dat hij het niet was, vreesde ze misschien dat ze Cressida kwijt zou raken. Maar wat had dat met Jack te maken? Hoe kon het zo plotseling uit zijn tussen Polly en Jack? Susans instinctieve, karakteristieke reactie was schuldbesef – was ze geen goede vriendin geweest? Ze wist dat het terecht was geweest om Polly te vertellen over Elliot. Ze had toch geen andere keus gehad? Ze bedacht dat Polly haar evenmin had gebeld.

Vanavond was hun vaste afspraak, bij de Italiaan, en het restaurant was vol mensen die buiten op het binnenplein verkoeling zochten op deze windstille, zwoele avond in juli, en met blote schouders en open kragen aan de tafels zaten onder feeëriek licht, met flakkerende kaarsen in stormlampen om hen heen. Susan had te laat gereserveerd om buiten te kunnen zitten – ze was tot vanmorgen de datum vergeten – en ze zaten aan de tafel achterin, waar de eigenaars reusachtige spiegels hadden gebruikt om het nauwe gedeelte van het restaurant naar de keuken groter te laten lijken. Ze kon hen beiden zien in de spiegels. Ze zagen er moe en bleek uit, ondanks het seizoen, en ongeveer tien jaar ouder, dacht ze, dan de laatste keer dat ze hier waren geweest. Iets als een depressie maakte zich van haar meester, vermengd met een nieuwe bezorgdheid over Polly. Als je een druk leven had en te veel aan je hoofd, streepte je soms namen weg van mensen en dingen die je lief waren. Net als de jongleerballen in je permanente circusact die je op een bepaald moment niet in het oog hoefde te houden. Dingen waarover je je op dit moment geen zorgen hoefde te maken. Alex was weggestreept, hij was op vakantie met een groep vrolijke medestudenten. Ed was weggestreept, omdat hij net thuis was geweest voor een revisie, zoals Roger het noemde. Polly had ze ook weggestreept. Nu had ze het gevoel dat ze de situatie misschien te lang op zijn beloop had gelaten.

De scheiding kwam niet door haar, dat kon Susan zien. Ze zag er ongelukkig uit. Een fles Chianti en twee porties bitterballen later was het verhaal eruit gekomen, onderbroken door stille tranen, wat woede, en 'Je begrijpt het toch, hè?'

Polly had besloten dat ze voor de baby wilde zorgen, terwijl Cressida het normale leven leidde van een twintigjarige studente, en dat Jack haar zou helpen. Jack kon dat niet aan. En ze begreep het. En ze begreep het niet. Susan wist niet wat ze tegen haar vriendin moest zeggen, die overigens nog niet met Cressida over haar plan leek te hebben gesproken.

'Ik wilde wachten tot de baby geboren is.'

'Lijkt dat je een goed idee? Zou het niet gemakkelijker zijn voor Cress – en voor jou, wat dat betreft – om een objectief besluit te nemen dat voor alle betrokkenen het beste zou zijn als je het van tevoren met haar besprak?'

'Misschien.' Susan kon zien dat Polly haar woorden overwoog. 'Maar tot de baby er is, heeft ze geen flauw idee wat de zorg voor een kind inhoudt, hoe het alles beïnvloedt.'

'En je denkt dat als ze dat begrijpt, ze meer bereid zal zijn het kind aan jou over te laten?'

'Ik weet het niet. Maar je praat net als Jack. Ik wil niet dat ze "het aan mij over laat". Dit gaat niet over zeggenschap, Suze, ik zweer het je. Dit is niet voor mij – jij zou dat toch moeten begrijpen. Zou jij dit niet willen doen voor je jongens?'

Susan dacht erover na. Ze wist natuurlijk wat Polly bedoelde. Ze kon geen moeder bedenken die niet die impuls zou voelen. Ze wilde het doen voor Alice, laat staan voor de jongens. Ervoor zorgen, alles op je nemen, alles in orde maken. Ze wist ook dat wat Roger gezegd had juist was. Je kon niet alles op je nemen. 'Ik zou het misschien wel willen, maar dat betekent niet dat het ook juist is. In ieder geval kan ik me niet voorstellen dat Cress ja zou zeggen. Dat lijkt me niets voor haar.'

'Ik zal het haar aan het verstand brengen. Zij zal de moeder zijn, dat zal ze altijd blijven. Ik wil alleen helpen met de praktische kant ervan tot ze het zelf kan.'

'Kun je het je permitteren om te doen wat je zegt?' Klonk dat neerbuigend? Polly had voldoende geld, dat wist Susan. Dan nam zijn verantwoordelijkheid als vader serieus, en Polly was heel goed in haar werk.

'Natuurlijk.' Polly's gezicht verried haar dat ze inderdaad neerbuigend was geweest. 'Ik ben al god weet hoe lang bij Smith, March and May en het minste wat ze kunnen doen is me een paar maanden verlof geven. Ik weet dat Dan me zou helpen – hij wil ook het beste voor Cress.'

'Oké, dus een paar maanden is er het en een en ander geregeld. En dan?'

'Ik verwachtte niet dat Jack met geld over de brug zou komen, als je dat soms denkt.' Polly was bang dat ze defensiever klonk dan ze zich voelde. Ze kon het niet verdragen dat Susan de tweede op rij was die niet begreep wat ze wilde doen.

Susan hapte niet. 'Dat weet ik, Polly. Dat kwam geen moment bij me op. Maar heb je een plan?'

'Nou, ja, natuurlijk. Hij of zij zou naar een crèche moeten; er is er een niet ver van kantoor. Een van de andere meisjes op het werk heeft daar een dochtertje. We zouden net zo zijn als elk ander gezin.'

'Maar is dat niet hetzelfde wat Cressida met de baby zou doen?'

'Nee.' Polly schudde heftig haar hoofd. 'Het zijn niet de uren tussen negen en vijf die je tot ouder maken, Suze. Dat weet je net zo goed als ik. Het zijn de nachten en de avonden, de ochtenden en de weekends en al die andere keren dat ze niet in de crèche zijn, het leeuwendeel van hun leven.'

'Dat is waar,' gaf Susan toe.

'En dat zijn de momenten waarop ik wil dat Cress vrij is. Niet alleen voor de lessen en colleges – de universiteit betekent zoveel meer dan dat. Kijk maar eens wat Alex en Ed niet allemaal doen... Dat zou zij mislopen. En je kent Cress.'

Susan had het gevoel dat ze Cress helemaal niet meer kende. Ze kende de Cressida die uitging met een jongen die Joe heette. Hij had altijd een aardige jongen geleken, en Susan kon zich niet meer herinneren hoe lang hij al verliefd was geweest op Cressida. Hoewel, dat kon ze wél. Sinds ze na schooltijd hand in hand op Polly's bank naast elkaar zaten, maar met de ruimte van een heel persoon tussen hen in, en naar de tv keken, aanbiddelijk kuis en kinderlijk.

Ze wist dat Cressida een beetje een wilde meid kon zijn, eigenzinnig soms, maar een relatie met een getrouwde man? Een man die ze allemaal van de leesclub kenden, zij het indirect. En zwanger geworden? Dat leek Susan nog steeds weggelegd voor domme meisjes, vaak uit gebroken gezinnen, die onwetend of verleid waren. Ze wist dat Polly en Dan gescheiden waren, maar ze kon onmogelijk aan hen denken als een gebroken gezin. En Cressida was een slimme meid – te slim voor deze verdomde rotzooi.

Susan wilde een goede vriendin zijn voor Polly, en voor Cressida, maar ontrouw viel slecht bij haar. Zij was getrouwd in de verwachting dat het voor het hele leven zou zijn, en ze verwachtte van Roger hetzelfde. Ze zou woedend zijn op de jongens als ze hun vriendin of hun vrouw bedrogen. Ze had een hekel aan de eenvoudigste vormen van oneerlijkheid en bedrog. Maar ze was niet naïef, en ze had veel gezien. Ze wist dat het succes van haar huwelijk slechts gedeeltelijk was toe te schrijven aan inspanning en prestatie. De rest was geluk, en dat hadden zij en Roger dubbel en dwars gehad. Niet alleen waren ze na al die jaren nog steeds verliefd op elkaar, wat ze, speciaal van Rogers kant, als een wonder beschouwde – ze leek fysiek, emotioneel, in alle opzichten anders dan het meisje op wie hij al die jaren geleden verliefd was geworden – maar, en dat was veel belangrijker, het leven had hen met geen enkele tragedie geconfronteerd. Wie kon zonder enige twijfel zeggen dat hun gelukkige huwelijk een echte tragedie zou kunnen overleven? En tot een van die tragedies behoorde volgens haar een kinderloos huwelijk: de jongens betekenden alles voor haar, net als Cressida en Dan voor Polly. Ze kon Cressida noch Elliot compleet verwijten wat er gebeurd was. Veronderstel dat Elliot een nieuw leven wilde beginnen met Cressida? Stond die keus niet open voor hen? Ze was bang dat Polly Cressida nog steeds behandelde als een kind, niet inzag wat een enorme sprong naar de volwassenheid ze op het punt stond te nemen, en zich niet bijzonder erom bekommerde met wie ze die zou willen nemen.

'Weet iedereen nu dat het kind van Elliot is?'

Polly stak haar stekels op bij het horen van die naam. 'De meesten wel, denk ik.'

'En Jack?'

'En Jack. Ik heb hem de dag nadat je het me verteld hebt gesproken.'

'Voordat je hem vroeg of hij wilde helpen voor de baby te zorgen?'

Het stak Polly dat Susan het op die manier uitdrukte, maar dat was precies wat ze Jack gevraagd had.

'Ja.'

En de vraag of hij met jou voor de baby wilde zorgen was de reden dat Jack wegliep?'

'Ik denk het, ja. Het werd hem allemaal een beetje te veel. Ik denk dat hij waarschijnlijk erg zijn best heeft gedaan het allemaal te verwerken – de baby en Dan en alles, en dat dit de laatste druppel was. Ik denk dat het hem wat te zwaar viel.'

Haar stem klonk niet kwaad – zelfs niet verwijtend – alleen maar droevig. Susan zag aan haar gezicht hoe groot haar liefde voor Jack was.

'Hoe zijn jullie uit elkaar gegaan?'

'Ik weet het niet. Hij zei dat hij het niet aankon, en toen ging hij weg. Sinds die tijd heb ik niets meer van hem gehoord.'

'Wil je dat ik hem bel, met hem praat?'

Polly glimlachte naar haar vriendin. Het was zo typisch Susan. 'Dank je. Dat meen ik. Maar toch maar niet. Ik kan er beter nu achter komen dan later. Ik had het om te beginnen nooit zover moeten laten komen. Ik geef jou de schuld.' En ze lachte. 'Jij zei dat ik ja moest zeggen!' Susan liet zich niet voor de gek houden. Ze wist dat Polly van Jack hield, en was er vrijwel zeker van dat Jack van Polly hield. Dat die kwestie met Cressida tussen hen zou komen en hun relatie verstoren, leek haar weer een nieuwe tragedie.

Ze sloeg haar arm om Polly heen. 'Het spijt me,' zei ze.

'Mij ook,' antwoordde Polly.

Susan werd dapper. 'Je gelooft niet dat er misschien een toekomst is voor die twee – Elliot en Cressida?'

'Ik weet het niet. Ik hoop van niet. Ik kan je niet vertellen waarom, ik weet gewoon dat dit niet het juiste is voor haar. Ik weet het. En daarom kan ik het haar niet vragen voordat de baby geboren is. Ik kan haar niet in de weg staan, niet als dat is wat ze wil. Niet als hij is wat ze wil. Ik moet wachten tot zij naar mij toe komt, me vertelt wat ze voelt. En ik geloof niet dat ze op het ogenblik daar ook maar een flauw idee van heeft.'

Later, nadat ze de avond hadden gered met tiramisu, Amaretto met koffie en over alles hadden gepraat behalve over Cressida, Elliot en Jack, toen ze arm in arm over straat naar de taxistandplaats liepen, zei Susan: 'Ik vind echt dat je erover moet denken met Cressida te praten voordat de baby komt, als je het serieus meent.'

'Ik meen het doodserieus, Suze. Dit kan lukken. Toen ik had besloten dat dit is wat ik moet doen, had ik het gevoel dat de wolken uiteen waren gedreven – alles wees erop dat het de juiste beslissing was.'

'Zelfs al kost het je Jack.'

'Zelfs al kost het me Jack. Jij bent moeder, Suze. Zou jij Roger niet voor een op hol geslagen trein gooien als je daarmee Ed en Alex kon redden?'

Susan lachte. Ze zou het niet zo hebben uitgedrukt, maar ze wist wat Polly bedoelde.

'Ik zou Dan ervoor gooien.'

'Je zou Dan voor de trein gooien gewoon voor de lol, niet voor de kinderen! Geef toe!'

Polly lachte nu ook, al waren de tranen niet ver weg. 'Oké, je hebt gelijk. Ik zou Dan ervoor gooien. Voor Cressida. Precies.'

Ze had het helemaal gepland. Susan vroeg zich af wat Cressida zou zeggen, en hoopte dat Polly niet in beide opzichten aan het kortste eind zou trekken.

Voor ze afscheid namen, draaide Polly zich naar haar om. 'Sorry – ik heb de hele avond niet naar Alice geïnformeerd. Wat een egoïst ben ik toch. Hoe gaat het met haar?'

'Niet zo best. Niets dramatisch. Ze gaat alleen langzaam, onverbiddelijk achteruit. We kunnen niets doen.'

'O, Suze.'

'Ik raak eraan gewend. Het is oké. Ik ga er de laatste tijd wat minder vaak naartoe. Jij en Roger hadden gelijk – het heeft geen zin voorzover het mijn moeder betreft, en god, ik word er zo depressief van.'

'Ik ben blij dat je aan jezelf denkt. Ik weet dat het een cliché is, maar Alice zou het willen. Ja toch?'

'O, vast en zeker. Ze zou woedend zijn als ze wist wat er aan de hand is.'

Beide vrouwen glimlachten naar elkaar. Ze voelden zich beter nu ze wat tijd met elkaar hadden doorgebracht.

Toen ze bij haar huis uitstapte, gaf Susan Polly een zoen op beide wangen. 'Hou me op de hoogte van alles, denk eraan!'

'Ik beloof het. Heb je *Een onvoltooid verleden* al uit?'

'Ik ben nog niet eens begonnen. Je kent me! Maar ik heb het tijdig uit voor de leesclub, dat beloof ik je!'

'Oké. Tot ziens dan.'

Susan was diep dankbaar, niet voor het eerst, dat ze thuiskwam bij Roger. Hij hoorde dat ze het portier van de taxi dichtsmeet, en had de voordeur open voor ze tijd had om haar sleutels te zoeken. Echt iets voor Roger.

Harriet

Zou wat voor Nicole in Venetië gold ook voor haar in Portugal gelden, had ze daarom zo'n prettige tijd hier? Niets leek verschrikkelijk in dit ongelooflijk zonnige landschap. Zelfs haar olifantachtige dijen zagen er beter uit nu ze bruin waren. Na haar douche de vorige avond had ze zichzelf gezien in de grote slaapkamerspiegel en was tot de conclusie gekomen dat ze er heel behoorlijk uitzag. Was fors en trots een goede beschrijving? Of had ze meer een Rubensfiguur? Hoe dan ook, het was niet slecht. Ze had er hard aan moeten werken, dat wel. Om de paar uur het verstandig aanbrengen van factor-15, veel aftersun. Niet zoals Tim en de kinderen, die de kleur hadden van eiken meubilair zodra ze uit de villa kwamen en alleen maar donkerder werden. Laatst had Tim tegen de deur van de badkamer geleund om naar haar te kijken terwijl ze een douche nam. Bij uitzondering had ze het niet erg gevonden. 'Je doucht heel mooi,' had hij gezegd toen ze onder de douche vandaan kwam. 'Ik hou van de manier waarop je je rug welft als je je haar uitspoelt.' Het feit dat hij haar op die manier zag maakte dat ze zich aantrekkelijk voelde. Het moest door het weer komen.

Er was een nieuwe huishoudelijke hulp dit jaar, een vervanging van de uitgedroogde weduwe die ze jaren hadden gekend. Deze was jong en aantrekkelijk, en duidelijk verliefd op de man die het zwembad schoonmaakte. Elke ochtend als ze de bedden had opgemaakt en schone handdoeken had opgehangen, bood ze aan om voor een paar euro extra een paar uur bij het zwembad op de kinderen te passen, zodat Tim en Harriet naar het dorp konden ontsnappen om wat rust te krijgen.

De eerste ochtend had Harriet gezegd dat ze niet van plan was het meisje te betalen om in een tanga in de zon te zitten, en dat ze er weinig vertrouwen in had dat ze de kinderen niet zou laten verdrinken terwijl zij en de schoonmaker van het zwembad flirtten in het Portugees. Tim zei dat ze de dochter was van vrienden van zijn ouders en dat de kinderen beslist niets kon overkomen, en dat het iedereen goed zou doen. De kinderen smeekten Harriet met hem mee te gaan: de schoonmaker had Josh beloofd hem te leren hoe hij achterover moest duiken in het zwembad en de vierjarige Chloe was wanhopig verliefd geworden op hen beiden.

Harriet had moeten toegeven. Maar feitelijk vond ze het heel prettig, en ze vervielen gemakkelijk in een routine. Ze liepen omlaag langs de steile heuvel naar het dorp, kochten sinaasappels, tomaten of brood op de grote overdekte markt, en daarna, elke dag in hetzelfde restaurant, genoot Tim van zijn bier en sardines en zij van kip en witte wijn terwijl ze naar de dorpelingen keken die wild naar elkaar gesticulerend stonden te roken op het brede strand. Het was... ontspannend. Eén keer had Tim geprobeerd haar hand te pakken toen ze langs de helling weer omhoog klommen en ze klaagde over de hitte en de steile weg, en ze had het toegestaan.

Deze ochtend hadden ze gevrijd. Ze was maar half wakker, verlangde ondanks alles naar hem, en schoof naar het midden van het bed, in plaats van angstvallig op de rand te blijven liggen, zoals gewoonlijk. Daar had ze haar achterste ritmisch tegen zijn bekken geduwd, tot hij, zelf nauwelijks wakker, had gereageerd. Ze was onmiddellijk daarna weer in slaap gevallen, met een verbaasd en voldaan gevoel, maar niet voordat ze hem in haar hals had horen mompelen dat hij van haar hield.

Susan

Roger had net een rustig ochtendspreekuur achter de rug en dronk kalm een kop koffie. In de zomer, als er zoveel mensen weg waren, was het spreekuur altijd rustig; de thuisblijvers waren schijnbaar gezonder dankzij meer frisse lucht en salades – en aanzienlijk minder geprikkeld. Hij had niet langer de leiding van de prenatale kliniek waarvoor hij vroeger verantwoordelijk was geweest – een van de nieuwe vrouwelijke partners had de kliniek vorig jaar overgenomen – en de verpleegkundigen in de praktijk namen veel van de routinekarweitjes voor hun rekening. Misschien zou hij over een paar jaar wat minder kunnen gaan werken, bijvoorbeeld als de jongens van de universiteit kwamen.

Samen met de trots die hij voelde als hij dacht aan Alexander die in zijn voetsporen trad en medicijnen studeerde, kwam het besef dat Alex nog een paar jaar zo niet geheel dan toch gedeeltelijk financieel afhankelijk zou zijn. Nog een jaar in Edinburgh, dan drie jaar klinisch werk, en dan nog een jaar als arts-assistent voordat hij volledig gekwalificeerd zou zijn en op eigen benen kon staan.

Roger herinnerde zich zijn eigen opleiding in de jaren zestig als zowel de mooiste als de slechtste tijd. Academisch behoorde hij tot de middenmoot, altijd. Maar hij kon goed met mensen omgaan. Hij kon hen op hun gemak stellen, waardoor ze hem hun diepste, duisterste zorgen en angsten toevertrouwden, vanaf de eerste keer dat hij de zaal binnenkwam in zijn korte witte jas. Ook goed in de omgang met de verpleegsters, tot hij Susan leerde kennen natuurlijk. Daarna had hij naar geen andere vrouw meer gekeken, en ze waren getrouwd voordat hij zijn lange witte jas kreeg. De huisartsenpraktijk was geknipt voor hem. Alexander was ambitieus en energiek en bezat alle arrogantie van een twintigjarige. Ze waren in conflict geraakt met Kerstmis. Nou ja, in conflict voorzover Susan bereid was dat toe te staan tijdens een familiebijeenkomst met Kerstmis. Alex vond het werk van een huisarts saai, tweederangs, en het stak Roger een beetje dat hij zo weinig respect had voor het werk van zijn vader. Maar hij had nog tijd om te leren dat helden niet altijd groene operatiejassen droegen en met scalpels zwaaiden. Hij zou hoe dan ook verdomde trots op hem zijn – huisarts of chirurg. Roger wilde slechts dat zijn jongens gelukkig waren.

Susan had het heerlijk gevonden hen deze zomer allebei thuis te hebben – het speet haar alleen dat ze niet samen hadden kunnen komen. Maar ze zouden het niet wagen om niet met Kerstmis thuis te komen. Twee of drie dagen was voldoende. Roger was bang dat Susan het dit jaar harder nodig zou hebben dan ooit.

Sandy Kershaw, een van de andere partners, kwam binnen en plofte met een overdreven zucht neer op de oude sofa.

'Gaat het een beetje?' vroeg Roger.

Sandy grinnikte. 'Geweldig. Ik ben net terug van mijn wekelijkse bezoek aan De Dennen. Het is te warm voor al dat heen en weer geren.' Hij woog rond de honderdvijfentwintig kilo, die hij, zei hij schertsend, te danken had aan alle haggis en whisky die een overblijfsel waren van zijn kindertijd en zijn puberteit in de Schotse Hooglanden. Zijn brede gezicht zag vuurrood, en op zijn bovenlip parelde het zweet. Hij stond weer op en sjokte onbeholpen naar de koeltank. 'Water, dat is wat ik nodig heb, en een comfortabele plaats om uit te rusten voor het middagspreekuur.'

Sacha, de nieuwe receptioniste, deed de deur open. 'Raad eens?' vroeg ze aan Sandy.

'Wat is er?'

'De Dennen was aan de telefoon. Ze hebben je daar weer nodig.'

'Allemachtig!'

'Ik weet het. Er is eentje dood.' Ze zei het alsof ze het over een nest puppy's had.

'Hadden ze niet tien minuten eerder kunnen doodgaan?' Sandy glimlachte spottend. 'Wie is het?'

Sacha keek naar het briefje in haar hand. 'Ene mevrouw Barnes. Alice Barnes.'

Sandy's houding veranderde onmiddellijk. Hij keek streng naar Sacha, waarschuwde haar met zijn ogen, en keek toen naar Roger. 'Dat is Susans moeder, hè?' Roger knikte. 'Och. Wat erg, Rog. Eerder dan je verwachtte, hè?'

'Wie zal het zeggen?' antwoordde Roger. 'Sinds het voorjaar ging ze hard achteruit. Eerlijk gezegd verwachtte ik niet dat ze het nieuwe jaar zou halen.' Hij zuchtte.

'Hebben ze de naaste familie gebeld?' vroeg Sandy aan Sacha.

'Ik weet het niet.'

'Susan is vanmorgen niet thuis.' Roger dacht na. Zijn vrouw was berucht om het feit dat ze meestal vergat haar mobiel mee te nemen, en als ze hem bij zich had, stond hij zelden aan. Hij was voor háár noodsituaties, had ze hem verteld, niet voor die van andere mensen. Hij vertelde het haar liever zelf. 'Bel ze terug, Sacha, wil je? Zeg maar dat ik de dochter van mevrouw Barnes op de hoogte zal stellen.'

Sacha leek niet op haar gemak.

Sandy kwam tussenbeide: 'Ze is zijn vrouw.'

'O, mijn god, het spijt me. Dat wist ik niet.' Ze liep langzaam de kamer uit.

Roger glimlachte naar haar. Hij wilde niet dat ze zich onbehaaglijk zou voelen. Ze praatten allemaal oneerbiedig over de dood. Je moest wel.

'Hé, maak je geen zorgen – hoe kon je dat weten? Het is oké.' Roger wilde alleen maar dat ze dat telefoontje zou plegen. 'Bel ze, wil je?'

'Ik doe het meteen.'

'Hoe zal Susan het opvatten?' vroeg Sandy.

'Ze verwacht het. Ze redt het wel. Het is altijd droevig, maar niet tragisch op Alice' leeftijd en met die toestand waarin ze verkeerde.'

'Ja, je hebt gelijk. Ik zal erheen gaan, de overlijdensakte tekenen. Ik heb haar verleden week nog gezien, dus dat is geen probleem. Denk je dat Susan haar zal willen zien?'

'Ik denk van wel.'

'Goed, ik zal alles regelen. Geen zorgen.' Hij klopte Roger op zijn schouder toen hij langs hem liep.

Tijdens de rit naar het atelier vroeg Roger zich af hoe hij het haar moest vertellen. Bijna vijfentwintig jaar getrouwd – je zou denken dat je dan toch wel hoorde te weten hoe je iets moest zeggen. Ze was bij hem geweest toen hij beide keren 's avonds laat de telefoon opnam met het bericht dat zijn eigen ouders waren overleden. Zijn moeder was kort na Alex' geboorte gestorven: ze had borstkanker gehad, met uitzaaiingen in haar longen. Ze was pas achtenvijftig. Ze had in een verpleeghuis gelegen, had wekenlang tussen leven en dood gezweefd, haar oogballen naar achteren rollend, de oogleden aan het eind trillend van de morfinedromen. Hij had naast haar bed gestaan en haar hart in gedachten gedwongen te stoppen.

Toen de telefoon ging, had Susan de slapende Alex, die pas een paar maanden oud was, uit zijn wieg getild en hem in Rogers armen gelegd om hem vast te houden en te ruiken en te voelen. Het pulserende, ademende leven op zijn schoot, dat weerstand bood tegen het gevoel van de dood.

Zijn vader was vijf jaar geleden gestorven – een zware beroerte, en hij was dood voordat Roger hem naar het ziekenhuis had kunnen brengen.

Hij had zich een weeskind gevoeld, zelfs op zijn vijfenveertigste.

Susan had natuurlijk ook van haar vader gehouden, maar dit zou zoveel erger zijn voor haar. Wat ze voor Alice voelde was iets anders. Hij was blij dat hij het haar zou kunnen vertellen.

Net als bij een telefoontje om twee uur 's nachts wist Susan dat er iets mis was zodra ze hem zag. Ze zag de Volvo vanaf de voet van de heuvel toen ze terugreed, zag toen Roger op de teakhouten bank zitten waar zij en Mary in de zomer hun lunch aten.

Ze begroette hem niet. 'Gaat het goed met de jongens?' Altijd die angst.

'Uitstekend, liefste.'

Dus moest het haar moeder zijn. Het moest Alice zijn. Haar gezicht vertrok. Hij vertelde het haar snel. 'Het is je moeder, Suze. Ze is vanmorgen gestorven. Ze sliep, zeiden ze, dus wilden ze haar niet storen. Toen ze gingen kijken, was ze gestopt met ademhalen. Sandy is nu bij haar.'

'Was het weer een beroerte?'

'Dat weten we niet. Het kan een hartaanval zijn geweest. Of ze is misschien gewoon gestopt met ademhalen.' Hij sloeg zijn armen om haar heen, en ze leunde zo zwaar op hem dat hij bijna achteroverviel. Hij bracht haar naar de bank, en ze gingen allebei zitten. Minutenlang zei ze niets, en haar schouders schokten van het heftige snikken. Hij hield haar alleen maar in zijn armen.

Dit was vreemd – hij had het zien gebeuren met patiënten. Deze competente, verstandige volwassene was weer veranderd in een kind. Ze rouwde niet om de gebogen oude dame die bezweken was aan haar ziekte in het verpleeghuis vijf kilometer verderop, maar om de levendige jonge moeder die haar op schoot had genomen en gekieteld, haar 's avonds in bed had gestopt met de belofte de spoken bij haar vandaan te houden. De dochter was op dit ogenblik groter dan de echtgenote en de moeder, en de dochter had verdriet.

Ten slotte ging Susan rechtop zitten, met een indrukwekkend gesnuif, en droogde haar ogen met de mouwen van haar linnen blouse. Ze stopte haar haar achter haar oren en leunde achterover op de bank, met over elkaar geslagen armen, en keek uit over het dal. 'Ik ben blij dat jij het me verteld hebt.'

'Ik ook.'

'Arme mam.' Een eenzame traan rolde over haar wang. 'Ze zou graag zijn heengegaan, weet je. Ze zou het vreselijk hebben gevonden zichzelf in dat tehuis te zien. Zo... onwaardig.'

'Dat weet ik.'

'Ik ben blij dat ze het nooit heeft geweten.'

'Ik ook.' Roger streek over haar hoofd. 'Wil je dat ik het de jongens vertel?'

'Zou je dat willen? Ik zou alleen maar huilen aan de telefoon, en dat zou niet erg helpen. Goddank dat Alex terug is van Ibiza. Ze zullen allebei kunnen komen voor de begrafenis, hè?'

Roger wist dat zijn jongens er zouden zijn, koste wat kost. Ze hielden van hun moeder. 'Natuurlijk. Maak je daar nu geen zorgen over. We regelen het wel.'

'Ze wilde gecremeerd worden. Ze zei altijd dat ze het vreselijk zou vinden om in de koude grond te liggen, en het idee dat wij ons verplicht zouden voelen erheen te gaan en voortdurend bloemen neer te zetten.'

Rogers gedachten dreigden op hol te slaan en hij wilde ze tegenhouden. 'Daar is nog tijd genoeg voor, Suze.' Het volgende was het moeilijkst. 'En Margaret? Zal ik haar bellen?'

Susan schudde haar hoofd. 'Dat moet ík doen. Dat zou mam willen.' Toen lachte ze, een tranerig kort lachje. 'Dat zal ze niet leuk vinden, twee keer in een jaar te moeten overkomen. Tien jaar niets, en dan twee keer in één jaar.'

Roger vroeg zich af of ze gelijk had met haar aanname dat Margaret zou komen, maar hij wist dat het nu niet het moment was om daarnaar te vragen. Hij zou zorgen dat hij erbij was als ze haar zus belde. Hij wist zeker dat er dan meer tranen gedroogd zouden moeten worden.

Susan zweeg weer. Het was stil in het dal, slechts een heel zacht briesje deed de bladeren licht bewegen en temperde de hitte.

'Kan ik haar zien?' vroeg ze.

'Natuurlijk. Ik wist dat je dat zou willen. Sandy is nu bezig het te regelen. We kunnen er meteen naartoe, als je wilt.'

Susan boog zich naar hem toe en kuste hem zacht. 'Kunnen we hier gewoon nog even samen blijven zitten?'

'Natuurlijk kunnen we dat. Ik ga nergens heen.'

Nicole

Nicole had het heet en ze had de pest in. Dit was absoluut niet zoals het hoorde. Ze was de laatste twee uur geleidelijk kwader en warmer geworden terwijl ze naast die verrekte Tony Brooks lag in de volle zon die hij nodig had om zijn rug te braden in dezelfde rode kleur (compleet met vingerafdrukken – zijn zonnebrandcrème was erop gekwakt door zijn verfoeilijke vrouw Phil met alle behoedzaamheid van een modderworstelaar die zijn tegenstander aanvalt) als zijn voorkant gisteren. Hij lag met zijn gezicht in zijn handdoek en ze was verplicht hem te vragen alle opmerkingen die hij maakte te herhalen, wat verdraaid vervelend was omdat geen ervan de moeite waard was. Ze kon zich nauwelijks beklagen over het effect dat de hitte op haar had zonder hem te vertellen over de baby, en ze verdomde het om het hem te laten weten voordat ze het Gavin vertelde. Die er waarschijnlijk niet veel beter aan toe was. In deze gruwelijke soap waren Gavin en Phil blijkbaar aangewezen om met de oudere kinderen te gaan tennissen, en zij en Tony om bij het grote gemeenschappelijke zwembad op het kleintje te passen, zoals Phil Martha consequent noemde.

Dat was toch al niet Nicoles natuurlijke habitat – ze was er niet erg op gebrand om te worden gezien in de buurt van meisjes van vijftien met hun uiterst smalle heupen en belachelijk pronte borstjes. Ze wist dat ze er goed uitzag voor haar leeftijd, zelfs nu ze stiekem zwanger was, maar ze was niet gek. Het was veel te warm vandaag en ze maakte zich ongerust dat Martha's schouders zouden verbranden en over haar eigen geleidelijk opkomende maar onverbiddelijke hoofdpijn.

Ze had nu al minstens vijf keer dezelfde pagina van Michael Ondaatje gelezen, en ze wist nog steeds niet wat er nu eigenlijk gebeurd was. Er was weinig Michael Ondaatje rond dit zwembad, dat moest gezegd worden. Het publiek leek meer van het soort dat geïnteresseerd was in seks en seriemoordenaars. Snob die je bent, dacht Nicole. Zo zou Harriet haar noemen, en waarschijnlijk had ze gelijk. Ze wilde dat Harriet hier was om haar te redden.

Mijn probleem, dacht ze spottend, is dat ik te beleefd ben. Ik zit liever opgescheept met die lange kerel, zijn klotekind en zijn verfoeilijke vrouw – zelfs al bederft dat de vakantie, en een hoop perfecte kansen – dan ze te vertellen dat ze op moeten krassen.

Harriet zou het niet dulden. Ze kon haar vriendin al zien, de ijzeren vuist in de fluwelen handschoen, die oneindig beleefde maar volstrekt openhartige manieren vond om te zeggen: SODEMIETER OP JULLIE DROEVIGE FIGUREN – HET IS NIET ONZE SCHULD DAT JULLIE ELKAAR NIKS TE ZEGGEN HEBBEN – WAAG HET NIET OM VAN ONS TE VERWACHTEN DAT WE KLEUR BRENGEN IN JULLIE GRAUWE LEVENS. Ze zouden zelfs nooit weten dat ze dat had gezegd. Nou ja, misschien wel. Het zij zo – ze zouden in elk geval verdwenen zijn. Maar die gen bezat ze niet. Wees beleefd of sterf. Wat een vervloeking.

Als Phil Brooks een moeder was geweest op het parkeerterrein van hun school, dan zouden Harriet en zij om haar gegiecheld hebben. Ze was het soort moeder dat ze angstvallig vermeden zouden hebben op koffieochtenden en avonduitstapjes voor de moeders: te slank en fit voor Harriet, en te prestatiegericht voor Nicole. Ze vergeleek voortdurend de zwemafstanden en het tennistalent van de kinderen, en vroeg hoe het handschrift van de tweeling was, en wat Nicoles mening was over het in de kost nemen van ouderejaars – Harriet zou een en al sarcasme zijn geweest als ze die vraag beantwoordde. Als gevolg van die meedogenloze houding had hun nogal grauw uitziende kasplantje van een zoontje, Crispin genaamd, permanent het uiterlijk van een konijntje-in-de-koplampen. Waarschijnlijk werd hij niet vaak uitgenodigd bij klasgenoten, wat maar goed was ook, want afspraken om te komen spelen zouden vrijwel zeker samenvallen met Conversatie Latijn of Kunstgeschiedenis, en bovendien was hij voor bijna alles allergisch. De arme knul had niet eens een broer of zus om het juk te helpen dragen.

De Brooks hadden hen aangesproken in de vertreklounge. (Voor 'aangesproken' lees 'in een hinderlaag gelokt'.) Eenmaal aan boord hadden Phil en Tony geestdriftig gezwaaid op hun stoelen vier rijen verder, en was Phil naar haar toe gekomen zodra het karretje met dranken over het middenpad voorbij was gekomen, om aan een stuk door te blijven praten en de weg te versperren voor moeders met baby's die naar de wc wilden.

Toen ze hun auto's ophaalden bij verschillende verhuurders en op weg waren naar hun vakantiebestemming dacht Nicole dat zij ze van zich had afgeschud, maar toen ze arriveerden haalden Phil en Tony tot haar afgrijzen de sleutels op van een villa op dezelfde halve kilometer van La Manga. Sindsdien waren ze 'even voorbijgekomen' om te horen 'of jullie iets nodig hebben uit de winkel', en hadden ze in het algemeen op elke hoek als lastige wespen om hen heen gezoemd.

'Jullie moeten allemaal komen barbecuen!' had Phil sinds de vertreklounge lopen roepen. 'Zo leuk voor Crispin om een paar speelkameraadjes te hebben. Het is moeilijk, zie je, met een enig kind. Tony kan een fantastische steak maken!'

Tony zag er niet uit als iemand die wat dan ook fantastisch deed, en de jongens hadden al snel hun geduld verloren met die miezerige kleine schaduw. Tot nu toe hadden ze de barbecue weten te vermijden, maar er was in die eerste week niet één dag geweest zonder dat ze althans een deel ervan met de familie Brooks hadden doorgebracht. Nicole wachtte erop dat Gavin zijn geduld zou verliezen en hen zou beledigen, zodat ze weg zouden blijven.

Ze zocht naar Martha's duidelijk te herkennen, lieve kopje te midden van het menselijke rommeltje in het kinderbad en luisterde – ze hoopte dat het aandachtig leek – naar Tony's zoveelste financiële mop toen ze de drie jongens met een ongelukkig gezicht naar hen toe zag komen lopen.

'Mam had de tijd verkeerd begrepen,' blèrde Crispin toen ze dichterbij kwamen.

De tweeling rolde minachtend met hun ogen. Tony ging rechtop zitten. 'O, wat jammer, jongens. Verdomde pech.'

De tweeling en Nicole krompen ineen bij zijn poging om joviaal te doen.

Nicole had de vorige avond op scherpe toon met Will gesproken nadat ze hem tegen Crispin had horen fluisteren 'je vader is een zuiplap'. 'Maar dat ís hij, mam,' had Will later gezegd toen ze eindelijk alleen waren. 'Dat ís hij, mam,' was Gavin hem bijgevallen, en ze hadden allemaal gegiecheld, zelfs de vier jaar oude Martha, die het samenzweerderig eens was met de diagnose. Nou ja, hij wás het ook.

'Waar is papa, jongens? Hij zou komen kijken.'

De tweeling had een net beginnend spel watervolleybal in het oog gekregen in het zwembad en gaf geen antwoord. Ze trokken hun T-shirt over hun hoofd en schopten hun sportschoenen uit. 'Mogen we gaan zwemmen, mam?' Het was een retorische, achterom geschreeuwde vraag, ongeveer twee seconden voor ze in het water doken. Crispin was bezig zijn sportsokken dubbel te vouwen.

O, verdikkeme. Geen handdoeken, droge shorts of euro's voor de drankjes en ijsjes die ze natuurlijk wilden hebben als ze eruit kwamen. Geen Gavin om terug te sturen naar de villa om het te gaan halen. Waar was hij toch? In ieder geval had zij de auto, en het was een goed excuus om te ontsnappen aan de zon en aan Tony. Ze moest Martha maar uit het water gaan plukken.

Tien minuten later voelde ze zich intens dankbaar voor de airconditioning: de koele lucht blies recht in haar gezicht. Martha had geweigerd uit het zwembad te komen – 'ik speel, mam, ik speel' – en Tony had Nicole verzekerd dat hij een oogje, 'hm, allebei de ogen natuurlijk,' op Martha en de tweeling zou houden terwijl zij terugging om te halen wat ze nodig had. Hij was er zelfs voor overeind gaan zitten, met opoffering van vitale minuten van zijn tijd om bij te kleuren. De voorkant van zijn lichaam was onaangenaam bezweet. Maar Nicole was niet van plan haar dochtertje bij hem achter te laten. Ze hoopte dat ze de jongens kon meeslepen als ze hadden gezwommen – misschien konden ze naar de strip rijden, waar de enige mensen met wie ze het brede witte strand zouden delen de Spanjaarden waren die daar altijd in juli en augustus appartementen huurden voor hun jaarlijkse vakantie.

Martha had kwaad gegild, gekronkeld en geschopt, maar een paar minuten later had ze haar duim in haar mond gestopt en was in slaap gevallen. Nicole besloot haar voor de deur in de auto te laten – ze zag er zo vredig uit, en het was lekker koel in de auto. Ze zou niet langer dan een minuut wegblijven. Misschien was Gavin er al, hoewel hij gezien haar ervaring eerder zou profiteren van de rust om een San Miguel te drinken op het balkon dan droge handdoeken te zoeken voor de jongens.

Hij was er. In de villa. In de slaapkamer. En in Phil Brooks.

Ze zeggen toch altijd dat als een deur dicht is en je vermoedt dat er brand is daarachter, je die deur niet moet openmaken? Omdat de toestroom van zuurstof de brand voedt en die met hernieuwde intensiteit op je af zal jagen als een muur van vlammen en hitte?

Zo voelde het aan. Precies zo. Een grote, dikke muur van iets wat zo intens was, dat ze dacht dat ze weg zou smelten of zou verdampen door de schok en het onverwachte en de kracht ervan.

Het gebeurde, zoals dat gaat met die dingen, in slowmotion, zodat de eerste brandende pijn des te langer duurde.

Ze hoorden haar. Of zagen haar. Ze wist niet wat het eerste gebeurde. Gavins achterste, wit binnen de zongebruinde strepen, samentrekkend, Phils magere benen eromheen geslagen. De huid van haar hielen was gebarsten en droog en zou zeker krassen op hem achterlaten. De deur was evenwijdig met het bed, zodat ze kon zien waar hun lijven elkaar raakten. Ze kon Phils dunne, lange borsten zien, de tepels die zijwaarts bogen, trillend van opwinding, haar puntige heupbenen. Haar armen lagen boven haar hoofd, vastgehouden door Gavins handen, vlak boven haar ellebogen. Zijn hoofd bevond zich boven het hare, te ver ervandaan om te zoenen, al zoog ze aan zijn nek, zijn borst, al hijgend: 'Neuk me. Neuk...' ze zweeg. Haar hoofd bewoog in de richting van de deur en ze zag Nicole. Gavin draaide zich in dezelfde richting. Toen hij van haar afsprong, stuntelig hinkend op het eerste been dat op de grond terechtkwam, was zijn penis vuurrood en wipte belachelijk tegen zijn buik. Nicole constateerde dat ze hen op het cruciale moment had onderbroken, maar het schonk haar geen voldoening.

Ze bewogen toen heel veel. Nicole was heel stil. Ze zwaaiden met hun armen, rukten aan lakens en kleren. Nicole versterkte slechts haar greep om de deurknop en staarde naar hun naaktheid, het absurde ervan. Ze had nooit eerder mensen seks zien hebben, behalve in films, en dat was niet echt, en ze had het nooit gehoord, behalve langgeleden door de muren van goedkope hotels. Films en onzichtbare onbekenden waren opwindend. Ze herinnerde zich een keer, een miljoen jaar geleden, dat ze gelijk klaarkwam met een ander koppel achter de muur, toen ze van achteren genomen werd, zodat ze op dat moment niet meer wist met wie ze gelijke tred hield, haar minnaar, die niet Gavin was, of met hen, het anonieme koppel achter de muur. Ze had Gavin alleen zien vrijen met háár, onderop, bovenop of naast hem. Toen had hij er altijd sexy uitgezien. Nu zag hij er enigszins komisch uit. Behalve dat dit niet grappig was.

Ze kon zich niet bewegen, niet naar voren en niet naar achteren, en ze kon geen woord uitbrengen. Phil zei steeds weer: 'Shit, o, shit,' kijkend naar Gavin, maar niet naar Nicole. Gavin zweeg en keek naar geen van beiden.

Het voelde aan als een cruciaal moment. Hoewel Gavins slippertjes en avontuurtjes van één nacht en zijn wippen op kantoor wonden hadden achtergelaten op haar psyche, hadden ze nooit de kern van haar wezen bereikt. Nu was het dwars door haar heen gegaan. En die plotselinge verandering in haar was fysiek zo sterk dat ze zich niet kon bewegen.

Met waardigheid zou ze de deur dichtdoen. Met trots zou ze weglopen. Met woede zou ze giftige woorden zeggen. Maar dit was sterker dan al het andere.

Ze keek naar hem, wachtte om te horen wat hij zou zeggen. En besefte dat ze niet iets verontschuldigends uit zijn mond wilde horen. Ze wilde niet dat hij zou smeken, of Phil zou wegsturen, of zijn excuses aanbieden, of het logisch beredeneren. En dus, plotseling, zonder het verlangen naar een uitleg waaraan ze zich zou kunnen vastklampen, die het haar mogelijk zou maken te blijven, was er geen noodzaak om te blijven. Niet in deze kamer, niet in dit huis, niet in dit moment. En ze kon haar lichaam in beweging brengen.

Ze deed de deur niet dicht. Ze konden zich in het openbaar aankleden, hun kleren aantrekken zonder iets van de haast of de passie waarmee zij ze hadden uitgetrokken.

In de witte keuken van de villa voerde Nicole twee telefoongesprekken, het eerste met de manager die de villa's ter plaatse beheerde, waarin ze hem uitlegde dat zij en de kinderen naar huis moesten – ziekte in de familie; ze vroeg hem een vlucht voor die avond voor haar te boeken en een taxi te bestellen om hen naar de luchthaven te brengen. Toen belde ze Harriet.

'Tim?'

'Ben jij het, Nicole?'

'Ja. Wat doe je thuis?'

'Ik had vanmorgen buitenshuis een afspraak met een cliënt, en ik was vroeg thuis – er is verder niemand, vrees ik. Je wilt Harry zeker spreken?'

'Ja. Weet je waar ze is?'

'Geen idee. Ik ben de laatste aan wie ze iets vertelt, dat weet je.' Tim liet een triest, kort lachje horen. 'Kan ik iets voor je doen? Ben je niet in Spanje?'

'Niet lang meer. Tim, ik heb een gunst nodig.'

'Wat heb je nodig?' Dat was zo typisch Tim, onmiddellijk kalm en efficiënt, je het gevoel gevend dat er geen probleem was dat hij niet kon oplossen. Ze huilde bijna van opluchting.

Waag het niet om te huilen, vermaande ze zichzelf. Niet hier, niet nu. Ze gebruikte het steno van de intimiteit, en de taal van een lange, hechte vriendschap.

'Afhalen. Gatwick. Vanavond.'

'Geen probleem. Welke terminal? Hoe laat?'

'Dank je. Noord. Ongeveer halfnegen.'

'Jullie allemaal?' Tims vraag was beladen met een tiental andere.

'Alleen ik en de kinderen.'

In vijf woorden had ze hem de meeste antwoorden gegeven.

Ze bedankte hem weer en haar stem dreigde te breken. 'Het is in orde, Nic. Hou het nog een paar uur vol. Een van ons zal er straks voor je staan. Oké?'

'Oké. Tim?'

'Ja?'

'Zeg tegen Harriet dat het me spijt.'

'Ze zal je vertellen dat je je mond moet houden. Dat doe ik ook. Stap jij nu maar in dat vliegtuig en maak je geen zorgen over de rest. Tot straks, lieverd.'

Toen ze zich omdraaide stond Gavin haar aan te staren. Phil zag ze niet. Later misschien, als ze het zelf had uitgepuzzeld, zou ze hem uitleggen wat hij haar zojuist had aangedaan. Maar nu wist ze het zelf niet zeker, en ze merkte dat ze het niet nodig vond iets tegen hem te zeggen.

Ze pakte drie handdoeken op die de hulp die ochtend daar had neergelegd. 'Die kwam ik halen. De kinderen zijn in het zwembad, met Tony Brooks.' Ze gaf ze aan Gavin. Ze moest door de keuken om dat te doen, trok zich toen terug naar de andere kant. Ze wilde hem niet ruiken of zich door hem laten aanraken. 'Hou ze een paar uur bij mij uit de buurt terwijl ik pak. Geef ze iets te eten.' Instructies, geen verzoeken. Het was een vreemd gevoel op die manier tegen hem te praten.

Gavin wilde iets zeggen. Ze gaf hem niet de kans. 'Zorg dat Martha niet verbrandt.'

'Nicole, wat moet ik hier doen, zonder jou?'

In gedachten, met haar mooiste zuidelijke accent, citeerde ze Rhett Butler. Hardop, kalm, zei ze: 'Je hebt nog vier dagen, Gavin. Ruim de villa op, werk aan je handicap. Word bruin in de zon. Het kan me allemaal niet schelen. Ik wil je gewoon niet in mijn huis zien.'

Gavin draaide zich om en wilde weggaan, als een schooljongen die net zijn straf heeft horen uitspreken door de directeur.

Hij heeft geen idee wat hij gedaan heeft, dacht Nicole. Geen flauw idee.

Cressida
Net als menstruatiepijn, alleen een beetje erger... Een homeopathisch middel kan je helpen je kalm en beheerst te voelen... Het doet pijn, ja, maar je voelt dat je ergens naartoe werkt – visualisatietechnieken kunnen een groot verschil maken. *Nonsens. Leugens. Propaganda, verspreid door die klootzakken, waarschijnlijk mannen, die niet willen dat het geboortecijfer daalt. Dit doet zo'n verdomde pijn... Mijn enig mogelijke visualisatie is doodgaan.*

Cressida was niet gelukkig. Ze had het hoofdstuk gelezen over wat er zou gebeuren als het zover was. Alleen was het nog niet zover. En het gebeurde ook niet zoals ze zeiden. Ze was pas vijfendertig weken zwanger. Ze was er nog niet klaar voor. Ze had nog geen tas gepakt met luiers (voor haar en de baby), spuugdoekjes, rompertjes en kleine vestjes die opzij werden dichtgemaakt met satijnen lintjes. Ze had zelfs haar benen niet geschoren. Dat was steeds moeilijker geworden, en een paar weken geleden had ze het opgegeven en zichzelf een pedicure en een ontharingsbehandeling beloofd als de datum naderde – de gedachte aan aantrekkelijke verloskundigen die met haar bezig waren terwijl ze eruitzag als een aap met varkenspoten stuitte haar tegen de borst. Maar ze had geen tijd gehad om het te doen. Ze herinnerde zich een oneindig aantal tv-series en films waarin de echtgenoot rondrende als een kip zonder kop terwijl de weeën om de tien minuten kwamen en een kalme verpleegkundige zei dat hij zich geen zorgen hoefde te maken, dat het nog uren, zelfs dagen kon duren voordat de baby geboren werd. Haar weeën waren pijnlijk, afmattend, hevig geweest vanaf de allereerste wee, die kwam toen ze vanmorgen de deur uit wilde gaan. En nooit meer dan drie, vier minuten ertussen. Lang genoeg om je even niet misselijk te voelen, op adem te komen, een gemakkelijke zithouding te vinden en dan – wham – weer een volgende. 'Je kunt tijd hebben om te rusten, zelfs even te slapen tussen de eerste weeën, en het is belangrijk dat je in die periode je energie bewaart.' Dat stond in het boek. Ha, het mócht wat!

Ze voelde zich verloren in de pijn. In een bepaald opzicht was het werk. Als de pijn even weg was, kon je in zekere zin de betekenis ervan begrijpen: dat je je geleidelijk, ritmisch openstelde. Elke keer beloofde je jezelf dat je je zou ontspannen, eraan zou denken dat je je opende om de baby eruit te laten, het natuurlijke proces zijn gang zou laten gaan, maar dan, als het weer begon, had je geen greep meer op dat alles en verzonk je weer in de pijn, gedesoriënteerd en wanhopig.

'Je moet je ontspannen, lieverd,' zei Polly. 'Anders put je jezelf uit.'

Ze wist dat Polly gelijk had, maar ze wist niet hoe ze het moest doen. 'Ik kan het niet, mam. Het doet zo'n pijn.' Ze wilde dat Polly de pijn zou laten verdwijnen. Ze pakte de hand van haar moeder, kneep er stevig in.

'Ik weet het, schat. Ik weet het. Het duurt niet zo lang. Ik ben bij je.' Die hand was Cressida's anker. Die hield haar vast als de pijn haar probeerde mee te slepen.

'En ik ook. Ik ben ook bij je.' Dat was Elliot, aan de andere kant, hulpeloos en op een afstand.

Hij had er zo graag bij willen zijn als de baby werd geboren. Polly had het geen goed idee gevonden, dat wist Cressida. Ze had Dan niet bij haar in de buurt willen hebben toen Cressida en Daniel werden geboren. Het konden dan de jaren zeventig zijn geweest, maar Polly had het gevoel dat ze vijftig jaar te laat beviel – ze had de weeën liever alleen gehad, terwijl Dan liep te ijsberen op de gang, sigaar achter zijn oor, tot ze overeind kon zitten in een wit nachthemd, de benen bijeen, en hem een schoongewassen baby tonen.

Ze dacht dat Dan dat ook liever had gedaan als er niet zo'n enorme druk op hem was uitgeoefend op de afdeling waar Cressida geboren was. Bloed en pijn waren niets voor hem.

Ze wist niet zeker of hij haar weer had gezien zoals daarvoor – maanden daarna had hij haar niet aangeraakt, rilde en piekerde meer dan zij toen ze voor het eerst de 'relatie hervatten' zoals de verpleegster het uitdrukte, en in hun hart voelden ze zich beiden opgelucht toen hij Daniels geboorte misliep, door een vertraging van de trein toen hij terugkwam van een of andere studiedag.

Cressida twijfelde. Ze piekerde erover hoe ze zich zou gedragen, hoe ze eruit zou zien. Maar ze kon Elliot niet buitensluiten. Het was een deel van wat ze zich op de hals had gehaald toen ze besloot het kind te houden. Wat er verder ook mocht gebeuren, dit kind was van hen beiden. Het was door hen beiden in liefde verwekt, hoe banaal en clichématig dat ook klonk, en het moest in liefde geboren worden, en de mensen die er altijd het meest van zouden houden waren zij en Elliot. Die band tussen hen was voor eeuwig gesmeed tijdens die eerste magische explosie van chemie tussen hen toen ze in zijn armen lag. Daarmee verdiende hij nu zijn plaats aan haar bed.

Polly had niet tegengesproken. Heel even had ze zich afgevraagd hoe ze zich gevoeld zou hebben als Jack bij haar zou zijn geweest, in een parallel universum waarin ze een kind hadden kunnen krijgen. Hij zou erdoor gefascineerd zijn geweest, dacht ze. Maar die gedachte was pijnlijk, en ze zette die van zich af. Jack was er niet.

Maar op dit moment vond Cressida Elliots aanwezigheid merkwaardig irrelevant. Het ging om haar en Polly en de baby. Dat was alles.

Polly hield het lachgas vast. Ze wendde haar blik geen moment van Cressida's gezicht af. Telkens als het toenemende crescendo van de pijn zich erop aftekende, bracht ze het kapje naar Cressida's mond zodat ze lachgas in kon ademen, en dan waren ze verbonden, door haar handen, en door het kapje, en door dat onafgebroken oogcontact waarmee Polly haar zwijgend vertelde dat ze er voor haar was, dat ze er goed doorheen zou komen.

Cressida's knieën deden pijn. Ze had thuis een uur of langer geknield naar voren geleund, over het bed heen, met Polly aan de andere kant, terwijl ze wachtten tot Elliot zou komen om hen naar het ziekenhuis te rijden. Daar hadden ze haar onderzocht, en ze zat rechtop, met de elektroden die verbonden waren met een monitor op haar bolle buik, onder haar nachthemd. Ze kon haar knieën zien, met helderrode kringen erop. Elliot streek over haar hoofd, maar dat wilde ze niet – alleen Polly's hand.

'Zullen we eens even kijken?' Het gezicht van de verloskundige was zorgzaam en vriendelijk, maar haar handen waren als scheermessen. Ze heette Alison, en ze tuurde naar de muur achter Cressida's bed, zich concentrerend terwijl ze voelde hoever Cressida was opgeschoten. 'Goed zo! Je doet het geweldig. Je had vier centimeter ontsluiting toen je binnenkwam, en ik zou zeggen dat het nu ongeveer acht centimeter is, en dat betekent dat het in een sneltreinvaart gaat.' Ze liet haar stem dalen. 'Verderop in de gang ligt een vrouw die al de hele nacht bezig is, de stakkerd, en haar ontsluiting is nog lang geen acht centimeter.' Cressida voelde zich heel slim. 'In dit tempo zal je baby over een uur, misschien twee, geboren worden, denk ik. Hoe voel je je? Nog steeds vechtend tegen de pijn?'

'Ik geloof dat de pijn eerder tegen mij vecht.'

Alison lachte. 'Ik ben blij dat je je gevoel voor humor nog niet hebt verloren. Het is een beetje laat voor pethidine of een ruggenprik. Denk je dat je het zonder redt? We reiken medailles uit, weet je!'

Ze leek weinig keus te hebben, maar ze was bang voor wat er komen ging. Ze herinnerde zich een verhaal dat haar vader haar had verteld over haar moeder: hoe ze hem halverwege de bevalling van Cressida had gesmeekt: 'Dwing me niet dit vandaag te doen, ik wil het morgen doen, maar niet vandaag.'

Als kind had ze dat een hilarisch verhaal gevonden, en Polly had er ook om gelachen. Het was minder grappig nu ze precies wist wat haar moeder had bedoeld. 'Ik zal mijn best doen.'

'Prachtig. Dat soort patiënten heb ik graag.' Alison keek op de monitor. 'Met de baby gaat het prima: vrolijk en dartel. Ik kom over een paar minuten terug – bel maar als je me nodig hebt.'

Toen ze weer weg was, keek Cressida naar Elliot. 'Zou je een kop thee willen halen voor mama?' De bezorgde uitdrukking op zijn gezicht en zijn verlangen haar aan te raken begonnen haar te irriteren – ze wilde dat hij wegging, al was het maar voor een paar minuten, en haar alleen liet met Polly en de apparatuur.

'Natuurlijk. Suiker?'

Polly glimlachte naar hem. 'Nee, dank. Maar wel graag een paar biscuitjes, als je die kunt krijgen. Ik ben mijn ontbijt misgelopen!'

'Ik zal ervoor zorgen.' Elliot gaf Cressida een zoen op haar wang. 'Niet laten komen terwijl ik weg ben, hoor.'

'Kon ik het maar!' antwoordde ze.

Elliot deed de deur achter zich dicht en liep naar de liften. Clare stond daar met haar rug naar hem toe te wachten. Het pijltje naar beneden brandde. Hij was vergeten dat dit zou kunnen gebeuren. Zijn vriendin kreeg een baby op de kraamafdeling waar zijn vrouw werkte en hij had er niet bij stilgestaan wat hij zou zeggen als hij haar tegen het lijf zou lopen. Stom. Maar toen het telefoontje van Polly vanmorgen kwam, was hij opgewondener dan hij ooit was geweest. Hij had de telefoon neergelegd en zijn armen om zich heen geslagen. Hij deed zijn best om kalm te blijven, terwijl hij dacht: vandaag is de dag waarop ik mijn kind in mijn armen zal houden. Hij was te gelukkig, te opgewonden.

Schuldbesef schoot door hem heen. Haar dienst was natuurlijk afgelopen. Hij keek op zijn horloge. Kwart voor tien. Waarschijnlijk was ze om acht uur klaar geweest en was ze gebleven om bij een bevalling te blijven, omdat ze dacht dat ze de vrouw zou kunnen helpen. Echt iets voor Clare. Hij voelde iets van opluchting dat ze dat nog steeds deed, nog steeds langer werkte dan ze verplicht was nu ze niet langer probeerde laat thuis te komen om hem te vermijden. Ze oogde vermoeid.

Hij wilde wegsluipen, zodat deze scène zijn herinnering aan vandaag niet zou verstoren, en om haar niet droeviger te maken dan ze al was. Maar het was te laat. Ze had zich omgedraaid, had gevoeld dat er iemand achter haar stond.

Even was ze in de war – kwam hij haar zoeken? – maar toen drong het tot haar door waarom hij hier was. Ze had hierop gewacht. Als een militair had ze haar verdedigingsstrategie gepland. Ze had wakker gelegen, denkend aan wat ze zou zeggen tegen de afdelingszuster als ze gevraagd werd te helpen met Cressida's bevalling. Dat kon ze niet, maar ze wist niet wat ze tegen die zuster zou moeten zeggen. Zijn aanwezigheid hier na afloop van haar dienst was een verrassing, maar niet onverwacht. Ze voelde zich opgelucht dat ze uit het ziekenhuis weg kon. Morgen en de dag daarna zou ze niet op haar werk komen. Ze zou een excuus verzinnen, voedselvergiftiging voorwenden of koorts. Ze zou pas terugkomen als Elliot, Cressida en hun baby vertrokken waren.

Ze had niet geweten of hij hier bij Cressida zou zijn. Ze had hem niet meer gesproken sinds die zomeravond in zijn auto, en wat haar moeder hoorde van Susan hield ze wijselijk voor zich. Ze wist niet of hij en Cressida bij elkaar waren. De meeste ochtenden verwachtte ze half en half dat de postbode een brief van een advocaat zou brengen, maar die was niet gekomen. Híj was gekomen. Hij zou hun kind geboren zien worden. Ze had meer dan honderd vaders gezien die toekeken hoe hun baby nat, bloederig en rood uit het lichaam van hun luid kreunende, hijgende vrouw kwam. Ze zag ze in tranen, met een brede glimlach, met wijdopen geschokte ogen, verbijsterd door ontzag en bewondering – gefascineerd, ontzet, uitzinnig, ontroerd. Ze had ze horen huilen, kreunen, lachen, vloeken en hun liefde verklaren. Ze zou zijn gezicht niet zien, en ze zou zijn stem niet horen. Ze zou nooit weten wat voor soort nieuwe vader Elliot was.

Elliot kwam naar voren. 'Hallo, Clare.'

'Hallo.'

'Je bent vrij?'

'Ja, ik heb nachtdienst gehad.'

'Dat dacht ik al.'

'Natuurlijk.' Het leek erg lang geleden dat ze na de nachtdienst thuiskwam en hem gekleed voor zijn werk aantrof, terwijl hij thee zette en het bed netjes voor haar had opgemaakt zodat ze erin kon stappen.

'Het gebeurt dus vandaag?'

'Ja.' Hij durfde verder niets te zeggen. Waarom zou ze meer willen weten?

'Is het... heeft het...?'

'Nog niet. Maar ze houdt zich kranig.'

Clare wilde het niet weten. Ze draaide zich weer om naar de lift. Goddank hoorde ze het reddende belletje en gingen de liftdeuren open. Een menigte vreemden wachtte om haar in hun midden op te nemen.

'Ik hoop dat alles goed gaat,' zei ze, en was verdwenen.

Beneden holde Clare door de brede voordeur, de rolstoelen ontwijkend, naar de parkeerplaats, verwoed in haar tas zoekend naar haar sleutels. Bij de auto gekomen maakte ze het portier open, stapte in, smeet het dicht en legde haar voorhoofd op het stuur om op adem te komen. Zodra ze weer kalm genoeg was om zich veilig te voelen, reed ze achteruit en zo snel ze durfde naar de rotonde en naar huis.

Boven zocht Elliot in zijn zak naar kleingeld, en probeerde wijs te worden uit de borden die hem door labyrintische gangen de weg naar de cafetaria wezen. Hij was blij dat ze weg was. Het zou niemand enig goed doen als ze in de buurt was.

Toen hij terugkwam met de thee en een paar slappe croissants, was Alison weer terug. Cressida was van houding veranderd. Toen hij wegging had ze op haar zij gelegen, met haar gezicht naar Polly gekeerd en de gezegende verdoving van het lachgas, maar nu zat ze rechtop, haar handen zo stevig om haar knieën geslagen, dat haar knokkels wit zagen. Haar wangen waren rood en opgeblazen van de ingehouden lucht, die ze fel uitstootte toen ze hem zag. 'Net op tijd. Ben je naar India geweest voor die thee? Alison zegt dat ik zover ben.' Ze glimlachte, maar er lag angst in haar ogen. Polly was gaan staan. Ze had één arm om Cressida's schouder geslagen en er lag een vastberaden uitdrukking op haar gezicht. Het moment was gekomen.

O, god. O, god. O, god. Elliot bad inwendig: Laat alles goed gaan. Laat met hén alles goed gaan. Het was nu bijna te reëel voor hem. Ze zou dood kunnen gaan, zíj zouden dood kunnen gaan, en het zou zijn schuld zijn. Zijn angst moest op zijn gezicht te zien zijn, want Polly zei: 'Maak je niet ongerust, het gaat uitstekend.'

'Ja, Cressida. Ik kan een hoofdje zien en het heeft jouw haar, een hele hoop. Bij de volgende wee moet je heel hard persen. Je baby is er bijna.'

Ze persten allemaal. Polly's lippen waren gespannen en wit. Cressida sperde haar ogen open toen het hoofdje glimmend tevoorschijn kwam. 'Au, au, au! Dat doet pijn. Het brandt. Au!'

'Je bent een ster,' zei Alison. 'Ik geloof dat je niet eens ingescheurd bent. Niet meer persen nu, schat. Even zuchten, een minuutje maar.' Ze was kalm, hield het hoofdje van de baby vast. 'Nu de schoudertjes nog en dan is je kindje eruit en kun je het zien.'

'Ik móet persen. Het moet eruit. Ik moet het eruit duwen. Alsjeblieft?' Het laatste kwam er wanhopig uit.

'Oké. Vooruit dan maar. Nog één keer hard persen. Goed zo.'

Cressia drukte haar kin op haar borst, klemde haar tanden op elkaar en de baby glibberde bijna met geweld op het laken. Cressida viel achterover in de kussens, huilend van geluk en opluchting en pijn.

Alison draaide de baby om en veegde het mondje schoon met de punt van een schone handdoek, waarna het een zachte, vochtige kreet liet horen. Terwijl Alison bleef praten, wikkelde ze het kindje deskundig in een doek en gaf het aan Cressida. 'Je hebt een zoon. Een grote jongen, die er prachtig en perfect uitziet.'

Polly opende haar mond om iets te zeggen, maar ze kon het niet. De tranen rolden over haar wangen. Je kind een kind zien krijgen, in de kamer mogen zijn waar het gebeurde, onbeschrijflijk. Liefde, trots, opluchting en de herinnering aan haar eigen bevalling toen ze Cressida kreeg overweldigden haar. Ze legde haar hand op Cressida's wang.

'Ik weet het, mam.' Cressida glimlachte naar haar. 'Kijk toch eens. Hij is zo mooi. Hallo, mannetje van me.' Ze had al de zachte, mompelende stem van elke moeder – zo snel ging die verandering in zijn werk.

Elliot stak één vinger uit, streek er zachtjes mee over het vochtige voorhoofdje van de baby. Het voelde warm en zacht aan. Hij verborg zijn gezicht in Cressida's donkere haar. Ze drukte zijn hand. 'Dank je,' mompelde hij.

'Ssst.' Ze gaf een rukje aan zijn hand zodat hij zijn hoofd ophief en haar aankeek. 'Graag gedaan.'

Elliot lachte. 'Jeetje. Dit was het meest ongelooflijke wat ik ooit heb gezien.'

Alison keek glimlachend toe. 'Ik weet het. Daarom hou ik van dit werk. Elke keer is het net of het de eerste keer is. Elke dag een nieuw wonder.'

Toen Jack die avond thuiskwam van zijn werk flikkerde het rode lampje van zijn antwoordapparaat. Hij drukte de knop in en pakte de stapel post op die de schoonmaakster keurig op het tafeltje in de hal had gelegd. Hij bleef staan toen hij Polly's stem hoorde.

'Jack. Met mij. Sorry. Met Polly. Het is dinsdag, rond lunchtijd. Ik weet dat je op je werk bent. Ik wilde je daar niet bellen. Ik... ik dacht alleen dat je het zou willen weten, nou ja, ik wilde het je vertellen – Cressida heeft vanmorgen haar baby gekregen. Een zoon. Een beetje te vroeg, maar ze zeggen dat hij volmaakt gezond is. Woog ongeveer vijf pond, dus wat dat betreft geen probleem. En zij maakt het ook prima. Het ging gelukkig allemaal van een leien dakje. Ze heeft zich kranig gedragen – ik was erg trots op haar. Ik was er de hele tijd bij. Het was verbluffend, Jack. O, sorry, ik ben een beetje chaotisch. Ik wilde het je eigenlijk alleen maar laten weten. Eh, ze noemt hem Spencer. Ze wilde wat anders dan anders, denk ik. We zullen er wel aan wennen, Dan en ik, bedoel ik. En Elliot – hij was er ook bij. Wat een dag... Maar nu moet ik ophangen. Zoals ik al zei, ik dacht dat je het misschien wel zou willen weten. Ik hoop dat alles goed met je gaat. Pas goed op jezelf. Trouwens, je spreekt met Polly. Had ik dat al gezegd?'

Er volgden een minuut stilte voordat de verbinding werd verbroken, alsof ze nog meer had willen zeggen, maar het niet had gekund. Natuurlijk was er nog veel meer te zeggen. Jack wist precies wát, en hij wilde dat ze het gezegd had. Zijn vingers jeukten om zijn autosleutels te pakken. Hij wilde naar het ziekenhuis rijden en haar opzoeken. Maar hij kon het niet.

Hij stuurde een enorm boeket gerbera's, Cressida's lievelingsbloemen, een fles van de beste champagne en een blauw kaartje waarop stond hoe blij hij voor hen allemaal was. Maar hij kon niet bellen en hij kon er niet naartoe.

AUGUSTUS

Een onvoltooid verleden

ANITA SHREVE

Ze heette Eden, Eden Close, en ze woonde in het huis naast het zijne. Jarenlang waren ze speelkameraadjes. Andrew veranderde in een verlegen jongen. Eden werd een verleidelijke jonge vrouw die om Andrews aandacht te trekken met alle klasgenootjes flirtte.

Maar in die ene fatale nacht veranderde alles. Een indringer schoot Edens vader dood en Eden zelf raakte zodanig gewond dat ze blind werd. Over die nacht heerste een merkwaardig stilzwijgen, en wat de politie ook deed, van de dader ontbrak elk spoor...

Nu, 19 jaar later, keert Andrew terug naar zijn geboorteplaats. Als door een magneet wordt hij weer tot Eden aangetrokken, maar om haar te bereiken, moet Andrew eerst de gruwelijke waarheid ontdekken over die ene afschuwelijke gebeurtenis uit haar jeugd...

Een onvoltooid verleden, de Nederlandse vertaling van *Eden Close*, © 1989, verscheen bij uitgeverij Unieboek in 1992.

'S usan?
'Ben jij dat, Poll?'
'Ja, ik ben het. Slechte verbinding.'
'Gaat het goed met je? Je klinkt zo vreemd.'
'Suze... Cress heeft een baby gekregen. Een jongetje.'
'O, god, Poll, dat is vroeg.'
'Ik weet het.'
'Wat fantastisch. Niet te geloven. Ik ben er beduusd van. Wanneer? Waar?'
'Ongeveer vijf uur geleden – ik heb ze net in het ziekenhuis achtergelaten. Ik zit nu in de auto.'
'Gaat het goed met moeder en kind?'
'Kon niet beter. Met allebei. Hij is zo'n mooie jongen. Een beeldje. Vijf pond, dus hij zou een kanjer zijn geweest als hij op tijd was geboren. Tien vingers, tien tenen. Het grootste scrotum dat je ooit gezien hebt.' Polly lachte en huilde tegelijk.

Susan had haar willen omhelzen. 'O, Poll, ik ben zo blij voor je. Hoe heet hij?'
'Ze willen hem Spencer noemen.'
'Oké.'
'Je weet hoe dat gaat, hè? Je hoort de naam, je denkt "O, hemel", maar vijf minuten later is hij Spencer. Alsof hij met een naamkaartje geboren is.'
'Ik weet het. En hoe gaat het met Cress? Hoe was het?'
'Snel voor een eerste kind, zeiden ze. Ze was verbluffend, Suze. Ik geloof niet dat ik ooit trotser op haar ben geweest. Ze heeft het allemaal zelf gedaan. En ik was er de hele tijd bij.'
'En Elliot?'
'Hij ook. Hij kan geen woord uitbrengen. Het lijkt of hij in een shocktoestand verkeert. Hij is nu bij hen. Ik moet naar huis voor Daniel, maar ik ga later weer terug. Ik denk dat ze haar daar een paar dagen zullen houden, omdat hij zo vroeg geboren is, maar hij heeft al een keer gedronken, die slimme jongen, dus zal het niet lang duren. Suze, hij is zo mooi.'

'Je klinkt zo gelukkig.'

'Ik voel me alsof ik iets geslikt heb. Euforisch.'

'Ik neem aan dat je niet naar de leesclub komt vanavond.'

'Wil je me bij hen verontschuldigen?'

'Geen verontschuldiging nodig – ze zullen erg blij voor je zijn.'

'Ik moet ervandoor.'

'Knuffel ze van ons, wil je?'

'Zal ik doen. Kom ons opzoeken zodra we thuis zijn.'

'Probeer me maar eens tegen te houden. Gelukgewenst, Poll, jullie allemaal.'

'Dank je, Suze. Ik hou van je.'

'Ik ook van jou.'

Harriet was de eerste die arriveerde. Het deed er niet toe hoe vroeg je bij Nicole was, je ving nooit een restantje op van een chaos, en Harriet kon het weten – ze had het vaak genoeg geprobeerd. Er was geen voetafdruk te bekennen op het crèmekleurige tapijt, of de veeg van een hand op de lichte wanden, of een vingerafdruk op het glimmend gepolijste graniet in de keuken, laat staan ketchupvlekken op de theedoeken. Bij Harriet thuis maakten William en George net zo'n rommel als Josh, was Martha even gevaarlijk met viltstiften als Chloe. Hier werd het domweg niet toegestaan, verwacht of getolereerd. Al jaren had Harriet bewondering voor de controle die Nicole over haar huishouding uitoefende, bijna net zoveel als haar afkeer ervan.

Met Gavin ging het al net zo. Zou haar eigen huis er anders uitzien zonder Tim? De stapel wasgoed zou iets minder gevaarlijk wankelen zonder zijn hemden, en er zou een kleinere stapel partnerloze zwarte sokken zijn die vergeefs wachtten op hereniging. Was dat alles?

Maar Nicole was veranderd en Harriet maakte zich bezorgd over haar. Ze was geprikkeld en gespannen door haar pogingen alles voor zich te houden. Ze had het de kinderen niet verteld – ze dachten dat papa weg was voor zijn werk; dat was niet ongewoon. Ze leek te zijn afgevallen. De zwangerschap was nog verborgen. Vanavond, in haar legging, leek haar buik bijna hol.

'Hoe gaat het?' vroeg Harriet.

'Ach, je weet wel.'

Harriet wist het niet. 'Je ziet er moe uit.'

'Dat ben ik ook. Ik slaap niet zo best. Ik heb een hoop om over na te denken.'

'Natuurlijk. Heb je Gavin nog gesproken?'

'Nee. Wees maar niet bang, dat zal ik niet doen. Niet voordat ik alles op een rijtje heb gezet. Ik beloof het je.'

'Beloof me niets. Ik heb er niets in te zeggen. Gaat het goed met de kinderen?'

'Ze merken nauwelijks dat hij er niet is. Een bewijs hoe weinig hij aanwezig was in hun leven. Ik heb niet tegen ze gelogen. Het is domweg niet ter sprake gekomen.' Ze lachte verbitterd en veranderde van onderwerp. Ze was niet van plan te praten over wat ze ging doen, zelfs niet met Harriet.

'Heb je het boek uit?'

'Ja – in Portugal. Ik heb daar stapels boeken gelezen. Dat moet ik Tim nageven, hij is geweldig met de kinderen als we met vakantie zijn. Het is of hij alle tijd wil inhalen die hij met ze mist als hij werkt. Hij neemt ze 's morgens mee en ik zie ze pas terug rond theetijd. Ik hoef gelukkig niet naar al die afgrijselijke dingen als waterparken. Dat is mijn idee van de hel, de hele dag rondslenteren in een zwempak.'

Nicole kromp alleen al bij de gedachte ineen. 'Ik heb niet veel gevraagd over je vakantie. Sorry. Heb je het naar je zin gehad?'

'Prima. Het is altijd gemakkelijker als je niet thuis bent. Alles lijkt beter op een andere plek waar de zon schijnt.' Ze ving Nicoles blik op. 'Zolang er tenminste geen striptease is zoals jij voorgeschoteld hebt gekregen.' Ze glimlachten naar elkaar.

'Dat zie ik Tim niet doen,' zei Nicole.

'Ik ook niet,' was Harriet het met haar eens. 'Zolang je weg bent, denk je dat alles in orde kan komen. Je hoeft niet lang terug te zijn om je te realiseren dat er niets veranderd is.'

'O, Harry, je beseft niet dat dit allemaal tussen je oren zit, hè?'

'Is dat zo?' Harriet keek triest.

De deurbel ging. 'Gered door de bel.' Harriet ging opendoen, schudde haar melancholie van zich af. Ze draaide zich weer om naar Nicole. 'Je wilt het de anderen zeker niet vertellen van Gavin?'

'Nog niet.'

'Oké.'

'Niet dat ik hem terug zal nemen.' Nicole verlangde wanhopig naar Harriets goedkeuring.

'Nic! Hou toch op. Vertel het ze niet. Ik ben het met je eens. Maar hou op met jezelf tegenover mij te rechtvaardigen. Dat hoeft echt niet. Oké?'

Nicole glimlachte dankbaar. 'Oké.'

Polly had iedereen gebeld om te vertellen dat Susans moeder een paar weken geleden was gestorven.

Ze voelden zich betrokken bij het nieuws omdat ze er eerder in de zomer over hadden gepraat. Ze hadden geen van allen Alice ooit ontmoet en ze hadden allen hun moeder nog, maar ze herinnerden zich dat Susan bijna in tranen in Harriets keuken over haar gevoelens had gesproken, en ze wisten dat de dood van haar moeder haar intens verdriet deed. Nicole had een kaart gestuurd. Harriet was op een middag bij haar langs gegaan en had een enorme doos chocola op de stoep achtergelaten, met een briefje dat ze aan haar dacht en dat chocolaatjes soms hielpen. Maar ze hadden haar sinds de laatste bijeenkomst niet meer gezien.

Harriet omhelsde haar. 'Hallo. Hoe gaat het ermee?'

'Twee pond zwaarder. Bedankt voor de chocola.'

'Beter dan Prozac. Ik vind het heel erg van je moeder.'

'Dank je.'

Nicole liep de gang in, en Susan liet zich opnieuw omhelzen. Ze vond het medeleven van anderen verstikkend. De beleefdheid eiste dat ze er met je over spraken, en dan moest je antwoord geven. En omdat ze je moeder was, en niet je man of kind, en omdat ze een oude dame was en, laten we eerlijk zijn, niet helemaal goed meer bij haar hoofd, werd je geacht er filosofisch over te zijn. Bespiegelend, bedroefd, maar niet diep ongelukkig. Zo voelde Susan zich, als anderen haar dwongen eraan te denken. Op 'Hoe voel je je?' wilde ze antwoorden 'Verweesd', of 'Eenzaam', of 'Ik mis haar', of 'Ik was er nog helemaal niet op voorbereid'. Maar zoiets mocht je niet zeggen. Dat was niet wat mensen wilden horen. Maar iedereen bedoelde het goed. Dat bleef ze zich inprenten.

Nicole vroeg het niet. Haar omhelzing was welsprekend genoeg. Ze was opvallend gevoelig, dacht Susan, voor iemand die zo beheerst was. Ze was blij dat ze vanavond gekomen was, al was ze in de verleiding geweest het niet te doen. 'Je kunt geen winterslaap houden,' had Roger gezegd, en hij had gelijk. Bovendien had ze vanavond ook goed nieuws.

'Dat is fantastisch nieuws. Ooh!' gilde Harriet. 'Ik hou van de babytijd. Dat zijn de gelukkigste dagen!'

'Ik vind het een prachtige naam! Spencer Bradford.' Nicole liet hem bedachtzaam over haar tong rollen. 'Hij klinkt als je maatje. Spence. Mooi.'

'Heb je hem al gezien, Susan?'

'Ik ga er morgenochtend heen,' zei Susan. 'Polly heeft ze vanmiddag naar huis gebracht.'

'Knuffel ze allebei van me, wil je? Ik heb nog geen kaart of cadeautje of zoiets. Ik dacht dat we nog een paar weken te gaan hadden.'

'Dat dacht Polly ook. Ik denk dat hij iedereen te vlug af was.'

Nicole deed de koelkast open en haalde er een fles champagne uit. 'Dit moet gevierd worden, vinden jullie niet?'

'Reusachtig, zoals jij toevallig een fles gekoelde champagne bij de hand hebt. Ik zou hoogstens wat lauwe limonade tevoorschijn kunnen toveren.' Harriet lachte.

'Oude gewoonte. Je weet maar nooit...'

Ze maakte de fles deskundig open. Harriet pakte drie champagneglazen uit de kast, en Nicole schonk in. Volle glazen voor Susan en Harriet, een half glas voor haarzelf. Ze hield het glas rond de hals vast in plaats van bij de steel, zodat Susan het niet zou zien.

Harriet bracht de toast uit. 'Op Polly, Cressida en Spencer.' De drie vrouwen hieven hun glas en dronken. 'En Elliot, neem ik aan,' voegde Harriet eraan toe. 'Ik weet niet zeker hoe hij in het plaatje past, maar laten we in ieder geval op hem proosten.'

'Ja.' Susan wist het ook niet precies. Ze dacht dat ze dat aan Cressida moest overlaten. En dat Cressida het op dit ogenblik ook nog niet precies zou weten.

'Dus, geen Polly. Geen Clare, kennelijk.' Ze wisselden een blik uit. Harriet popelde van verlangen óm Susan te vragen wat ze wist, maar ze hield haar mond. 'Alleen wij drieën. Lijkt bijna niet de moeite.'

'Hou je mond! Ik ben gisteravond laat opgebleven om het boek uit te lezen.'

'Wij hebben het allebei in onze vakantie gelezen, hè, Harry?'

'Ja. Het was een prachtboek om in de hete zon te lezen.'

'O, ja. Dat heeft ze ongelooflijk levendig weten te beschrijven, hè, de zomerse hitte. Drukkend en verlammend. Is dat de goede uitdrukking ervoor?'

'Ik geloof het wel.'

'Polly is er niet, dus kan ze ons niet vertellen waarom ze dit boek heeft gekozen.'

'Zei ze niet dat Cressida een boek van Anita Shreve moest lezen voor school, en dat ze het allebei prachtig vonden?'

'Ja – *Vallend licht*, niet?'

'En dit is haar eerste boek.'

'Jemig. Dat is wel wat anders dan in mijn tijd, een heel ander niveau. Geen Chaucer?'

'Hou op! In ieder geval vond ik het erg goed. Ik had het eind geraden, maar dat deed er niet toe.'

'Heus? Ik niet. Ik bedoel, het was duidelijk dat er iets geks aan de hand was, en dat de moord niet willekeurig was, maar ik kwam niet op het idee dat het de moeder was. Of waarom ze het had gedaan.'

'Het zou een heel goeie film kunnen worden.'

'Dat zeg je altijd. Meestal heb ik een hekel aan films die zijn gemaakt van boeken die ik mooi vond. Ze stellen altijd teleur, vind je niet?'

'Worden de beste films niet van de klassieken gemaakt? Zoals Jane Austen? Ik heb haar gelezen op de universiteit en ik was er niet weg van – ik snapte niet waarom ze er zo'n drukte over maakten. Maar met Hugh Grant, of Greg Wise, een goeie soundtrack, mooie opnamen, en ik ben haar grootste fan.'

'Je bent een barbaar, Harry.'

'Misschien wel, ja, maar ik weet wat ik goed vind! En dit vond ik verrekte sexy, vond je niet? Al dat al gevrij in de open lucht! Ze maakt blindheid een beetje obsceen! Alsof alle andere zintuigen het moeten compenseren, denk ik. Vooral de aanraking.'

'Het was sexy maar ook ongelooflijk schrijnend, vond je niet? Die beschermende liefde voor haar, dat was ongelooflijk teder.'

'En het heeft een goede afloop. Daar ben ik dol op. Ik dacht bijna dat we die niet zouden krijgen. Dat is nog een facet van literaire fictie. Soms lijkt het wel of ze vinden dat een goede afloop niet intellectueel genoeg is. Het hele boek door leek het of ze overmand zouden worden door het verleden, dat ze dat niet van zich af zouden kunnen zetten, maar dat doen ze toch, hè? De waarheid komt uit, ze is zwanger. Ze laten het dorp, en alle daaraan verbonden herinneringen achter zich. Dat zegt ze immers, helemaal aan het eind. "Je hebt me alle geheimen ontfutseld, en ik ben nu lichter... we zullen deze plek verlaten en er niet meer terugkeren, en in onze dromen zal alles tot stof vergaan."' Harriet wendde zich tot Susan, die niet veel had gezegd. Ze was bang dat zij en Nicole de boventoon voerden. 'Wat vond jij ervan, Suze?'

'Ik weet het niet.' Ze zuchtte. 'Het lijkt of ik op het ogenblik niets kan lezen zonder dat het min of meer autobiografisch is. Ik kan me niet concentreren op wat ik lees omdat ik steeds teruggrijp op mijn eigen leven. Zoals *Oma van Amelia*. En *The Memory Box*. Dit was net zo. Ik weet wat je bedoelde, Harry, toen je zei dat we minder boeken van mannen moeten lezen, na *Boetekleed*, maar toen wist ik niet dat ze me emotioneel allemaal zo pijnlijk zouden treffen. Ik denk met angst en beven aan Nics keuze voor de volgende maand. Ik bedoel het niet kwaad, Nicole, maar ik reken erop dat je eens iets anders kiest, iets wat eens niet over levensangst gaat.'

Nicole knikte bevestigend. Ze had haar keus voor september al in haar hoofd, en ze was er vrij zeker van dat het aan Susans criteria zou voldoen, zij het misschien niet aan die van Harriet. Susan ging verder. 'Polly wist niet dat mijn moeder zo gauw dood zou gaan toen ze dit boek koos, maar zo is het nu eenmaal – de reden waarom Andrew teruggaat naar zijn oude huis is dat zijn moeder is gestorven. De gedeelten waarin hij het huis gereedmaakt voor de verkoop, zich bevrijdt van alle herinneringen aan de tijd waarin hij daar met haar is opgegroeid, vonden weerklank in mij. Ook al heeft hij niet dezelfde band met zijn moeder als ik had. Vol geheimen. Dat stuk waar hij zegt dat hij probeert zich haar onder de grond voor te stellen opdat hij de passende droevige emoties kan oproepen, dat is zo heel anders dan ik me voel. Ik blijf mijn best doen niet aan mama te denken, zodat het niet overal uit me wegsijpelt. Maar in essentie gaat het hele boek over moeders, en over de aard van de moederliefde, ja toch? Alweer.'

'Hij heeft geen succesvolle relaties met vrouwen in het algemeen, hè, afgezien van Eden? Niet met zijn eigen moeder, niet met Eden, niet zijn ex-vrouw. Die relaties zijn allemaal tamelijk vlak geportretteerd. Alsof hij eigenlijk pas tot leven komt als hij Eden opnieuw ontdekt.'

'En wat een naam! Al die associaties. Verleiding, verboden vrucht, paradijs. Een onvoltooid verleden.'

'O, ja. Dat realiseer ik me nu pas!'

'Dat meen je niet!' Susan was verrukt. Zelfs zij had dat doorgehad.

'Nee, echt.'

'Hopeloos.'

'Hou op. We kunnen niet allemaal genieën zijn.' Harriet lachte om zichzelf. Het lag nogal voor de hand, nu ze eraan dacht. Ze moest te veel zon hebben gehad die dag dat ze het las.

'Ik ben ontzettend benieuwd wat je van mijn boek vindt.'

Ik weet precies wat ik hoogstwaarschijnlijk van je boek zal vinden, Nic, dacht Harriet.

Nicole

'Dilatatie en curettage' klonk als een kwaliteitsmodelabel. Het was een prachtig obscure benaming voor wat het werkelijk was. Het woord 'abortus' deed Nicole denken aan piloten in Spitfires in de Tweede Wereldoorlog die met een schietstoel het vliegtuig verlieten tijdens tot mislukking gedoemde missies. 'Terminatie' – dat was het beste woord, als je dat al zo kon zeggen. Ze had het gisteravond opgezocht in het woordenboek: 'Terminatie: 1. beslissing, beëindiging van een rechtszaak, begrenzing. 2. beëindiging van een chemische reactie.' Het zei niets over baby's of moord, of slechtheid, of ultiem egoïsme, of voor God spelen.

'Een uiteindelijk resultaat.'

Nicole zat in haar auto voor de praktijk waar ze al zeven jaar, sinds ze met Gavin naar deze buurt was verhuisd, geregistreerd stond, waar haar beide zwangerschappen bevestigd waren, waar al haar zwangerschapscontroles hadden plaatsgevonden. En ze na slapeloze nachten met roodomrande ogen van vermoeidheid had zitten wachten op de gewichtscontroles van het zuigelingenbureau, die nauwgezet door de verpleegster in de rode boekjes van de kinderen werden genoteerd, op de inentingen, en op de talloze recepten voor antibiotica. De medische dossiers van de kinderen waren ongetwijfeld normaal, tot dusver goddank geen angstwekkende ziektes of traumatische ongelukken.

Haar eigen dossier was waarschijnlijk een fysieke agenda van haar huwelijk: niets dan routineafspraken voor controles en nu en dan een virus, tot ze zwanger was van de tweeling, daarna de plotselinge opleving van activiteit die gepaard gaat met zwangerschap en bevalling. De zeswekelijkse controle en de discussie over voorbehoedsmiddelen – de pil na de tweeling, het spiraaltje dat na Martha werd ingebracht en een paar maanden later weer werd verwijderd omdat de bijverschijnselen haar niet bevielen, toen weer terug naar de pil – al die bewijzen van een gelukkig seksleven binnen een veilig, vruchtbaar huwelijk. Gavins ontrouw stond ook genoteerd, tussen de regels, in de vorm van een recept voor antidepressiva (een meisje van kantoor toen de tweeling een paar maanden oud was), chronische hoofdpijn, gediagnosticeerd als gerelateerd aan stress (een cliënte van een belangrijk farmaceutisch bedrijf in de zomer voordat ze zwanger was van Martha), slaappillen (toen zijn auto gestolen werd van een parkeerterrein op honderden kilometers afstand van waar hij had moeten zijn, al had ze nooit ontdekt wie het toen was).

En nu werd dit voorgoed in het dossier opgenomen: het verzoek om abortus. Wat haar beslissing ook zou zijn, het zou er altijd blijven staan – het feit dat ze het had overwogen. Ze had niet geweten dat je nog steeds een brief moest hebben van twee artsen, die beiden verklaarden dat de abortus belangrijk was voor je geestelijke gezondheid. Dat leek in een andere tijd thuis te horen, hoewel de dokter had gezegd dat het nu niet meer dan een formaliteit was. Ze had tegen de afspraak opgezien. Dr. Simons was een aardige vrouw, medelevend maar niet te; ze stelde de juiste vragen zonder je een kwetsbaar gevoel te geven. Nicole had haar natuurlijk niets verteld over Gavin. Ze had het niemand verteld, behalve Harriet. Ook al vermoedde dr. Simons iets van wat er thuis gaande was, ze had niet aangedrongen op een bekentenis, en daar was Nicole dankbaar voor geweest. Ze had toen geen uitleg willen geven. Dat wilde ze nu nog niet.

Dr. Simons had niet geprobeerd haar de abortus uit het hoofd te praten of haar te vertellen dat het een verkeerde beslissing was. Als Nicole nog een kind was geweest, of minder beheerst, minder zeker van zichzelf, zou ze dat misschien hebben gedaan. Maar Nicole had zich vermand voordat ze naar binnen ging, zodat er geen drupje emotie naar buiten kon komen. 'Ik ben zwanger, en dat kan niet.' Dat klonk wanhopig, en zo wilde ze niet overkomen. 'Ik wil het niet.'

Dr. Simons had haar pen neergelegd en achterovergeleund in haar stoel. Ze had Nicole strak aangekeken, naar haar perfecte kapsel en make-up, de mooie kleren, de dure handtas, en waarschijnlijk gedacht aan William, George en Martha. Wie weet wat ze dacht? Wat ze zei was: 'Weet u het heel zeker?'

'Ja. Geloof me alstublieft, dr. Simons. Ik heb er diep over nagedacht en ik weet heel zeker wat ik wil.'

'En uw man?'

Ze moest het natuurlijk vragen, zoals Nicole moest liegen. 'Hij wil graag dat ik doe wat me voor ons allemaal het beste lijkt.' Iets in haar houding, zoals ze daar zat, voegde eraan toe: 'Bovendien is het mijn lichaam en derhalve mijn beslissing.'

Dat waren opvattingen waar dr. Simons het mee eens was. Nicole was afstandelijk en de uitdrukking op haar gezicht was vastbesloten.

'Wilt u nog praten over wat u tot deze beslissing heeft gedreven?'

'Nee. Niet echt. Is dat in orde? Ik bedoel, moet ik mijn redenen duidelijk maken?'

'Nee. Zo is het goed.' Dr. Simons wilde haar niet dwingen. Nicole was nog in het begin van haar zwangerschap. Ze had vrouwen gekend die in elk stadium van gedachten veranderden. Soms wist je niet wat je echt voelde tot je er iets aan begon te doen. Ze pakte haar pen weer op.

'Goed. Hoever bent u?'

'Precies twaalf weken.' Ze noemde de datum van haar laatste menstruatie, en dr. Simons noteerde die. Blijkbaar wist ze tot op bijna de minuut wanneer ze zwanger was geraakt. Wat allerlei dingen suggereerde. Die haar geen van alle aangingen. Ze keek even in Nicoles dossier. Anglicaanse Kerk. Volgende verjaardag vijfendertig. 'Hebt u al iemand van de praktijk gesproken?'

'Nee, nog niet.'

'Dus u hebt nog geen zwangerschapscontrole gehad, geen bloedtests. Geen echo?' Ze probeerde dat niet nalatig te laten klinken.

'Nee.' Nicole wist niet hoe ze moest uitleggen dat ze vóór Spanje had geweten dat ze zwanger was, en haar geheim voor iedereen verborgen wilde houden, en dat ze sinds Spanje had geworsteld met deze beslissing, die voor het eerst bij haar was opgekomen in het vliegtuig op weg naar huis.

'Maar u weet zeker dat u zwanger bent? Het spijt me dat ik dat moet vragen, ik weet dat u al twee keer eerder zwanger bent geweest. Maar u weet het zeker?'

'Ik weet het zeker. Ik heb twee tests gedaan. Ik heb drie menstruaties overgeslagen. En ik voel me zwanger, net als de vorige keren. Ik ben wat aangekomen, mijn borsten zijn pijnlijk en gezwollen, dat soort dingen.'

'Toch wil ik graag wat bloed afnemen, als u het goedvindt.'

Terwijl ze de rode rubberband strak om haar arm gespte om een ader te doen zwellen, keek dr. Simons vol belangstelling naar Nicole. Maar ze wist dat nieuwsgierigheid niet op zijn plaats was in dit vertrek. Het merendeel van de vrouwen die ze naar de abortuskliniek verwees waren getrouwde vrouwen van in de dertig die al kinderen hadden binnen hun relatie. Het was een van de grote mythen dat de meeste abortussen werden uitgevoerd bij ongetrouwde vijftienjarigen. Ze had zelf vier kinderen, van wie de jongste nog een baby was, en meestal dacht ze dat ze liever haar rechterarm af zou zagen met een bot broodmes dan weer zwanger te worden. Maar ze wist, of hoopte dat ze wist, dat als het gebeurde ze weer vervuld zou zijn van alle liefde en kracht die je nodig had om ertegen opgewassen te zijn. Toch had ze veel vrouwen hier gezien die zich niet zo gevoeld hadden. Vrouwen voor wie de geldzorgen, de huwelijksomstandigheden of opnieuw de angst voor zichzelf en voor hun lichaam en hun geest te veel waren. Ze waren op een pijnlijke manier tot dit besluit gekomen, soms met een partner maar voornamelijk alleen. Volwassen, sterke, liefhebbende, intelligente vrouwen die er geen behoefte aan hadden hun hart weer door haar te laten blootleggen in een poging het leven van de baby die ze droegen te redden. De moeders waren de patiënten, hield ze zich voor. Ze behandelde hen zoals ze ook Nicole zou behandelen. Ze kon alleen maar hopen dat Nicole van gedachten zou veranderen, ergens tussen haar deur en een paar dagen later de deur van de abortuskliniek. Ze mocht dan geloven dat het haar op den duur gelukkiger zou maken, en ze mocht dan weten door de ervaringen van de vrouwen die haar voor waren gegaan dat schuldbesef en droefheid haar eeuwig zouden blijven achtervolgen als ze doorzette, de zorg voor Nicole zou toch haar prioriteit zijn.

Ze legde de donkerrode buisjes op haar bureau, met de labels omlaag. 'Die zullen het alleen voor mij bevestigen.'

'Dank u.'

'Hoeveel weet u van de procedure? Ik veronderstel dat u nooit eerder een abortus hebt gehad?'

'Nee. Ik weet er niet veel van.'

'Ach, het is eigenlijk niet zo ingewikkeld. We kunnen u per brief verwijzen zodra we de zwangerschap hebben bevestigd en hebben vastgesteld dat u in goede conditie bent. Het gaat erg snel. Ze zullen u een verdoving geven en een D en C doen, wat feitelijk wil zeggen dat ze de baarmoederwand schoonschrapen en daarbij de foetus en al het andere wegnemen. U zult dezelfde dag nog naar huis kunnen – maar u moet door iemand worden afgehaald want u zult zich een beetje duizelig voelen. Daarna is het eigenlijk net als een menstruatie, met krampen, en u zult een paar dagen, een week misschien, bloeden, zoals tijdens een normale ongesteldheid. Dat is alles.'

Het klonk belachelijk eenvoudig.

'Zullen ze daar proberen me om te praten?' Nicole was bang dat elke fase zou worden voorafgegaan door een moreel oordeel dat haar in de weg zou staan.

'Nee, dat is mijn taak. Erachter komen of u heel zeker bent van uw zaak. Als ik u eenmaal verwezen heb, zal niemand u meer iets vragen. Al vind ik het belangrijk dat u goed beseft dat u elk moment op uw besluit terug kunt komen als u dat wilt. Er zijn daar mensen met wie u kunt praten, als u daar behoefte aan hebt.

'Dat zal ik niet doen.'

Dr. Simons dacht dat ze dat inderdaad niet zou doen. Het speet haar. Ze had Nicole gezien met haar kinderen. Ze dacht dat ze Martha een paar maanden geleden nog had gezien voor een routine-onderzoek. Nicole kwam over als een geweldige moeder. Het leek altijd een beetje verrassend: de onberispelijke mama's (yummy mummies, zoals ze in de praktijk werden genoemd) hielden hun kinderen vaak letterlijk en figuurlijk op een armlengte afstand, maar Nicole was lief en heel erg bij haar kinderen betrokken.

Toen Nicole weg was en ze het gesprek in haar dossier noteerde, de dertig seconden vullend voordat de volgende patiënte zich aandiende, betrapte ze zich erop dat ze hoopte dat Nicole het niet zou doorzetten.

Nicole startte de auto en reed weg. Ze had met Harriet afgesproken om te gaan lunchen. Ze had besloten het haar vandaag te vertellen, nu ze nog iets overhad van de kracht die ze had verzameld voor het bezoek aan de dokter. Ze wilde dat Harriet met haar meedacht. En haar niet veroordeelde.

Het was een schitterende dag, warm en zonnig, met een helderblauwe lucht. De kinderen waren weer naar school, jammerend dat ze binnen moesten werken terwijl het buiten zo heerlijk warm was.

Ze aten hun sandwiches op een bank tegenover een rozentuin. Het was stil in het park – slechts een paar moeders, met kinderwagens en krombenige peuters, en een paar gepensioneerden met hun thermosflessen thee. Nicole kauwde langzaam en luisterde naar Harriets vrolijk opgewekte gebabbel over het begin van het nieuwe schooljaar. Met Martha en Chloe veilig en opgewekt geborgen in de brede armen van mevrouw Allington, de lerares van groep één, zag Harriet een hele wereld van bevrijdende mogelijkheden opengaan voor haar en Nicole.

'En ik dacht dat we misschien ergens anders naartoe konden voor onze kerstinkopen – je weet wel, een eindje verderop?'

'Je bedoelt Bath?'

'Nee, ik bedoelde Parijs.'

Nicole lachte. 'Nee, Nic, serieus, ik heb alle brochures. Je kunt het gemakkelijk in één dag doen. Galeries Lafayette, Les Halles, snel lunchen en vóór bedtijd terug. Nou, ja, bijna dan!'

Harriet was verrukkelijk als ze zo was. Een en al lach en enthousiasme. Ze was niet op haar best als ze thuis zat opgesloten. Nicole hoopte dat dit het begin was van een gelukkiger tijd voor haar en Tim. Als ze weer wat ruimte had voor zichzelf, zou ze misschien een beter gevoel hebben over haar huwelijk. Ze wilde haar stemming niet bederven, maar ze had zichzelf beloofd dat ze het haar vandaag zou zeggen.'

'Harry?'

'Ja.'

'Ik heb een paar beslissingen genomen. Over wat ik ga doen.'

'Over Gavin?'

'En over de baby.'

'De baby?'

'Ik laat het kindje niet komen, Harry. Ik kan het niet. Ik ben vanmorgen bij de dokter geweest voor een verwijzing voor abortus.' Zeg het hardop. Maak het reëel.

Harriet was geschokt. Hier had ze geen rekening mee gehouden. Ze had gehoopt dat Nicole zou zeggen dat ze Gavin definitief de laan uit zou sturen. Als ze al aan de baby gedacht had, was het in verband met de vraag hoeveel hulp en steun Nicole nodig zou hebben. Ze had zich plechtig voorgenomen dat ze er altijd voor haar zou zijn. 'Waarom?'

Nicole haalde diep adem. Harriet was dr. Simons niet. Ze vroeg het, en ze had het recht het te horen: ze waren vriendinnen en Nicole had Harriet in de loop der jaren al met genoeg van haar problemen opgezadeld. 'Ik kan het gewoon niet. Ik had nooit zwanger moeten worden. Dat was heel verkeerd van me. Dom en verkeerd. Daar had je gelijk in. Het zou mijn huwelijk nooit kunnen redden, want dat is al lang geleden onherroepelijk stukgelopen. Ik was gewoon te koppig en te wanhopig om dat te zien. Ik kon nooit langs hem heen zien, me nooit een leven voorstellen zonder hem. Wat hij me ook aandeed.'

Harriet wist dat het waar was.

'Ik weet dat het stom klinkt, maar het feit dat ik hem in Spanje in bed betrapte met die vrouw – nou ja, dat veranderde alles voor me. Ik denk dat het mij veranderde. Het was of ik de dingen plotseling duidelijk kon zien. Alsof ik op dat moment besefte dat het niet mijn schuld was dat Gavin zo is. Het is niet omdat ik veranderd ben, of omdat er iets ontbreekt – het ging nooit over mij. Het ging erover dat hij geen kracht had, geen wilskracht, geen moreel en voornamelijk, Harry, geen liefde of respect voor mij.'

Harriet streelde haar arm. 'Dat vond ik altijd het allerergste ervan.'

'Dat weet ik. Je hebt alles gezien en meegemaakt. Jij en Tim moeten me wel een ongelooflijke stommeling vinden.'

'Dat hebben we nooit gedacht.'

'Maar dat was ik, weet je, ik was ongelooflijk stom. Ik was net een kleurenblinde – iedereen ziet een groen licht maar jij blijft volhouden dat het rood is. Omdat je echt, echt gelooft dat het rood is.'

Ze heeft gelijk, dacht Harriet.

'Op een rare manier ben ik blij dat ik heb gezien wat ik in Spanje zag. Daardoor kon ik onmogelijk nog langer blind blijven, zo stom blijven. Ik zie nu volkomen duidelijk wie en wat hij precies is. En natuurlijk dat ik bij hem vandaan moet, want al wil ik nog zo graag genezen zijn, dat ben ik niet. Ik ben beter, maar niet sterk genoeg om mezelf genezen te noemen.'

Harriet zag waar ze heen wilde.

'We zullen altijd de tweeling en Martha hebben, en we zullen altijd een band hebben door hen. Hij houdt van hen en zij houden van hem. En dat kan ik aan. Maar niet wéér een kind, Harriet, van wie hij de vader is. Niet met al die gevoelens en hormonen. Hij zou me weer inkapselen, ik wéét het. Het zou te gemakkelijk gaan.'

Harriet zag iets van reële angst in Nicoles ogen, een gekwelde blik.

'Ik moet mijn leven opnieuw beginnen. Ik moet ontdekken hoe het voelt om een vrij leven te hebben zonder al die verkeerde gevoelens. De angst, de ontoereikendheid, de woede. Ik heb de gelukkigste momenten van mijn leven beleefd met hem, Harriet, maar ook de slechtste, de ellendigste, de depressiefste – dankzij hem. En ik heb voor elk van die verrukkelijke momenten betaald met jaren waarin ik me shit voelde. En ik heb me eindelijk gerealiseerd dat het allemaal niet de moeite waard is. Ik moet dat gevoel vasthouden nu het nog sterk is, en mezelf dwingen te veranderen.'

'En dat kun je niet als je zwanger bent van dit kind.' Harriet stelde geen vraag, ze erkende een feit.

Nicole voelde zich bijna euforisch dat Harriet haar begreep. Ze wilde haar omhelzen, maar ze was nog niet uitgesproken. 'Ik heb je hulp nodig.' Ze pakte Harriets hand. 'Ik kan dit niet in mijn eentje. Ik wil je vragen met me mee te gaan. Alsjeblieft. Voor de abortus. Ik weet dat het eigenlijk te veel gevraagd is.'

'Dat is het niet.'

Harriet hoefde er geen seconde over na te denken. Tot wie zou Nicole zich anders kunnen wenden? 'Dat hoef je niet te vragen. Natuurlijk ga ik met je mee.'

'Dank je.'

'Maar weet je zeker dat je dit wilt? Geloof je echt dat wat je wilt niet mogelijk is met een baby?'

'Geloof jij dat?' kaatste Nicole de vraag terug.

'Ik weet alleen dat het niet gemakkelijk voor je zal zijn.'

'Dat weet ik ook. Sinds ik uit Spanje terug ben heb ik hele nachten opgezeten om erover na te denken.'

'Dat geloof ik graag. En erover nadenken is gemakkelijker dan het werkelijk doen.'

'En het doen is gemakkelijker dan het erna te verwerken. Ook dat weet ik. Ik zie het heus niet als een snelle oplossing. Dat verzeker ik je met de hand op mijn hart. Maar ik vind alleen dat dit de enige oplossing voor me is.'

Harriet was er niet zo zeker van. Niet dat ze het moralistisch gezien verkeerd vond, ze was absoluut voor een vrije keus, vond de paus onverantwoordelijk, kon duizend verschillende omstandigheden bedenken die het tot de juiste beslissing maakten – voor de vrouw, voor het gezin, en soms zelfs voor het ongeboren kind. Maar dit was Nicole. Het was nooit zo dichtbij gekomen. En ze aarzelde. Zou zij het kunnen? Ze dacht het niet. Hoe ze ook over Tim dacht – en ze wist dat Tim geen Gavin was – een door hen verwekt kind zou een nieuwe Josh zijn, een nieuwe Chloe, wat haar zou beletten het weg te laten halen, dat wist ze zo goed als zeker. Ze wist niet of ze Nicole dat moest vertellen. Haar vragen er toch nog eens over na te denken. Zeggen dat ze meende dat het een vergissing kon zijn die haar de rest van haar leven kon achtervolgen.

Nicole was bang dat ze haar grip op Harriet kwijtraakte – niet haar steun, ze voelde instinctief dat Harriet achter haar zou staan, wat ze ook besloot te doen, maar haar begrip voor de reden waarom ze dit moest doen. 'Wat denk je dat jij in mijn plaats zou doen?'

Harriet wilde niet liegen, dus koos ze voor de halve waarheid. 'Ik weet het niet, Nic. Echt niet. Maar ik ben jou niet. Ik heb die weg niet in jouw schoenen afgelegd, of hoe je het wilt uitdrukken. Ik ga je niet vertellen dat je er verkeerd aan doet.'

'Dank je.' Nicoles stem klonk kleintjes en dankbaar.

'Hoe lang heb je?'

'Eind van de week, misschien begin volgende week komen ze met een afspraak. Voor de week daarna, vermoed ik. Ik denk niet dat ze lang blijven treuzelen met zoiets.'

'Nee, waarschijnlijk niet. Nou ja, laten jij en ik er dan nog een tijdje over broeden. Je hoeft nu toch nog geen definitief besluit te nemen?'

Dus Harriet dacht ook dat ze nog van mening kon veranderen. Maar dat zou ze niet doen. 'Oké, je hebt gelijk.'

Harriet vertelde Tim niet wat Nicole van plan was — ze dacht niet dat hij het zou begrijpen. Ze begreep het zelf niet helemaal: ze dacht dat Nicoles verklaring, waarin ze kennelijk geloofde, slechts een deel van de waarheid was. Het leek of ze zichzelf ook strafte voor haar vermeende stommiteit om verliefd te worden op Gavin, dat ze van hem was blijven houden, alles van hem had geslikt en met opzet zwanger was geworden. Ze wist niet zeker of ze geloofde dat Nicole het zou doorzetten. Het paste niet bij haar. Harriet was bang dat ze onbewust toch over haar zou oordelen: haar beste vriendin, haar soulmate, praatte over iets waartoe Harriet nooit in staat zou zijn. In zekere zin was het of ze erachter kwam dat Nicole geloofde in de doodstraf of als winkeldievegge op pad ging. Ze vreesde dat het een scheiding betekende tussen morele codes: die van haar en die van Nicole. En ze was bang dat het een wig zou drijven in hun relatie. Ze probeerde de situatie in de context te plaatsen van haar eigen leven. Veronderstel dat ze met Nick naar bed was gegaan en zwanger was geworden. Wat zou ze hebben gedaan? Ze kon zich niet voorstellen dat ze haar toevlucht zou nemen tot een abortus, zelfs als dat zou betekenen dat ze Tim een leugen moest vertellen in plaats van Nick de waarheid.

Ze wilde niet het type vriendin zijn dat een oordeel velde. Nicole was niet ontrouw geweest, noch als echtgenote, noch als Harriets vriendin. Ze probeerde een uitweg te vinden uit de catastrofe van haar huwelijk. Harriet dacht erover hoe zij zich zou voelen als ze ontdekt had dat Nicole jaren geleden een abortus had gehad, voordat ze bevriend waren. Zou ze dan anders over haar denken? Ze dacht van niet. Maar toen de dagen verstreken en de afspraak dichterbij kwam, betrapte Harriet zich op de wens dat Nicole op haar besluit terug zou komen, zodat ze zich niet zou hoeven afvragen wat voor uitwerking dat had op haar gevoelens.

Ze vertelden Tim dat ze zich een dagje zouden laten verwennen in een beautyfarm. Ze regelden een lift naar huis voor de kinderen, zodat ze niet vóór drie uur terug hoefden te zijn. Harriet zei dat William, George en Martha 's nachts bij haar konden slapen, maar Nicole weigerde. Ze had Cecile om haar te helpen, zei ze, en ze wilde niet dat de kinderen zich ongerust zouden maken. Dat zouden ze niet hebben gedaan – Nicoles kinderen vonden het heerlijk om bij Harriet te blijven slapen: het was in de loop der jaren bijna een toevluchtsoord voor ze geworden. Het was er zo rommelig en warm en vol lawaai en kindertekeningen en verboden lekkernijen, dat ze zich daar soms meer op hun gemak voelden dan in hun onberispelijke huis. Maar de waarheid was dat Nicole wilde dat ze thuis zouden zijn als ze terugkwam. Ze wilde aan het voeteneind van hun bed kunnen staan en naar hen kijken terwijl ze sliepen. Ze hoopte zo gesterkt te worden in haar gevoel dat ze het recht had zich daarna nog steeds moederlijk en beschermend te voelen. Ze was bang dat ze dat recht verspeeld had.

Nicole hoefde Gavin niet te vertellen waar ze was of wat ze deed, want hij logeerde in een hotel in de stad. Hij was één keer thuis geweest, rechtstreeks van de luchthaven, maar Nicole had zich verscholen bij Harriet. Ze had een paar kostuums, hemden en dassen ingepakt en in de hal neergezet, zodat de boodschap duidelijk overkwam. Hij had de hint begrepen. Waarschijnlijk opgelucht, dacht ze, dat hij er zo gemakkelijk afkwam. Ongetwijfeld had hij aangenomen dat het slechts een kwestie van tijd was voor ze hem vergaf en hij weer thuis kon komen. Hij belde elke dag om met de kinderen te praten. Hij vroeg altijd naar haar als hij Martha aan de lijn had gehad, in de wetenschap dat Nicole de telefoon van het kind moest overnemen omdat het Martha te veel verdriet zou doen als ze weigerde met papa te spreken. Ze haatte hem daarom, weer een bewijs van zijn eeuwige manipulatie. Elke keer vroeg hij of ze hem wilde ontmoeten om erover te praten, en elke keer vertelde ze hem dat ze er nog niet klaar voor was, dat zij hem nu voor de verandering zou laten weten wanneer, waar en óf dat zou plaatsvinden. Maar het was slechts gedeeltelijk woede die haar in staat stelde hem op een afstand te houden. Ook angst speelde een rol. Een heel reële angst voor wat er zou gebeuren als ze hem weer terugzag. Dat zou de proef op de som zijn of wat ze nu geloofde ook werkelijk de waarheid was. En ze was bang dat ze die proef niet glansrijk zou doorstaan.

Toen de afspraak eenmaal gemaakt was, was het slechts een kwestie van wachten. Nicole was bijna hysterisch van angst. Ze werd zich acuut bewust van het verstrijken van de tijd, alsof ze het kind niet elke week, maar elk uur, elke minuut kon voelen groeien. Ze kon niet stilzitten, omdat ze bang was dat ze het dan op de een of andere manier zou voelen, haar buik zou zien opzwellen. Ze was doodsbenauwd dat ze de baby zou voelen bewegen, al wist ze dat het daar nog te vroeg voor was. Dat zou ze niet kunnen verdragen – het zou aanvoelen als communicatie, en ze deed haar uiterste best geen relatie te krijgen met de baby die ze niet ter wereld zou brengen. Ze kon niet afblijven van de kinderen als ze thuis waren. Ze bleef ze knuffelen en overladen met zoenen. 'Ga weg, mam,' jammerden de jongens, over hun wangen wrijvend met de te lange mouwen van hun shirts. Maar Martha vond het prettig. Ze had de gewoonte aangenomen om om twee uur 's ochtends bij haar moeder in bed te klimmen. Nicole was meestal wakker en glimlachte als ze Martha in de open deur in het licht van de gang zag staan, en tilde een punt van het dekbed op om haar te verwelkomen. Nicole ontsloeg Cecile van verplichtingen om eten te maken, en maakte zelf spaghetti bolognese en vruchtenslaatjes en milkshakes voor ze, en las hun drie verschillende verhaaltjes voor als ze naar bed gingen. Zij en Harriet praatten er niet meer over, maar ze wist dat Harriet erop wachtte dat ze zich zou bedenken. En dus pakte ze een koffertje en bracht de kinderen naar school, en slaagde erin niet te huilen toen Martha zei: 'Prettige dag, mammie,' en ging naar huis om op Harriet te wachten.

Harriet had chocola bij zich. Er waren niet veel problemen in het leven die niet verlicht konden worden met chocola, vond ze, behalve natuurlijk je omvang. En omdat Harriet haar meeste problemen toeschreef aan het feit dat ze te dik was – en aan die arme Tim – maakte dat het tot een ongeloofwaardige remedie, voorzover Nicole kon beoordelen. Ze dacht niet dat chocola vandaag veel kon uitrichten. Maar Harriet probeerde het.

Harriet was zenuwachtig. Ze concentreerde zich op het rijden, leunde naar voren, dicht op het stuur, als een van die oude dametjes die je soms ziet. Ze wilde Nicole vragen of ze het echt wel heel zeker wist, maar ze vermoedde dat het er te dik bovenop zou liggen, dus praatte ze over het weer en het schoolcomité en wat ze nog meer kon verzinnen.

Nicole was vanmorgen kalmer dan ze de laatste weken geweest was. Het kwam dichterbij. Ze wist dat het vanavond voorbij zou zijn. Dan zou ze het hebben gedaan. Op dit moment geloofde ze dat piekeren of ze het al dan niet moest doen, belastender was dan het hoofd bieden aan de nasleep ervan. Ze had het gevoel dat ze een weegschaal in haar hoofd had, met gewichten voor en tegen: terwijl ze erover nadacht gingen de gewichten erop en eraf, en de balans sloeg nu eens naar de ene, dan weer naar de andere kant door. Nu waren ze in bijna volmaakt evenwicht – het scheelde maar een fractie – en ze wist dat dat het beste was waarop ze ooit zou kunnen hopen. Een beslissing als deze kende geen absolute zekerheden. Ze zou die gewichten eeuwig bij zich dragen als het eenmaal achter de rug was.

Op het parkeerterrein zette Harriet de motor af en draaide zich om naar haar vriendin. 'Oké, niet boos worden, maar ik móet je dit vragen. Weet je heel zeker dat je dit wilt doorzetten?'

'Ik ben niet boos. Maar, ja.'

'Oké. Als je het honderd procent zeker weet, zal ik het je niet nog eens vragen.'

'Harry, ik weet het heel zeker.'

Harriet tuitte haar lippen en knikte kort en gedecideerd.

'Weet je zeker dat je dit samen met mij kunt doen?'

'Dat heb ik je gezegd.'

'Dat vroeg ik je niet. Ik begrijp het hoor, als je niet met me mee naar binnen wilt.' Alsjeblieft, alsjeblieft, ga mee naar binnen.

'Doe niet zo mal. Natuurlijk ga ik mee.' Harriet opende het portier. 'Laten we gaan.'

Ze hoefde natuurlijk niet veel te doen. Toen Nicole eenmaal in haar kamer was, met een bizar Laura Ashley-decor uit de jaren 1980, in het rugloze gewaad, waarover ze zowaar nog hadden kunnen lachen, met haar pilletjes in het plastic bekertje, kwam er een verpleegster binnen met een klembord vol vragen en werd Harriet gevraagd naar buiten te gaan. Voor ze wegging, gaf ze Nicole een zoen en hield haar hand vast. Ze had geen idee wat ze tegen haar moest zeggen, dus fluisterde ze: 'Ik hou van je.' Ze voelde dat Nicole in antwoord haar hand drukte, waarna ze bijna de kamer uit holde, en haar eigen tranen voelde opkomen.

Nicole leek te zijn overgeschakeld op de automatische piloot. Ze had het vermogen zich af te schermen van iets onaangenaams. Ze was stoïcijns geweest tijdens de bevalling, herinnerde Harriet zich. En zo was ze ook als Gavin haar verdriet deed. Het leek of haar lichaam zijn eigen anesthesie had. En dat had ze nu nodig.

Ze dronk twee koppen waterige cappuccino uit de koffiemachine in de wachtkamer, en probeerde zich te concentreren op de oude nummers van *Country Life* die er lagen, maar keek bijna van minuut tot minuut naar de grote witte klok aan de muur. Ze verwachtte half en half dat Nicole naar buiten zou komen en zou vragen haar naar huis te brengen. Maar toen er tien, toen twintig, toen dertig minuten voorbijgingen, moest ze accepteren dat Nicole het doorzette.

Eindelijk verscheen er een jonge verpleegster, die naar haar toe kwam. 'Uw vriendin is weer in haar kamer. U kunt binnenkomen als u wilt.'

'Dank u.' Harriet pakte haar jasje en tas, en volgde de zuster naar de kamer waar ze Nicole een uur of zo geleden had achtergelaten.

Nicole zag eruit of ze nog sliep. Ze lag bleek op het witte kussen, haar haren keurig om haar gezicht. Harriet voelde zich opgelucht dat ze er zo vredig uitzag, dat de verdoving haar gezicht niet had vertrokken in een grimas van pijn of berouw. Ze ging op de stoel naast het bed zitten om te wachten tot ze wakker zou worden. Ze voelde zich ongelooflijk bedroefd voor haar vriendin, die dit zojuist had meegemaakt. Deels wilde ze dat Nicole wakker zou worden zodat ze kon zien dat alles in orde was met haar. Maar een ander deel van haar wilde dat ze zou blijven doorslapen in vergetelheid. Ze wist dat Nicole nooit meer zou ontwaken op een dag waarop ze dit zichzelf en de baby, die nu alleen in haar verbeelding en haar herinnering bleef bestaan, nog niet had aangedaan.

Het duurde tien minuten voor Nicole haar ogen opende. Ze glimlachte zwakjes naar Harriet. 'Mag ik een beetje water?'

Harriet schonk wat water in een bekertje, en Nicole hief voorzichtig haar hoofd op, bang voor een plotselinge beweging, om te drinken.

'Beter?'

'Ja. Dank je.' Toen betrok haar gezicht. Haar gelaatstrekken waren verwrongen, alsof ze dicht bij een vuur was gekomen en bezig was te smelten. Harriet had haar nog nooit zo gezien. Haar gezicht was plotseling nat van de tranen.

'O, lieverd, niet huilen, alsjeblieft niet huilen.' Harriet wist niet hoe ze haar moest laten ophouden, en wist ook niet zeker of ze dat wel moest doen. God weet dat zij gehuild zou hebben als het haar was gebeurd.

Zo bleven ze bij elkaar, Harriet zittend op haar stoel, Nicole liggend op het bed, eindeloos lang, zonder dat er een woord werd gezegd, omdat er niets te zeggen viel. Harriet hield haar hand vast, huilde soms zelf. Nicoles tranen bleven komen, tot haar lichaam te droog en te uitgeput was om nog meer tranen te produceren.

Toen ze zeiden dat ze haar nu mee naar huis kon nemen, hielp Harriet haar met aankleden en reed haar naar haar huis, waar ze in de keuken theedronken, tot Nicole zei dat ze zou proberen te slapen. Toen bracht Harriet haar naar boven en stopte haar in, alsof ze Josh of Chloe was. Nicole vroeg haar of de kinderen bij haar konden slapen. 'Het blijkt dat ik ze uiteindelijk toch niet onder ogen kan komen. Niet vanavond.'

'Oké. Maak je geen zorgen. Ze blijven bij mij, als je dat wilt.'

'Het is niet zozeer wat ik wil. Ik geloof alleen dat ik het niet aankan om met ze te praten, ze te zien. Nog niet.'

'Doe het dan niet. Ik zorg wel voor ze.'

'Dat weet ik.' Nicole hield haar hand vast en keek naar haar gezicht. 'Je was geweldig vandaag. Heel erg bedankt voor alles wat je gedaan hebt.'

Harriet wist niet zeker wat ze gedaan had, maar ze voelde zich afschuwelijk toen ze de deur van Nicoles slaapkamer achter zich dichtdeed en naar huis ging.

Nicole draaide zich op haar zij en staarde door het raam van haar slaapkamer naar de takken van de bomen met de net verkleurende bladeren. Ze drukte haar knieën tegen haar borst en sloeg haar beide armen eromheen. Ze was door en door koud, al was het een warme dag en lag ze onder de sprei. Als ze had gedacht dat ze geen tranen meer had, dan had ze zich vergist. Ze kwamen weer tevoorschijn en ze vroeg zich af of ze ooit zouden ophouden.

Cressida

Cressida deed er nog steeds tien minuten over om Spencer een schone luier om te doen, ook al hoefde ze niet langer te worstelen om zijn piemeltje er goed onder te krijgen en was ze de kunst meester geworden het kleine ding goed naar onderen te buigen zodat hij niet enthousiast over zijn of haar schouder plaste terwijl ze frutselde met de sluiting van klittenband. Nu duurde het zo lang omdat ze haar blik niet van hem af kon houden, en ze zijn buikje zoende terwijl hij met zijn vingertjes verstrikt raakte in haar krullen, en ze liedjes voor hem

zong, en haar hoofd verborg in de plooi van zijn halsje om die heerlijke babygeur op te snuiven. Hij leek op de beste drug die er maar bestond – ze was volledig verslaafd, en het effect was euforie, en daarvan
ontnuchterde ze nooit. Hoewel het ook zijn duistere kant had. De
momenten waarop ze hem bijna te dicht tegen zich aandrukte en be-
vangen werd door een onlogische angst hem te verliezen. Of als ze
met omfloerste ogen wakker werd en merkte dat hij een uur langer
geslapen had. Dan liep ze rillend van angst naar de wieg, bang voor
wat ze zou kunnen ontdekken. Of als het journaal het gebruikelijke
menu van geweld, hongersnood en verlies opdiende en ze de pijn zoveel intenser meevoelde dan ooit tevoren. Maar meestal was ze door-
drongen van een ongelooflijke, slaperige vreugde en trots en opwinding. God, wat was hij mooi! Hij had haar eigen dikke, donkere haar,
zacht en glanzend als zijde. Bij zijn geboorte was zijn teint een beetje
geel geweest, maar nu zag hij eruit of hij zijn eerste weken in de Ca-
riben had doorgebracht, gekust door de zon, en door en door gezond.
   Hij had het bijbehorende temperament. Polly had met spottende
verbijstering haar hoofd geschud over zoveel onrechtvaardigheid –
Cressida was een huilbaby geweest, zei ze, maandenlang last van darm-
krampjes en prikkelbaar, maar haar baby was zo ontspannen en tevreden dat je bijna zou vergeten dat hij er was – zonder die spullen dan
die nu in huis rondslingerden. En de was – een nooit eindigende para-
de van kleine witte kleertjes die gewassen en opgevouwen moesten
worden, en de stomende sterilisator in de keuken, permanent actief
om schone flessen te produceren.
   Polly vond het prachtig. Het huis voelde zo vol, en de routine van
het zorgen voor zo'n kleine baby gaf de dagen vorm en ritme. Ze had
het gemist. Hij nam alles en iedereen beslag, die kleine inwoner.
   Nachtvoedingen waren haar het liefst. Cressida, nog steeds met het
slaapgen van haar kindertijd, had een hekel aan opstaan. Ze moest MTV
aanzetten om wakker te blijven terwijl ze Spencer om twee uur 's ochtends voedde, al was ze nog zo stapel op hem. Polly was op een nacht
wakker geworden en was naar beneden gegaan, waar ze Cressida half
in slaap aantrof, met haar hoofd tegen het kussen van de bank, en
Spencer klaarwakker, liggend op haar schoot, gespannen kijkend naar
een heupwiegende Kurt Cobain, terwijl hij zelf zijn best deed een fatsoenlijke boer te produceren.
   Daarna, in stilzwijgende overeenstemming, deed Polly het. Spencer
lag in Harriets oude rieten wiegje naast Cressida's bed, maar als Polly

hem hoorde bewegen, sloop ze naar binnen om hem op te pakken. Dit was de tijd van haar en van Spencer. Ze wiegde hem in haar armen, terwijl zijn fles warm stond te worden in een pan kokend water, nam hem dan mee naar haar grote, lege bed en voedde hem daar terwijl ze tegen hem praatte. Fluisterend vertelde ze hem alles over zichzelf, en Dan, en zijn mama, en zijn oom Daniel, en het huis, en de wereld. Ze vertelde hem elke nacht weer hoe geliefd en gewild hij was, hoe bijzonder. Hoeveel ze van zijn moeder hield en hoe onuitsprekelijk gelukkig ze zich voelde als ze keek naar haar kind met een kind van haarzelf. En als hij al zijn melk op had en een boertje had gelaten, en naar haar luisterde met zijn langzaam bruin kleurende ogen strak op haar gezicht gevestigd, hield ze hem vast en wiegde hem zachtjes tot zijn ogen dichtvielen. Dan bleef ze stil en vol liefde zitten, lang nadat ze wist dat ze hem weer in zijn wieg had moeten leggen. Deze nieuwe liefde, voor het kind van haar kind, was zowel een revelatie als iets waarvan ze zich altijd had voorgesteld dat het zo zou zijn. De gelaagdheid van het gevoel was uitzonderlijk rijk en machtig. Een vriendin op haar werk had haar een magneet voor de koelkast gegeven met de tekst:'Als ik had geweten dat oma zijn zo leuk was, zou ik eerst mijn kleinkinderen hebben gekregen.' Mensen zeiden dingen als: 'O, ja, en de grootste vreugde van het oma zijn is dat je ze terug kunt geven als je er genoeg van hebt.' Ze wisten niet waarover ze het hadden. Het was fantastisch, dat was alles.

Susan begreep het.'Ik weet het – ik kan het nauwelijks afwachten,' had ze gezegd. 'Ik hoop dat mijn jongens met meisjes trouwen wier moeder in het buitenland woont.'

Een deel van het genot kwam door het observeren van Cressida met Spencer. Ze deed Polly aan zichzelf denken. Ze was niet het instinctieve oermoedertype, maar aarzelend, enthousiast, bang iets verkeerds te doen, maar zo vol liefde en tederheid dat ze onmogelijk iets anders kon doen dan het juiste. Op een dag, vlak nadat Polly Cressida en Spencer naar huis had gebracht, was ze bij haar dochter binnengelopen die net haar slapende baby instopte. Polly had haar arm om haar dochter geslagen en samen staarden ze lange tijd naar hem, naar zijn in de droom getuite mondje. Cressida had met ogen vol tranen naar Polly gekeken en er heerste een ogenblik van puur begrip tussen hen. Cressida leek plotseling te begrijpen wat Polly voor haar voelde; alles wat er in de afgelopen twintig jaar, en in de laatste acht maanden, was gebeurd, werd op een andere manier belicht.

De eerste keer dat Cressida in haar eentje met hem was gaan wandelen, had Polly haar met de kinderwagen op het tuinpad betrapt met Spencer, die een mutsje droeg, een babypakje met handschoentjes eraan vastgemaakt, een met de hand gebreid wollen vestje en een gewatteerd jack, onder een flanellen lakentje, twee dekentjes en het dekkleed van de kinderwagen.

Elliot kwam bijna elke dag op bezoek en bracht zo veel mogelijk tijd door met Spencer. Hij was al snel opgehouden met toestemming te vragen en kwam nu meestal op tijd om hem zijn flesje te geven en te baden. Polly was eraan gewend geraakt hem om zich heen te hebben, en eerlijk gezegd was hij soms echt behulpzaam. Hij had het ledikantje met Daniels hulp in elkaar gezet, en uitgepuzzeld hoe de gecompliceerde kinder-zit-wandelwagen werkte, en de draagdoek die Cressida graag gebruikte. Hij ging met Spencer om alsof hij zijn leven lang niet anders gedaan had, op de zelfverzekerde, bijna onbezorgde manier van dokters en leden van de gezondheidszorg. Hij wist altijd hoe hij een huilbui moest voorkomen door hem af te leiden, en vond het duidelijk prachtig dat hij dat kon. Hij noemde hem 'Spence', en één keer hoorde ze hem 'zoon' tegen hem zeggen. Hij was een goed mens, en hij hield van Spencer, maar Polly geloofde nog steeds niet dat hij en Cressida bij elkaar hoorden of dat wilden. Elliot gaf Cressida kennelijk alle ruimte – hij had haar geen indringende vragen gesteld sinds de geboorte, maar geaccepteerd dat dit de manier was waarop het voorlopig zou gaan. Ze waren niet 'samen' in de conventionele zin van het woord – Elliot bleef niet slapen, en de intimiteiten die Polly tussen hen zag hadden allemaal te maken met Spencer. Soms keken ze elkaar boven zijn hoofdje aan, en dan zag Polly een glimlach tussen hen die alleen nieuwe ouders kunnen uitwisselen. Hij omhelsde haar en zoende haar, maar als koppel verkeerden ze in het ongewisse. Polly dwong zich Cressida niet te vragen naar haar gevoelens voor Elliot. Ze wilde geen druk op haar uitoefenen. Ze wist dat de dingen hun eigen impuls konden krijgen in dergelijke omstandigheden, en dat ze zou doen wat ze kon om Cressida de nodige keuzes te geven. Nu ze Elliot beter had leren kennen was ze niet meer zo bang als eerst voor een eventueel samenwonen, maar ze geloofde nog steeds dat Cressida meer van het leven had te verwachten, meer over zichzelf en de wereld moest ontdekken, voor ze zo'n verbintenis aankon.

Harriet

'Chloe, Martha, doe dat niet alsjeblieft. Ik vind het niet erg als jullie hier boven spelen, maar wees alsjeblieft voorzichtig.' De eerste keer was Harriet vriendelijker dan ze waarschijnlijk geweest zou zijn als het alleen Chloe was geweest: schreeuwen tegen andere kinderen was moeilijker. De tweede keer meende ze het – 'Stop daarmee, nu, jullie allebei. Ik meen het! Jullie maken de vloer helemaal nat.' Weliswaar dacht ze niet de energie te hebben om welk dreigement dan ook uit te voeren. Ze was vandaag niet in de stemming. Ze voelde zich gedeprimeerd, zoals al weken het geval was. Al maanden eigenlijk, dacht ze, maar vooral sinds Nicoles abortus. Alles leek even onaangenaam en onplezierig. Als Nicole ook maar enigszins bij haar positieven zou zijn geweest, zou ze haar verteld hebben dat het gebrek aan energie en die constant chagrijnige stemming klassieke tekenen waren van een depressie. Maar ze scheen alles van Harriets gevoelens te zijn vergeten. Misschien leken die in vergelijking met de hare nogal onbeduidend.

Zij en Tim deden niet meer dan naast elkaar leven. Welke opleving er ook was geweest in de zomervakantie, en welke intimiteit ze ook hadden gehad toen ze Nicole hielpen, het was allemaal vervlogen toen de scholen weer begonnen en het leven weer zijn normale gang ging. Ze had gedacht dat ze zich vrijer zou voelen als Chloe naar school ging; ze zou een paar veranderingen kunnen aanbrengen in haar leven – leren golfen of aardewerk beschilderen of zoiets – maar dat was onzin. Naar buiten gaan veranderde niets aan het feit dat het werk er nog steeds lag als je terugkwam en dat Tim elke avond thuiskwam, en ze hem niets anders kon verwijten dan dat hij niet was zoals ze wilde dat hij was. En toen was ze haar maatje kwijtgeraakt: Nicole verkeerde nog steeds in een erbarmelijke toestand. Harriet wist dat het pas een paar weken geleden was, en ze voelde zich een egoïste dat ze het zelfs maar dacht, maar ze miste haar vriendin. Nicole wilde niet met haar naar buiten of plannen maken om iets te gaan doen. Ze gunde zichzelf geen enkel pleziertje. Ze had zelfs gezegd dat ze volgende week niet naar de leesclub zou komen – ze had nog geen tijd gehad het boek in te zien. Wat een flagrante leugen was omdat ze niets anders had gedaan dan thuis zitten. Ze was net een robot met de kinderen om zich heen – wanhopig verlangend hun een normaal leven te geven – maar Harriet wist dat ze inzakte als een pudding zodra de deur achter ze dichtviel. Cecile had ze vanmiddag bij haar gebracht, en Harriet had haar gevraagd een kop koffie te blijven drinken. Ze was zo dankbaar geweest dat het leek of ze elk moment in tranen kon uitbarsten. Ze wist het niet van de abortus, dus geloofde ze dat Nicole in die vreselijke toestand verkeerde omdat Gavin er niet was.

'Het enige wat ze doet als de kinderen er niet zijn, is huilen. Het maakt me zo bedroefd. Ik weet niet wat ik moet doen om haar te helpen.'

Ze was maar net de tienerjaren ontgroeid, en Harriet had medelijden met haar. 'Maar je hélpt haar, Cecile, door voor de kinderen en het huis te zorgen, zodat ze zich niet om die dingen hoeft te bekommeren.'

'Dat is gemakkelijk genoeg. Ik wou dat ik meer voor haar kon doen.'

Harriet wilde het ook.

Samen deden zij en Cecile alles wat ze konden voor de kinderen, en Harriet was moe. William en George leken tot dusver onbeschadigd door de toestand thuis – ze leefden in die heimelijke, onafhankelijke wereld van een tweeling, en ze waren jongens van tien, wat op zichzelf al een aanzienlijke buffer vormde voor de emotionele zwakheden van degenen om hen heen. Maar Martha was stiller dan anders, en kwam vaak als verliezer uit haar dagelijkse strijd met Chloe – ze barstte sneller in tranen uit en liet zich niet zo snel troosten. Laatst, toen Harriet 's avonds beide meisjes (en hun plastic pony's) in bad had gestopt en Martha een pyjama van Chloe aantrok, had Martha haar kleine handjes op Harriets wangen gelegd om haar gezicht stil te houden en gevraagd: 'Gaat mammie dood, Harry?'

Harriet had haar in haar armen gesloten en haar op schoot getrokken. 'Natuurlijk niet, schat. Waarom denk je dat?'

'Ik denk dat ze heel erg ziek is. Ze moet soms de hele dag haar pyjama aanhouden, en dat doe ik alleen als ik echt ziek ben en niet naar school kan.'

O, god.

'En haar ogen zien er altijd zo gek uit. Helemaal rood.'

'Mammie voelde zich niet zo goed, lieverd, maar ze wordt nu weer beter. Ik beloof het je. Ze is alleen erg moe, en ze moet veel rust en knuffels hebben om zich weer helemaal beter te voelen. Dat is alles. Zorg jij voor haar?'

'Ja. Will en George niet, maar ik wél.'

'Je bent een lieve meid. Boft zij even dat ze zo'n goede verpleegster heeft als jij om voor haar te zorgen!'

Martha glimlachte trots. 'Ja.'

'Ik beloof je, Martha, dat mammie niet doodgaat. Ze wordt weer helemaal de oude, heel gauw al.'

Martha liet haar handjes op Harriets schouders rusten terwijl ze haar pyjamabroek aantrok. Er gleed weer een bezorgde uitdrukking over haar gezichtje.

'Mag ik papa bellen en hem vragen naar huis te komen om me te helpen voor mammie te zorgen?'

'Nu nog niet, schat. Papa heeft het druk met zijn werk in Londen. Maar in plaats van papa zal ík je helpen, oké? Ik en Chloe?' Afleiding. 'We kunnen morgen een taart bakken voor mammie, als je wilt. Dat zal haar vast wel opvrolijken, denk je ook niet?'

'Een roze?'

'Natuurlijk een roze!'

De volgende dag herinnerden Martha en Chloe zich natuurlijk onmiddellijk de taart, dus bakten ze er een, en maakten een hoop rommel in de keuken, spetterden het boter-suikermengsel tegen de muren door de mixer verkeerd te gebruiken, en lieten een spoor van glazuursuiker achter tussen de keuken en de wc.

Tim zei dat ze te veel deed. Hij wist het niet van de abortus. Waarschijnlijk dacht hij dat Gavin zijn thuiskomst zou terugkopen met rozen en diners en Viognier, en dat de status quo zou worden hersteld, zoals het in de loop der jaren elke keer weer was gegaan.

Harriet wist niet wat ze anders moest doen. De kinderen bij haar thuis hebben gaf haar het gevoel dat ze iets deed. Ze had Nicole niets te zeggen dat het beter zou kunnen maken.

'Had je me kunnen tegenhouden?' had Nicole haar gevraagd.

'Ik heb het geprobeerd. Je wilde niet dat ik je zou tegenhouden.'

'Ik wist het niet.'

'Je leek zo zeker van je zaak.'

'Dat was ik ook. Maar ik wist niet waar ik over praatte. Ik had het weggestopt in een doos, zie je. En het deksel erop gedaan. Afgehandeld.'

'Ik weet het.'

'Maar je handelt het niet af. Je kunt niet zomaar het deksel erop doen en de doos opbergen. Het is er elke keer wanneer ik mijn ogen open. Of mijn ogen sluit. Of wat dan ook doe. En zo zal het altijd zijn.'

'Maar zo zal het niet altijd voelen, Nic. Dat doen dingen nooit. Je weet dat als iemand sterft, je gevoelens niet hetzelfde blijven. Ze zwakken af, dat zegt iedereen. Je wordt heus weer beter. Dat geloof ik echt.'

'Ik ben niet gestorven. Ik heb het vermoord.'

'O, hou op!' Dat maakte Harriet kwaad. 'Je moet er niet op die manier over praten. Je kwelt jezelf met zulke woorden.'

'Hoe kan ik het anders zeggen? Geloof me, als ik een manier kon bedenken om mezelf vrij te pleiten, zou ik dat doen. Je kent me. Ik ben een lafaard. Dat kan niet anders. Ik kon niet onder ogen zien dat ik een alleenstaande moeder zou zijn. Daarom heb ik het toch laten weghalen?'

Harriet staarde naar een muur van zelfhaat en zelfmedelijden die zo dik was dat ze er niet doorheen kon dringen.

Nicole maakte zichzelf op steeds weer andere manieren verwijten. 'Ik moet steeds maar denken aan de mensen die ik niet meer onder ogen kan komen. Gavin is niet meer dan het topje van de ijsberg. Iedereen met een baby. Polly's dochter – haar baby is maar een paar maanden ouder dan de mijne zou zijn geweest. Elke keer als ik haar zie zal ik daaraan denken. En Clare? Zij zal waarschijnlijk nooit een kind hebben. Hoe zal zij in godsnaam over me denken?'

Harriet was opgestaan. 'Ik kan niet met je praten als zo je bent als nu, Nic. Je weigert gewoon iets aan te nemen van wat ik zeg. Ik dring niet tot je door. Het is te moeilijk.'

Nicole huilde. 'Ga alsjeblieft niet weg. Het spijt me.'

Harriet knielde naast de stoel van haar vriendin. 'Luister naar me, Nicole. Je hebt net een van de moeilijkste dingen gedaan die je ooit hebt moeten doen – die iemand ooit kan doen. Je hebt een beslissing genomen over je eigen lichaam en je eigen toekomst, gebaseerd op wat je toen instinctief voelde dat juist was voor jou en de kinderen. Je hebt een abortus gehad, Nicole. Je hebt die keus gemaakt. Ik denk niet dat je er ooit een goed gevoel over zult hebben. Maar je hebt het gedaan. Het is over en uit. Je kunt niet meer terug. Je kunt het niet ongedaan maken. En ik geloof niet dat ik de vriendin zou kunnen zijn van iemand die zo'n soort beslissing lichtvaardig zou kunnen nemen, of zonder enige spijt. Ik verwacht dat je je zo voelt na wat je gedaan hebt. Maar je moet ophouden met jezelf als een monster te beschouwen, gemotiveerd door egoïsme en lafheid. Je was dapper en sterk. Maar dat mens dat je jezelf nu laat zijn, is niet sterk. Clare zal het nooit weten. Polly zal het nooit weten. Niemand zal het ooit weten, tenzij jij het ze wilt vertellen. Het is iets tussen jou en mij.'

Harriet wilde nog meer zeggen, Nicole vertellen dat ze kinderen

302

had die leefden en haar nodig hadden, dat ze iets aan Gavin moest doen – een advocaat moest raadplegen, of in ieder geval besluiten wat ze hem zou vertellen. Maar voorlopig had ze genoeg gezegd. Laat Nicole dit eerst maar verstouwen. Ze kon gewoon niet geloven dat deze vrouw van wie ze hield, die Gavin zo vaak verontschuldigd had, zichzelf verwijten maakte voor een slecht huwelijk met een slechte man, dat die vrouw, die zojuist twee van de grootste shocks had gehad die iemand in zijn leven kon krijgen, zo hard kon zijn voor zichzelf. Wanneer zou ze eens kwaad worden?

Dat was een paar dagen geleden. Nu keek ze naar de bende die Will, George en Josh van de tv-kamer hadden gemaakt. Elk plekje van het kleed was bedekt met video's, computerspelletjes en gewelddadige plastic mannetjes. Ze dacht dat ze nu waarschijnlijk buiten waren, want ook boven was het stil. Chloe en Martha stonden op stoelen bij de gootsteen en wasten de barbiepoppen met afwasmiddel. Ze babbelden opgewekt over welke barbie met welke jongenspop zou trouwen ('ladyboy barbies' noemde Tim de onfortuinlijke poppen die Chloe uitkoos voor een seksverandering; ze behielden hun 36-24-36-figuurtjes, maar hun haren werden militair gemillimeterd en ze kregen een verrassend barse stem), zalig onbewust van de steeds groter wordende plassen op de grond.

Harriet werd verslagen door de rotzooi nog voor ze zich in de strijd had geworpen. Ze liep naar de bank en ging dramatisch liggen, volkomen uitgeput. In een klassieke Pavlov-reactie gingen de eisen van start.

'Mammie! We willen wat drinken.'

'Ik heb geen alsjeblieft gehoord.' Het had overigens weinig zin dat ze het zouden zeggen, want ze was niet van plan de eerste tien minuten van de bank op te staan.

'Alsjeblieft,' riepen ze in koor.

'Straks.' Ze hoorde ze van hun stoelen klauteren. 'Jullie hebben toch niet de kraan aan laten staan, hè, meiden?'

'Nee, mammie.'

'Kunnen we naar barbie in *Rapunzel* kijken?'

'Maar in mijn kamer, wil je?'

'We weten niet hoe de video in jouw kamer werkt, mammie.'

Altijd een reden om op te staan natuurlijk. Altijd!

'Oké, kijk hier dan maar.' Twee kleine lijfjes stortten zich op haar op de bank. Ze wist ze van haar schoot te krijgen en stond op. 'O, nee, geen sprake van. Ik heb niet gezegd dat ik ook zou kijken. De eerste drieënzeventig keer vond ik genoeg. Ik zal wat drinken halen.' Zie je? Ze wonnen het uiteindelijk altijd. Ze vroeg zich af of ze moest lachen of huilen toen ze George hoorde gillen. Je kende het geschreeuw, als je iemands mammie was. Je kon het definiëren – schreeuwen omdat je niet wilde delen, uit frustratie, vanwege een geschaafde knie of een nare droom. Ze had dit geschreeuw nog niet eerder gehoord en ze verkilde over haar hele lichaam. Onmiddellijk viel Wills stem die van George bij. Ze kon Josh niet horen. Josh gilde niet.

Ze holde naar de deur. 'Blijven jullie hier, meisjes.' Maar dat deden ze natuurlijk niet. Ze konden bijna evenveel nuances ontdekken in Harriets stem als zij in die van hen, en ze hadden de schrik gehoord. Ze huilden zenuwachtige tranen nog voordat ze achter haar bij de voordeur waren, hand in hand, zonder te weten waarom.

Ze hadden geskateboard. Ze moesten het om de beurt hebben gedaan – de tweeling had geen skateboard bij zich. Ze hadden een stormbaan gemaakt, met een paar gevonden planken en een groen melkkrat.

Josh lag roerloos naast het krat. Naast hem stonden Will en George, die krampachtig en luid beiden hetzelfde verhaal vertelden. Hij was gevallen, schreeuwden ze naar haar. Ze dachten dat hij zijn hoofd had bezeerd. Tegen het melkkrat misschien. Op de puntige hoek ervan. Of gewoon op de stenen. Hij wilde niet wakker worden, zeiden ze. Maar hij bloedde niet.

'Van zijn skateboard gevallen?' Als ze ongelovig klonk, kwam dat omdat hij daar honderd keer per dag van afviel. En meteen weer opstond.

'Van het dak van de garage,' zei George.

Van het dak. Het dak.

'We waren gewoon wat aan het klieren.'

De wereld stond stil. Alleen het kloppen van haar hart, harder en sneller dan ze het ooit gehoord had. Van het dak.

Later veronderstelde ze dat zij degene was geweest die de ambulance en Nicole had gebeld. Ze herinnerde het zich niet.

Later, toen ze de tijd ervoor had, vroeg ze zich af waarom ze op het dak waren. Hoe waren ze erop gekomen? Waardoor was hij gevallen? Maar het deed er niet toe en dat zou het nooit doen.

Ze wilde niet naar hem toe – ze was bang. Maar haar benen renden in zijn richting. Ze wist onmiddellijk dat hij bewusteloos was. Haar stem schreeuwde, luider dan die van George en William. Een kogelregen van bevelen. De meisjes verdrongen zich om haar heen. Chloe was in paniek. Martha huilde met haar mee. 'Josh. Josh. Josh.' Harriet kon niet denken.

'Will, George, neem de meisjes mee naar binnen. Nu meteen.'

Er was geen bloed. Zijn ledematen lagen niet in een onnatuurlijke houding. De gedachte, die ze honderd keer had gehoord in slechte films en soaps, ging door haar heen: hij zag eruit of hij sliep. Vredig. Als er bloed was geweest, zou ze iets te doen hebben gehad. Als hij wakker was geweest, kreunend van pijn, zou ze iets te doen hebben gehad. Ze zou een brandend gebouw zijn binnengegaan om hem eruit te halen, ze zou hem hebben vastgehouden terwijl een dokter zijn wonden hechtte. Ze zou alles hebben gedaan wat iemand haar had kunnen vragen. Het was te laat om het enige te doen wat ze had moeten doen: zorgen voor zijn veiligheid, zorgen dat hij het dak niet op ging. Nu kon ze niets doen.

Hij haalde adem. Tenminste, dat geloofde ze. Ze wilde zijn hoofd niet achterover houden en zijn neus dichtknijpen en op zijn borst duwen op wat ze dacht dat de juiste plaats zou kunnen zijn, en in het juiste ritme. Ze was bang dat ze, als ze hem aanraakte, iets verkeerds zou doen. Ze wilde hem oppakken, hem naar binnen dragen. Maar ook dat durfde ze niet.

Ze was banger dan ze ooit in haar leven was geweest, dan ze zich ooit had kunnen voorstellen. De angst voelde alsof er bloed wegsijpelde uit haar maag en zich in haar hele lichaam verspreidde – donkerrood en alles verduisterend. Ze kon niets zeggen behalve instructies schreeuwen naar de kinderen, maar binnen in haar hoofd bevond zich een toren van Babel – en alle stemmen waren die van haarzelf. Word wakker, Joshie. Word wakker, doe het voor mij. Laat hem alsjeblieft niet doodgaan. Waarom had hij zijn helm niet op? Ik heb hem gezegd dat hij dat altijd moest doen. Je lette niet op hem. Wat deed hij verdomme op dat dak? Waar blijft de ambulance? Ik wou dat Tim hier was. Er is niets aan hem te zien. Ik wou dat Tim hier was. Alsjeblieft alsjeblieft alsjeblieft alsjeblieft.

De ambulance deed er acht minuten over. Nicole negen. Het leken uren. Ze had zich niet opgemaakt. Harriet kon zich niet herinneren wanneer ze haar voor het laatst had gezien zonder make-up. Ze was onmiddellijk gekomen, zoals Harriet had geweten. De ambulance stond op de oprit geparkeerd, blokkeerde de ingang, dus zette Nicole de auto buiten neer en holde naar het huis. George en William renden van de trap bij de deur naar haar toe, Martha en Chloe struikelend erachteraan. Ze sloeg haar armen om hen vieren heen in een stevige, onbeholpen omhelzing, zette ze toen neer op de traptree en draaide zich om naar Harriet.

'Wat is er gebeurd?'

'De jongens – ze waren op het dak, ik weet niet waarom. Josh is er afgevallen. Hij heeft zijn hoofd bezeerd. O, Nic – hij is bewusteloos.' Ze zat nu een eindje bij hem vandaan, op de grond gehurkt, met haar armen om zich heen geslagen, terwijl ze zachtjes naar voren en naar achteren wiegde. Nicole ging naast haar zitten en Harriet steunde op haar schouder. Josh was half verborgen achter de ambulancebroeders, die kalm praatten, met elkaar, met hem, en met haar, vroegen hoe het gebeurd was, hoe lang geleden. Ze praatten met George en William, probeerden vast te stellen of hij bewusteloos was voordat hij viel, of hij daarna nog bij bewustzijn was geweest. De jongens, met zenuwachtige blikken van Nicole naar Harriet naar Josh, antwoordden zo goed ze konden. Er was niets met hem aan de hand op het dak, zeiden ze. Toen was hij gewoon uitgegleden. Hij was niet meer bij bewustzijn geweest.

William stelde de vraag die Harriet niet over haar lippen kon krijgen: 'Wordt hij beter?' Zijn kinderlijke vertrouwen in het uniform en de ambulance maakten dat hij met een hoopvol gezicht naar hen keek. Harriets zekerheden hadden haar allemaal in de steek gelaten.

De ambulancebroeder beantwoordde Williams vraag in de richting van Harriet en Nicole. 'We moeten hem naar het ziekenhuis brengen. Daar kunnen ze onderzoeken waarom hij bewusteloos is. Maar hij haalt adem en zijn toestand is stabiel, dus probeert u zich geen zorgen te maken. We zullen hem stabiliseren, voor het geval hij inwendig letsel heeft. Dat is een voorzorgsmaatregel bij zo'n val.'

Nicoles mobiel ging. Ze stond op en liep weg bij de broeders voor ze antwoord gaf. 'Hallo? Tim?... Ja, ik ben nu bij ze... Ik weet het niet. Hij is bewusteloos. Hij heeft een ernstige val gemaakt... Ja, die zijn er ook. Ze leggen hem net in de ambulance... Ja. Ja. Natuurlijk doe ik dat. Ga jij er rechtstreeks naartoe... Ja. Wacht even, ik zal je haar geven.' Ze gaf de telefoon aan Harriet. 'Hij stapt net in de trein. Hij wil je spreken.'

Harriet nam de telefoon aan en flapte er uit: 'Hij is van het dak gevallen... Het dak van de garage. Ik lette niet op ze. Ik wist niet dat ze op het dak waren... Oké... Ja... Oké. Tim?... Kom gauw alsjeblieft.'

De man van de ambulance hielp haar met instappen. Nicole zei dat ze zich geen zorgen moest maken. Zij zou op de kinderen passen. Ze wist zeker dat het goed zou gaan met Josh. Tim zou rechtstreeks naar het ziekenhuis gaan. Chloe riep haar, en Nicole tilde haar op. De dubbele deur ging dicht, en Harriet was blij met de stilte, en staarde naar het zachte op- en neergaan van Josh' borst. Ze probeerde niet naar de medische apparatuur te kijken, concentreerde zich op haar eigen ademhaling.

Ze reden naar de ingang voor de ambulances, en achter de deuren bevond zich de drukke wachtkamer. Harriet dacht aan de keren dat ze hier eerder was geweest: één keer toen ze zwanger was van Josh en ze ervan overtuigd was dat hij niet meer bewoog; één keer toen Tim zichzelf had verwond met de tuinschaar en een paar hechtingen nodig had in zijn duim. Beide keren had ze gejammerd dat ze moest wachten, mopperend met de anderen op het dol makende rode licht dat haar vertelde dat het nog 120 minuten, 90 minuten, 60 minuten zou duren voor ze binnen kon komen. Nu zou ze niets liever willen dan naar die wachtkamer te moeten, samen met de andere lopende patiënten in de rij te staan voor een norse verpleegkundige, om te worden doorverwezen. De haast van de medische staf rond Josh vond ze nog het meest beangstigend, samen met de gesloten gordijnen en de gedempte stemmen.

Iedereen wilde weten hoe het gebeurd was. Elke vraag voelde aan als een beschuldiging. Ja, wilde ze schreeuwen. Ja, mijn zevenjarige zoon was op het dak van mijn garage. Nee, ik weet niet waarom.

De broeders die hem hierheen hadden gebracht, vertrokken. 'Maakt u zich geen zorgen, mevrouw, hij is in goede handen.'

Ze voelde zich beverig worden, gedesoriënteerd door wat ze zag en rook, en door de snelheid waarmee alles gebeurde. Een jonge verpleegster legde vriendelijk een hand op haar arm. 'Kom, mevrouw. Gaat u even zitten, hier buiten.'

Ze wilde niet bij hem vandaan, maar ze liet zich naar een stoel brengen. De verpleegster vertelde haar dat ze een kop thee voor haar zou gaan halen, dat de dokters over een paar minuten bij haar kwamen om haar te vertellen wat er aan de hand was, dat ze zich niet ongerust moest maken. Dat zei iedereen. Wat een onlogische opmerking. Bij de opleiding zouden ze moeten leren dat ze dat nooit moesten zeggen, al was het nog zo vriendelijk bedoeld.

Harriet kon niet stil blijven zitten. Ze stond op en liep te ijsberen in de smalle gang, las de bordjes voor PATHOLOGIE en RÖNTGEN en DAMESTOILET, en zag een kleine jongen met een verbonden been in de speelhoek. Zijn moeder ving haar blik op en glimlachte bezorgd, maar ze kon er nauwelijks op reageren.

Hij kon niet doodgaan. Nee toch? Misschien had ze de laatste woorden al gesproken die hij haar ooit zou horen zeggen. Hem de laatste knuffel gegeven, het laatste standje. Het idee was te veel en te groot voor haar hoofd, ze was bang dat het zou ontploffen. Misschien was het al afgelopen achter dat gordijn. Plotseling wilde ze niet dat het zou worden opengeschoven en ze een veelzeggend gezicht zou zien, een verslagen schuddend hoofd. Zolang het gordijn gesloten bleef kon ze zich inbeelden dat ze hem beter maakten, dat ze haar haar baby teruggaven. Ze kon niet diep ademhalen. Het leek of haar longen dienst weigerden.

Ze had frisse lucht nodig. Ze was bang dat ze zou flauwvallen, al had ze dat nog nooit gedaan, en ze wilde het zeker nu niet doen, waar iedereen bij was. Ze zei tegen de verpleegster dat ze direct terugkwam en liep naar de hal van het ziekenhuis. Daar voelde alles normaal en surreëel. Een paar werklieden stonden op een ladder en bevestigden een fluorescerende verlichting. Ze luisterden naar een radio: de jongste zong mee met een van de laatste hits. Dit zou de soundtrack kunnen zijn van zijn sterven, dacht ze.

Tim kwam binnen en liep naar haar toe. Ze voelde zich ongelooflijk opgelucht toen ze hem zag. Hij opende zijn armen en ze liet zich met haar volle gewicht tegen hem aan vallen. 'Oké. Oké. Ik ben er.' Een volle minuut lang hield hij haar stevig tegen zich aan, zonder iets te zeggen. Toen draaide hij haar om en volgde haar naar de afdeling waar Josh lag. 'Hoe gaat het met hem?'

'Ik weet het niet. Ze hebben me nog niets verteld.'

'Is hij al bij bewustzijn?'

'Nee. Tim, het was mijn schuld. Ik heb niet op de kinderen gelet. Het spijt me zo.' En Tims aanwezigheid maakte het om de een of andere reden mogelijk om voor het eerst te huilen sinds ze George had horen schreeuwen.

Hij had nooit tegen haar tranen gekund. Ze zag eruit als het meisje uit de flat, al die jaren geleden, vlekkerig en aandoenlijk en volkomen de zijne. 'Doe niet zo raar, schat. Je kunt niet elke minuut op ze letten. Je was zo moe. Het zijn jongens, dat is alles. Niemand neemt het je kwalijk, ik zeker niet.'

'Ik ben zo blij dat je er bent.'

'Natuurlijk ben ik er. Hij is onze zoon.'

Al het andere, alles waar je aan dacht als je niets belangrijkers te doen had, vervaagde. Ze voelde het. Dit was zo simpel, zo zwart-wit in een grijze wereld. Hij is onze zoon en we willen niet zonder hem leven. Geef hem aan ons terug. Geef hem terug.

Tim kwam omstreeks middernacht thuis. Ze hadden rond acht uur gebeld om te zeggen dat Josh naar boven was gebracht voor een CT-scan, en dat ze dan meer zouden weten. Martha en Chloe waren op min of meer normale tijd in slaap gevallen, dicht tegen elkaar onder Chloe's dekbed. Ze had de jongens naar de logeerkamer gestuurd na Tims telefoontje, maar het had een paar uur geduurd voor ze in slaap vielen. Nicole had geprobeerd televisie te kijken, maar ze had zich niet kunnen concentreren. In plaats daarvan had ze de keukenvloer ge-dweild en alle barbies afgedroogd, de rommel in de tv-kamer opge-ruimd, alles wat op de grond lag keurig in de juiste dozen opgebor-gen. Harriet zou haar ogen niet geloven – Nicole had het hier nog nooit zo netjes gezien. Ze wilde juist aan de koelkast beginnen, waar Harriet schijnbaar een geneesmiddel voor lepra kweekte op een stuk Parmezaanse kaas, toen ze Tims koplampen zag en naar de deur liep om hem te begroeten.

'Hoe is het met hem?' Ze had haar armen om hem heen geslagen.

'Geen verandering, nog steeds in een coma. Ze zeggen dat het nog dagen kan duren.'

'En de scan?'

'Zijn hersens zijn gezwollen, maar er zijn geen stolsels.'

'Dat is toch goed, hè?'

Tim haalde zijn schouders op en streek met zijn hand over zijn voorhoofd. Hij zag er bezweet en doodmoe uit. 'Ja.'

'Ik zal een kop thee voor je maken. Heb je honger?'

'Nee, Nic. Maar graag thee.' Hij ging aan de keukentafel zitten en verborg zijn gezicht in zijn handen. Toen sprak hij door zijn vingers heen. 'Ik moet over een minuut weer terug. Ze hebben een bed ge-vonden voor Harry. Ze blijft vannacht bij hem en ik moet haar een paar dingen brengen.'

'Zal ik wat voor je uitzoeken?'

'Zou je dat willen doen?'

'Hoe gaat het met haar?'

'Je kent Harriet. Ze is kapot, vindt dat het haar schuld is.'

'Dat is idioot.' Nicole kon het Harriet horen zeggen.

'Dat heb ik haar verteld.' Hij nam dankbaar de kop thee aan en dronk, al was de thee nog te heet. 'Hoe is het met Chloe? En de anderen?'

'Ze slapen. Ik zal die van mij straks naar huis brengen. Wil je dat ik Chloe meeneem?'

'Hoeft niet. Laat de anderen ook maar slapen. Ze hebben een behoorlijke schok te verwerken gehad. Waarom blijven jullie niet allemaal vannacht? Morgenochtend zien we wel verder.' Tim wilde niet alleen zijn. Nicole ook niet.

Nicole vond een paar dingen voor Harriet – een van haar volumineuze nachthemden en haar sokken met antislipzolen, waar ze zo vaak om gelachen had, schone slipjes, wat toiletspulletjes en een haarborstel. Ze deed ook het boek erbij dat ze half uitgelezen had, al kon ze zich niet voorstellen dat ze zou lezen, en wat chocola. Harriet had zelfs haar handtas niet meegenomen die middag, dus pakte Nicole die ook in, en ten slotte deed ze er ook nog schone kleren in voor de volgende ochtend. Ze vroeg zich af of Josh iets nodig zou hebben. Toen herinnerde ze zich de rugloze hemden en mummieachtige zwachtels. Ze kon zich Josh niet daarin voorstellen. Hij zat nooit een moment stil. Zelfs toen hij nog een baby was, had hij op en neer gewipt en liggen draaien, altijd haastig grijpend naar iets nieuws. Hij was de eerste geweest die kroop, liep en rende, en altijd de laatste die op schoot klom voor een verhaaltje of om uit te rusten. Laat hem niet doodgaan of zo beschadigd raken dat hij Josh niet meer is. Ze zou dat verschrikkelijk vinden, voor Tim, voor Harriet en Chloe, maar ook voor haar en de jongens, die hem adoreerden. Voor hun vriendschap en hun parallel lopende levens, en om zoveel andere redenen. Laat Josh alsjeblieft weer helemaal gezond worden, bad ze, tegen iemand. Het gebed van een atheïst dat stilletjes de ether in werd gestuurd.

'Zeg tegen haar dat ik van haar hou,' zei ze tegen Tim, terwijl ze hem de gepakte reistas overhandigde.

'Ik zal het doen. Bedankt voor het inpakken.' Hij hief de tas op. 'Voor alles.'

'Hé.' Ze omhelsde hem even.

'Tot straks.'

Hij had geen tijd of ruimte voor haar, gaf haar alleen zijn simpele bedankje. Hij leek kleiner en ouder toen hij naar de auto liep. Zijn hele wereld was gekrompen tot een klein kamertje vol apparaten en hoop.

Susan

Mensen die je niet verwachtte kwamen naar begrafenissen. Bij sommigen was het moeilijk om erachter te komen hoe ze wisten dat Alice gestorven was. Controleerden ze elke dag de overlijdensadvertenties, op zoek naar namen die ze kenden? Susan dacht van wel, vooral als ze ouder waren. Een paar weken geleden had een Amerikaanse cabaretier een grap gemaakt op de televisie over Engelse overlijdensadvertenties: het moest wel een vreemd land zijn, zei hij, want mensen gingen alleen maar 'plotseling' of 'vredig' dood – je las nooit dat iemand woedend van onrechtvaardigheid stierf, of snakkend naar nog een laatste ademhaling. Niemand wilde daaraan denken, veronderstelde ze. Ze wilde dat Alice een vredige dood had gehad. Roger zei van wel. En dat was wat in de krant stond: 'Alice, 71 jaar, rustig en vredig gestorven in De Dennen, weduwe van Jonathan, moeder van Susan en Margaret, grootmoeder van Alexander en Edward. Geen bloemen, maar donaties aan...' Ze had aan alle passende adjectieven gedacht – ze had er een geschreven die ze had verfraaid met woorden als 'geliefde' en 'geadoreerde' en 'beminde', maar het voelde niet juist. Dat hoefde je niemand die haar en hen had gekend, te vertellen. En anderen hoefden het niet te weten.

De jongens, die er absurd volwassen uitzagen, waren er natuurlijk, en Sandy, van Rogers praktijk, een paar personeelsleden van het tehuis, met de zweep erachter misschien, een paar oude vrienden. Roger, Margaret. Maar ook de mensen die ze niet had verwacht: de apotheker uit Alice' plaatselijke apotheek, de bibliothecaresse, Mabels dochter Louise, die haar een klopje op haar arm had gegeven toen ze binnenkwam, al kende ze haar nauwelijks. En er waren ook een paar mensen die, daar was ze min of meer van overtuigd, niets met Alice te maken hadden gehad – professionele rouwdragers die geregeld in crematoria kwamen, zoals zij als klein meisje op zaterdagochtenden buiten bij de kerk had gestaan, wachtend op bruiden en bruidsmeisjes om te bewonderen. Alleen wachtte dit stelletje op iets anders. Ze hoopte dat ze niet zouden worden teleurgesteld.

Ze had in plaats van lelies rozen op de kist laten leggen. Alice had van rozen gehouden, en deze waren roze, haar lievelingskleur. Ze wist dat Alice niet een massa bloemen zou hebben gewild, ze zou het zonde van het geld hebben gevonden. Susan was al eerder in het crematorium geweest: na de plechtigheid zouden ze naar buiten gaan om naar het stuk gras te kijken dat gemerkt was met Alice' naam, zonder bloemen en waarschijnlijk geflankeerd door een paar gigantische woorden in anjers – MAM, ZUS – van een crematie van een halfuur geleden. Daar kon ze niet goed tegen. Alice zou boos op haar zijn geweest omdat ze zich daarover zorgen maakte. Ze noemde het 'de deurknop poetsen'. Ze had jaren geleden een vrouw gekend wier huis een puinhoop was, maar de koperen deurknop op de voordeur poetste ze tot je je gezicht erin kon spiegelen – ze wilde liever indruk maken op vreemden dan het haar eigen gezin gerieflijk maken. Maar Alice was er niet bij. Susan had de bloemist gevraagd veel rozen in het bloemstuk te verwerken.

Ze zouden zingen 'All Things Bright and Beautiful' en 'The Day Thou Gavest'. Ze had gedacht over een van Alice' favoriete nummers – Barbra Streisand misschien, of Charlotte Church met 'Pie Jesu' – maar de goede smaak had het gewonnen van de sentimentaliteit.

Ze hadden er gisteravond om gelachen, zij en de jongens. Alex vertelde over een of andere film waarin een man gecremeerd werd op de klanken van 'You Can't Always Get What You Want' van de Rolling Stones. Giechelend waren ze bij 'Burn baby burn, disco inferno' beland, met Ed als de predikant, die *Saturday Night Fever*-heupbewegingen maakte naast de kist, wat ze ongelooflijk grappig vonden.

Alex was de eerste die weer serieus werd. 'Sorry, mam. Te morbide.' Susan, die net zo van de korte opluchting had genoten als de anderen, sloeg haar arm om zijn schouder en trok zijn hoofd onder haar kin. 'Niets om sorry voor te zeggen, lieverd.' Ed kwam ook, en deed achter haar stoel mee aan de knuffel. 'Hoor eens, jongens, dit was oké. De dood van je grootmoeder is geen tragedie. Ze heeft een rijk en goed leven gehad, en ze leed intens, dat weet ik zeker, ergens diep in zichzelf. Haar tijd was gekomen. Het is droevig, maar het is geen tragedie. Dat is het als het een baby is – of een kind, zoals het zoontje van mijn vriendin Harriet, dat op het ogenblik in een coma ligt, of als een vader een jong gezin alleen moet grootbrengen. Niet een oude vrouw die tijdens haar leven haar kinderen en kleinkinderen gelukkig heeft zien opgroeien.' Alex gaf een kneepje in haar hand.

'Het wachten is moeilijk, maar dat is alles. Ik ben van mening dat begrafenissen zo snel mogelijk moeten plaatsvinden. Moslims en joden hebben de juiste opvatting. Je moet zorgen dat het snel achter de rug is. Het is maar een lichaam, dat weet ik, maar tot het verdwenen is, kun je niet verdergaan met je leven.'

Ze hadden gewacht op Margaret. Het slechte nieuws was blijkbaar hard bij haar aangekomen, ze was in tranen uitgebarsten, niet in staat iets te zeggen. Ze had opgehangen, een paar minuten later teruggebeld, om opnieuw in te storten. Een vriendin van haar, Lindy, had een uur later weer gebeld, zei dat Margaret te veel van streek was om te praten, maar dat ze zou overkomen voor de begrafenis.

Ze had besloten een paar weken te blijven, zei ze. Het had tijd gekost om alles op een rijtje te zetten – tijd waarin Susan 's nachts in bed lag en zich Alice voorstelde in het mortuarium. Ze wilde verder met haar leven.

Margaret logeerde niet bij hen. Op haar bekende vage manier had ze iets gezegd over een woningruil met een paar Engelse familieleden van een vriendin van een vriendin. Ze hadden geen adres, alleen het telefoonnummer van een mobiel. Precies zoals Margaret het graag wilde. Susan vroeg zich even af of ze zich beledigd moest voelen dat haar zus niet bij haar en de jongens wilde zijn of opgelucht dat haar soms boosaardige en altijd stressvolle aanwezigheid niet voortdurend in huis was. De opluchting won het. Overtuigend.

Ze had haar niet gezien vóór deze ochtend. En nu zat Margaret weer te huilen, ontroostbaar, in de rij aan de andere kant. Alleen. Susan had haar gewenkt toen ze binnenkwam en Ed en Alex zachtjes opzijgeschoven om ruimte voor haar te maken. Maar Margaret had met een flauwe glimlach naar haar gekeken, kort haar hoofd geschud, en was toen op de eerste rij aan de andere kant van het middenpad gaan zitten.

Susan kon niet naar haar kijken. Ze had van beide handen het kussentje van haar duim tegen dat van haar wijsvinger gedrukt, en perste ze zo hard ze kon tegen elkaar. Dat hield de tranen tegen, ze wist niet waarom. Rogers zwarte schouder schuurde aan de ene kant langs haar, die van de langere Alex aan de andere kant. Beiden stonden klaar om haar te ondersteunen, maar ze stond kaarsrecht.

Later was Polly als eerste bij haar thuis. Ze zag er betoverend uit, dacht Susan, met haar krullen van achteren vastgespeld om ze in bedwang te houden, en in haar chique zwarte pakje. Ze sloeg haar armen om Susan heen, die zich even ontspannen overgaf aan haar omhelzing, zich toen terugtrok en om zich heen keek. 'Leuk dat er nog zoveel mensen voor haar zijn gekomen.'

'Ze was een fantastische vrouw,' antwoordde Polly schouderophalend. Ze keek naar Margaret, die schijnbaar druk in een gesprek verwikkeld was, haar gezicht nog vlekkerig van de tranen. 'Vreemde meid, die zus van je, hè? Denk je dat ze zo van streek was omdat ze niet bij haar in de buurt was toen het gebeurde?'

'Ze is al jaren niet bij haar in de buurt geweest. Ik heb het opgegeven om Maggie te doorgronden. Ze heeft zich al zo vreemd gedragen vanaf het moment dat mams ziek werd, alsof ze mij de schuld gaf. Maar natuurlijk is ze altijd al vreemd geweest.'

'Ze ziet er niet uit alsof ze vaak lacht.'

'Dat zal het zijn. Ze is een van die mensen die nooit gelukkig zijn. Jaloers, denk ik. Altijd om zich heen kijkend of ze iemand zien die beter af is.'

'En dat maakt haar zo verschillend van jou als maar mogelijk is.'

'O? Ik kan me er vandaag niet mee bezighouden.'

Polly richtte haar aandacht weer op haar vriendin. 'Hoe is het nu?'

'Beter. Ik vond de dagen voor de crematie het afschuwelijkst. Het duurde zo lang. God mag weten hoe mensen zich voelen die hun doden maanden, of hoe lang dan ook, niet kunnen begraven, zoals slachtoffers van een moord en zo. Zo'n beeld blijft boven je hoofd hangen.' Ze kneep haar ogen stevig dicht, deed ze toen weer open. 'En dat is nu achter de rug.'

'Je hebt er iets heel moois van gemaakt.' Polly probeerde de juiste woorden te zeggen. Ze keken elkaar aan en lachten stilletjes.

'Ja, de beste crematie die ik in tijden heb bijgewoond!'

Op dat moment kwam Margaret naar hen toe. Haar gezicht was als uit steen gehouwen. 'Wat is er voor grappigs?' De toon was onschuldig, maar haar stem, met het Australische accent, en haar gezicht waren hard.

'Niks.'

'Ik ben Polly, Susans vriendin.'

'Aangenaam.' Margaret keek haar even aan met het flauwe glimlachje dat ze Susan in het crematorium had gegund en dat haar ogen niet bereikte. 'Amuseren jullie je nogal?'

O, god, dacht Susan, ze is op ruzie uit. Angst kwam in haar op, plus meer dan een beetje woede. 'Nee, Margaret, ik amuseer me niet. Dit is de begrafenis van onze moeder.'

'Maar je voelt je wel in je element met het organiseren van dingen. Vooral voor mama. Dat heb je vaak gedaan dit jaar, hè?'

Polly kon het venijn niet geloven. Het leek een slechte scène uit een soap. Als ze Susan was, zou haar hand jeuken om Margaret een klap te geven, maar Susan keek of ze elk moment kon gaan huilen. Polly keek om zich heen in de zitkamer, maar ze kon Roger of de jongens niet ontdekken.

'Begin nu alsjeblieft niet, Margaret, niet vandaag. Als je kwaad bent – hoewel God mag weten waarom je dat zou zijn – kunnen we praten, maar niet vandaag, niet met iedereen erbij.' Haar stem klonk smekend.

Margaret leek een beetje in te binden. Ze boog zich voorover naar Susan, en haar volgende woorden klonken bijna fluisterend, alleen bestemd voor Susans oren. 'Oké, niet hier. Maar ik blijf nu een tijdje in de buurt, Susan. Ik zal erbij zijn als je het huis leegruimt. Ik ben een deel hiervan, of je het leuk vindt of niet, en je kunt me niet buitensluiten.'

Susan begon geïrriteerd te raken. Waar had ze het over? Haar buitensluiten? Wie had al die telefoontjes gepleegd, geprobeerd haar te betrekken bij alle beslissingen, haar over te halen de last te delen van de verslechterende gezondheid van hun moeder? Maar Margaret had telkens weer de deur voor Susans neus dichtgegooid. Het bezoek eerder in het jaar was op een volslagen fiasco uitgelopen – Susan had gehoopt dat als haar zus Alice zag, ze het zou begrijpen, inzien dat ze dat alles om de juiste redenen had gedaan, en dat ze geen andere keus had gehad. Ze had gedacht dat het hun verstandhouding zou verbeteren – maar het enige resultaat was dat Margaret zich nog meer tegen haar had gekeerd. Wat bedoelde ze dat ze erbij zou blijven als Susan het huis leegruimde? Wilde ze zich ervan overtuigen dat Susan haar niet beroofde van haar aandeel in Alice' schamele bezit? Dat was een nieuw dieptepunt, zelfs voor Margaret.

'Goed, Maggie. Wat je maar wilt. Je kunt de hele verdomde mikmak op je nemen, als je dat wilt. Het wordt tijd dat je je steentje bijdraagt.'

Polly kon zich niet herinneren dat ze Susan ooit zulke taal had horen gebruiken. Goed zo, dacht ze. Dat giftige kreng. Ook Margaret deed er tijdelijk het zwijgen toe.

Polly ging over tot een reddingsactie. 'O, dat vergat ik nog te vertellen, Suze! Geweldig nieuws! Nicole belde me gisteravond om te zeggen dat Josh buiten levensgevaar is. Hij blijft nog een paar dagen in het ziekenhuis, en Harriet blijft bij hem, maar dan denken ze dat hij naar huis kan en weer helemaal gezond wordt.' Polly gaf Susan een arm en draaide haar weg van Margaret.

'Dat is fantastisch nieuws. Geweldig!' Voor het eerst die dag sprongen de tranen in Susans ogen, voor Harriet, Tim en Josh. En voor Alice.

'Ik weet gewoon niet wat haar probleem is,' zei ze later tegen Roger. De laatste bezoeker was een uur geleden vertrokken, en ze hadden de afwasmachine gevuld met alle kopjes, schoteltjes en glazen, de gang en zitkamer gestofzuigd en de kussens recht gelegd op de banken. Ze had haar zwarte jurk en schoenen uitgetrokken, en ze zaten naast elkaar met nog een kop thee, haar rug tegen zijn schouder.

'Verspil niet meer energie aan het piekeren erover, schat. Ze is een kwaadaardige, beschadigde, wraakgierige vrouw, en het heeft niets met jou te maken. Ik weet niet hoe haar leven in Australië is, maar ik vermoed dat het niet het Utopia is dat ze zich gedroomd had. Aan de andere kant denk ik dat Maggie het vermogen heeft om elke bron te vergiftigen waarnaast ze haar kamp opslaat. Waarschijnlijk heeft ze die arme Greg tot wanhoop gedreven. Het verbaast me dat hij het nog zo lang heeft uitgehouden als ze zegt. Vergeet haar.'

'Maar dat kan ik toch niet? Ze is mijn zus. Zij is nu de enige familie die ik nog heb. En ze is hier. Vlakbij. In mams huis ongetwijfeld.'

'Je kúnt haar vergeten. Ze is niet alles wat je nog over hebt – hoe denk je over de jongens en mij? Gehakte lever?'

'Natuurlijk niet. Je weet best wat ik bedoel.'

'Dat weet ik niet, liefste. Echt niet. Goed, ze zal altijd je zus zijn. Het hemd is nader dan de rok. Nou, en? Een zus die vals is, liefdeloos, hebzuchtig misschien en gewoon een verrekt raar mens, hoef je niet boven alle anderen te stellen. Ze is geen kruis dat je moet dragen. Ruim het huis van je moeder leeg – geef haar wat ze wil – en daarmee uit. Laat haar opvliegen.'

Susan sloeg haar armen om zijn hals. 'Je ziet de dingen zo simpel, hè?'

Hij gaf haar een zoen op haar voorhoofd. 'Jij ook, meestal. Zij is je achilleshiel, dat is alles.'

Ze zuchtte. 'Je hebt gelijk.'

'Ik hou van je.'

'En ik hou van jou.'

Polly en Cressida

Het was een warme nazomer, warmer dan het in juli was geweest, het soort hitte dat glinstert op de wegen, zoals in Amerikaanse films, en waarin de lucht stil en zwoel is. Zoals in *Een onvoltooid verleden*. Spencer lag op een deken onder een boom, de luier uit, het kleine vestje omhooggeschoven. Zijn beentjes bewogen onophoudelijk, alsof hij aan het fietsen was, en zijn armpjes waren gespreid, alsof hij probeerde de lucht te omarmen. De takken hielden de glinstering uit zijn ogen en de verzengende hitte van zijn huid, maar toch voerde hij nog steeds een statische dans van zonaanbidding uit, warm, tevreden en een beetje hijgend.

Polly was vergeten hoe heerlijk ze het hier vond. De cottage was van Dans ouders geweest – ze was er niet meer geweest sinds zij en Dan uit elkaar waren gegaan. Ze herinnerde zich hoe ze hier talloze vrijdagavonden laat was gearriveerd na te hebben geworsteld met het verkeer uit Londen, met lastige kinderen en een auto vol spullen en voedsel, alsof er in Norfolk geen winkels waren, zei Dan. Ze had zich altijd beter gevoeld zodra ze was uitgestapt en haar van de reis stijve lichaam strekte, de zilte zeelucht inademde. Daniel was op een van die vrijdagavonden verwekt, dat wist ze zeker. Cressida was toen tijdens het laatste uur van de reis in slaap gevallen en ze hadden haar meteen naar bed gebracht, zagen hoe ze zich ontvouwde uit de foetale sluimering in het autozitje en zich uitstrekte onder het roze en witte dekbed. Toen waren ze met een fles wijn de tuin in gelopen, waar het gras de warmte van de dag nog vasthield. Ze hadden gevrijd onder de boom waar Spencer nu lag, luisterend naar de zee, het ritme volgend van de golven. Ze was het bijna vergeten.

Dan had haar herinnerd aan de cottage, gezegd dat ze Cressida daar een paar dagen mee naartoe moest nemen, als ze dat wilde; hij zou Daniel nemen. Het was niet zo heel dom geweest van haar om zoveel van hem te houden als ze gedaan had – het was gemakkelijk dat te vergeten.

De cottage was niet veranderd. zelfs de meubels waren nog hetzelfde; de banken waren in de loop der jaren gevlekt door al die ziltige, met lotion ingesmeerde benen die zich erop genesteld hadden, en de bedden doorgezakt en uitnodigend, alsof je in een wolk lag. Toen ze gisteren waren aangekomen, leek Cressida weer een kind. Ze was hier niet meer geweest sinds ze heel jong was, maar ze begroette het dorp en het huis als lang gemiste kostbaarheden. Ze liet Polly stoppen op het pad naar het huis, zodat ze zeevenkel kon plukken om te stomen, en vroeg Polly om wat krab te kopen voor de lunch. Ze waren naar de zee gewandeld, Polly met Spencer in de draagzak, en Cressida was de grindhelling op gerend terwijl haar voeten naar buiten weggleden op de kiezelstenen, net als ze als kind had gedaan.

Dit was de juiste plek om met haar te praten.

Polly was zenuwachtig, en dat beviel haar niet – je hoorde je niet nerveus te maken over een gesprek met je eigen kind. Ze had even tijd nodig om zich aan te passen aan Cressida's nieuwe status: nog steeds haar kind, maar ook Spencers moeder. Ze was niet langer iemand voor wie Polly verantwoordelijk was, ze was een moeder, net als Polly vroeger. Jong. Bevreesd. Maar niet precies hetzelfde. Niet als ze naar Polly wilde luisteren, Polly dit voor haar zou laten doen.

Ze liep naar de donkere koele keuken en schonk twee grote glazen water in; toen ging ze weer naar buiten waar Cressida in een oude ligstoel zat, met één oog op haar boek, het andere, aandachtiger, op Spencer.

'Ik wil met je praten, Cress.' Ze ging op het gras zitten tussen haar dochter en haar kleinzoon, schoof toen een eindje opzij zodat ze niet tussen hen in zat.

'Wat is er?' Cressida had sinds juli veel tijd in de tuin doorgebracht, en had een prachtige goudbruine teint. Ze zag er heel mooi en weer belachelijk jong uit, zonder de dikke buik van Spencer en de kringen van de postnatale vermoeidheid onder haar ogen.

'Het gaat over Spencer. En jou. En mij. Maar vooral over jou.'

Cressida keek een beetje geschrokken, dus haalde Polly diep adem en zei het gewoon. 'Ik wil dat jij de kansen krijgt die ik niet gehad heb, Cress. Daarom was ik er in het begin niet zo zeker van of je Spencer wel moest krijgen.' Het voelde nu bijna als een boosaardig idee, kijkend naar hem terwijl hij zijn nieuw uitgevonden ballet naast hen demonstreerde. 'En ik had het mis, heel erg mis. Ik hou ook van hem, en ik ben zo blij dat hij hier is. Maar de moeder in me wil toch dat je alle kansen krijgt. Ik wil dat de wereld voor je openstaat, zoals elke ouder dat wil, en, zoals ik beter weet dan wie ook, je kansen zijn aanzienlijk minder zonder diploma. Je moet de juiste start krijgen in je carrière.'

'Dat weet ik, mam.' Cressida's stem klonk geduldig. 'Ik ga terug naar de universiteit. Dat heb ik toch voortdurend gezegd?'

'Je hebt gezegd dat je teruggaat naar iets, maar dat zal niet je oorspronkelijke keus zijn – het zal niet zijn wat je werkelijk wilde.'

'Verleden tijd. Spencer is wat ik werkelijk wilde – werkelijk wil. Hij is er, en hij is mijn eerste keus geworden. Ik zal mijn leven aan hem moeten aanpassen, zoals dat voor iedereen geldt.'

Polly schudde haar hoofd. Er ging een steek door haar hart toen ze

318

Cressida zo hoorde praten – deels trots, deels wanhopig dat haar dochter zich er zo kalm en schijnbaar opgewekt bij had neergelegd. 'Niet als je mij voor hem laat zorgen terwijl jij naar de universiteit gaat.'

Cressida bleef lange tijd zwijgen. Spencer liet babyzuchtjes horen.

'Ik heb er sinds het voorjaar heel diep over nagedacht, dat verzeker ik je – het is niet zomaar een opwelling. Ik probeer niet de touwtjes in handen te nemen. Ik kan voor hem zorgen, hij kan bij mij zijn, terwijl jij studeert. Hij zal jouw zoon zijn, hij zal alleen bij mij wonen. In de vakanties kom je thuis, zorgt voor hem, ook de weekends als je wilt. Maar voornamelijk zul je vrij zijn om je studie voort te zetten, wat plezier te maken, goed na te denken over wat je met je leven wilt gaan doen.' Ze wist niet of Cressida kwaad op haar zou zijn. Ze dwong zich naar haar dochter te blijven kijken.

Toen Cressida eindelijk haar mond opende, zei ze: 'Doe niet zo mal, mam. Jij hebt Daniel. Je hebt een baan. Je hebt Jack, als jullie een eind maken aan wat voor nonsens dat ook is tussen jullie.'

Polly zag het besef doorbreken op het gezicht van haar dochter.

'Ik ben het die tussen jullie in staat, hè? Je hebt het hem verteld, en hij is er niet tegen opgewassen.' Tranen van paniek sprongen in Cressida's ogen. Ze liet zich uit de stoel glijden en ging naast haar moeder zitten, pakte Polly's handen vast. 'O, mam, je kunt het niet uitmaken met Jack ter wille van mij. Dat kún je niet! Hij zal je gelukkig maken.'

'Niet als hij niet kan begrijpen wat ik moet doen.'

'Maar je hóéft het niet te doen.'

'Dat moet ik wél, Cressida. Dit gaat niet om Jack. Ik kan het verdragen als ik Jack kwijtraak.' Kon ze dat? 'Maar ik kan het niet verdragen als ik jouw leven de verkeerde kant op zie gaan. Ik weet dat ik dat niet zal kunnen verwerken. Denk aan hem.' Ze gebaarde naar Spencer. 'Ik weet dat hij nog maar een baby is, maar ik denk verder in de toekomst. Denk aan hem als hij net zo oud is als jij. Denk aan hem zoals ik aan jou denk. Ik kijk naar je en kan gewoon niet geloven dat ik deel heb gehad aan de creatie van iets wat zo mooi, intelligent, energiek en gepassioneerd is, en zo vol warmte. Kijk naar hem. Je weet nu al dat je je leven voor hem zou geven, niet? Dat weet je.' Cressida keek naar hem. De tranen rolden ongehinderd over haar wangen. Ze knikte. Polly legde haar handen op Cressida's schouders. 'Dus nu begrijp je wat ik voor jou voel.' Ze huilde ook.

Polly herinnerde zich de dag van Cressida's eerste menstruatie, toen ze dertien was. Ze was hooghartig, beschaamd, teruggetrokken en prikkelbaar geweest, en Polly had zich op een afstand gehouden. Die avond had ze haar in de badkamer gevonden, huilend omdat er bloed was gekomen op de handdoek en de badmat, en ze was naakt en snikkend op de schoot van haar moeder geklommen. Al het volwassene was toen uit haar verdwenen, net als nu. Polly wiegde haar zachtjes heen en weer.

'Ik kan hem toch niet bij jou achterlaten?' Het was een vraag.

Polly voelde iets van de spanning uit haar spieren verdwijnen. Ze kwam een tikje dichter bij haar doel. 'Ja, dat kun je wel. Je laat hem niet in de steek. Je leent hem een tijdje aan mij. Dat is alles.'

Later stond Polly bij de achterdeur en dronk haar glas wijn leeg. Ze voelde zich bijna opgewonden. Het was een van die dagen waarop je naar bed gaat in een ander leven dan waarin je wakker bent geworden. Ze hadden urenlang gepraat, en Cressida was geleidelijk opgemonterd toen ze dacht aan de mogelijkheden die ze meende voorgoed te hebben verloren. Toen ze 's avonds gingen eten was ze bijna weer meisjesachtig, en Polly voelde een zware last van zich afglijden, een last die haar sinds maart al bezwaard had. Ze zouden er een succes van kunnen maken. Ze gingen er een succes van maken.

Ze deed de achterdeur op slot en liep de smalle trap op, deed de lichten onder het lopen uit.

Cressida lag in bed met de lamp nog aan, met haar gezicht naar haar baby, één hand uitgestrekt als om hem aan te raken. Spencer lag naast haar te slapen in zijn draagwieg, beide armpjes boven zijn hoofd, in overgave aan de zon, en dronken van zijn flesjes. Polly boog zich over hem heen om het licht uit te doen, en Cressida deed haar ogen open. Ze keken elkaar een lang moment aan, moeder en dochter, glimlachend in zwijgende medeplichtigheid en liefde, voordat Polly hen in het donker achterliet.

Elliot

Cressida had van de zon in Norfolk geprofiteerd. Haar gezicht was goudbruin en ze had sproeten op haar wang en neus. Haar ogen fonkelden blauw in de heldere zon, en haar krullen hadden een gouden glans. Ze was mooi. Hij wilde haar witte shirt over haar schouders omlaag schuiven om te zien waar het bruin en de blanke huid elkaar raakten, en om de zon en haar samen te ruiken.

Ze liepen in het park bij haar huis. Spencer had liggen slapen in zijn kinderwagen, maar was nu wakker. Ze bleven staan bij een bank en

Elliot ging zitten. Cressida tilde de baby op en gaf hem aan zijn vader. Hij had een wit zonnehoedje op, te groot voor zijn kleine hoofdje met het donzige haar, en Elliot duwde het omhoog zodat hij zijn gezichtje kon zien. Spencers ogen richtten zich onmiddellijk op hem, in de schaduw.

Cressida ging naast hem zitten, en hij sloeg zijn arm om haar schouder. Zo bleven ze een paar minuten zwijgend zitten. Elliot leunde achterover en probeerde zich te verbeelden dat dit het was, dat zij drieën altijd zo zouden zijn. Dat mensen langs hen zouden lopen, naar hen zouden kijken, ontroerd door het familietafereeltje, en dat echtparen van middelbare leeftijd elkaars hand zouden pakken in tedere herinnering. Maar hij wist al dat ze niet altijd zo zouden zijn. En de zon, alsof hij die waarheid wilde belichten, brandde op zijn oogleden. Hij trok zich het eerst terug, zodat ze kon praten, hem vertellen wat ze te zeggen had. Spencer rekte zich uit en sloot zijn ogen. Maar Elliot kon hem niet neerleggen. Hij moest hem vasthouden.

'Ik ga weg.'

Hij concentreerde zich op het gezicht van de baby. Hij bewoog zich niet, maar zijn hart bonsde.

Ze haatte dit. Haatte het om hem dit te moeten aandoen.

'Ik ga weer naar de universiteit. Ik neem Spencer niet mee.'

Dat laatste kon Elliot niet verwerken. Wat bedoelde ze? Iets als hoop ging door hem heen.

'Mam zal voor hem zorgen terwijl ik studeer. Als ik later alles op een rijtje heb, komt hij bij me wonen, waar dat ook mag zijn. Maar ik neem hem niet mee naar de universiteit. Ik kom terug in de weekends, en natuurlijk zal ik bij hem zijn in de vakanties en op feestdagen, maar de rest van de tijd zal ik weg zijn om te studeren.'

Hij zei nog steeds niets.

'Het was mams idee. Ik heb eerst nee gezegd, maar hoe langer we erover spraken, hoe zinvoller het leek. Ze neemt een verlofjaar van het advocatenkantoor, en daarna gaat hij naar een crèche. Er is een heel goede vlak bij haar kantoor. Mam heeft alles uitgewerkt, alle subsidies en toelagen en zo, en het zal voortreffelijk gaan, Elliot. Ik hou meer van hem dan ik ooit heb gedacht of begrepen, en ik zal hem verschrikkelijk missen, maar ik zal op deze manier een betere moeder voor hem kunnen zijn, hem een beter, gelukkiger leven geven. Ik heb het niet over geld en zo, ik bedoel dat ik zelf gelukkig en voldaan zal zijn. Het zal jou misschien egoïstisch in de oren klinken, maar ik geloof dat het de juiste beslissing is. Ik heb zo'n ongelooflijk geluk met een moeder die dit voor me wil doen.

'Zeg wat, Elliot? Alsjeblieft?'

'Ik kom er helemaal niet aan te pas, hè?' Zijn stem klonk hol.

'Natuurlijk wel.' Cressida legde haar hand op zijn arm. 'Jij bent Spencers vader. Dat weet mam net zo goed als ik. Ze wil dat je hem komt opzoeken en tijd met hem doorbrengt, en dat zul je toch kunnen, hè? Veel gemakkelijker dan wanneer ik weg was gegaan en hem had meegenomen?' Haar stem klonk smekend.

'Ik bedoel Spencer niet. Ik bedoel dat ik niet in jouw plannen figureer.' Hoe kon Cressida niet willen zien wat hij bedoelde? Ze wist wat hij wilde, waarop hij hoopte. Ze kon niet net doen alsof dat verdwenen was.

Ze trok haar hand terug en zuchtte. 'Elliot, het is niet juist, jij en ik. Ik weet dat je denkt dat je dat wilt, maar het is niet juist.'

'Hoe weet je dat? Je hebt het nooit geprobeerd.'

'Ik weet dat het niet iets is wat je probeert. Het is iets wat je moet voelen.'

'Je hield van me.'

'Ik hield van je, ja. Natuurlijk hield ik van je. Niet in de verleden tijd. Ik hou van je. Ik weet dat je van mij houdt. Maar er zijn nuances in de liefde, Elliot. Dat hoef ik jou niet te vertellen. Jij bent de oudste. Je weet wat ik bedoel. Je houdt van het idee van mij, dat is het.'

Hij draaide zich bijna kwaad naar haar om. 'Zeg dat niet. Ik hou niet van het idee van jou. Ik hou ervan je te zien, je te ruiken, te horen, te voelen. Ik hou ervan hoe je tegen mijn borst ligt als ik je in mijn armen neem, en ik hou van de manier waarop je aan die krullen op je voorhoofd trekt als je nadenkt. Ik hou van de manier waarop je geen fatsoenlijke kop thee kunt zetten. Dat gaat niet om ideeën. Dat is reëel.'

Ze schudde haar hoofd. 'Je had me nodig. Nodig hebben is ook geen liefde. Je moest beseffen dat er een ander leven was behalve dat met Clare. Je had het nodig dat iemand om je gaf. Ik kwam en liet je dat beleven. Nu weet je het. '

'Schei toch uit met me te vertellen dat ik niet van jou hou, en zeg gewoon dat jij niet van mij houdt. Daar gaat het om. Als het aan mij lag, zouden we bij elkaar zijn. We zouden getrouwd zijn en een gezin vormen, wij drieën. Dus gaat dit om jou, wat jij wilt en wie jij niet wilt. Niet om mij.'

'Oké. Ik wil dit niet.'

Ze had hem niet meer pijn kunnen doen als ze hem in zijn hals had gestoken met de gebroken fles die naast de bank lag. Hij wilde weglopen. Maar hij hield Spencer nog in zijn armen. En toen lag haar hand weer op de zijne, klein en warm. 'Ik wil niet dat we het doen ter wille van hem. Ik wil niet dat de enige volwassen relatie die ik heb er een is die begon om de verkeerde redenen, met bedrog, leugens, stiekem gedoe en het kapot maken van een ander. Ik hou van je. Je bent de vader van mijn kind. Dat kan immers niet veranderen? En ik geloof niet dat hij een betere vader kan hebben. We zullen hem altijd samen hebben. Maar nu is niet het moment voor ons, Elliot. Ik weet dat ik gelijk heb.'

'Niet doen. Geef me geen hoop. Vraag me niet op je te wachten.'

'Dat vraag ik je niet. Ik zeg alleen dat we altijd een band zullen hebben, en ik zeg ook dat het leven vreemd kan lopen. Dat is alles.'

Elliot stond op, legde Spencer weer in zijn wagen en bedekte zijn beentjes met het lakentje. Hij bleef een ogenblik naar hem staan kijken en legde zachtjes zijn hand op zijn wang. Toen deed hij een stap achteruit.

Hij kon niet tegenspreken, want hij wist dat ze gelijk had – al wilde hij nog zo graag dat het anders was, en hij kon zich niet herinneren dat hij er ooit zo naar verlangd had dat iets anders zou zijn dan het was nu. Maar dat was niet waar: hij had gewild dat het anders was met Clare, voor hem en voor Clare. Plotseling voelde hij zich overmand door droefheid. Niets was ooit goed gegaan, niet met Clare en niet met Cressida. Behalve Spencer. Maar hij kon nu niet aan hem denken. Hij wilde weg. Hij liep nog een paar passen verder achteruit, weg van Cressida.

'Elliot?' Ze leunde naar voren, zittend op de bank.

'Ik moet hier weg. Sorry.' Hij draaide zich om en begon te hollen. Hij holde onbeholpen, te snel, tot hij ver bij hen vandaan was. Toen zakte hij in elkaar tegen een boom en rustte uit op het gras. Zijn ademhaling ging raspend en hijgend, ongecontroleerd. Een jonge moeder die met haar Labrador en haar kind wandelde, pakte het driewielertje van het meisje op en liep snel langs hem heen, de hand van het kind stevig in de hare geklemd.

SEPTEMBER

Het goud van de waarheid

IAIN PEARS

Deze opmerkelijke roman speelt zich af in Oxford in de jaren 1660 – een tijd en plaats van grote intellectuele, wetenschappelijke, religieuze en politieke turbulentie – rond de centrale figuur van Sarah Blundy, een jonge vrouw die beschuldigd wordt van de moord op Robert Grove, lid van New College. Vier getuigen komen aan het woord over de mysterieuze omstandigheden waarmee de dood van Grove is omgeven. Alle vier hebben ze hun redenen om selectief met de feiten om te gaan; slechts èèn vertelt de onvoorstelbare waarheid.

'*Het goud van de waarheid* combineert de eenvoudige genoegens van een Agatha Christie met de intellectuele subtiliteit van Umberto Eco. Een mijlpaal in het genre.' *Sunday Times*

Het goud van de waarheid, de Nederlandse vertaling van *An Instance of the Fingerpost*, © 1997, verscheen bij uitgeverij Anthos in 1997.

Die maand kwamen ze niet bijeen voor de leesclub. Wie zou zich kunnen concentreren? In plaats daarvan dronken ze op een zaterdagochtend samen koffie in Starbucks. Ze waren moe, uitgeteld, zo'n beetje als overlevenden van Omaha Beach die zich na de landingen hergroeperen.

'Hoi, oma!' Harriet omhelsde Polly. 'Heb je afgelopen maand gemist. Ik hoop dat je foto's hebt meegebracht.'

Polly knikte. 'Die je alleen mag zien op voorwaarde dat je me nóóit, nóóit meer oma noemt in het openbaar.'

'Oké, Nana – haal ze tevoorschijn.'

'Gaat het een beetje?' Polly wist dat er geen woorden waren voor wat Harriet had doorgemaakt.

'Nu wel. Dank je.' Ze omhelsden elkaar weer.

De anderen waren al gaan zitten met hun dampende koppen koffie.

Nicole dacht niet dat een van hen het boek gelezen had. Haar keus. *Het goud van de waarheid* door Iain Pears.

Harriet had het pas een week voor Josh' ongeluk gekocht. Leuk hoor, had ze ironisch gedacht. Al mijn favoriete ingrediënten – geschiedenis, religie, politiek, wetenschap – geschreven door een man, en dat alles in een compact en handzaam werk van 698 pagina's. Ze had zich afgevraagd of Nicole het met opzet had gekozen om haar te ergeren, al was het precies het soort boek waarvan ze verwacht zou hebben dat Nicole het prachtig zou vinden. De ochtend waarop Josh van het dak was gevallen had ze het eerste hoofdstuk voor de tweede keer gelezen, waarna ze het boek ongeduldig op de bank had gegooid, van mening dat ze er nog minder van begreep dan de eerste keer. Nicole had schertsend tegen haar gezegd dat ze Josh' ongeluk zo had getimed dat het samenviel met de bijeenkomst van de leesclub, zodat ze niet iets hoefde te lezen dat haar tegenstond. Ze mocht er een grapje over maken nu met Josh alles in orde was. De pure opluchting maakte alles grappig – de verhalen over haar matras op de grond in het ziekenhuis, het slechte eten in de kantine, en de eindeloze eenzijdige gesprekken over Arsenal. Ze had liever Iain Pears gelezen, met zijn gecompliceerde plot en diverse verhaallagen, dan *Harry Potter* voorlezen aan een kleine jongen, met alle verbeeldingskracht en enthousiasme die ze kon opbrengen. Het was allemaal een hoofdstuk in Harriets familielegende geworden, dat in de loop der jaren op exact dezelfde manier zou worden verteld, net als alle verhalen die eraan vooraf waren gegaan. De verhalen die ze vertelde aan Josh en Chloe, en die begonnen met: 'Het was een zonnige ochtend in mei toen ik wist dat je er klaar voor was om geboren te worden,' en 'We wisten niet eens dat je eerste tand was doorgekomen tot je me beet toen ik je een plakje kaas voerde,' en 'Op je eerste schooldag zei je tegen de leraar dat je een dinosaurusdokter wilde worden als je groot was.' Dit verhaal begon met 'De dag dat Josh van het dak viel...' en ze hoopte, elke keer dat ze het vertelde, dat het het meest angstwekkende verhaal in haar leven zou blijven.

Ze vertelde alles erover aan haar vriendinnen. Nicole viel haar meer dan eens in de rede – 'Toen ik daar kwam, zaten ze op de grond, en de andere kinderen stonden te huilen in de deuropening.' Nu zei ze: 'Tim was grandioos.'

'Ja.' Harriet wist dat ze er nooit tegen bestand zou zijn geweest zonder hem. Vanaf het moment dat hij aankwam, had hij de leiding genomen: kalm, langzaam en zelfverzekerd, al stonden zijn ogen vol tranen toen hij Josh voor het eerst had gezien, heel klein in het grote witte bed. Elke ochtend had hij haar sterke koffie gebracht van de koffieshop buiten het ziekenhuis, niet dat waterige vocht uit de kantine, en een koffiebroodje met appel (ze had een hekel aan rozijnen, iets wat hij nooit vergat). Hij bracht haar favoriete tijdschriften mee, de roddelbladen vol foto's waar hij een hekel aan had, en hij herinnerde zich dat ze haar wimperkruller nodig had om zich een beetje menselijk te kunnen voelen. En elk moment dat hij vrij was, zat hij bij Josh, praatte met hem, over dingen die ze die zomer hadden gedaan, dingen die ze zouden gaan doen als hij beter was. Hij was perfect. Net als altijd.

'Hij was fantastisch. Zonder hem had ik het niet gered.'

Door de toon waarop ze het zei zette ze een streep onder het gesprek over Josh. Ze wilde er niet over blijven praten hoe geweldig Tim was geweest. Nicole keek haar nieuwsgierig aan. Sinds dat met Gavin in Spanje was gebeurd, en toen dat ongeluk, vond ze Harriets ambivalente houding jegens haar echtgenoot nog ongelooflijker. Hoe slechter Gavin was, hoe beter Tim tegen hem afstak. Dat was het, dacht Harriet. Het maakte dat ze zich niet helemaal op haar gemak voelde. Hun huwelijken waren zo duidelijk verschillend.

Ze draaide zich om naar Susan. 'Hoe was de crematie?'

'Oké. Er zijn uiteindelijk heel wat mensen komen opdagen, en dat hielp. Het is een opluchting dat het achter de rug is. Ik moet het huis nog leegruimen, maar Margaret, mijn zus, zal me daarbij helpen.'

Polly snoof minachtend. De anderen keken haar aan. 'Margaret heeft... laten we zeggen problemen.'

'Hoe bedoel je?' vroeg Nicole.

'Ze moet getraumatiseerder zijn door mama's dood dan ik dacht. Ze is ongelooflijk van streek sinds die tijd.'

'En ze reageert het op jou af!' Polly hield van Susans redelijkheid en mildheid, maar ze kon niet over haar kant laten gaan dat Susan Margarets gedrag verdedigde op grond van een trauma. Kul! Margaret was een monster in haar ogen, en verdiende helemaal niets dat op medelijden leek van Susan, die de volledige zorg voor Alice op zich had genomen.

Susan probeerde niet haar nog verder te verdedigen. Ze maakte een grimas. 'Ja, dat is wel zo. Maar haar huis ligt vol papierrommel, over joost mag weten wat – mama verzamelde alles – dus zijn twee extra handen welkom, ook al zitten ze vast aan een humeurige, sarcastische zus.'

'Kunnen wij helpen?' vroeg Harriet.

'Hemel, nee! Jullie hebben het al druk genoeg. Nee, we zullen het best redden. Roger is beschikbaar voor de nodige spierkracht. Polly zei dat ze een weekend wil komen – ja toch? – om haar kleren uit te zoeken.' Polly knikte. 'En er is echt geen reden voor sentimentaliteit. Het zijn in het algemeen gewoon "dingen". Wat de moeite waard is om te verkopen, zullen we verkopen, wat de moeite waard is om weg te geven, geven we weg. De meubels gaan naar een liefdadigheidsinstelling. Het is de papierrommel die de meeste tijd zal vergen. Mama is het type dat de strookjes uit de chequeboekjes dertig jaar bewaart, dat soort dingen. Mensen van die generatie waren allemaal wel min of meer zo. Had iets te maken met de ontberingen in de oorlog. Maar je moet alles doorwerken, om zeker te zijn dat je niets gemist hebt.'

'Zoals bijzonderheden over haar Zwitserse bankrekening?' Harriet glimlachte.

'Was het maar waar. Ik dacht aan verzekeringspolissen, brieven met wensen en zo.'

'Vreselijk, hè?' zei Nicole, denkend aan het overlijden van haar vader een paar jaar geleden. Hij had alles in perfecte orde nagelaten.

In de diepe la aan de linkerkant van zijn bureau lag een dossier met het opschrift 'Bij mijn overlijden' in zijn groene inkt geschreven. Daarin stond alles wat haar moeder moest doen, financieel, praktisch. Hij had zelfs de muziek bij zijn begrafenis gekozen. Nicole zou niet verbaasd hebben opgekeken als er notities waren geweest in de trant van: 'stop verwisselen'; 'het stuk met de borstel bevestigen aan de slang'. Ze herinnerde zich hoe haar moeder huilend in een stoel had gezeten met het dossier open op haar schoot: 'Hij hield van me.' Alsof ze dat nooit beseft had voor ze dat dossier zag.

'Ja.' Susan zette de gedachte van zich af. Ze wilde er niet aan denken. 'Kom, laten we over wat opgewekters praten, als we het niet over het boek hebben. Nicole?'

'Ach... ik weet eigenlijk niet of het wel zo opgewekt is.' Ze haalde diep adem. Harriet wist het natuurlijk, maar vóór vandaag had ze het nog aan niemand anders verteld. Ze voelde zich bijna verlegen. 'Ik heb Gavin de deur uitgezet.'

'O, wat erg.' Susan wilde dat ze niets gevraagd had.

'Dat vind ik niet. Tenminste, ik weet zeker dat ik dat binnenkort anders zal zien.' Ze zag bleek, merkte Susan, nu ze haar goed bekeek, bleek en vermoeid.

Harriet keek aandachtig naar haar vriendin. Ze wist dat dit een belangrijke stap was. Ze geloofde dat aan hoe meer mensen Nicole het vertelde, hoe reëler het zou worden in haar geest en hoe minder kans er was dat ze hem terug zou nemen. Elke keer dat de telefoon ging was Harriet bang dat het Nic was, om haar te vertellen dat ze hem nog één laatste kans zou geven.

Susan en Polly keken meelevend en nieuwsgierig naar Nicole. Ze had de laatste maanden niet veel over haar man gesproken. Het was zo klaar als een klontje dat Harriet hem niet mocht. Polly was altijd van mening geweest dat ze een beetje gesloten was over hem, alsof ze zich in bedwang hield. Nicole was ook niet sentimenteel over de boeken die ze lazen. Ze kon soms wat hard overkomen. Maar blijkbaar zat dat niet erg diep: ze zag eruit als een vrouw die dagen in tranen had doorgebracht.

'Hij was gewoon een onvervalste bedrieger. Ik denk dat hij dat waarschijnlijk tijdens ons hele huwelijk is geweest. Ik heb hem tijdens onze zomervakantie met iemand betrapt. In ons bed.' Ze zweeg. De onthulling bleef in de lucht hangen, grimmig en onbetwistbaar.

Susan keek naar haar handen. God, wat konden mannen rotzakken zijn. Wat wilden ze toch? Nicole was mooi, intelligent – ze was de moeder van zijn kinderen, verdorie.

'En dat was de laatste druppel?' Polly stelde niet echt een vraag. Ze had zelf een mislukt huwelijk achter de rug.

'Ja.'

'En dat is het? Geen weg terug?'

Nicole schudde langzaam haar hoofd en nam een flinke slok koffie. 'Ik denk het niet. Er heeft een verschuiving plaatsgevonden, zie je. Plotseling gaat het er niet meer om hem te straffen, of hem ermee te doen ophouden. Ik wil het niet meer.'

Polly knikte. 'Dat is wat er gebeurd is met mij en Dan. Hij was geen rokkenjager, voorzover ik weet, gewoon een nutteloze echtgenoot. En ik heb jarenlang met hem een strijd geleverd om te trachten hem te veranderen. Tot ik op een ochtend wakker werd en dacht: Weet je, Poll, hij zal nooit veranderen, wat je ook doet. En zodra je je dat realiseert, zie je de toekomst met die man als verspilling, en je wilt eruit en doorgaan met je leven; ik vond dat ik iets anders moest proberen voor het te laat was.'

Ze sloeg de spijker op zijn kop. Nicole glimlachte naar haar. 'Hoe lang was je alleen voordat je Jack ontmoette?'

'Tien jaar. Behalve dat ik niet alleen was, ik had de kinderen. En nu en dan een "vriendje".'

Susan lachte. 'En ik kan jullie over een paar van hen wel een en ander vertellen als Polly er niet bij is, en als het jullie interesseert.'

Polly kneep haar speels in de arm. 'Sommigen konden er heel goed mee door. Je was gewoon jaloers.'

Susan lachte nog harder. 'O, ja. Echt jaloers! Vooral op die ene – hoe heette hij ook weer? – met die harige nek.'

'Bedoel je die met de harige nek én het jacht dat in Cowes gemeerd lag?'

'Hij had heel wat meer moeten hebben dan een jacht in Cowes om die nek te doen vergeten.'

Polly giechelde. 'Je had zijn buik moeten zien.'

'Dat konden we praktisch al. Hij knoopte nooit zijn hemd dicht, als ik me goed herinner. Bij hem vergeleken was Tom Jones het toppunt van correctheid.'

'Ba!'

'Wees eerlijk. Het is al lang geleden. Waarschijnlijk was het toen ín.'

'Dat was het niet.'

331

Toen ze allemaal uitgelachen waren, zei Polly: 'Oké, omdat dit opgehouden is een leesclub te zijn en veranderd is in een biechthokje, kunnen jullie mijn biecht ook maar beter horen, denk ik.'

Nicole en Harriet keken haar vol verwachting aan.

'Susan weet het allemaal al, dus mijn verontschuldigingen aan haar dat ik in herhalingen verval. Jack en ik zijn uit elkaar, denk ik. Wederzijds goedvinden, zou je het kunnen noemen. Ik heb besloten iets te doen, en hij gelooft niet dat hij dat aankan, dus gaan we ieder onze eigen weg.' Ze probeerde het luchthartig te houden. Ik hoop dat jullie nog geen hoed hebben gekocht voor het huwelijk, want dat komt er niet.'

'Verhip, we zijn wél een stelletje met elkaar, zeg.' Nicole was verbaasd. Polly had zo verliefd geleken op hem. Bij sommige relaties geloofde je gewoon in liefde en vertrouwen, en in de toekomst ervan. Ze had gedacht dat zij de enige van hen was, afgezien van Clare, die geen relatie had met iemand op wie je altijd aan kon. Maar zelfs Harriet en Tim... al had ze het gevoel dat zij de enige was die er zo over dacht. Als zulke huwelijken schipbreuk leden, was je geschokt, en deed het afbreuk aan je geloof in een goede afloop.

'Wat ga je doen?' vroeg Harriet.

'Ik heb besloten, en Cressida is het ermee eens, dat ik voor Spencer zorg terwijl zij haar colleges volgt. Ik neem een sabbatical van een paar maanden en dan ga ik terug naar mijn werk en gaat Spencer naar de dagopvang – er is een heel goede crèche dicht bij mijn kantoor. Cressida komt in de vakanties en op feestdagen terug om bij hem te zijn.'

'Tjee!' Nicole was geschokt.

'Ik heb die kans nooit gehad, zie je,' ging Polly verder. 'Ik was heel jong toen ik haar kreeg, en ik zou haar of haar broer voor geen goud ter wereld willen missen, maar ik weet dat ik daardoor bepaalde dingen niet heb kunnen beleven. Cressida hoeft dat patroon niet te herhalen, omdat ik er ben en ik kan helpen.'

'Je bent bewonderenswaardig,' zei Harriet.

'Niet zo bewonderenswaardig. Alleen maar een moeder.'

'En zijn we niet allemaal bewonderenswaardig, als moeder?' vroeg Susan.

'Dat zijn we. Op de moeders.' Polly hief haar kopje op.'

Harriet keek even naar Nicole. Wat zou ze voelen? Ze zag er een beetje uit of ze elk moment kon gaan huilen. Ze stak haar hand uit onder de tafel, vond die van Nicole en omklemde haar vingers.

Nicole kneep in Harriets hand. Dit waren de gesprekken die ze moest leren te overleven. Ze zou de best mogelijke moeder zijn voor de jongens en voor Martha. Ze zou het nooit goed kunnen maken voor de baby die niet geboren zou worden, en op momenten als dit zou het altijd weer naar boven komen en al het andere blokkeren, als een zonsverduistering.

'En is het daarom misgegaan met Jack?'

'Ja, hij wil niet voor surrogaatvader spelen, niet voor een baby. En ik kan het hem niet kwalijk nemen. Een vrouw met volwassen kinderen is tot daaraan toe. Een oma met een baby thuis? Waarom zou hij?'

Omdat hij van me houdt, omdat hij van me houdt, schreeuwde haar hart. *Omdat je van me houdt.*

'Dat moet erg moeilijk voor je zijn geweest.'

'Niet echt. We hebben geen slaande ruzie gehad, of zo. Geen discussies. Ik denk dat we sinds ik het hem heb verteld gewoon uit elkaar zijn gedreven, zoals ze dat noemen. Geen grote afscheidsscènes.'

Het was eigenlijk niet vreemd dat ze het allemaal zo makkelijk opnamen, dacht Susan, toen Harriet zich stortte in het jonge-moeders-informatienetwerk, de namen beloofde van babysitters, de namen noemde van de kinderen die ze kende in de crèche die Polly bedoelde. We zijn immers allemaal moeders? Diverse stadia misschien, verschillende problemen, maar de liefde is hetzelfde. Het instinct voor zelfopoffering is hetzelfde.

Polly

Polly legde de hoorn van de telefoon er weer op en leunde met haar voorhoofd tegen de muur. Ze wist niet zeker of ze dit nog wel aankon. Ze was moe, en daardoor leek alles natuurlijk moeilijker, maar ze was ook verward en bedroefd, zelfs een beetje kwaad, en dat had niets te maken met vermoeidheid.

Het was Jack geweest, die niet tot een besluit kon komen. Of misschien Jack die een besluit had genomen maar zijn hart niet kon overhalen zijn verstand te volgen. Of Jack die niet precies de man was die ze in hem gezien had en geloofde dat hij van twee walletjes kon eten: een kinderloos, chaosvrij leven, en Polly als hij daar behoefte aan had.

Ze was zo'n cliché, en ze was kwaad op zichzelf. Hij had haar verteld wat hij wilde – of liever gezegd, wat hij niet wilde. Maar hij bleef bellen en vragen haar te ontmoeten, en zij was absoluut niet in staat bij hem vandaan te blijven.

De eerste keer was een paar weken na Spencers geboorte. Hij had beeldige bloemen gestuurd aan Cressida, maar Polly had niets van hem gehoord – ze voelde zich een beetje stom dat ze het bericht had achtergelaten op zijn antwoordapparaat, maar ze had zich zo euforisch gevoeld toen de baby geboren was, en ze had het nieuws zo graag met hem willen delen. Toen had hij plotseling gebeld op een moment dat haar weerstandsvermogen gering was (maar wanneer was het dat niet, als het hem betrof) en haar gevraagd iets met hem te gaan drinken. Die eerste keer was ze vol dwaze hoop geweest. Ze had een nieuwe jurk gekocht, al was het maar een borrel in de pub, en zich druk gemaakt over haar haar en make-up. Ze had een beha met bijpassend slipje gekocht, glimlachend bij zichzelf toen ze die aantrok. 'Hoopvol kleden,' zou Harriet het genoemd hebben.

Ze hadden een fantastische avond gehad. Het was hun vaste pub, en ze zaten waar ze altijd zaten, en dronken en praatten en praatten. Over alles behalve. Hij had geïnformeerd naar Spencer, zonder al te grote belangstelling, en ze had niet aangedrongen. Ze hadden hand in hand gezeten.

Het kon ongelooflijk sexy zijn, elkaars hand vasthouden. Dat was ze vergeten. Zijn hand was groot en koel, en die van haar had heel klein gevoeld in de zijne, onderdanig. Hij had haar overal heen kunnen leiden, en ze wist dat ze hem gevolgd zou zijn.

Ze zag de liefde in zijn ogen, die fonkelden als ze dingen zei die typisch waren voor Polly. Hij luisterde gretig en lachte om haar grapjes, en het was heerlijk, opwindend, om zich weer in de heldere glans van zijn aandacht te koesteren.

Ze kon haar ogen niet geloven toen de avond voorbij was en ze buiten stonden, hun auto's naast elkaar op de weg, met de neus in een tegenovergestelde richting. Hoe symbolisch was dat? Hij zou in zijn auto stappen en teruggaan naar het leven dat hij had gekozen, zonder iets te hebben gezegd over de dingen die ze gehoopt had te zullen horen.

Hun beleefde, vriendschappelijke afscheidszoen begon wang aan wang en bleef daar, tot neus over neus gleed, lippen elkaar ontmoetten en zich openden. Waar was ze mee bezig? Als een vriendin of Cressida of iemand uit *EastEnders* dit had gedaan, zou ze tegen hen geschreeuwd hebben niet zo stom te zijn. Ze was in de veertig, verdraaid nog aan toe, en ze stond voor de deur van een pub het gezicht af te lebberen van een man. Een man die haar niet wilde. Nou ja, dat was natuurlijk niet waar. Ze troostte zich vaag met die gedachte, al kwam ze er niet ver mee. Een man die haar niet genóég wilde. Zo ongeveer, verbeeldde ze zich, als een crackverslaafde beloofde de dealer niet meer te bellen, en een alcoholist beloofde dat elke volgende borrel de laatste zou zijn, zo beloofde Polly zichzelf (en misschien belangrijker nog, Susan) dat ze het niet meer zou doen. Sociaal masochisme, noemde Susan het. 'Je weet dat het je verdriet zal doen, dus doe het niet.'

Maar de vrijdag daarop was ze weer bij hem. In een restaurant, waar ze de hele lengte van Jacks dij tegen de hare voelde. Hun onderarmen raakten elkaar boven de tafel net genoeg om de haartjes op haar arm overeind te laten staan. Haar lichaam schreeuwde het uit dat het iets wilde, iets wat het al eerder had gehad en waarvan het had genoten, en het kon zo gemakkelijk de protesten van haar verstand overstemmen.

Hij had haar afgehaald – Cressida was in de keuken met Spencer, zodat ze hem niet had gezien. Toen hij haar naar huis bracht hadden ze elkaar in de auto gezoend tot de ramen beslagen waren. Meer dan wat ook wilde ze hem mee naar binnen nemen, naar boven, naar haar bed. Als Cressida en Daniel er niet waren geweest, zou ze het hebben gedaan. Ze wist niet of ze opluchting of frustratie voelde. Wat een idioot.

Ze had zich van hem losgemaakt, haar armen tegen de binnenkant van zijn ellebogen geduwd, om hem op een afstand te houden. 'Waar zijn we mee bezig, Jack?'

Lange tijd had hij geen antwoord gegeven. Hij wreef in zijn ogen, legde zijn vingertoppen tegen zijn voorhoofd, sloeg toen zachtjes op het stuur. 'Ik weet het niet, Poll.'

'Het heeft geen zin, wel?'

'Is dat zo?' Hij verried niets.

'We zouden elkaar kunnen blijven ontmoeten zoals nu. Dat zou gemakkelijk zijn,' zei ze.

Zo ontzettend gemakkelijk. Ze voelde zich zo intens leven als ze bij hem was, dat het het bijna waard was.

'Je verlangt van me dat ik er ben zoals vroeger, intiem, en dan naar binnen ga en mijn leven voortzet zonder jou, tot je de volgende keer belt.'

'Ik verlang niets van je, Polly.'

'O, ja, dat doe je wél. Je hebt geen idee. Bovendien, wat dan nog als je dat niet doet? Je verlangt niets van me omdat je weet dat je daar het recht niet toe hebt, en ik verlang niets van jou omdat ik dat al eens gedaan heb en afgewezen ben. Nu ben ik te bang om zelfs maar je telefoonnummer te draaien. Wat heeft het dan voor zin? Dit is toch geen relatie? Het is een gezellig avondje uit, misschien. Seks, op bestelling, vrijwel zeker, want wat er ook mis is tussen jou en mij, het is duidelijk niet seks.'

Hij kromp even ineen en schudde zijn hoofd. Zo was het niet.

Ze zag wat hij dacht. 'Zo is het wél, Jack! Maak jezelf niets wijs. Zo is het precies als je zegt: "Ik wil bij je zijn, maar op mijn voorwaarden, en ik knijp ertussen uit op het moment dat het moeilijk wordt." En dat is precies wat je hebt gezegd, volgens mij.'

'Je doet of ik een monster ben.'

'Ik zeg niet dat je een monster bent.' Ze legde haar hand tegen zijn wang. 'Ik hou van je, Jack. Ik hou van je, en ik verlang naar je, en ik wilde met je trouwen. Dat kan ik niet als een kraan dichtdraaien. Ik denk dat ik dat altijd zal willen.' Hij legde zijn eigen hand op de hare. 'Maar ik ben verstandig genoeg – en, bij god, dat hoor ik langzamerhand wel te zijn – om te weten dat het ons allebei alleen maar ongelukkig zal maken. Je weet toch dat ik gelijk heb?'

'Ik hou ook van jou.'

'Dat weet ik. Maar het is niet voldoende, hè?'

Jacks lach klonk hol en bitter.

Ze praatte verder. Wie troostte wie? 'Herinner je je nog de tijd toen je jong en dwaas genoeg was om te denken dat liefde het enige was wat telde? Voordat je besefte dat van iemand houden slechts het begin was?'

Hij knikte.

Het enige wat ze wilde was zich in zijn armen vlijen en zich door hem te laten knuffelen. Hem met haar te laten doen wat hij wilde. Met een gigantische inspanning opende ze het portier van de auto. 'We moeten hiermee ophouden, Jack. Je moet me met rust laten. Alsjeblieft?'

Hij knikte, zonder haar aan te kijken. Er viel verder niets te zeggen. Ze deed het portier dicht en liep het huis in zonder achterom te kijken; ze hoorde de motor niet starten.

Toen ze binnen was, maakte ze de ketting van de deur vast en leunde er zwaar tegen.

Cressida kwam uit de keuken met een fles voor de baby. Boven klonk het geluid van Spencers zachte gejengel en gepruttel. 'Hoe is het gegaan?'

'Afgrijselijk.'

Cressida's gezicht was een en al bezorgdheid. 'Wat heeft hij tegen je gezegd?'

'Hij kán niets zeggen, lieverd. Ik moet iets zeggen. Ik moet nee zeggen. En dat is precies wat ik zojuist gedaan heb. Het heeft geen zin om met hem af te spreken. Dat geeft me alleen maar het gevoel dat ik door de mangel ben gehaald.'

'O, mam, het spijt me zo,' zei Cressida terneergeslagen. 'Het is allemaal mijn schuld.'

'Doe niet zo mal. Natuurlijk niet.'

'Wel waar. Daar hoef je me niet tegen te beschermen. Als jij niet voor Spencer zou zorgen, zou dit niet gebeuren. Dan zou je plannen maken voor je huwelijk, Jack zou hier bij je wonen en jullie zouden samen gelukkig zijn, zoals daarvoor.'

'Misschien, schat, maar ik zou trouwen met een man die alleen maar van me hield op zijn eigen voorwaarden, niet? Een man die het af zou laten weten als het moeilijk werd. Het is beter dat ik dat ontdekt heb vóór we trouwden, vind je ook niet? Want, geloof me, er zijn een miljoen verschillende manieren waarop een huwelijk met mij moeilijk kan worden.' Ze glimlachte dapper – hoopte ze. Plotseling wilde ze alleen zijn. Cressida mocht haar niet zien huilen.

Cressida leek niet overtuigd, maar Spencer liet precies op tijd een verontwaardigde schreeuw horen. Cressida aarzelde, keek langs de trap omhoog en toen weer naar haar moeder. 'Red je het wel?'

'Natuurlijk – ga jij nou maar gauw terug naar je zoon. Geef hem een zoen van me.'

'Hier is er een van hem voor jou.' Cressida gaf haar een zoen op haar wang en holde de trap op.

Nicole

Nicole had alles heel zorgvuldig uitgezocht. Het moest in een publieke gelegenheid gebeuren, waar ze niet zou instorten. Chic dus. Piekfijn gekleed voor een zorgvuldig gerepeteerde opvoering. Dat was de enige manier waarop ze vertrouwde het aan te kunnen.

Ze wist dat het ijdel, kleingeestig en oppervlakkig was, maar ze had extra zorg besteed aan haar 'kostuum': zwart, nauwsluitend, elegant. Door in de spiegel te kijken, en door Harriet, die ze had gezien toen ze de kinderen bij haar bracht, wist ze dat ze er perfect uitzag. Aan de blikken te zien van de mannen die zich omdraaiden om naar haar te kijken toen ze de lange, hoge bar doorliep om een plaats te zoeken, wist ze dat ze er sexy uitzag. Daar had ze altijd moeite voor gedaan – ze wilde dat Gavin naar haar zou kijken als ze binnenkwam en haar mooier zou vinden en liever zou willen dan een van de andere aanwezige vrouwen. Het was het bewijs geweest dat huwelijk, vertrouwdheid en moederschap haar niet hadden veranderd, dat ze nog steeds het meisje was voor wie hij al die jaren geleden in een bestuurskamer zo ogenblikkelijk was gevallen. Vandaag was het bedoeld om hem naar haar te laten kijken en zichzelf te vervloeken dat hij haar verloren had.

Ze wist nog steeds niet hoe serieus hij dit opvatte. Ze had hem nog nooit de deur uitgezet. Ze had hem genegeerd, ze was naar haar moeder gegaan en urenlang weggebleven en had de kinderen overgelaten aan de au pair. Vaker nog had ze gemokt, was ze tekeergegaan, had ze zich 's nachts van hem afgedraaid, maar ze had nog nooit zijn koffer gepakt zoals ze had gedaan toen ze terugkwam uit Spanje. Ze vroeg zich af wat er gebeurd zou zijn als ze dat de allereerste keer had gedaan toen hij er reden toe had gegeven. Nu was het te laat, maar toen had ze hem misschien kunnen doen beseffen wat hij op het spel zette.

Die eerste keer (ze kon zich de datum, de naam, alles ervan nog herinneren) was ze met de kinderen naar haar moeder in St. Albans gegaan. Ze waren nog erg jong. Ze beweerde dat ze rust nodig had, al was haar moeder niet het soort dat 's nachts zou opstaan om een huilende baby op te pakken, meer het soort oordopjes-en-meelevend-lachje-in-de-ochtendmoeder. Ze wilde dat haar vader nog leefde. Hij was altijd de knuffelaar geweest. Ze vertelde haar moeder niet waarom ze daar was. Belachelijk genoeg was het uit loyaliteit jegens Gavin. Haar moeder was een felle, haatdragende vrouw, die het nooit met rust zou hebben gelaten. Wrok zou nog jaren daarna alle kerstfeesten en verjaardagen hebben verstoord. En in die tijd, toen het pas één keer gebeurd was, had Nicole geloofd in een toekomst voor haar en Gavin. Door de nevel van haar uitputting en verdriet heen had ze het gemakkelijk gevonden zichzelf de schuld te geven van Gavins ontrouw: ze was met moeite hersteld van de keizersnee en had maandenlang geen seks gewild – ze was te moe, en kon Nicole de minnares niet scheiden van Nicole de moeder, en ze maakte zich ongerust dat ze er anders uitzag en zich anders voelde. Ze had hem altijd zijn zin gegeven natuurlijk – ze kon zich niet herinneren dat ze hem ooit had geweigerd – maar ze had nooit het initiatief genomen, en ze had er niet van genoten. Ze was zich ervan bewust geweest dat hij het wist, en het haar kwalijk nam. Hemel! Wat een idioot was ze geweest.

Nog voordat ze bij haar moeder was, op de M25, had ze hem bij zichzelf al vergeven – het beredeneerd, het zichzelf verweten, was hem gaan missen. Ze was geforceerd opgewekt geweest bij haar moeder, had stralend gelachen naar de gestage stroom buren en anderen die langs waren gekomen om naar de jongens te kijken, en had zichzelf elke nacht in slaap gehuild in de gebloemde logeerkamer.

Haar moeder had één blik geworpen op de oorbellen die Gavin haar had gegeven op de dag dat ze uit het ziekenhuis kwam (diaman-ten, in een doosje van Tiffany, weggestopt in vierentwintig rode rozen – een dozijn per zoon, had hij met een knipoog tegen de verloskundige gezegd), en haar voor de honderdste keer verteld wat een gelukkige vrouw ze toch was. Ten slotte was Nicole het weer gaan geloven. Na twee nachten reed ze naar huis en beloofde zichzelf een betere echtgenote te zullen worden. Later, nadat ze was opgebleven met een van de tweeling, was ze boven op Gavin geklommen toen hij lag te slapen en had luid en temperamentvol met hem gevrijd. Zo was het sindsdien eigenlijk altijd min of meer gegaan.

Harriet had haar doen inzien dat het ook anders kon. Zij vond Nicole niet zo gelukkig. Ze mocht Gavin niet, en het kon haar niet schelen of Nicole dat wist. Ze had zich ongelooflijk vrij gevoeld in haar vriendschap met Harriet – tegen haar hoefde ze niet te doen alsof. En zelfs al vond Harriet dat ze gek was, ze was er toch altijd voor haar. Ze was haar steun en toeverlaat geweest vanaf het moment dat ze Nicole had afgehaald van de luchthaven op die afschuwelijke dag na het voorval met Phil Brooks. Nicole had gewacht tot de kinderen in slaap waren gevallen, uitgeput na de reis, en toen tegen haar gezegd: 'Ik kan dit niet meer. Het is voorbij,' en Harriet had haar een doos tissues gegeven en gezegd: 'Oké. We redden het wel.'

Ze was met haar mee geweest naar de kliniek, ook al was ze het niet eens met wat Nicole deed, en had haar het gevoel gegeven dat ze het begreep. Nicole onderschatte geen moment wat dat betekende. Ze had haar geholpen zich te concentreren op een toekomst zonder Gavin. Misschien zou Nicole deze keer ook zonder Harriet de kracht hebben gevonden hem voorgoed te verlaten, maar ze wist dat Harriet het honderd keer gemakkelijker had gemaakt, en een miljoen keer minder eenzaam dan het zonder haar zou zijn geweest. En de leesclub had geholpen: vrouwen luisterden op een manier die mannen onmogelijk was, en ze begrepen zoveel van je onderliggende tekst, zonder dat je die duidelijk hoefde uit te spreken. Een jaar geleden zou ze afkerig zijn geweest van de gedachte aan zulke intimiteit – die had ze eigenlijk alleen maar gekend met Harriet – maar nu hield ze van de troost en steun die haar vriendinnen boden. Ze waren fantastisch geweest toen ze een baan zocht en ging solliciteren. Polly had haar de avond voor het sollicitatiegesprek gebeld, en Susan de middag erna, om te vragen hoe het gegaan was. Het was een vrouwelijke cocon, en voor Nicole was het iets onbekends en hartverwarmends. Nu kon ze zien hoezeer ze altijd een vrouw voor mannen was geweest: ze had geen enkele vriendin meer van school of van de universiteit, alleen de vrouwen van haar vrienden. De vorige avond had ze de dozen doorzocht op de zolder, een deel van haar campagne om elk spoor van Gavin uit haar huis te verwijderen, en ze had drie of vier grote foto's gevonden, opgerold in kartonnen hulzen. Ze had ze mee naar beneden genomen, naar bed, met een glas whisky, en ze aandachtig bekeken. Ze wist dat ze populair was geweest. Ze zag hoe slank en mooi ze toen was, hoe geanimeerd en stralend, maar altijd in een groep mannen. Ze kon zich de namen van de meisjes moeilijker herinneren dan die van de jongens. Op de foto's zag ze meisjes en vrouwen van wie ze nu wilde dat ze haar vriendinnen waren. Ze had met hen gelachen en gekheid gemaakt, met hen gedanst en gedronken, en was daarna verdergegaan, zonder waarde te hechten aan hen of wat ze in haar leven zouden kunnen betekenen na de school of universiteit. Nu had ze vrouwen in haar leven die belangrijk voor haar waren. Het maakte dat ze zich sterker voelde.

En daar was hij, de man van wie ze zo lang zoveel had gehouden. Hij liep naar haar toe, met zijn mooie handen en dansende ogen, en zijn onberispelijke zwarte pak, een felle turkooizen en kobaltblauwe Duchamp-das de enige kleur in het geheel. Had hij zich zorgvuldig gekleed voor haar? Hij bukte zich om haar te kussen, met zijn hand op haar achterhoofd. Ze bewoog zich, zodat zijn lippen haar wang raakten, en ging een klein beetje achteruit, zodat hij zijn hand weg moest halen.

'Je ziet er fantastisch uit.'

O, alsjeblieft. Was ze al die tijd zo'n sufferdje geweest dat hij dacht dat een beetje vleierij voldoende zou zijn? In gedachten hoorde ze Harriet naast zich, zag haar met haar ogen rollen en melodramatisch mimen: 'Ja. Ja! Dat was je!' De gedachte deed haar glimlachen.

'Wat is er zo grappig?'

'Niets.'

'Wil je in een van die boxjes gaan zitten?'

'Het is prima hier, dank je.' Geen schijn van kans.

Gavin ging op een kruk naast haar zitten. Hij stak gebiedend zijn vinger op naar de barkeeper en bestelde een bier voor hemzelf en nog een gin-tonic voor haar.

'Alleen tonic, dank je.'

'Drink je niet meer?'

'Ik ben met de auto.'

Gavin ademde langzaam uit. Ze gaf geen millimeter toe. Hij nam een flinke slok van zijn bier.

'Ik wil je niet meer terug, Gavin.' Ze stak haar hand op toen hij zijn mond opende om iets te zeggen. 'Laat me uitspreken.' Hij zweeg, zijn handen omhoog in een humoristisch gebaar van overgave. 'Ik wil dat je begrijpt waarom. En ik wil dat je begrijpt hoe serieus ik het meen. Het is niet omdat je in bed lag met die vrouw in Spanje. Het is niet als straf bedoeld. Ik wil gewoon niet meer met je getrouwd zijn, dat is alles. Ik heb er genoeg van. Het is over en uit.'

'Je houdt nog steeds van me.' Zijn arrogantie wekte haar verlangen hem een klap te geven.

'Ik ben bezig dat af te leren.'

'Maar toch doe je het nog.'

'Ik heb heel lang van je gehouden, Gavin. Ik heb een hoop jaren geleefd in de waan dat ik bofte dat ik jou had. Dat denk ik nu niet meer. Je verdient mijn liefde niet, en ik neem die terug. Wat ik innerlijk voel is iets wat ik zelf moet oplossen. En geloof me, ik ben al aardig op weg.'

'Dat ben jij niet die zo praat. Zo praat jij niet. Dit is Harriet, of die andere vrouwen met wie je hebt rondgehangen. Die leggen woorden in je mond.'

'O, nee, ik ben het echt. Misschien geloof je het nu niet, maar dat komt nog wel. Ik ben niet meer de vrouw die je al die tijd in een soort trance hebt weten te houden. De vrouw die niet wilde dat iemand wist wat er aan de hand was, die verlamd was door trots en angst. Het is de vrouw die ik was voordat ik van je hield, en de vrouw die ik zal zijn als ik daarmee klaar ben.'

Ze zag dat hij zijn zelfvertrouwen een beetje kwijtraakte. Toen hij weer sprak, na nog een slok bier, klonk zijn stem zachter, verzoenender. 'We zijn een gezin. Jij, ik, de kinderen.'

Goddank. Nu kon ze kwaad worden. 'Hoe dúrf je de kinderen te gebruiken om te proberen mij om te praten. Ze waren niet belangrijk voor je toen je die vrouw neukte in onze villa. Ze waren al die andere keren niet belangrijk voor je. En ik was dat zeker niet. Ik geloof geen seconde dat je aan ze dacht toen je rondneukte. Je denkt nooit aan iemand anders dan aan jezelf. Dus waag het niet mijn kinderen te gebruiken.'

'Ik hou van ze.'

'Ja, dat weet ik. Je houdt van ze op een egoïstische, ongeïnteresseerde manier omdat ze goed zijn voor je imago. Vertel eens, Gav. Wat is Martha's lievelingsbeer? Wat voor kleur heeft haar balletpakje? Wie is haar beste vriendinnetje? Ken je een van haar vriendinnetjes, afgezien van Chloe? Wat is Williams beste vak op school? In welk rugbyteam speelt George dit jaar?'

Zijn gezicht was uitdrukkingsloos.

'Je weet het niet, hè?' Hij gaf geen antwoord. 'Dus vertel me niet dat ik dit niet kan doen vanwege de kinderen.' Woede laaide in haar op. Ze had het gevoel dat ze haar woorden uitkotste, dat ze kokhalsde om ze naar buiten te krijgen.

'Je wist niet eens dat er nóg een was, hè?' Tot op dit moment had ze niet geweten dat ze het hem zou vertellen. Plotseling wilde ze hem kwetsen – zoals hij haar had gekwetst. Het joeg haar angst aan, de wetenschap dat ze de macht daartoe had. Ze genoot er bijna van zijn gezicht te zien zoals het nu was, verward, niet-begrijpend. Gavin, die altijd de situatie meester was, altijd de touwtjes in handen had.

'Hoe bedoel je, nóg een?'

'Ik was zwanger afgelopen zomer, toen jij met een ander in ons bed lag te neuken.'

'Ik begrijp het niet.' Hun stemmen klonken nog steeds gedempt. 'Wat bedoel je?'

'Zwanger. Van ons kind. Verwekt in Venetië. Ik was stom genoeg om te denken dat nóg een baby je trouw zou maken. God, hoe stom kan iemand zijn? Ik had het je in de vakantie willen vertellen.'

'Wat, hoe...' Nu was hij volkomen van zijn stuk gebracht. Alle kleur was uit zijn gezicht verdwenen. 'Maar je bent niet...?'

'Nu niet meer, nee.' Ze staarde naar haar handen. De moed die haar tot dit punt had gebracht, liet haar in de steek. Die was verdwenen zodra de baby in haar gedachten was teruggekeerd. Ze wist niet wat ze moest zeggen.

Hij schudde zijn hoofd en dacht snel na. Hij kwam tot zijn eigen conclusie. Ze moest een miskraam hebben gehad. De stress dat ze hem met die vrouw had aangetroffen. Hij was de oorzaak dat ze haar baby had verloren: het was zijn schuld. Het verlies van iets waarvan hij het bestaan niet gekend had, tekende zich af op zijn gezicht, dat vertrok van geschoktheid en droefheid. 'Je hebt de baby verloren. Het spijt me zo. Het spijt me verschrikkelijk.'

Ze hielp hem niet uit de droom. Later wist ze niet of het kwam omdat het de eerste keer was dat hij zich verontschuldigde en ze besefte dat hij het meende, of omdat ze bang was voor zijn reactie als hij de waarheid hoorde, of omdat ze het gewoon niet over zich kon verkrijgen het hardop te zeggen.

Misschien verdiende hij de leugen niet. Ze wilde zelfs Harriet niet vertellen dat ze hem in die waan had gelaten, al wist ze dat Harriet zou zeggen dat Gavin hoe dan ook verantwoordelijk was, ongeacht de manier waarop ze de baby kwijt was geraakt. Ze wilde niet getroost en gesust worden. Net als Briony, in het boek dat ze hadden gelezen, zou ze boeten voor beide zonden, eenzaam, in stilte, eeuwig. Misschien was dat voldoende.

Harriet

Josh speelde met zijn computer en Harriet keek versteld over zijn kundigheid toe. Zeven jaar, en hij kon er dingen mee doen die ver buiten het bereik van zijn moeder lagen. Chloe ook, en zij was pas vier. Alles het gevolg van de particuliere crèche. Je betaalde duizenden ponden om je kinderen zó te laten opleiden dat ze op hun achtste jou een idioot vonden. Harriets verstand van de computer thuis ging niet verder dan hem aanzetten en een e-mail versturen, wat ze al een hele prestatie vond. Of chatten. Je kon de hele nacht door kletsen zonder dat iemand zich ermee bemoeide. Maar zodra ze één probleem had trapte ze tegen het bureau, hamerde op alle toetsen en riep Tim erbij.

'Josh, zet nu die computer uit – het is tijd om te ontbijten.' Geen reactie.

Een paar weken geleden zou ze tegen hem hebben geschreeuwd. Alle moeders hadden een ongelimiteerde viswijvenvergunning als de kinderen naar school moesten – zelfs de beminnelijke, pareldragende vrouwen die nauwelijks iets zeiden tijdens de koffieochtenden van de moeders en hun kind in het openbaar altijd liever noemden, gingen op weekdagen tussen zeven en kwart over acht als een razende tekeer.

Sinds het ongeluk had ze zich niet meer kwaad kunnen maken op hem. Ze had hem, en ook Chloe, zo veel ruimte gegeven dat hij min of meer het ochtendrooster bepaalde. Deze week waren ze elke ochtend te laat op school gekomen.

Tim was ook laat vandaag. Dat hielp niet echt. Normaal was hij allang weg voordat de kinderen wakker werden, maar vanmorgen was hij nog steeds boven aan het rommelen. Ze wist dat het ook voor hem een moeilijke tijd was geweest. Harriet was gaan geloven dat ouders die nooit in een ziekenhuis naast het bed van hun kind hadden gezeten en het in gedachten hadden gedwongen in leven te blijven, rondliepen met oogkleppen op, de voortdurende gezondheid en veiligheid van hun kinderen als vanzelfsprekend beschouwden omdat ze geen glimp hadden opgevangen van een andere mogelijkheid. De gedachten die door je hoofd gingen als je daar zat zonder iets te kunnen doen, waren krankzinnig, verraderlijk, kwalijk, hysterisch en soms bijna grappig. Waarom mijn kind? Waarom niet dat andere kind, dat niet zo slim, of leuk, of voorzichtig of geliefd is? Er kwamen willekeurige gedachten op aan auto's en slaapkamers, vakanties en het volgende weekend, en alle wijzigingen en implicaties van een leven zonder dat kind. En al was het ogenblik dat Josh zijn ogen had geopend, haar had herkend en had geglimlacht, het mooiste van haar hele leven, toch kon niets meer zijn zoals het geweest was. De schaduw van zijn sterfelijkheid was over haar heen gegleden, en daarmee de wetenschap dat zijn dood haar, Tim en waarschijnlijk Chloe kapot zou hebben gemaakt. Dat gevoel zou nooit meer weggaan. Ze had er niet over gesproken, met niemand. Ze kon het niet aan Nicole vertellen; de timing was totaal verkeerd; zij had nu haar eigen spookbeeld. En niet met Tim. Het was gemakkelijk genoeg om er niet over te praten; mensen wilden luisteren naar het verhaal van Josh' ongeluk, en zich over zijn beterschap verheugen, maar ze wilden het niet weten van de schaduw. Degenen die het al wisten, wisten het gewoon, en degenen die dat niet deden, nou ja, die konden het toch niet begrijpen.

Daarnaast hing de wetenschap in Harriets vermoeide brein dat ze de leiding uit handen had gegeven, de doodzonde van het moederschap. De afgelopen weken, als ze naar hem en Chloe keek, had ze alleen maar een enorme, kwetsbare liefde gevoeld. Ze zou er gauw wat aan moeten doen.

Ze waren weer te laat. Josh had zijn sportschoenen vergeten en Chloe haar lunchtrommel. Dubbele fout van de moeder. Chloe jammerde en Josh ging tekeer. Harriet beloofde meteen terug te komen naar school met de ontbrekende spullen. Ze waren opstandig weggesloft naar hun diverse klassen.

De meute moeders slaakte een collectieve zucht van opluchting, behalve degenen die nog een baby of een kinderwagen bij zich hadden die ze naar huis moesten brengen. De anderen gingen allemaal naar huis met koffie en de krant, of naar kantoor, in zakelijke kleding en volwassen gesprekken bij de waterkoeler om zich op te verheugen, met verende stap, zonder het gewicht van sportuitrusting, lunchtrommels, en diverse petten en handschoenen dat ze op weg naar school hadden meegezeuld.

Toen ze thuiskwam was Tim er nog. Verdomme.

Nadat ze met de spullen terug was gegaan naar school, was ze van plan geweest weer een paar uur naar bed te gaan. Alleen. De verloren tijd die vaak vertaald werd in een inspannend bezoek aan de fitnessclub als je je man 's avonds verslag uitbracht van je dag, met, metaforisch, je vingers gekruist achter je rug.

Hij deed vreemd – al een paar dagen. Ze wist dat ze hem nodig had gehad in het ziekenhuis en in de dagen na Josh' thuiskomst. Het had hen verenigd – niemand hield zoveel van een kind als zijn vader en moeder. Ze wist ook dat alles bijna vanaf het moment dat Josh beter was, weer normaal tussen hen was geworden. Het ongeluk had niet echt iets veranderd. Niet tussen hen. Dom waarschijnlijk om te verwachten dat dat het geval zou zijn geweest.

Hij zat volledig gekleed aan de keukentafel. De televisie, die Harriet 's morgens voortdurend aan liet staan, om te luisteren naar de tijd en het nieuws over het verkeer, was uitgezet.

'Wat doe jíj hier? Ik dacht dat je nu al weg zou zijn.'

'Over een paar minuten. Ik pak de negen tweeënvijftig.' Hij kende de vertrektijden van de treinen uit zijn hoofd. Hij zei nooit 'tien voor tien'. Hij zei dat elke minuut meetelde als je een slaaf was van de South West-treinen.

'Wat is er?' Ze ging op een stoel tegenover hem zitten.

'Ik heb wat ruimte nodig, Harriet. Ik ga een tijdje op de club wonen.' Hij keek aandachtig naar haar gezicht.

'Hoe lang? Wat bedoel je?'

'Ik weet het niet. Ik weet alleen dat er iets moet veranderen.'

Ze had dit niet verwacht. Ze voelde zich een beetje misselijk. 'Ik begrijp het niet.'

'Ik weet het. Dat is eigenlijk het hele punt.' Zijn stem klonk zacht, triest.

Harriets stem daarentegen klonk luider, bang. 'Leg het me dan uit. Vertel me wat er aan de hand is. Je kunt niet zomaar binnenkomen en zeggen dat je weggaat. Niet zonder me te verklaren waarom.'

Hij keek alsof hij erover nadacht hoe hij een heel belangrijk punt naar voren moest brengen. Hij beefde, een heel klein beetje. Harriet voelde een ongewone steek van kille angst. 'Is er een ander? Laat je me in de steek voor een ander?' Toen hij het niet onmiddellijk ontkende, krijste ze bijna tegen hem. 'Is het dat?'

Hij stak een hand uit. 'Nee. Zoiets doe ik niet. Er is nooit een ander voor me geweest. Niet sinds ik jou heb leren kennen. Jij bent de enige vrouw van wie ik ooit gehouden heb, ik bedoel echt gehouden. Dat is eigenlijk mijn ondergang geweest. Ik denk dat ik altijd geloofd heb dat ik jou ertoe zou kunnen brengen evenveel van mij te houden als ik van jou hou. Of misschien dacht ik dat ik genoeg liefde had voor ons beiden en het er dus niet toe deed. Maar ik merk nu dat het er wél toe doet. Het gaat al zo lang niet meer goed, langer dan ik wil toegeven, denk ik. Je houdt niet van me zoals ik wil dat je van me houdt. Zoals ik het verdíén dat je van me houdt, Harry. Ik weet dat er eerder dit jaar iets geweest is. Ik weet niet wat of met wie – ik wil het niet weten.' Hij keek of hij bijna misselijk werd bij de gedachte. 'Maar ik weet wél dat je toen anders was. Je was levendig. Dat kwam door een ander. En ik heb weken, maanden, mijn adem ingehouden, biddend dat je me niet in de steek zou laten. En toen je dat niet deed, dacht ik dat alles in orde zou kunnen komen, dat de dingen erop vooruit zouden gaan. Ik geloofde dat je misschien gekozen had bij me te blijven. Dat leek een goede start. Maar er veranderde niets. Niet echt. Je geeft me het gevoel dat ik hier niet gewenst ben. Alsof ik niet meer ben dan een irritatie, een complicatie. Als ik eerlijk ben tegen mezelf heb ik het gevoel dat je nooit echt van me hebt gehouden.

Toen Josh dat ongeluk kreeg, en je me zo hard nodig had? Toen dacht ik dat je tot inzicht zou komen. Maar dat deed je niet. Ik weet dat ik je niet daartoe kan dwingen, maar ik wil niet de volgende tien jaar afwachten of je me gaat verlaten. Ik weet dat je op me gesteld bent, ik geloof alleen niet dat je echt van me houdt. En als je niet echt van me houdt, dan is er ruimte in jou, in je hart, en vroeg of laat zul je van een ander gaan houden en dan zul je me in de steek laten. Ik kan niet elke dag van mijn leven mijn adem inhouden en wachten tot dat gebeurt. Ik laat je liever gaan. Afgehandeld. Ik bevind me tussen een rots en een verdomd harde muur, Harry. Ik wil niet langer zo leven. Ik voel me ellendig, ik kan me geen leven voorstellen zonder jou. Ik bevind me hier in een benarde situatie, ben bezig te verdrinken. Daarom ga ik weg. Ik heb ruimte nodig. Ik kan niet nuchter denken als jij in de buurt bent – dat heb ik nooit gekund. Dat is de reden.'

Hij had niet naar haar gezicht gekeken terwijl hij aan het woord was. Hij had niet gezien wat zich daarop afspeelde. Hij hunkerde ernaar dat ze om de tafel heen naar hem toe zou lopen. Meer dan wat ook wilde hij haar armen om zich heen voelen, haar stem horen zeggen dat hij een idioot was, dat ze van hem hield, dat een wereld zonder hem ondraaglijk zou zijn.

Het was de schok die haar deed zwijgen. Ze kon niet geloven dat hij al die tijd zo had geleden en zij het niet had gezien. Ze voelde zich verdoofd. Ze walgde van zichzelf.

Hij schoof een vel papier over de tafel naar haar toe. Er stond een adres en een telefoonnummer op. 'Daar ben ik te bereiken als je me nodig hebt. Zeg tegen de kinderen dat ik van ze hou. Vertel ze niet...' Hij kon zijn zin niet afmaken. Zij zou moeten besluiten wat ze hun zou vertellen. Hij wist niet hoe hij haar zwijgen moest interpreteren. Hij wilde weg. Toen hij langs haar stoel kwam, raakte hij even haar hoofd aan.

Toen hij bij de voordeur was, zei ze zijn naam, één keer, zacht. Hij hoorde het niet.

Toen hij in zijn auto stapte om naar het station te rijden, dacht hij dat ze niets gezegd had; zijn grootste angst was dat haar zwijgen het meest welsprekende antwoord was dat ze hem kon geven.

Susan

Susan was verbaasd dat Margaret niet met haar mee wilde naar de notaris. Ze dacht dat haar zus haar niet vertrouwde. Ze was er niet tegen opgewassen, zei ze, toen Susan belde, maar ze zou later graag koffie met haar drinken of zo, om te horen wat er besproken was.

Roger had gezegd dat hij erbij wilde zijn; sinds de begrafenis was hij erg beschermend waar het Margaret betrof. Polly had gezegd dat ze een neutrale openbare gelegenheid moest kiezen, zodat Margaret zich behoorlijk zou moeten gedragen. Susan wist dat ze allebei vonden dat zij gek was om haar zus in huis te laten, na alles wat er dit jaar gebeurd was, maar ze kon het niet opbrengen haar buiten te sluiten.

Eigenlijk was ze voornamelijk nieuwsgierig. Alice was dood, en zij beiden waren van elkaar vervreemd. Ze was bang dat Margaret terug zou gaan naar Australië en ze haar nooit meer zou zien. Dat was belangrijk: Susan had een gelukkig gezin; ze had geen gebroken relaties. Nu zat een kalme, magere Margaret op de bank met een kop thee. 'Ik wilde alleen maar zeggen... het spijt me zoals me heb gedragen op de crematie.'

'Dat is oké. Een crematie is altijd moeilijk.'

'Het is niet oké. Integendeel. Ik had het recht er niet toe.'

'Het is voor ons geen van beiden erg gemakkelijk geweest.'

'Nee, maar voor jou was het moeilijker. Dat weet ik. En ik had het niet op jou af moeten reageren.'

'Vergeet het. Het is in orde, Maggie.'

Ze keek diep verslagen, en Susan was ontroerd. In haar ervaring waren ongelukkige mensen degenen die de problemen veroorzaakten. Gelukkige mensen hadden het te druk met het leiden van hun gelukkige leven.

Margaret scheen niet te weten hoe ze het gesprek voort moest zetten toen haar verontschuldiging geaccepteerd was. Wat vreemd dat we samen zijn opgevoed, dacht Susan, uit dezelfde buik zijn gekomen, jarenlang samen in hetzelfde huis hebben gewoond. En nu hebben we elkaar niets te zeggen. 'Heb je er al over gedacht wanneer je naar huis wilt?'

'Geen plannen eigenlijk. Het is een open ticket. Zoveel is daar niet om naar terug te gaan.'

'Maar ik dacht dat je werk had, en je vriendin – hoe heet ze ook weer? Lindy?'

'Ik heb mijn baan opgezegd toen ik het hoorde van mama. Het was niet zo'n geweldige baan, geen vooruitzichten. Heb de huur van mijn flat opgezegd - had hem alleen maar gehuurd. Lindy is geweldig, een echte kameraad. Ze heeft een paar dingen van me in haar flat opgeslagen. Ik blijf een tijdje bij haar als ik terugga, terwijl ik de dingen op een rijtje zet. Maar ze heeft zelf een gezin – vijf kinderen.'

'Daar zal ze haar handen vol aan hebben.'

'Dat heeft ze, ja.'

'Je klinkt niet of je veel mist daar?' Susans vraag klonk luchthartig. Ze was bang dat Margaret zou gaan steigeren als ze te veel aandrong.

Toen Margaret antwoord gaf, keek ze haar zus niet aan. Haar handen lagen gevouwen in haar schoot en ze draaide ze om en keek naar de palmen, draaide ze toen weer om terwijl ze sprak. 'Het was zo vreemd om hier weer terug te komen. Ik verwachtte niet dat ik het gevoel zou hebben dat ik thuiskwam, en dat had ik ook niet.' Ze deed haar best haar gevoelens onder woorden te brengen. Het was duidelijk iets wat ze niet vaak deed. 'Ik voel me ontheemd, denk ik, alsof ik niet hier en niet daar thuishoor.' Ze had een leidraad gevonden en leunde naar voren. Alsof ze Susans onuitgesproken vraag had gehoord, zei ze: 'Ik heb de middelbare leeftijd bereikt en ik heb niets, Susan. Mijn ouders zijn dood – ze zijn allebei gestorven zonder dat ik er was, ze begrepen me niet echt, dat weet ik; ik heb mijn relatie met mijn zus en haar gezin verknoeid. Ik heb geen kinderen van mezelf, geen carrière. Ik heb niet eens een eigen huis, of zelfs mijn eigen land.'

'Mama en papa hielden van je.'

'Maar dat is het gemakkelijkste. Ik hield ook van hen. Maar ik zou hebben gewild dat ze me begrepen, me aardig vonden. De liefde van een moeder voor haar kind is onvoorwaardelijk en onvrijwillig. Aardig worden gevonden moet je verdienen.'

'Ze prentten zich in dat je gelukkiger zou zijn in Australië.'

Margaret lachte. 'Dat heb ik mezelf ook wijsgemaakt Twintigduizend kilometer – het leek ver genoeg weg. Het probleem is, ik nam mezelf mee.'

Susan begon te lachen. 'Waarom maak je het jezelf zo moeilijk?'

'Omdat ik een stom wijf ben, Suze.'

'Doe niet zo mal.'

'Het is niet mal. Ik ben als Midas, alleen wordt alles wat ik aanraak roest. Alles loopt verkeerd.'

'Wat is er met Greg gebeurd – vind je het erg dat ik het vraag?'

'Nee, ik vind het niet erg. Ik heb hem gebruikt, denk ik. Mijn ticket naar Australië.'

'Dat is niet waar. Je hield van hem. Dat herinner ik me nog heel goed. Het was de eerste keer dat ik je ooit zo gezien had met een man.'

'Heus?' Margaret leek verbaasd. 'Ja, nou ja, misschien deed ik dat wel. Maar ik geloof niet dat hij van mij hield, niet toen hij me eenmaal daar had en me tegen de achtergrond zag van zijn eigen leven.'

'Ben je daar helemaal niet gelukkig geweest?'

'O, jawel, in het begin was het gemakkelijk genoeg om gelukkig te zijn. We hadden een eigen huis. Ik herinner me de dag nog dat we er introkken. We vrijden in elke kamer.'

'Op één dag?'

Margaret giechelde. 'Zo groot was het huis niet.' Ze staarde naar een punt halverwege de kamer, vol herinneringen. 'Het moet al vrij gauw mis zijn gegaan. Ik had heimwee – kun je zoiets geloven? – we hadden niet veel geld en ik kon geen fatsoenlijke baan krijgen. Toen werd ik zwanger, ook al dachten we dat we zo voorzichtig waren geweest.'

'Je hebt een baby gekregen?' Susan kon haar oren niet geloven.

'Nee, ik had een miskraam – al heel gauw, zo erg was het niet.'

'O, wat vreselijk.'

'Suze, het is jaren geleden.'

'Maar toch.'

'Goed, in ieder geval, na als een idioot tegen me tekeer te zijn gegaan dat ik zo stom was toen ik net ontdekt had dat ik zwanger was, ging hij over de rooie toen ik de baby kwijtraakte. Hij wilde met alle geweld dat we het nog eens zouden proberen. Hij haatte me bijna dat ik niet zo over mijn toeren was als hij. Zei dat ik egoïstisch was.'

'Wát?'

'Misschien was ik dat ook wel. Ik zag gewoon de haast er niet van in, dat was alles. Ik zou het heerlijk hebben gevonden om kinderen te hebben, maar ik wilde wat tijd voor mezelf toen ik het eerste kindje had verloren.'

'Dat is begrijpelijk.'

'Ja, hm. Ik denk dat Greg het begrijpelijk vond dat hij troost zocht in de armen van de receptioniste op zijn werk.'

'O, Maggie.'

'Het heeft twee jaar geduurd, zonder dat ik er ook maar een flauw benul van had, weet je. Kun je dat geloven?'

'Ik denk het wel, als je de signalen niet wilde zien. Hoe ben je er ten slotte achter gekomen?'

'Ik heb ze op een dag samen betrapt.'

'O, nee!'

'Nee, nee, niet op die manier. Niet in bed of zo. Ik liep op een dag zijn kantoor binnen – ik weet niet meer waarom. Ze waren er. Ze zoenden elkaar niet en deden niets, maar ik wist het gewoon, snap je? Je kon het zien aan de manier waarop ze bij elkaar stonden. Te dicht op elkaar misschien. Ik weet het niet. Die avond thuis vroeg ik hem ernaar en hij zei dat het waar was. Hij verontschuldigde zich niet. Hij zei dat hij blij was dat ik het ontdekt had, het was een last geweest het al die maanden voor me verborgen te houden.'

'Wat deed je toen?'

'Ik zei dat ik blij was dat hij zijn hart had kunnen luchten, gaf hem een klap in zijn gezicht en ging weg – ik verliet het huis, de straat, Melbourne. Ben nooit meer teruggegaan.'

'Dat was dapper.'

'Vind je? Het was nogal stom, als je het mij vraagt. Hij kreeg het huis, vrijwel alles erin, én de receptioniste. Ik kreeg geen donder.'

'Ben je toen naar Sydney gegaan?'

Ze knikte. Susan herinnerde zich nog dat Maggie verhuisd was. Ze had hun alleen nooit verteld dat het zonder Greg was.

'Waarom heb je het ons niet verteld?'

'Trots, denk ik. En schaamte. Ik weet dat het belachelijk klinkt, maar ik was toen nog jong en naïef genoeg om te denken dat ik zou gaan scheiden en een ander zou vinden. Ik dacht dat als ik wachtte tot ik met een andere man getrouwd was, jullie je geen zorgen over me hoefden te maken of zouden blijven hameren op die mislukking.'

'Maar je bent nooit hertrouwd?'

'Ik denk dat hij mijn leven meer verknald heeft dan ik dacht.'

'Ik vind het vreselijk voor je, Maggie.'

'Zie je, Suze? Daarom heb ik het je nooit verteld. Dat gezicht. Ik wil geen medelijden. Ik wil geen sympathie.'

'Waarom niet? Die maken deel uit van de liefde, Maggie, van het geven om een ander. Wat mankeert daaraan? Denk je dat ik niet mee-leef met de jongens als ze niet geslaagd zijn voor een examen of aan de kant zijn gezet door een meisje dat ze aardig vonden, of uit het rugbyteam zijn gegooid?'

Maggie haalde haar schouders op.

'Natuurlijk wel, en niet omdat ik hen beschouw als zwak of mislukt, maar omdat ik van hen hou.'

Haar zus keek naar haar met een flauw glimlachje dat haar ogen niet bereikte. 'Zie je, Suze? Ik zei het je toch. Ik ben een verloren zaak.'

'Je bent geen verloren zaak, Maggie.' Ze ging naast haar zitten.

Margaret zette haar stekels op. 'Ik ben ook geen project.'

'Hou op, wil je? Ik wil je niet als een project behandelen maar als een zus, als je me tenminste de kans geeft.'

Deze keer was Margarets glimlach echt. 'We zouden dat kunnen proberen, neem ik aan.'

Susan gaf haar een zachte por met haar schouder. En Margaret gaf haar een zachte por terug.

OKTOBER

Rebecca

DAPHNE DU MAURIER

'Vannacht droomde ik dat ik weer naar Manderley ging.'

In haar werk als gezelschapsdame leert de heldin van *Rebecca* haar plaats kennen. Haar toekomst ziet er somber uit tot ze tijdens een reis naar het zuiden van Frankrijk Max de Winter ontmoet, een knappe weduwnaar, wiens plotselinge huwelijksaanzoek haar overvalt. Ze accepteert het, maar als ze uit het glamorous Monte Carlo wordt meegevoerd naar het onheilspellende, sombere Manderley, ontdekt mevrouw de Winter in Max een andere man. En de herinnering aan zijn gestorven vrouw Rebecca wordt constant in leven gehouden door de grimmige huishoudster, mevrouw Danvers...

Sinds Jane Eyre heeft geen heldin zulke problemen gehad met de Andere Vrouw. *Rebecca*, een internationale bestseller die nog altijd herdrukt wordt, is het fascinerende verhaal van een jong meisje dat verteerd wordt door liefde en de strijd om haar identiteit te vinden.

Rebecca, de Nederlandse vertaling van *Rebecca*, © 1938, verscheen bij uitgeverij Unieboek in 1979.

'Ik heb nieuws over Clare, meiden,' zei Susan. 'Ze is tot een besluit gekomen wat ze wil gaan doen – Mary heeft het me gisteren verteld. Clare heeft haar gevraagd het ons te laten weten. Ik denk dat Mary half en half hoopte dat ze mee zou gaan en het ons zelf zou vertellen, maar ik denk dat ze dat niet aankan.'

'Wat gaat ze dan doen?' vroeg Nicole.

'Ze heeft haar baan in het ziekenhuis opgezegd. Ze gaat naar Roemenië met een hulpverleningsinstantie – Save The Children, geloof ik dat Mary zei – om te gaan werken in een van de weeshuizen daar. Voor ze als verloskundige ging werken heeft ze natuurlijk een opleiding gevolgd voor verpleegster, en ze schreeuwen daar om medische hulp. Ook al hoor je er niet zoveel meer over, de problemen zijn er volgens Mary nog wel nijpend. Clare zal er minstens een paar jaar blijven, denkt Mary.'

Ze konden zich allemaal nog herinneren wat ze op het nieuws hadden gezien – moeilijk voor iedereen om te vergeten, laat staan een moeder. De rijen en rijen bedjes met de hoge zijkanten en haveloos beddengoed, bemand door magere, gejaagd kijkende, hologige kinderen die niemand wilde, van wie niemand hield. Het nut van Clares beslissing was iedereen duidelijk, maar dat maakte niet dat ze onderschatten wat het voor haar betekende om dit te doen. Het betekende dat ze zich erbij had neergelegd dat ze nooit zelf kinderen zou hebben. Het betekende dat ze zich zover had hersteld dat ze een wereld buiten haar eigen narigheid kon zien, en de wens kon opbrengen er iets aan te doen. Het was iets geweldigs, en ze voelden zich allemaal nederig.

'Verdomd goed van haar.' Harriet was de eerste die iets zei. 'Ze zal het fantastisch doen.'

'O, ja. Haar ouders zullen wel erg trots op haar zijn.'

'Dat zijn ze ook,' zei Susan, 'maar natuurlijk zullen ze haar ook heel erg missen en zich voortdurend zorgen over haar maken.'

'Het zal haar goed gaan,' zei Nicole. 'Ze was altijd een stuk sterker dan ze eruitzag – innerlijk, bedoel ik. Het zal waarschijnlijk haar redding betekenen.'

'Ik hoop het.'

'Ik ben blij voor haar.'

Harriet herinnerde zich een dag ongeveer drie jaar geleden. Ze zat in een café in de stad, na haar schoonmaakster te hebben opgezadeld met de kinderen. Ze had wanhopig verlangd naar een rustpauze. Ze had een zware babybuik overgehouden van Chloe, had zich niet opgemaakt, en ze had een krant gepakt die iemand had achtergelaten op de stoel naast haar. Ze hoorde haar naam en draaide zich om naar een meisje dat ze kende van de universiteit – Sarah. Ze had haar altijd aardig gevonden, maar hun werelden waren heel verschillend, en ze hadden na de diploma-uitreiking geen contact meer met elkaar gehad. Ze zag er fantastisch uit, stijlvol en slank, en Harriet wilde zich verstoppen achter de column met bikinidiëten en doodgaan.

Sarah gaf geen indicatie dat ze geschrokken was van Harriets uiterlijk, of van haar leesmateriaal, bestelde kruidenthee en ging naast haar zitten. Het bleek dat ze werkte voor de Verenigde Naties in Afrika, alle liefdadigheidsdonaties coördineerde. Ze had de laatste zes jaar in Mombasa en Nairobi gewoond en was hier op haar jaarlijkse trip naar huis om Marmite en tampons in te slaan. 'En jij?' vroeg ze, openhartig en geïnteresseerd. 'Wat voer jij tegenwoordig uit?' Harriet haalde haar portemonnee uit haar Louis Vuitton-handtas en liet Sarah de foto's zien van Josh en Chloe. Dat was het. Harriet had geprobeerd zichzelf wijs te maken dat Sarah morgen waarschijnlijk alles zou willen ruilen voor een man, een paar leuke baby's en een fornuis. Ze had zich wijsgemaakt dat ze een Judas was omdat ze de kinderen verloochende, de vreugde en bevrediging verloochende van het moeder zijn. Maar ze had niet eens zichzelf overtuigd. De laatste zeven jaar had ze Josh en Chloe gekregen en een knoeiboel gemaakt van hun opvoeding. En dat was het. Dat was alles. Zoveel leek het niet die ochtend. En ook nu niet. Niet nu Tim weg was. Niet nu Clare zoiets verbijsterends, dappers, onzelfzuchtigs deed. Ze kon zich niet herinneren dat ze zich ooit ellendiger had gevoeld.

De rode lichtjes van de babyfoon begonnen te knipperen, en Spencers indringende kreet werd uitgezonden en onderbrak het moment. 'Het klinkt of iemand bij de leesclub wil komen. Maar heeft hij het boek al uit?' zei Susan.

Polly was heimelijk in haar nopjes – ze had gehoopt dat hij acte de présence zou geven, zodat ze met hem kon opscheppen tegenover de anderen. Harriet en Nicole hadden hem zelfs nog nooit gezien. Hij was een gezelligheidsdier, waarschijnlijk was hij wakker geworden om geknuffeld en gerustgesteld te worden. Ze verontschuldigde zich en ging naar boven.

Spencer draaide zijn hoofdje om toen hij de deur open hoorde gaan en stopte met huilen. Polly kon nauwelijks wachten tot hij oud genoeg was om in zijn box te staan en zijn armpjes uit te strekken om te worden opgetild – dat was het beste welkom ter wereld, zelfs om vijf uur 's morgens. Ze hief hem op tot aan haar schouder en streek over zijn kleine hoofdje. 'Ga je mee naar beneden, mannetje? Wilde je oma's vriendinnen leren kennen? Nou, goed dan.'

Beneden was Susan bezig wijn in te schenken, en de timer van de oven rinkelde. Polly gaf Spencer aan Nicole, die in de leunstoel het dichtst bij de deur zat. 'Hier. Wil jij hem even vasthouden terwijl ik naar de oven loop?'

Harriet sprong tussen hen in. 'Ik, ik! Ik neem hem wel.'

Nicole glimlachte naar haar, maar zei: 'Je wacht maar op je beurt, Harry. Ik neem hem, Polly.'

'Dank je.'

Nicole kon niet geloven hoe klein, warm en stevig hij was. Ze kon zich niet goed meer voorstellen hoe haar eigen kinderen voelden toen ze zo klein waren. Ze legde hem tegen haar hals om hem te ruiken. Ze herinnerde zich wél de geur. Harriet kwam op de armleuning van haar stoel zitten en keek naar haar. 'Adembenemend, hè?'

'Ja. Een schatje.' Ze wilde hem niet langer vasthouden en gaf hem aan Harriet. 'Hier, neem jij hem maar.'

'Oké.' Harriet stond achter haar, wiegde hem zachtjes heen en weer. Hij gaf haar een hemels gevoel. Haar grote zus, Charlotte, die in Canada woonde, had haar eerste kind, Fergus, gekregen toen Harriet ongeveer twintig was. Ze was toen met een vriendin van de universiteit – Natalie – in het huis van haar ouders in Shropshire voor Natalies eenentwintigste verjaardag toen hij geboren werd. Ze was zo verrukt geweest, herinnerde ze zich, en ze genoot ervan alle details – datum, tijd, naam, gewicht, lengte – aan Natalies moeder te vertellen. Hij was de eerste baby in de familie, had Harriet verteld, en ze had geen idee hoe hij aanvoelde. Natalies moeder had ouderwetse, verwarmde gewichten in een paar badstof theedoeken gewikkeld, en haar het bundeltje overhandigd. 'Zo voelt het ongeveer,' had ze gezegd, en Harriet had met de 'baby' op schoot gezeten en over het nieuwe leven gefantaseerd.

Nu keek ze naar Spencer en herinnerde zich hoe Tim had gesproken over een nieuwe baby. Ze had het idee onmiddellijk van de hand gewezen. Om te beginnen zou het een paar maanden lang regelmatige seks met hem betekenen, en verder was ze er heel zeker van geweest dat ze het niet nog een keer wilde doormaken. Die maandenlange enorme omvang van haar lijf. De pijn en vernedering van de bevalling, en dan de lekkende borsten en hechtingen. De slapeloosheid. En de cyclus van de babytijd: liggen, omrollen, kruipen. De slopende tijd als ze begonnen met lopen. En dat waren nog de gemakkelijke dingen. Gillend en krampachtig in wandelwagens, snotterig en pruilend in supermarktwagens.

Nu ze Spencer in haar armen hield, dacht ze dat ze er alles voor over zou hebben om Tims baby te kunnen wiegen, met hem naast haar.

'Dus hoeveel van jullie hadden dit gelezen voordat we het deden voor de club?'

De anderen schudden hun hoofd. 'Alleen ik?' zei Nicole. 'Dat verbaast me. Clare was een fan, dat herinner ik me nog. Ik had eigenlijk aangenomen dat we het allemaal hadden gelezen toen we nog jong waren – ik was pas vijftien toen ik het voor het eerst las – en het interesseerde me hoe we het zouden vinden om het te lezen nu we ouder zijn.'

'Ik was het altijd van plan, zo'n beetje als *Oorlog en vrede*,' zei Harriet. 'Ik ben er alleen nooit toe gekomen.'

Ze was vanavond niet zoals gewoonlijk, dacht Susan. Rustig. En ze zag er schrikbarend slecht uit, grauw. Misschien kreeg ze nu pas te kampen met de schok van Josh' ongeluk. Ze wist van Roger dat zoiets kon gebeuren. Ze zou proberen later even met haar te praten, om te zien of alles goed met haar ging.

'Ik heb gewacht op de miniserie,' zei Polly lachend. Gezien de omstandigheden zag Polly er goed uit: geen slaap, ex-vriend die net niet ex genoeg was. Susan vond dat het leek alsof ze de hormonale stralende gloed had van een nieuwe moeder zonder de dikke buik – en helemaal niet moe.

'Oordeel?'

'Ik vond het prachtig. Het was groots. Het had alles. Drama, spanning, mysterie, stoere held, aartsschurk...'

'Je laat een van de grote gotische romans van de moderne tijd op een James Bond lijken.'

'Sorry, maar ik hou van iets wat me dwingt de pagina's te blijven omslaan. Ik had het ook niet door dat hij haar vermoord had. Zelfs niet toen ze het lichaam in de boot vonden. Ik dacht dat ze een minnaar moest hebben gehad of zo.'

'Ik begreep niet goed waarom hij eigenlijk met haar getrouwd was. Heb ik iets gemist, of is het gebruikelijk met mensen te trouwen die je niet uit kunt staan, om ze dan te vermoorden als je er genoeg van hebt?'

'Artistieke vrijheid, Suze, alsjeblieft!'

'Ik vond Max wreed. En ik vond dat er een verbijsterend gebrek aan communicatie heerste in dat huwelijk. Absoluut niet zoals een relatie in werkelijkheid zou gaan. Ik weet dat ze een muisje was, en erg geïmponeerd was door hem, en daarna door het huis en de levensstijl en alles, maar ik kon moeilijk accepteren dat ze zo'n pathetisch geval was dat ze hem nooit één vraag stelde over Rebecca, en dat hij zo wreed was dat hij haar nooit iets over haar vertelde, terwijl het duidelijk was dat ze eronder leed en in de war was...'

'Ik weet het. Het zou een verplichte tekst moeten zijn voor een boek over relaties, vind je niet? "De Schade Die Gebrek Aan Communicatie In Een Huwelijk Kan Aanrichten". Als ze dat hadden doorgepraat in Zuid-Frankrijk, zou alles een stuk eenvoudiger zijn geweest. Ik bedoel, ze doen het zelfs niet met elkaar tot hij het haar verteld heeft, toch?'

'Dat is me ontgaan.'

'Mij ook. Ik dacht eerder dat ze het helemaal niet hadden gedaan.'

'Dan zou er geen boek zijn geweest. Nauwelijks een boeiende plot, vind je wel? Man die een ongelukkig huwelijk achter de rug heeft trouwt met jonge tweede vrouw? Ik vind dat je geen moderne waarden erop moet toepassen, en het moet waarderen om wat het is – een prachtig huiveringwekkend, sfeervol verhaal. De Winter hoort in het rijtje van traditionele helden, allemaal emotioneel gehandicapt, die een zekere geheimzinnigheid hebben en een tikje wreedheid – zoals Rochester in *Jane Eyre*, Hamlet...'

'Daar gaat ze weer.' Nicole rolde met haar ogen, hield haar hoofd schuin en keek naar Harriet.

'Nee, maar serieus, als je het erover hebt wat iets tot een "klassieker" maakt, moet het dan niet tijdloos zijn? Moet je niet wat jij noemt moderne waarden erop kunnen toepassen en er toch iets relevants in vinden? Is dat niet juist waar het om draait bij mensen als Shakespeare

– dat als je de eigenaardigheden van die tijd en onbegrijpelijke taal wegdenkt, hij het heeft over dingen die nog steeds opgeld doen – de belangrijke dingen – liefde, jaloezie, eerzucht...'

'En dat is hier ook het geval. Jaloezie is een van de dingen die de kern vormen. De nieuwe echtgenote, De Winter zelf, de intens gestoorde mevrouw Danvers...'

'Jaloezie is hier bijna meer de motivering dan liefde, niet?'

'Aha – maar kun je jaloers zijn op dingen waar je niet van houdt?'

'Nee. Uiteindelijk komt het altijd weer op liefde neer, hè?'

'Stop!'

Harriet trapte op de rem van de auto. 'Waarom?'

'Omdat ik het niet uit kan staan, daarom. Het van ons niet uit kan staan. Geen minuut langer.'

'Wat bedoel je?'

'Het maakt me kapot. Jou niet?'

'Natuurlijk wel. Ik weet alleen niet wat ik eraan moet doen.' Tranen kwamen bijna onbedwingbaar op bij Harriet.

'Ga niet huilen! Heb het lef niet!'

Harriet snoof melodramatisch.

'Ik zal je vertellen hoe we zullen beginnen er iets aan te doen. We gaan hier wat drinken.' Nicole gebaarde naar het café voor hen.

Het café was rokerig en trendy, met een jong, plezierzoekend publiek, onder wie een paar beroemdheden van de kindertelevisie. Harriet keek naar Nicole met een gezicht of ze gek geworden was. Het was halfelf. 'Waarom?'

'Omdat ik geen haast heb om naar huis te gaan, en er bij jou thuis niets op je wacht behalve een zure babysitter, die blij is met elk extra biljet van vijf pond dat ze verdient als jij wegblijft, dus waarom niet?'

'Ik weet niet zeker of drank de oplossing is.'

'O nee? Nou, goed, omdat je geen betere ideeën schijnt te hebben, ben ik bereid het een kans te geven. Ik ben niet zwanger, dus kan ik drinken zoveel ik wil. Jij ook. We zouden daar kunnen blijven tot sluitingstijd en apezat worden als we dat zouden willen. Niemand die ons tegenhoudt.'

Harriet keek nog steeds onzeker. Nicole hield vol. 'Vroeger hadden jij en ik altijd plezier. We lachten altijd. Nu hebben we een verdomd ellendig najaar achter de rug, en ik heb het wel gehad. Ik wil met je lachen, Harry.'

'Ik heb al twee glazen op, bij Poll.'

'Ik bestel wel een taxi voor ons.'

'Morgen is er gewoon school.'

'Jij gaat niet naar school.'

'Leuk hoor. Mijn kinderen wel. In mijn auto.'

'Ik breng ze wel.'

Harriet wist wanneer ze verslagen was. 'Oké, als je erop staat. Maar ik kan je niet beloven dat we zullen lachen.' Harriets gezicht stond strak, grimmig.

Nicole kneep even in haar arm. Hard. 'Probeer het.'

Harriet wreef quasi-zielig over haar arm, en moest toen onwillekeurig lachen. 'Oké, dwingeland, ik zal het proberen.'

Binnen heerste een luidruchtig, opgewonden gebabbel met een beat op de achtergrond die Nicole vaag herkende van Ceciles radio. Ze duwde Harriet in de richting van een lege tafel en liep naar de bar. De barkeeper, lang en slank met steil blond haar en een bruinleren riempje om zijn hals gebonden, bekeek haar van boven tot onder, verslond haar met zijn ogen. 'Een fles champagne, alsjeblieft. Twee glazen.' Ze pakte haar tas en legde dertig pond op de bar.

Hij keek over haar schouder naar Harriet, die er ineengedoken en niet op haar gemak bij zat. Ze had haar jasje niet uitgetrokken. 'Iets te vieren, dames?' Hij kwam uit Australië.

Nicole pakte de fles op en keek hem met een stralende glimlach aan. 'Ik mag het wel hopen, maat! Hou het wisselgeld maar.'

'Champagne?' Harriet zei het op een toon of ze liever bier dronk. 'Wat vieren we?'

'Ik wil op een hoop dingen drinken.' Nicole schonk deskundig twee volle glazen in. Ze had al die jaren genoeg champagne gedronken met Gavin. Jammer dat het altijd was om te vieren dat hij het weer had geflikt ongestraft een ongelooflijke klootzak te zijn. Ze duwde een glas in Harriets hand en tikte het aan met haar eigen glas. 'Op het eind van het Gavin-tijdperk. Op mijn nieuwe baan. Op die barkeeper die me graag zou naaien ook al ben ik oud genoeg om... nou ja, ik ben niet oud genoeg om zijn moeder te zijn. Nee toch?' Ze dacht even na. 'Ik ben oud genoeg om hem een paar dingen te leren, en nog jong genoeg dat hij me mijn gang zou laten gaan. Daarop wil ik dus drinken.'

Harriet hief weifelend haar glas op en dronk.

'Er is nog meer!' Ze keek Harriet recht en strak in het gezicht. 'Ik drink erop dat je Tim terugkrijgt.'

Op de ochtend dat hij vertrokken was, had Harriet in haar auto voor Nicoles huis gezeten toen ze terugkwam van de fitnessclub. Ze huilde terwijl ze luisterde naar Elvis Costello die zong: 'I Want You'. Harriet kon vaak heel dramatisch doen, maar deze keer had Nicole gezien dat het echt was. Het feit dat ze altijd al geweten had dat Harriet een idioot was waar het Tim betrof, bood weinig troost toen ze geconfronteerd werd met dit verdriet.

'Op het moment dat hij wegging was het of ik wakker werd uit een afschuwelijke catatonische toestand. Omdat hij me verliet. Een seconde te laat,' had Harriet hikkend en snuivend gezegd.

Nicole wist dat Harriet slecht sliep. Ze had nachtmerries gehad. Levendige, reële, indringende dromen. Tim in bed met een ander, met haar vriend. Een vrouw zonder gezicht. Zonder cellulitis.

Ze zei dat het haar zo fysiek, demonisch jaloers maakte dat ze zich misselijk voelde. Ook het huis was spookachtig zonder hem. Harriet had overal schoongemaakt. Ze keek niet meer naar de televisie, maar luisterde in plaats daarvan naar oude cd's. Zoveel liedjes herinnerden haar aan hem. Ze bracht haar avonden door met het bekijken van foto's, zorgvuldig in albums geplakt en becommentarieerd – door Tim natuurlijk.

Ze had natuurlijk geklaagd, gezegd dat het belachelijk was om je foto's zo nauwkeurig bij te werken, zei dat zijn commentaren in de marge waardeloos waren. Nu verdiepte ze zich in elke foto, tuurde aandachtig naar zijn gezicht en het hare. Zoekend naar aanwijzingen misschien.

Nicole kon alleen maar hopen dat hij het niet serieus meende, dat hij Harriet alleen maar bang wilde maken opdat ze eindelijk zou beseffen wat hij en Nicole allang hadden geweten, dat ze bij elkaar pasten, dat ze voor elkaar bestemd waren. Elke andere mogelijkheid was ondenkbaar. Nicole hield van Harriet, maar ze wist dat Tim onverbrekelijk verbonden was met haar vriendin; het was niet alleen dat geval met Nick – Nick was niet belangrijk in het geheel: per slot van rekening had ze het niet doorgezet. De schade die ze Tim had berokkend was veel subtieler dan die voortkwam uit een affaire met een andere man. Het was de koelheid, het gevoel dat ze hem gaf dat hij geen enkele invloed op haar had, de manier waarop ze hem de hele avond negeerde als ze met een groepje uit waren. Dat was veel erger. Hij zou nooit naar een ander hebben gekeken. Waar ze ook aan mocht twijfelen het was niet aan Tims verbondenheid met Harriet.

Het moest een spelletje zijn. En ze vermoedde dat hij in zeker opzicht op haar vertrouwde om het voor Harriet geloofswaardig mee te
spelen.

Kijkend naar de slappe vaatdoek tegenover haar, vroeg Nicole zich
af hoe ze in godsnaam Harriet kon prikkelen tot iets wat zelfs maar
leek op het ondernemen van enige actie.

'Het is te laat. Dat moet wel, anders zou hij nooit zijn weggegaan.
Ik heb het verknald. Als er op dit moment geen andere vrouw is, hoe
lang zal het dan duren voor hij iemand vindt die beter voor hem is
dan ik?'

'Ik kan mijn oren niet geloven,' zei Nicole wanhopig.

'Nou, het is waar. Ik ben een secreet geweest. Ik heb mijn verdiende loon gekregen. Ik ben echt een genie, hoor. Ik heb ervoor gezorgd
dat de geweldigste man ter wereld niet langer van me houdt. Dat is
alles. Ik heb hem weggejaagd, Nic.'

'Dat is niet waar.'

Nu was het Harriets beurt om haar geduld te verliezen. Besefte Nicole dan niet wat ze had gedaan? 'De meeste mannen zouden al jaren
geleden zijn vertrokken. Hij heeft het langer uitgehouden dan iemand
anders zou hebben gedaan. De eerste avond toen we wisten dat Josh
zou blijven leven, de eerste avond dat ik thuiskwam om te slapen,
nadat we zo'n hechte band hadden gehad, elk moment in het ziekenhuis bij elkaar waren, wilde hij seks met me. Hij sloeg zijn arm om me
heen in ons bed, en ik kon voelen dat hij naar me verlangde, nog net
zo intiem met me wilde zijn als we in het ziekenhuis waren geweest.
Ik liet me zelfs niet door hem zoenen, niet echt. Ik deed net of ik slaap
had en draaide me van hem af zodra ik kon. Uitgerekend die avond.
Ik weet niet waarom. Het is geen wonder dat hij is weggegaan, Nicole. Ik gaf hem niets wat een serviceflat en een goede assistente hem
ook niet hadden kunnen geven. Ik was geen echtgenote voor hem.
Dat ben ik al jarenlang niet voor hem geweest. Nooit waarschijnlijk.'

'Maar dat wil je wél zijn?'

'Natuurlijk wil ik dat. Maar nu is hij er niet meer. Hij heeft me opgegeven. Daar kan ik niet tegen vechten.'

'Dat kun je verdomme wél. Is dat mijn vriendin Harriet die zoiets
zegt? Ik kan gewoon niet geloven dat ik dat uit jouw mond hoor!
Vecht voor hem, in godsnaam. Als je me de waarheid vertelt, en je wilt
hem echt terug, en je bent niet alleen bang om alleen te zijn, vecht
dan voor hem. Waarom ben je nu niet daar?'

'Zo werkt dat niet. Mannen als Tim gaan niet weg als ze het niet menen.'

'En dat is precies waar je de plank misslaat. Ik denk dat het een klassieke kreet om hulp is. Ik denk dat dit het enige was wat hij kon bedenken om je wakker te schudden en je bewust te maken van hem en zijn gevoelens. Ik denk dat hij je onmiddellijk terug zou willen als je hem kon overtuigen dat je het meent, dat híj degene is die je echt wilde.'

'Denk je?' Harriet keek iets alerter.

Nicole stak haar hand uit over de tafel en pakte Harry's hand vast. 'Ik weet het zeker.' Ze kneep in Harriets hand. 'Harriet, ik weet niet veel. Mijn eigen huwelijk was een ramp, en misschien ben ik wel de laatste die advies hoort te geven. Maar ik weet dat Tim van je houdt. Hij heeft me eens verteld dat hij dacht dat hij geboren was om jou lief te hebben. Hij is dol op je. Daar ben ik meer van overtuigd dan van bijna iets anders in mijn leven. Ik heb nooit een man gekend die zoveel van een vrouw houdt als ik denk dat hij van jou houdt. Je hebt de jackpot gewonnen. Hij wil jou, hij wil zijn kinderen en hij wil dit leven met jou. Je hoeft hem alleen maar te vertellen dat jij dat ook wilt. Je moet zorgen dat hij dat gelooft. Vertel hem dat je een stomme idioot bent geweest, die achter een niet-bestaande verrekte regenboog aanjoeg, en dat je nu tot inkeer bent gekomen. Dat is alles. Geloof me maar.'

'Denk je dat heus?' Ze leek op Dorothy in *De tovenaar van Oz* als de goede heks haar vertelt dat ze terug kan naar Kansas. Ze keek alsof ze geloofde dat als Nicole het zei, het ook waar was. Dat was een deel van Harriets aantrekkingskracht, die kinderlijke houding van vertrouwen en afhankelijkheid, besefte Nicole. Dat was een deel van haar bekoring.

'Dat denk ik heus.'

'Dan zal ik het doen. Ik zal zorgen dat hij terugkomt. Ik dóe het!'

Nicole voelde zich enorm opgelucht. Op een merkwaardige manier betekende Harriets huwelijk nu meer voor haar dan dat van haarzelf, want haar eigen huwelijk was slecht geweest en dat van Harriet goed. Als dat standhield zou het bewijzen dat er iets waarachtigs bestond, en daar had ze op het ogenblik behoefte aan. 'Goed. Goed. Dus geen gezwijmel meer over foto's en niet meer luisteren naar tragische liedjes uit de jaren tachtig. Beloofd?'

Harriet giechelde. Ze had het eerste glas leeggedronken terwijl ze naar Nicole luisterde, en was nu halverwege het tweede. 'Als dit me

lukt, geen gezwijmel meer. Maar ik zal mijn Elvis Costello nooit opgeven, en Bruce – de Boss – blijft ook.'

Nicole vulde haar glas bij en klonk met Harriet. 'Oké. Rome is niet
in één dag gebouwd. We zullen eraan werken.'

'Nic?'

'Ja?'

'Wat is de snelste manier om vier kilo af te vallen?'

Tim

Tim was dronken. Zijn vriend Rob had hem in jaren niet zo dronken
gezien als nu. Ze waren huisgenoten geweest op de universiteit, en
sindsdien heel goede vrienden, naar hij hoopte, en ze hadden in de
loop der jaren zeker wel een paar duizend biertjes naar binnen gewerkt, maar dit was anders.

Tim was een fantastische, vriendelijke dronken student op de universiteit. Hij was lang, en kon vijf of zes biertjes drinken zonder dat dat
veel effect op hem had, behalve op de dansvloer, waar zijn lenige lijf
steeds slungeliger werd en een gevaar voor de omstanders. Maar hij
bracht je altijd thuis – daarop kon je vertrouwen als je volslagen zat
wilde worden – want hij had nooit de starende dronken blik van de
meesten van zijn leeftijdgenoten, die je rond lieten scharrelen, zoekend
naar beschikbare vrouwen die gevoelig – of dronken genoeg – waren
voor je charmes. Waarbij ze over het hoofd zagen dat je nooit hun
achternaam zou onthouden en je toch meenamen naar hun kamer.
Tim deed dat nooit. De eerste twee jaar had hij een aardig vriendinnetje uit de zesde klas van de middelbare school gehad, en in het derde
jaar werkte hij hard voor zijn examen. Ze waren de klas van het jaar
1986. Afgestudeerde studenten economie, met een baan op zak en rijk-
dom in het verschiet. Tim was succesvoller geweest dan Rob – hij had
de conservatieve, veilige route gekozen en een opleiding gevolgd als
analist, in plaats van de weg van het snelle geld en daarna de burn-out.
Hij had ijverig zijn examens bij de CFA (Chartered Financial Analyst)
afgelegd en was nu een erkend deskundige in de mediasector. Zijn persoonlijke aandelenbezit in de City was opvallend groot. Rob had ook
een hoop geld verdiend met zijn vlotte, riskante ondernemingen op de
markt, maar hij was een van de dertien in een dozijn, kanonnenvoer in
een financiële oorlog, en dat wist hij.

Tim was heel plezierig gezelschap gebleven nadat ze waren afgestudeerd. Ze hadden samen de wereld rondgereisd, de veelbetreden

voetsporen volgend van een miljoen kinderen uit en rondom Londen, en hadden zich toen geïnstalleerd in een tweekamerflat in de buurt van Clapham Common en zich voorbereid op het werkelijke leven. En ten slotte in Tims geval met Harriet, op wie Rob stapel was omdat ze geestig en sexy was en Tim van tijd tot tijd de vrije hand liet voor ze de kinderen kregen. Rob was getuige geweest op hun huwelijk, waar hij een hilarische speech had afgestoken, al zei hij het zelf, die inhield dat er sleutels werden uitgereikt aan zes of zeven van de onwaarschijnlijkste vrouwen in de kamer. (Laten we eerlijk zijn, alle vrouwen waren onwaarschijnlijk sinds Tim Harriet voor het eerst had gezien – hij herinnerde zich nog hoe Tim die avond thuiskwam. Hij had gezegd dat hij het meisje had ontmoet met wie hij ging trouwen. Rob had hem een sentimenteel fuifnummer genoemd, en ze waren naar de pub gegaan voor een laatste borrel.) Deze vrouwen werd verzocht een voor een langs te paraderen, Harriets moeder als laatste, en de sleutels in te leveren bij de hoofdtafel als een teken van respect voor het feit dat Tim niet langer op de markt was. En Rob was peetvader van Josh. Zijn vrouw, Paula, die drie of vier jaar na Harriet op het toneel verscheen, was peetmoeder van Chloe, dus Rob beschouwde zichzelf en Tim eigenlijk als familie. Hij had hem de laatste tijd niet vaak gezien – een paar snelle lunches bij Corney and Barrow, maar al in maanden geen langdurig samenzijn meer. Nu zat Tim in zijn eentje te drinken aan een tafel in de hoek van Pavilion. Hij zag er onverzorgd en moe uit, en Rob maakte zich zorgen.

Hij was dronken, dat was duidelijk, maar het was pas zeven uur. Rob was maar twintig minuten te laat – een moeilijk telefoontje uit Amerika kwam net toen hij op het punt stond om weg te gaan – maar Tim leek hier al een tijdje te zijn.

'Wat bedoel je, je hebt haar verlaten?'

'Wat is er zo moeilijk te begrijpen? Verlaten, het huis uit. Ik ben weg.' Tims stem klonk agressief, maar hij zag er ellendig uit.

'Waar ben je naartoe gegaan?'

Tim moest bijna lachen. Typisch Rob, om te vragen waarheen in plaats van waarom. Hij hield van zijn vriend, maar Rob had de emotionele diepte van een poel. Misschien had hij hem moeten zeggen dat hij Paula mee had moeten brengen. Zij zou dit waarschijnlijk beter hebben aangepakt. Toen herinnerde hij zich dat Paula zwanger was van een jongen – afgelopen maand was de scan gemaakt – en Rob had hem al gevraagd om peetvader te worden. Hij dacht niet dat hij het zou kunnen verdragen hen samen te zien, zo gelukkig. 'Ik woon op de club.'

'Hemel, dat zal niet meevallen.' Hij woonde in zijn club? Dat was triest. Goed voor een nacht als je te bezopen was of te laat had gewerkt om naar huis te gaan, al was Tim normaal gesproken een postduif in die situatie, maar niet om er te wonen. Tim staarde in zijn glas. 'Wil je bij mij en Paula komen? Ik meen het, makker, je zou welkom zijn.'

'Dank je, maar nee. Jullie willen op dit moment geen miezerige klootzak bij jullie thuis hebben rondhangen.'

'Het aanbod staat.' Tim knikte instemmend, maar zei niets.

'En, wil je me vertellen wat er allemaal aan de hand is, of blijf je hier met een somber en zuur gezicht voor je uit staren? Het maakt mij niet uit.'

Tim lachte grimmig.

'Heeft ze een ander?'

'Ik geloof het niet, al dacht ik een paar maanden geleden dat er misschien iemand was – maar ik denk dat het voornamelijk het *idee* ervan is.'

'Ik volg je niet.'

'Nee, en zij ook niet. Het is net of ik haar gek maak, alsof ze me haat, Rob, omdat ik niet iemand... íets anders ben.'

Rob mocht misschien een strategie bij de hand hebben voor het scenario van de 'ander' – dat hoorde in zijn arsenaal van oplossingen voor 'normale' mannenproblemen, zoals een fout gelopen afspraak, een vrouw die te veel uitgaf, een gedegradeerd team – maar hij was slim genoeg om te weten dat hij geen constructieve hulp kon bieden in dit geval. Als er counseling, Prozac en advocaten aan te pas konden komen, was het een zaak voor Paula. Hij wilde dat ze hier was.

Hij koos voor de aanval, een openlijke ontkenning. 'Nee, makker. Ze houdt van je. Dat weet ik zeker.'

'Denk je dat?'

'Natuurlijk. Jij en Harriet, waterdicht, Tim. Kijk eens naar die andere echtparen van wie we weten dat ze uit elkaar zijn. Lijken niks op jullie. Je hebt een prachtleven – geweldig huis, geweldige kinderen, geweldige toekomst.'

Tim schudde afwijzend zijn hoofd. 'Ja, verdomd prachtig, behalve dat ze al haar tijd doorbrengt met erover te piekeren wat ze misschien mist – of ze niet gelukkiger zou zijn geweest als ze een ander had gekozen.' Hij wreef vermoeid met zijn hand over zijn gezicht. Hij kon niet slapen. Hij miste de kuil in het bed, het geluid en de geur van haar lichaam naast hem in bed, en elke keer wanneer hij 's nachts wakker werd, stak hij zijn hand naar haar uit.

'Ze wil niet eens dat ik haar aanraak. Ik kan me niet meer herinneren wanneer zij het initiatief nam.' Zijn gezicht stond bedrukt.

Te veel informatie, dacht Rob. Het mocht dan oké zijn voor vrouwen om over dit soort dingen te praten, maar hij had de avontuurtjes van één nacht en de kerfjes in de bedstijl opgegeven. Het laatste wat hij wilde was elke keer dat hij Harriet zag te moeten denken dat ze frigide was. 'Ik snap er niks van, Tim. Ik weet niet wat ik moet zeggen.' Hij klopte verlegen op Tims schouder. 'Wat ik wél weet is dat als jij op de club woont en zij in het huis, het er niet beter op wordt, wel?'

'Ah. Dat is het nu juist.' Tims hoofd bewoog in een vage achtfiguur terwijl hij sprak. 'Dat is precies waar het om gaat. Dit is buigen of barsten, maatje.' Hij noemde Rob nooit maatje als hij nuchter was. 'Ik heb mezelf verwijderd, nietwaar?' Hij sloeg wartaal uit.

'Hoeveel van die glaasjes heb je gehad, Tim?'

Er stonden twee kleine glaasjes naast zijn bierglas. 'Niet genoeg. Ik hou van Harriet. Ik heb zelfs nooit meer op die manier naar een andere vrouw gekeken sinds ik haar heb ontmoet – dat weet jij net zo goed als ik.' Rob knikte. 'En ik wil voor haar vechten. Absoluut. Maar ik kan niet openlijk vechten, daar zou ik niets mee opschieten. Ik moet een gok wagen, zie je. Ik moet haar geven wat ze denkt dat ze wil – ruimte, een leven zonder mij, haar vrijheid. En ik kan alleen maar hopen dat het resultaat heeft. Snap je?'

Bijna, dacht Rob. Hij vroeg zich af of er buiten een taxi te vinden zou zijn die Tim kon wegbrengen, als hij in staat was hem rechtop te houden.

'En als het geen resultaat heeft, ga ik weg. Laat ik alles los. Geef het allemaal op. De kinderen, Harriet.'

Rob was doodsbenauwd dat hij zou gaan huilen.

'Ik moet het weten, dat is alles. Op deze manier kan ik niet verder leven. Het maakt me kapot.'

'Kom, je gaat vanavond met mij mee naar huis.'

Tim schudde heftig zijn hoofd.

'Niet tegenspreken. Kom mee.'

Tim leunde zwaar op hem. Hij had de kracht niet om tegen te spre-

ken. De frisse lucht buiten de pub sloeg hem in het gezicht, maar ontnuchterde hem niet. Hij had te veel te snel gedronken.

'Het zal resultaat hebben, Tim, dat weet ik zeker. Volgende week om
deze tijd ben je thuis en is deze onzin achter de rug – dat weet ik
zeker.'

'Heus?' Tims stem klonk kinderlijk, alsof hij geloofde dat als Rob
zei dat het oké was, het dat ook wel zou zijn.

'Absoluut. Dan gaan we uit en worden we zat op de juiste manier.
Afgesproken?'

'Om het te vieren?'

'Om het te vieren.'

'Het is als dat liedje, hè? Wie was het ook weer? Sting denk ik. Je
weet wel...' en hij begon met hoge stem vals te zingen '... *If you love so-
meone, set them free. Free, free, set them free...*'

Zelfs door de nevel van zijn dronkenschap en de disharmonie van
zijn gezang drong er een rilling van angst door Tim heen. Die toekomst, de toekomst waarin het werkelijk goed afliep en Harriet weer
van hem hield, was de enige die hij onder ogen kon zien, dronken of
nuchter.

De volgende ochtend voelde hij zich ellendig. Hij kon gewoon niet
meer. Zijn lichaam zat net als altijd om kwart voor zeven achter zijn
bureau, maar zijn maag en zijn hoofd waren elders. Hij zag er ook
verschrikkelijk uit. Het verbaasde hem niet dat te zien toen hij koud
water in zijn gezicht plenste in het toilet. Het heldere wit van zijn
hemd (helderder, dat moest worden gezegd, nu het was gewassen,
gesteven, gestreken en opgehangen door de wasserij van de club dan
wanneer het gewassen was met Chloe's blauwe zwempak en het
strijkijzer even te zien had gekregen tijdens *Holby City* op een dins-
dagavond) deed zijn gezicht nog grauwer en gerimpelder lijken. Zijn
ogen waren bloeddoorlopen, en zijn tong zag er bij aandachtige
controle even bemost uit als de patio. Hij vermoedde ook dat hij
stonk.

Hij was vanmorgen niet lang blijven hangen bij Rob en Paula, en
had vermeden zijn giftige adem in Paula's gezicht te blazen door haar
buik te kussen in een gebaar dat ze duidelijk vertederend vond. Ze had
met een moederlijk gebaar door zijn haar gestreken. 'Het komt heus
in orde. Rob heeft het me verteld. Het heeft resultaat.' Ze had hem
een vriendelijke knipoog gegeven en ging toen zitten voor de drie

sneetjes toast met honing en Marmite, die Rob voor haar had klaar-
gemaakt.

Terug achter zijn bureau rommelde Tim in de bovenste la, zoekend
naar aspirines. Hij kon ze niet vinden, en hij keek juist geprikkeld op
om te zien waar zijn assistente was toen ze binnenkwam. In de ene
hand hield ze een kop koffie en twee paracetamol, en in de andere
hand de ochtendpost. Daarom was hij dol op haar, noemde haar
Moneypenny, en gaf elke keer dat hij in de belastingvrije winkel
kwam honderd pond uit aan parfum van Chanel. Ze was beter dan
zijn moeder.

Ze zette alles rustig naast hem neer, en keek vol medeleven toe terwijl hij zijn aspirines innam, al was de koffie te heet en kromp hij even
ineen. Ze zag eruit als Julie Andrews in *Mary Poppins*, maar ongeveer
tien kilo zwaarder. Hij herinnerde zich dat Harriet ongeveer vijf jaar
geleden, vlak nadat hij haar in dienst had genomen, een excuus had
verzonnen om binnen te komen teneinde haar te ontmoeten. 'Ik wil
zeker weten dat je geen seksbom hebt aangenomen,' had ze gezegd, en
was onmiddellijk tevreden gesteld toen ze Sylvia over een archiefkast
gebogen zag staan om er een dossier uit te halen, en al het daglicht in
de kamer blokkeerde. Hij had zich gelukkig gevoeld dat het haar iets
kon schelen.

'Ik zal je telefoontjes een halfuur niet doorverbinden en die aspirines een kans geven om te werken,' zei ze. Toen ze bij de deur was, zei
ze zonder zich om te draaien: 'De bovenste brief is van Harriet.'

Maandag
Lieve Tim,
Ik schrijf je in plaats van te praten omdat (a) ik niet zeker weet of je me
op het ogenblik wel wilt zien of spreken, en (b) ook al kan ik me niet zo
briljant uitdrukken op papier, het waarschijnlijk beter is dan het er uitflap-
pen en wauwelen en doordraven, en ik kan op het ogenblik niet veel zeg-
gen zonder te huilen, en we weten allebei dat dat alleen maar overkomt als
manipulatie, en ik wil niet dat je dat denkt, dus zal ik het proberen met
schrijven.
Waar het om gaat: je moet me vergeven en thuis komen en ons gezin en
mij weer compleet maken, want het gaat niet goed zonder jou hier en het
zou nooit goed kunnen worden.
Ik weet dat ik een slechte echtgenote ben geweest. Vooral de laatste tijd,
maar waarschijnlijk al jarenlang. Ik heb je als vanzelfsprekend beschouwd,

en ik heb me laten obsederen door het waanidee dat het gras aan de andere
kant groener is, en ik ben egoïstisch en stom geweest. Een vroege midlifecri-
sis misschien. Of een verlate puberteit. Ik weet niet waarom.
   Maar je hebt me verlaten en dat kan ik niet verdragen. Dat ik je als van-
zelfsprekend heb beschouwd komt deels omdat ik veronderstelde dat je altijd
bij me zou zijn, mijn problemen zou oplossen en mijn onzin verdragen
zoals je ons hele leven hebt gedaan, en nu ben ik bang, zo heel erg bang,
dat je er genoeg van hebt en niets meer met me te maken wilt hebben.
   Ik wil alles doen. Ik zou het al hebben gedaan als ik had geweten wat er
aan de hand was. Ik hou van je, Tim, op alle manieren waarop ik dat hoor
te doen. Ik beloof je dat als je thuiskomt alles oké zal zijn. Beter dan oké.
Maar kom alsjeblieft bij me terug.
   Ik hou van je.
   Harriet
   xxx

Hij wachtte tien minuten voor hij de telefoon pakte. Lang genoeg om
te kalmeren, al had hij naar haar toe willen hollen zodra hij de brief
gelezen had. Er was geen sprake van dat hij haar zou laten lijden. Idioot die hij was, voelde hij het verdriet dat hij haar had aangedaan tien
keer erger dan zij.
   'Hallo?'
   'Harriet?'
   'Tim. Hallo.' Zoveel hoop in haar stem. Hoop en angst. 'Hoe gaat
het?'
   'Een loei van een kater, dank je. Ik ben doorgezakt met Rob. Hoe
gaat het met jou?'
   'Zo ongeveer hetzelfde, geloof ik, maar dan zonder de alcohol.'
   'Ik heb je brief ontvangen.' Harriet zei niets. 'We moeten praten.'
Was hij met opzet dubbelzinnig? Hij wist het niet. Hij wilde het niet
telefonisch doen. Hij wilde haar zien, haar in zijn armen houden.
   'Ik weet het. Wil je dat ik naar jou toe kom?'
   'Nee. Ik kom naar huis.' Hij had het gezegd. Naar huis. Dat gaf hem
een goed gevoel.
   'Kom je thuis?'
   Haar stem deed hem bijna huilen. Ze wilde zo graag dat hij thuis-
kwam. 'Ik kom thuis om met je te praten, Harriet.'
   Ze wilde nu niets liever dan hem ter wille zijn. 'Oké, oké – van-
avond?'

'Ik heb eigenlijk niet veel te doen vandaag, dus kan ik waarschijnlijk vanmiddag wel weg.'

'Fijn. Tot straks dan.' Korte stilte. 'Wil je de kinderen zien?'

'Alleen jou voorlopig, als dat goed is. Kun je Nicole vragen of ze bij haar kunnen blijven of zo?

'Ja, ja, natuurlijk. Ik zal met Nic praten – ik weet zeker dat ze het goed zal vinden.'

'Oké dan. Tot straks.'

'Tot straks. Bedankt... dat je gebeld hebt.' Vreemd formeel.

Twee mensen legden een telefoon neer en leunden achterover in hun stoel om te wachten tot hun hart zou ophouden een drumroffel weg te geven in hun borst.

Harriet

Ze had hem in dagen niet gezien. In weken niet. Ze wist het precies: drieëntwintig dagen. Ze had alleen zijn stem gehoord aan de telefoon. Drieëntwintig dagen. Vijfhonderdtweeënvijftig uur. Ze had nog nooit zulke maffe dingen gedaan waar het hem betrof, zoals dagen of uren tellen. Zoals langs zijn huis rijden, ook al lag het niet op je weg. Of op een papiertje krabbelen wat je getrouwde naam zou zijn. De heer en mevrouw Tim Fraser. Mevrouw Tim Fraser. Harriet Fraser. Ze had zijn liefdesbrieven niet bewaard, of de briefjes op de koelkast waarop stond 'Ik hou van je'. Nu, na die stomme drieëntwintig dagen zonder hem kon ze zich niet herinneren waarom niet. Ze had nog nooit zo naar iemand verlangd als naar hem, nu. Fysiek. Ze hunkerde naar hem, haar verlangen naar hem deed letterlijk pïjn.

Zou hij zijn koffer bij zich hebben? Durfde ze hopen dat hij haar een tweede kans zou geven? Of kwam hij haar oog in oog vertellen dat hij niet terugkwam? Ze wist dat er geen ander was, dat er nooit een ander was geweest. Maar misschien had de tijd die hij bij haar vandaan was geweest hem de mogelijkheid getoond van een leven met een ander. Ze was bang. Scarlet O'Hara was weer terug in haar dagdromen – terughollend naar Rhett toen Melanie dood was, alleen maar om te horen dat zij had afgedaan. Maar dit was geen film. Dit was haar leven.

De kinderen waren bij Nicole. Ze had hun niets verteld omdat ze niet wist wat ze hun moest vertellen. Het huis was stil zonder de kinderen en onwaarschijnlijk netjes. Ze had een uur geleden pas gedoucht. De hele ochtend was ze, met haren die ze bijeen had gehouden met een van Chloe's elastiekjes, met een roze vilten konijntje erop, in haar pyjama, bezig geweest het huis schoon te maken. Ze had de lakens verwisseld op het bed (die nog lang niet vuil waren), de zuiver katoenen set gestreken die ze had gekregen als huwelijksgeschenk en die nog maar één keer op bed had gelegen voor hij werd ingeruild voor een kreukvrije synthetische set, die je een statische schok gaf als je je een beetje te wild bewoog. Ze had de kleverige roosters en glazen platen in de koelkast schoongemaakt, had het zelfs aangedurfd een fles champagne koud te leggen. Was ze gek dat ze plannen maakte voor het beste scenario? Ze had heen en weer gedrenteld en stof afgenomen en bloemen geschikt in de grote glazen vaas, naar ze hoopte zo'n beetje als Nicole het deed. Ze had de open haard schoongemaakt en een nieuw vuur aangelegd, op de manier zoals het hoorde in plaats van gewoon de weekendbijlage van de krant onder een dik houtblok te leggen en er het beste van te hopen als je er met een brandende lucifer in porde. Als gevolg daarvan had het nu een uur of zo gebrand, wat vijftig minuten langer was dan gewoonlijk. Het zag er allemaal erg onnatuurlijk uit.

Ze hoorde zijn auto op de oprit en holde de trap op naar de overloop, waar ze hem kon zien achter de jaloezie. Hij zag er zenuwachtig uit. Bleef een paar ogenblikken bij de auto staan staren naar het huis. Geen koffer. Ze leunde tegen de muur, weg van het raam. Haar hart zonk in haar schoenen. Toen hoorde ze de deurbel. Hij maakte geen gebruik van zijn sleutel. Hij deed niet eens of dit zijn thuis was, laat staan dat hij van plan was ernaar terug te keren. Ze had zich willen verstoppen onder een van de bedden, zoals Chloe zou hebben gedaan. Ze kon dit niet. Op de bank zitten terwijl hij haar vertelde dat het voorbij was, dat hij haar verliet. Ze wilde het niet horen.

Haar voetstappen bonkten zwaar op elke tree toen ze naar beneden liep. Ze bleef achter de deur staan toen ze opendeed, plotseling verlegen. Niets. Ze stak haar hoofd om de deur, maar hij stond niet op de stoep.

Ze hoorde de kofferbak dichtslaan, en toen stond hij voor haar, met in de ene hand zijn koffer en in de andere een bos prachtige gele rozen, bijeengebonden met raffia en opgemaakt met eucalyptusbladeren. Gele rozen.

Ze hoefde niets te horen. En ze hoefde niets te zeggen. Ze hadden beiden voorlopig genoeg gepraat – met elkaar, met Rob en Nicole, en met zichzelf. Dit was alleen instinct en zekerheid, en, misschien voor het eerst, evenwichtigheid. Hij wist het, en zij wist het. De schommeling in hun leven was tot rust gekomen. Hij zette de koffer en de bloemen op de grond, schopte de deur dicht, en toen was hij bij haar. Hij zoende haar op haar mond, haar gezicht en haar hals, strengelde zijn vingers in haar haar, trok met één hand aan de knopen van haar shirt, duwde zijn hand in haar beha. Ze wankelden achteruit naar de bank en vielen erop neer. Harriet schoof zijn sweater omhoog, voelde zijn warme huid. Hij schoof haar rok op, en samen rukten ze zijn broek uit. Hij was meteen in haar, o, zo gemakkelijk, één arm stevig onder haar heupen, de andere op haar borsten.

En omdat ze niet aan iemand of iets anders dacht en dus niet haar ogen sloot, kon ze zien hoe hij met haar vrijde, hoe hij naar haar verlangde en zich van haar bewust was. En ze wist dat hij dat alles in haar ogen kon zien. Het was een heerlijke gewaarwording.

'Mijn god!' Dat was het eerste wat ieder van hen zei. En ook dat was gelijktijdig.

'Precies zoals ik erover denk.'

'Waarom is het niet altijd zo geweest?'

'Denk je dat het door de bank komt?' Hij lag nog steeds boven op haar, was nog steeds in haar.

'Nou, als het dat was, wil ik het nóóit meer in bed doen.' Ze lachten.

'O, au, ga van me af. Je bent te zwaar om boven op me te lachen.' Ze kreeg geen adem.

Hij draaide haar om zonder dat hij uit haar ging, tot ze op hun zij naast elkaar lagen op de kussens, met Harriet dicht tegen hem aangedrukt. 'Beter?'

'Beter.' Ze kuste hem één keer, een langzame, zachte kus op zijn bovenlip. 'Best.' Ze bleven lange tijd zo liggen, naast het vuur. Het leek een film. Ze kon zich niet herinneren ooit het gevoel te hebben gehad zich in een film te bevinden. Het begon donker te worden. Tim pakte een deken van de armleuning van de bank.

'Ik dacht dat ik nooit verlíéfd op je was. Ik denk dat dat het was.'

'Wel bedankt. Dat vertel je me nu.'

Ze trok zachtjes aan zijn borsthaar. 'Ik probeer het uit te leggen. Sst. Ik rolde er min of meer vanzelf in, dus landde ik heel zacht en realiseerde me niet waar ik was...'

Hij lachte haar uit, stilletjes.

'En ik denk dat ik op zoek was naar...'

'Harry?'
'Ja?'
'Hou je mond.' Hij liet zich omlaag glijden tot hun gezichten op één hoogte waren. Even keek ze verontwaardigd op. 'Ik denk,' zijn lippen lagen op de hare en zijn hand gleed langzaam omlaag langs haar rug, 'dat ik je zal moeten dwingen je mond te houden...'

Susan
'Tjee, wat is het hier koud.'
'Wacht even, ik zal de gaskachel aansteken.'
'Ik zal de gordijnen dichttrekken. Het is trouwens toch al bijna donker.'
Margaret en Susan waren druk bezig het huis te verwarmen. Alice had hier sinds het voorjaar niet meer gewoond, en het was er nu door en door koud.

Tien minuten later, met de lichten aan en terwijl de vlammen in kunstmatig rood en oranje oplaaiden, was het helderder in de kamer, maar de taak die hun wachtte was nog steeds afschrikwekkend, en Susans zus was nog steeds even kil.

'Vind je niet dat je hier vast mee had moeten beginnen toen ze al verhuisd was?'
'Dat wilde ik niet. Niet zolang mama nog leefde. Ik zou het gevoeld hebben als een schending van haar privacy om in haar spulletjes te snuffelen. Ik denk dat ik haar steeds had willen vragen wat ze ermee wilde doen – dat zou te pijnlijk zijn geweest. En misschien dacht ik dat ze op een dag nog eens terug zou komen.'

Margaret gaf node toe. 'Het zal nu een nachtmerrie worden.'
Susan bleef ondanks alles opgewekt. 'Het zal niet zo heel erg zijn. Zoveel had mama niet.'

Ze keken om zich heen. Bij het zien van sommige meubels ging er een steek door Susans hart. De glimmend gepoetste tafel waaraan ze wel duizend maaltijden had gegeten; de vrolijke beeldjes in avondjurk die zolang ze zich kon herinneren op de schoorsteenmantel hadden gestaan; de oude leren bank waarop zij en Roger altijd hand in hand zaten. Al die herinneringen. 'Hm, misschien zijn die dingen wel wat waard. Al zou ik niet weten voor wie. Ze zijn monsterlijk.'

Susan was blij dat Margaret er was. Ze wilde niet zwelgen in herinneringen, en dat was niet erg waarschijnlijk in aanwezigheid van haar cynische, onsentimentele zus. Ze moest er bijna om lachen. En er zat iets in. Alice' interieur dateerde uit circa halverwege de jaren zestig.

'Oké, de meubels naar de kringloopwinkel, het meeste uit de keuken ook, al wil ik daar nog wel even een kijkje nemen. Moet jij ook doen, voor het geval er iets is wat je kunt gebruiken.'

Margaret snoof minachtend, maar glimlachte flauwtjes.

'Ze had geen noemenswaardige sieraden, behalve haar trouwring en haar horloge, maar we zullen rondkijken. Haar kleren kunnen we het beste schenken aan een goed doel, toch?'

'Hm, jij bent te zwaar en ik ben te stijlvol, dus wordt het een goed doel.'

Was het mogelijk dat Margaret een grapje maakte? vroeg Susan zich af. Een huilende Margaret was tot daar aan toe; een schertsende Margaret was wel even wennen. 'Je bent grof, dame.'

'Wil je de beschuldiging soms ontkennen?'

'Nee,' zei ze lachend, met een gebaar naar haar figuur. 'Maar toch ben je grof.'

'Zo zijn de Australiërs, Suze. Ze zeggen waar het op staat.'

'De papierwinkel is het meeste werk. Mam gooide nooit iets weg. Het leek bijna of ze bang was voor autoriteiten, alsof ze zich veiligheidshalve daaraan vastklampte.'

'Waarschijnlijk is het grootste deel ervan waardeloos. Het zal niet zo veel tijd kosten.'

Het duurde eeuwen. Zoals Margaret had voorspeld, was het meeste oud en niet van waarde; alles werd bewaard in vier grote kartonnen dozen in de klerenkast in de logeerkamer. De beide vrouwen zaten met gespreide benen op de grond, leunden tegen het bed met een grote vuilniszak tussen hen in. Wat zoveel tijd kostte waren de vertederende dingen die hun moeder weer tot leven brachten.

Margaret vond de rekening voor de huwelijksreis van hun ouders. Ze hadden twee nachten gelogeerd in een klein hotel in Bournemouth; dat was waarschijnlijk alles wat ze zich hadden kunnen permitteren. De rekening toonde aan dat ze voor hun huwelijksnacht warme melk en biscuits hadden besteld.

'Geen champagne? Dan toch tenminste wel port met citroen!'

'Het is het aandoenlijkste wat ik ooit gelezen heb. Kun je je die twee voorstellen, zich ontheemd voelend in een hotel – vermoedelijk was het de eerste keer dat een van hen ooit in een hotel had geslapen – en naar warme melk verlangend?'

'Papa moet de laatste van de vurige minnaars zijn geweest! Hoe ze er ooit in geslaagd zijn tijdens de huwelijksreis een kind te maken is me een raadsel.'

'Maggie! Je hóéft niet dronken te zijn, weet je.'

'Maar het helpt wél! Boem boem!' Margaret sloeg zacht op haar dij.

Er waren ook een paar foto's van de huwelijksreis, niet meer dan drie of vier. Hun vader, die op een handdoek op het zand zat en met een slaperig, gelukkig gezicht snoepjes at uit een papieren zak.

'O, ja, papa en zijn hang naar zoet – ik herinner me dat mama ons vertelde dat zoetigheid niet langer op de bon was toen ze trouwden. Papa zei dat het een huwelijkscadeau was van de regering. Weet je nog?'

'Ja!' Margaret knikte lachend.

Ze had ook al hun schoolrapporten bewaard. Susans laatste rapport vermeldde dat ze 'grote vaardigheid aan de dag legt op huishoudelijk gebied' ('Aardig hoor. Je zou je mooi in de nesten steken als je dat nu zei over een meisje. Wat een kul!') en dat van Margaret 'dat voor iemand die zo weinig ambitie heeft, het niet verbazingwekkend is dat ze zo weinig heeft bereikt'. ('Eerlijk genoeg. Ik voerde geen flikker uit op school.')

'Ik wil een borrel.' Margaret stond op en strekte haar armen uit boven haar hoofd. Zou mama iets drinkbaars hebben of zullen we naar de pub gaan? Ik heb trouwens ook honger. Zullen we een hapje gaan eten?'

'Geef je het nu al op?'

'Nu al? We zijn hier al uren!' Susan keek op haar horloge. Margaret had gelijk: het was halfacht. En nu ze eraan dacht, zij had ook honger. 'Mmm. Oké. Ik had geen idee dat het al zo laat was.' Ze keek naar de dozen die nog uitgezocht moesten worden. 'Ik dacht niet dat we er zo lang over zouden doen.'

'Maar het is leuk, vind je niet, in zekere zin?'

Susan keek naar haar zus. 'Ja. Het brengt de echte mama weer dichterbij, hè?' Ze steunde op de inhoud van de doos om overeind te komen. De stapel gleed weg onder haar hand en ze verloor haar evenwicht. Een brief viel uit de stapel op de grond en ze bukte zich om hem op te rapen. Op de envelop had Alice in haar ouderwetse, gelijkmatige handschrift geschreven: 'Voor Margaret en Susan. Te openen na mijn dood,' en formeel ondertekend.

'Hou je vast, Maggie. Kijk dit eens.' Susan overhandigde haar zus de envelop. 'Ik denk dat het instructies zijn – wat we met bepaalde dingen in huis moeten doen.' De inhoud was dik. Ze gingen samen op de rand van het bed zitten en haalden een lange, met de hand geschreven brief van hun moeder uit de envelop. Ze had nog nooit zoveel van haar moeders keurige handschrift bij elkaar gezien. Ze lazen hem samen, al was Margaret sneller. Susan las elk woord langzaam.

15 maart 1986

Lieve Margaret en Susan,

Als jullie deze brief hebben gevonden, ben ik er niet meer. Misschien had ik iets wat zo belangrijk is bij een notaris of een advocaat moeten deponeren in plaats van het weg te stoppen, maar dit is een geheim dat ik zolang in mijn hart bewaard heb dat ik het niet gemakkelijk kan opbiechten. Ik hoop dat jullie dit samen lezen, al weet ik niet hoe waarschijnlijk dat is, nu jullie beiden zo'n verschillende richting hebben gekozen. Ik heb me vaak afgevraagd of ik het jullie moest vertellen. Je vader zei van niet, zei dat niemand er iets bij te winnen had, maar ik denk dat ik het had willen weten. Er zijn momenten in jullie leven geweest dat ik ernaar hunkerde het jullie te vertellen, maar iets – ik weet niet wat – hield me altijd tegen. Ik weet dat ik laf ben door het jullie te laten ontdekken als ik weg ben.

Vandaag is het de dertigste gedenkdag van het overlijden van mijn zus Dorothy. Ze kwam om het leven bij een auto-ongeluk, ze werd overreden. Er was geen wond op haar gezicht te zien, dat was het vreemde ervan, maar het betekende toch haar dood. Het was of ze sliep, niet dood was. Ik heb nooit over haar gesproken toen jullie opgroeiden, dat weet ik, maar ik hield meer van Dorothy dan van wie ook. Ze was een paar jaar ouder dan ik, en ze was zo mooi, altijd lachend en grapjes makend. Ze was het soort mens dat iedereen altijd graag om zich heen wilde hebben, maar ze koos altijd mij, ook al was ik jonger en rustiger. Ik mis haar nog steeds elke dag, vooral die ene dag in het jaar.

Dorothy was je moeder, Susan. Ik weet geen andere manier om het te zeggen, behalve ronduit. Ik vind het jammer dat je haar nooit gekend hebt, dat meen ik. Ik hoor je uit te leggen hoe het gebeurd is, en te zeggen dat het me spijt dat ik er niet zal zijn om je antwoord te geven op al je vragen.

Dorothy werd zwanger en ze was niet getrouwd. Het was toen allemaal heel anders. Ze stellen het allemaal erg romantisch voor in films, maar de werkelijk had daar niets mee te maken. Ze kon het onze ouders niet vertellen. Niet tenzij ze meteen trouwde met de vader en een paar weken aftrok van de datum waarop ze voor het laatst ongesteld was geweest. Ze hadden tehuizen voor dergelijke meisjes in die tijd, en daar zouden ze haar onder moeten brengen en dan, als de baby geboren was, zouden ze het kind hebben weggehaald. Ik heb nooit geweten wie je vader was, Susan. Ze wilde het zelfs mij niet vertellen. Ik denk dat ze van die man hield, omdat Dorothy geen slecht meisje was, en dat hij niet van haar bleek te houden. Hij moet hebben geweigerd met haar te trouwen en de benen hebben genomen toen hij erachter kwam dat ze zwanger was. Ik ben bang dat ik het niet weet. Misschien zou ze het me uiteindelijk hebben verteld, als ze niet gestorven was.

In ieder geval kwam het erop neer dat ze wegliep. Ze ging naar het noorden, naar Manchester, en vond een baan op een busstation en vertelde daar dat haar man gestorven was. Ze had nog wat spaargeld over van haar baan hier. Maar niet veel, dus weet ik niet zeker hoe ze zich erdoorheen sloeg. Ik stuurde haar wat ik kon missen. Ik was de enige die wist waar ze was. Ik ging met haar mee naar Woolworth, voor ze de bus nam, om een trouwring voor haar te kopen. Ze schreef me, vertelde me hoe het haar ging. Ik heb haar maar één keer gezien, toen jij geboren was, Susan. Ik had inmiddels Margaret gekregen, jullie schelen maar elf maanden. Ik voelde me zo schuldig. Ik zwanger thuis, opgewonden en gelukkig, met een man, een goede man, om het samen mee te beleven. En Dorothy daar helemaal in haar eentje. Ze kwam me met jou opzoeken, Susan. Ze hield zo vreselijk veel van je. Ze had praktisch geen geld, maar je was prachtig gekleed, en je was zo'n mooi meisje. Ik denk dat ze een geweldige moeder zou zijn geweest. We gingen met jullie theedrinken in een enorm groot restaurant, het Lyons Corner House. Margaret begon net te lopen, herinner ik me. Dat was het moment waarop ze het me vroeg. Ze pakte mijn hand heel stevig vast en zei: 'Beloof me dat als er iets met mij gebeurt, jij voor mijn Susan zult zorgen. Jij bent alles wat ze heeft, behalve mij.' Ik zei dat ik dat natuurlijk zou doen. Maar ze bleef het me vragen, dwong me het plechtig te beloven. Ik dacht er verder niet bij na. Dat doe je immers niet, als je jong bent? Je denkt dat jij en iedereen van wie je houdt het eeuwige leven hebben.

Drie weken later overleed ze. Ik kreeg het bericht van haar hospita. Ik kon het niet geloven dat Dorothy, die het levendigste was van alle mensen die ik ooit gekend had, dood was.

Je vader was fantastisch. Hij klaagde nooit, ook al was je een extra mond om te voeden, en moest er een hele berg leugens verteld worden. Hij heeft niet één keer gezegd dat hij het niet kon. Hij wist hoeveel ik van haar hield, zie je. Hij wist dat ik geen keus had.

Je was pas vijf weken oud toen je bij ons kwam wonen, Susan. Ze had je geboorte zelfs niet geregistreerd – daarom staan ik en je vader op je ge-

boortebewijs. Alsof ze wist dat ze niet lang zou leven. We zagen mijn ou-
ders toen niet vaak, en die van Jonathan waren dood, dus zeiden we gewoon
dat je te vroeg geboren was, en gingen verder met ons leven. Ik denk dat
zoiets tegenwoordig niet meer mogelijk zou zijn – de kinderbescherming en
de politie en iedereen zou erbij betrokken raken. Maar ons lukte het. En
vanaf die dag ben je onze dochter geweest, niet alleen voor de buitenwereld
maar ook voor ons beiden. We hebben net zoveel van je gehouden alsof je
onze eigen dochter was. Net zoveel als van Margaret. Misschien is het feit
dat ik zoveel van je hield, de reden waarom ik je nooit verteld heb over je
moeder, je echte moeder.

Het spijt me als ik er een puinhoop van heb gemaakt. Ik geloof niet dat
ik alles goed heb gedaan, maar ik heb mijn best gedaan. Mijn best voor Do-
rothy, en voor jullie beiden. Ik ben zo trots op jullie. Ik hoop dat ik er goed
aan heb gedaan om het je nu te vertellen. Ik hou van jullie beiden en ik
hoop dat we elkaar op een dag nog eens zullen ontmoeten.

Je liefhebbende moeder

Margarets hand ging omlaag en klemde zich om die van Susan. Geen
van beiden zei iets. Elke pagina die ze had gelezen legde Susan netjes,
met de beschreven kant naar onderen, op haar schoot. Zwijgend legde
ze de laatste pagina neer.

'O, mijn god!' zei Margaret. Susan gaf geen antwoord. Toen Margaret opstond, liet Susan de brief op de grond glijden en ging op het
perzikkleurige satijn van het bed liggen. Ze trok haar knieën op tegen
haar borst en bleef zwijgend, met nietsziende ogen voor zich uit staren. Margaret begon angstig te worden. 'Susan? Zeg iets alsjeblieft.'
Susan schudde haar hoofd. Toen ze geen andere reactie kreeg, zei Margaret: 'Ik ga Roger bellen.'

Susan hoorde de stem van haar zus ergens in de verte. De woorden
drongen niet tot haar door, maar ze hoorde de dringende klank in haar
stem.

'Heb je het hem verteld?' vroeg ze toen Margaret terugkwam.

'Natuurlijk niet. Dat moet jij doen. Het is jouw nieuws.' Ze ging
naast haar zitten, met haar rug tegen het hoofdeinde en één hand op
Susans schouder, terwijl ze op Roger wachtten. Susan wilde nog steeds
niets zeggen, en bij uitzondering begreep Margaret iets, en zweeg ze
ook.

Toen Roger kwam, had Susan nog steeds de woorden niet gevonden om het hardop te zeggen, dus gaf Margaret hem de brief. 'O, lie-

veling van me,' zei hij, toen hij hem had gelezen. En toen begon ze te huilen. Hij trok haar overeind en nam haar in zijn armen en wiegde haar als een baby. Verschillende keren zei hij: 'O, liefste. Liefste.' Margaret voelde zich te veel en ging weg.

'Ik wacht beneden. Ik zal het serviesgoed vast sorteren,' zei ze.

Susan reageerde niet, maar Roger knikte en glimlachte naar haar over de schouder van zijn vrouw heen. Toen ze gekalmeerd was, probeerde Susan haar tranen te verklaren. Ze wilde wanhopig graag dat ze goed begrepen zouden worden. Ze waren niet voor Dorothy, de moeder die ze nooit gekend had. 'Ik ben niet kwaad op mama. Ik vind het vreselijk dat ze gestorven kan zijn met de gedachte dat ik kwaad op haar zou zijn. Hoe kun je nu kwaad zijn over zoiets? Wat ze deed was iets buitengewoons – ze nam het kind van een ander op en gaf het haar liefde, ze hield net zoveel van mij of ik haar eigen kind was. Ik zou dat niet kunnen. Ik ben kwaad dat ik Dorothy nooit heb gekend. Ik heb zoveel vragen – ze dansen rond in mijn hoofd – en die zullen nu nooit beantwoord worden. En wat ik het allerergste vind is dat mama,' haar stem stokte, 'me niet genoeg vertrouwde om het me te vertellen.'

'Wat bedoel je met "vertrouwde"?'

'Ik hield meer van haar dan van wat of wie ook, Rog, meer dan iedereen die ik kende van hun moeder hield, meer dan Maggie van haar hield, meer dan Alex en Ed van mij houden. Ik aanbad haar. Dat heeft ze kennelijk niet geweten. In al die jaren waarin ik opgroeide, heeft ze dus niet geweten hoeveel ik van haar hield. Wat had ik meer kunnen doen om het haar te bewijzen?'

'Ik begrijp niet waarom je dat denkt.'

Susan raakte geïrriteerd. 'Omdat ze, als ze het geweten had, ook geweten zou hebben dat ze het me kon vertellen. Dat het geen enkel verschil zou maken. Dat ik, als dat mogelijk was, zelfs nog meer van haar zou hebben gehouden. En dat maakt me kwaad en bedroefd. We hadden erover kunnen praten. Ik had al die vragen kunnen stellen en antwoorden kunnen krijgen, en nu zal ik ze eeuwig blijven stellen en zullen ze nooit beantwoord worden.'

'Ik weet het, ik weet het.' Roger streek over haar rug terwijl hij sprak. 'Het is ongelooflijk.' Hij praatte bijna tegen zichzelf. 'Het is zo vergezocht. Ik zou nooit hebben gedacht dat ze het in zich hadden, Alice en Jonathan. Om dat allemaal voor je te doen. Ik dacht altijd dat jij het lievelingetje van je moeder was. Nou ja, dat dacht iedereen, dat wás je ook – jullie leken zo op elkaar, dat is het gekke ervan. Je zou denken dat Maggie het geadopteerde kind was.'

'Arme Maggie.'

'Waarom arme Maggie?' Susan had een gedachtesprong gemaakt, en dat bracht Roger weer in de war.

'Omdat zij ook wist dat ik mama's lievelingetje was. Maar zie je het dan niet? Het is nu allemaal zo duidelijk.' Niet voor Roger, die verbijsterd keek.

'Ja, we leken qua karakter meer op elkaar, we hadden meer met elkaar gemeen, maar zelfs dat moet zijn geweest omdat mama meer haar best deed met mij. Ze overcompenseerde, probeerde van me te houden voor Dorothy, en waarschijnlijk papa ook. Ze dacht dat ze zich niet zo druk hoefde te maken over Maggie – zij was immers bij haar echte ouders?' Ze huilde weer, zachter nu, tranen van frustratie. Ze had het gevoel dat ze bezig was een ingewikkelde knoop te ontwarren, die van haar jeugd, maar dat als ze alle draden uit elkaar had gehaald en probeerde ze terug te volgen naar hun begin, dat er niet zou zijn, omdat dat beginpunt Alice was en zij er niet meer was. Het was of ze haar weer helemaal opnieuw verloor. 'Waar is Maggie?'

'Nog beneden, denk ik.'

Susan stond op en veegde haar ogen af aan haar mouwen. Toen Roger aanstalten maakte om ook op te staan, gebaarde ze dat hij daar moest blijven. 'Geef me een minuutje, wil je?' Hij knikte en blies haar een kus toe.

Margaret was beneden in de zitkamer. Ze zat voor het buffet van fineerhout met de bruine plastic handvatten, waar Alice haar niet bij elkaar passende serviesgoed bewaarde. Ze probeerde sets te vormen, maar schoot er niet erg mee op. Ze keek met een bezorgd gezicht op toen Susan binnenkwam. Susan kon zien dat ze ook gehuild had.

'Gaat het goed met je?'

'Gaat wel. En jij?'

'Min of meer. Een beetje geschokt eigenlijk.'

'Ja. Hoe heeft ze dat in vredesnaam al die jaren geheim kunnen houden?'

'Waarom wilde ze dat, vraag ik me af?'

'Ik denk dat ze probeerde mij te beschermen.'

'Ik denk het.' Margarets gezicht vertrok. 'Ze probeerde beslist niet míj te beschermen, hè?'

'O, Mags, alsjeblieft, je moet haar niet daarom haten.'

'Haar haten? Ik haat haar niet.' Margaret schudde haar hoofd. 'Ik hield ook van haar, weet je. Misschien niet zoals jij, Suze, maar ik hield van haar. Maar ik bleef me opvreten van jaloezie, voelde me slecht behandeld omdat jullie zo'n hechte band met elkaar hadden. En al die tijd was ze mijn moeder en niet de jouwe. Tussen ons was er iets wat jij nooit had kunnen hebben. En ik gooide het haar voor de voeten. Maakte hun beider leven zuur – ik weet dat ik dat deed. En toen ging ik ervandoor, bleef twintig jaar lang mokken, verknalde mijn eigen leven en kwam terug toen het te laat was. Ik haat mezelf, niet haar. En nu is het te laat.' Margaret gaf een stoot tegen de kopjes die ze op de lage tafel had opgestapeld. Ze vielen op de grond en braken in scherven. Ze verborg haar hoofd in haar handen en huilde. Susan viel op haar knieën naast haar, en zo vond Roger hen toen hij tien minuten later beneden kwam.

Polly

Jack had haar niet verteld dat hij zou komen, en Polly was er niet klaar voor hem te ontvangen. Ze had zich niet opgemaakt, en ze droeg wijde kleren, die, zoals ze plotseling constateerde, niet schoon waren en niet fris roken. Ze had vandaag niemand verwacht. Zij en Spencer hadden een heerlijke luie dag gepland. Zij tenminste. Spencer had blijkbaar andere plannen. Sinds de lunch, wortelpuree notabene, had hij twee keer gespuugd op zijn slabbetjes, en Polly deed open terwijl ze hem vasthield met de besmeurde kant naar buiten, zijn ruggetje naar haar toe en met bungelende beentjes.

Ze had Jack een paar weken niet gezien, en haar lichaam reageerde zoals het altijd deed. Hij zag er geweldig uit. Hij had een nieuwe bril, met een metalen in plaats van een kunststof montuur. Innerlijk krijste ze van jaloezie dat een ander hem geholpen moest hebben die uit te zoeken. Haar eerste impuls was tegen hem uit te varen. Ze had hem gevraagd weg te blijven, haar de kans te geven over haar liefde voor hem heen te komen. Maar toch was hij er weer, vermoedelijk om haar te pesten. Ze wilde niet dat hij binnen zou komen. Cressida was er niet, Daniel was naar rugbytraining. Hij werd niet geacht hier te zijn.

Hij was de eerste die sprak. 'Hallo, Poll.' Noem me geen Poll. Ik ben je Poll niet meer.

Hij sprak snel, besefte haar vijandige houding. 'Ik weet dat je me gevraagd hebt je met rust te laten. Ik ben niet gekomen om je van streek te maken.' Hij hief zijn handpalmen op in een gebaar van overgave. 'Ik ben alleen gekomen om je te zeggen dat ik het niet kan. Geloof me, ik heb geprobeerd in mijn ordelijke, keurige leventje te blijven, alleen. En ik kan het niet.' Hij legde met een theatraal gebaar één hand op zijn hart. 'Goede dame, ik ben verloren.'

Nu had ze echt de pest in. Wat wilde hij bereiken door hier halverwege de middag te komen en Shakespeare voor te dragen? 'Je kunt niet binnenkomen,' zei ze, zich ervan bewust dat haar stem onnatuurlijk hoog klonk. 'Ik weet niet waarom je hier bent, Jack. Een beetje plezier in de middag. Nou, zo werkt het niet. Het is niet eerlijk.'

Hij liet het gebaar varen, bleef rechtop staan, met zijn handen langs zijn zij. 'Je begrijpt me verkeerd, Polly. Ik zal duidelijker zijn. Mag ik alsjeblieft binnenkomen?'

Ze ging tegen de open deur staan en liet hem langs haar heen de gang in. Hij liep zo dicht langs haar en Spencer heen dat ze hem kon ruiken, wat haar nog meer van haar stuk bracht. Hij ging naar de zitkamer. Spencer pruttelde vrolijk onder Polly's arm, maar ze zette hem in zijn wipstoeltje, maakte de gesp van het riempje vast en trok de rij met vijf bontgekleurde plastic dieren omlaag, zodat hij ermee kon spelen. Hij was zoet en probeerde zich te concentreren.

Hoewel ze het nauwelijks kon geloven, hoorde ze dat haar stem hem iets te drinken aanbood. Het feit dat hij hier was bedwelmde haar. 'Thee, koffie, fris?'

Hij schudde zijn hoofd, probeerde zijn boodschap over te brengen. 'Ik wil niks drinken, Polly. Ik wil jou. Ik wil dat we bij elkaar zijn.' Polly ging zitten. 'Ik mis je te veel. Ik ben een idioot geweest. Ik kreeg een tweede kans toen ik jou leerde kennen, en ik heb die bijna verknald door egoïstisch en onbuigzaam te zijn. Het spijt me.'

Ze kwam hevig in de verleiding naar hem toe te hollen en zich door hem vast te laten houden. Ze was zo lang sterk geweest. En daarom kon ze het niet. Ze dwong zichzelf om stil te staan.

Spencer begon te jengelen.

'Zo simpel is het niet, Jack. Dat weet je. We hebben het van begin tot eind doorgesproken. Spencer is hier, en hij zal hier nog jaren blijven. En zelfs als Cressida eenmaal gesetteld is, en Spencer bij haar woont, dan zullen ze altijd het grootste deel van mijn leven blijven vormen. Het zijn mijn kinderen. En je wilt me niet met hen delen. Ik dacht dat je dat deed, voor deze hele geschiedenis met Cressida, maar dat doe je niet. Dat heb je bewezen toen je wegging, en dat betekent dat het niet gaat.'

Ze dacht aan wat Susan had gezegd. Het was erg veel gevraagd geweest. Misschien te veel. Maar ze had het gevraagd en was afgewezen. Hoe konden ze dan nu verder?

Buiten op de gang ging de telefoon. Polly keek op haar horloge. Het was bijna zeker Cressida – ze belde vaak om deze tijd. Spencer begon lastig te worden. Hij was aan zijn middagslaapje toe. 'Ik moet even naar de telefoon.'

'Natuurlijk.'

Ze liep de gang in, trok de deur achter zich dicht.

Cressida vond het niet prettig om Spencer te horen huilen als ze belde. Ze zei dat het pijn deed aan haar borsten.

Jack boog zich over Spencer heen. 'Jij tegen mij, jongetje, daar komt het op neer, hè? Ik ben geen zware concurrentie.' Zijn stem klonk ironisch, geamuseerd bijna, maar zacht en laag.

Spencer, die met zijn hoofdje heen en weer had liggen draaien uit protest dat hij in de steek was gelaten, werd stil en staarde hem met grote ogen aan. Zijn mond vertrok in kleine o's, alsof hij probeerde rookkringetjes te blazen.

Jack stak een vinger uit en streelde voorzichtig het wangetje. Hij kon Polly's stem horen door de deur heen. Hij wist dat ze met Cressida praatte – ze had een speciaal toontje voor haar kinderen. Hij veronderstelde dat hij ook daarop jaloers was. Idioot die hij was. Verbaasd over zichzelf, maakte hij het tuigje los en tilde Spencer op, één hand gespreid onder elk armpje. Hij wilde weten hoe hij voelde. Hij kon zich niet herinneren dat hij ooit zo'n kleine baby had vastgehouden. Spencer was warm, en hij kon zijn adem en ribben voelen. Hij legde het zachte wangetje dat hij net had gestreeld tegen zijn eigen wang, voorzichtig, zodat de baby niet tegen zijn baardstoppels schuurde. Polly had van zijn stoppels gehouden, als ze elkaar zoenden zagen haar wangen daarna rood. Spencers handje ging omhoog naar Jacks gezicht, één vingertje in zijn neusgat, terwijl hij met het andere zijn onderlip omlaagtrok. Hij had nog nooit zo'n verantwoordelijkheid gevoeld als nu voor dat afhankelijke en kwetsbare wezentje. En hij was nieuwsgierig. Het was geen liefde, dat zou belachelijk zijn, maar het was iets instinctiefs wat hij niet kon bedwingen. Spencer deed hem plotseling pijn, een klein, scherp nageltje porde in zijn neus, en hij hield de baby op armlengte, keek naar hem. Spencers beentjes kwamen omhoog naar zijn borst, en zijn hoofdje hing achterover. Zonder erbij na te denken schoof Jack zijn handen, de duimen nog stevig in de oksels van de baby, omhoog om zijn nek te steunen. Toen hij weer stevig lag, hervatte Spencer zijn gretige staren.

Jack zette zijn conversatie voort. 'Hé, grote jongen, je wilt bloed laten vloeien, hè?'

Toen een lach zich spontaan over Spencers gezicht verspreidde, voelde Jack zich alsof hij de eerste prijs had gewonnen. Hij wilde hem weer aan het lachen maken.

Zo vond Polly hen. Jaren later zou ze nog zeggen dat ze niet kon geloven hoe snel Spencer Jack in zijn ban had gebracht. Het leek onmogelijk. Ze was drie, misschien vier minuten weggeweest, en Spencer had de man van middelbare leeftijd aan zijn voeten gekregen, waar hij bleef, irrationeel brabbelend, zoals ze nog jarenlang plagend zou vertellen. En Jack lachte ook, zijn hartelijke galmende lach, en sloeg zijn armen om haar heen en zei dat dat onzin was. Dat hij heel goed wist dat niets het hart van een vrouw zo deed smelten als de aanblik van een man met een baby in zijn armen. Dat het een koud, berekend gebaar was geweest om haar terug te krijgen, en dat hij die kleine schooier niet kon uitstaan. Wat niemand geloofde die hen cricket zag spelen in de tuin, waar Jack langzaam, geduldig, onderhands naar hem bowlde, of die hen samen langs de grote groene glijbaan in het zwembad zag glijden, Spencer opgetogen tussen Jacks stevige dijen, of die hoorde hoe ze elkaar testten over hoofdsteden, rugbyteams of automerken.

NOVEMBER

De alchemist

PAULO COELHO

Als hij priester was geworden zou hij zijn armelijke familie tenminste wat vooruit hebben geholpen in de wereld, maar de Andalusische boerenzoon Santiago koestert van jongs af maar één wens: reizen, alle uithoeken van de wereld zien en dan eindelijk te weten komen hoe zij in elkaar zit. Zijn dromen over een verborgen schat zetten hem aan tot een queeste. Vanuit Spanje trekt hij via Marokko naar Egypte, waar hij de alchemist ontmoet. Deze beschikt niet alleen over grote wijsheid, hij kent de diepten van het hart waarin de laatste waarheden over onszelf verscholen liggen. Santiago moet, zo leert de alchemist hem, eerst meer over de wereld in zichzelf lezen en mediteren om het raadsel van de wereld om hem heen te kunnen doorgronden. Als een karavaan dolen wij schijnbaar verloren door de eindeloze woestijn om ten slotte die plek te bereiken waar ook ons hart zich bevindt.

De alchemist is een karaktervormende roman over de essentiële wijsheid van het luisteren naar ons hart, het leren doorgronden van de op het levenspad aanwezige voortekenen en, vooral, over het volgen van onze dromen.

De alchemist, de Nederlandse vertaling van *The Alchemist*, © 1988, verscheen bij uitgeverij De Arbeiderspers in 1994.

'Oké, ik schijn me nog van heel vroeger te herinneren dat we een regel hebben wat non-fictie betreft.'

'Wel, wel.'

'En het is ook niet echt een non-fictie boek.'

'Ik wil iets weten van de twintig miljoen mensen wier leven veranderd is door dit boek, volgens de flaptekst.'

'Ik ook. Goed, Susan. Jij hebt het gekozen. Vertel ons waarom...'

Susan maakte een grimas. 'Omdat ik de flaptekst geloofde?' Het was een vraag. 'Goeie tekst, de auteur lijkt een beetje op Roger op de foto?'

'Niet goed genoeg. Als ons aantal al niet gedaald was nu Clare er niet meer is, zou ik zeggen dat we je uit de groep moesten gooien.'

'Sorry.'

'Wacht even. Zeg geen sorry tegen Harriet. Ze is onze baas niet.' Nicole lachte. 'Je hoeft je niet te verontschuldigen voor je keuzes in deze groep. Dat is, zoals tot vervelens toe is besproken, de hele opzet van leesclubs. Je gaat er boeken door lezen die je anders nooit ter hand zou hebben genomen. Ja toch, Harriet?'

Harriet keek instemmend.

'Bovendien,' ging Nicole verder, 'vond ik het uniek. Het was meer een ervaring dan een leesopdracht.'

'Dat meen je niet.' Polly keek met een ongelovig gezicht naar haar exemplaar.

'Ik meen het heel serieus. Ik geloof dat je dingen uit dit boek kunt halen die je echt aan het denken zetten.'

'O, ja, vast wel...' zei Harriet sarcastisch. 'Dit is zomaar een voorbeeld.' Ze bladerde het boek door; de hoeken van tientallen pagina's waren omgevouwen. Als Harriet iets niet beviel, bedolf ze de anderen onder haar redenen waarom. 'Ja, hier.' Ze mat zich een lage stem aan met een zwaar accent: '"Alles wat één keer gebeurt, kan nooit opnieuw gebeuren. Maar alles wat twee keer gebeurt, zal zeker een derde keer gebeuren." Geniaal, hoor.'

'Oké, ik ben het met je eens, het is een beetje moeilijk de boodschap daaruit te halen.'

Susan viel haar in de rede: 'Ik hield van de manier waarop het geschreven is. Het is net een parabel, hè? Je kunt je voorstellen dat het eeuwen geleden mondeling werd doorgegeven. Simpel.'

'Simpel is juist, ja.'

'Wat zette je dan echt aan het denken, Nic?'

'Oké.' Nicole probeerde haar gedachten te verzamelen tot een samenhangende visie die ze snel naar voren kon brengen voordat de anderen haar in de rede vielen. Ze had duidelijk niet veel bondgenoten, behalve misschien Susan.

'Ik vond dat er intelligente dingen in stonden over de vrije wil en zelfkennis, dingen die me op het ogenblik na aan het hart liggen. Het is een spirituele reis van zelfontdekking die Santiago onderneemt. Het gaat over luisteren naar je hart. Die paragraaf waarin hij zegt: "Waarom zou ik naar mijn hart luisteren?" Het antwoord dat wordt gegeven is "omdat je het nooit meer het zwijgen zult kunnen opleggen. Zelfs als je net doet of je niet gehoord hebt wat het zegt, zal het altijd bij je zijn, zal het herhalen wat je denkt over het leven en over de wereld."'

'Ik geef toe dat hij met een paar goede gedachten komt. Voor de hand liggende, maar redelijke. Maar vind je niet dat hij verbluffend lang en ingewikkeld bezig is om die twee of drie simpele wijsheden te verkondigen?'

'Ja. Ik moet zeggen dat ik mijn geduld begon te verliezen met al die excentriciteiten – de alchemist zelf, al die verrekte "voortekenen" die hij maar bleef vinden...'

'Die stomme stenen die hij maar vragen bleef stellen...'

'En dat gedoe over jezelf in de wind veranderen om te vermijden dat je vermoord wordt.'

'Ik heb diezelfde gedachten beknopter horen uitdrukken door Hallmark. Luister naar je hart. Liefde overwint alles. Soms ligt datgene waar je het meest naar verlangt vlak voor je neus, en heb je het alleen nog niet gezien.'

'Misschien ben je er op dit moment gewoon niet ontvankelijk voor. Ik geloof dat ik dat wél was. Als ze zeggen dat het een boek is dat je leven verandert, betekent dat misschien dat je je op een keerpunt bevindt, dat je die verandering nodig hebt.'

'Dat punt hebben we dit jaar op de een of andere manier allemaal bereikt, hè?'

390

Ze zwegen. Dachten aan de wending die hun leven had genomen. Harriet dacht aan het verlies van de ene Tim en het vinden van de andere, de man naar wie ze al die tijd op zoek was geweest. Nicole dacht aan de herontdekking van zichzelf. Polly's gedachten gingen uit naar Jack, die ze had opgegeven omdat ze naar haar hart had geluisterd wat Cressida en Spencer betrof, en hoe zíjn hart hem naar haar had teruggestuurd. Misschien had het boek toch elk van hen iets te zeggen.

Hun zwijgen beantwoordde de vraag. Harriet verbrak de stilte. 'Misschien. Maar ik had het toch wel kunnen stellen zonder al dat abracadabra.'

'Maar dat is immers de oude kunst van het verhalen vertellen? De dingen in het fantastische hullen om je publiek te boeien. Kijk maar naar de Bijbel, precies hetzelfde. Dit boek is als een minibijbel: het is een lijst van regels voor het leven verpakt in iets van een fabel, dat is alles.'

'Ik hield van dat deel waarin hij zegt dat 's werelds grootste leugen is dat we op een bepaald punt in ons leven de controle verliezen over wat er met ons gebeurt en dat het lot daarna het heft in handen neem. Ik geloof dat hij gelijk heeft – ik geloof ook niet in de lotsbeschikking.'

'Ik wel. Ik schrijf al mijn grote mislukkingen eraan toe.' Harriet lachte. 'Het interessantste eigenlijk van mijn opvattingen hierover is iets wat ik me herinner van de universiteit. Een of andere auteur – ik geloof dat het George Elliot was of wie dan ook – zei dat je leven een schip was waarvan je de koers niet kon veranderen, maar waarop je heen en weer kon lopen terwijl het naar zijn bestemming voer. Ik heb altijd van die theorie gehouden. Sommige dingen vallen buiten onze invloed. Het is wat je eraan doet dat verschil kan maken.'

'Alleen lijkt hij een beetje in de war. Aan de ene kant vertelt hij je dat er niet iets als een lotsbeschikking bestaat, omdat je het allemaal zelf in de hand hebt, en aan de andere kant gaat hij maar door over voortekenen en signalen die je leiden – dat heeft toch zeker met een lotsbeschikking te maken?'

'Is lotsbeschikking dan niet hetzelfde als bestemming?'

'Misschien wel, ja.' Nicole had Gavin niet kunnen veranderen. Ze had het jarenlang geprobeerd. Uiteindelijk had ze alleen maar haar eigen houding kunnen veranderen.

'Ik vind het mooi wat hij zegt over timing. Hij zegt dat hij "alleen geïnteresseerd is in het heden…Je zult ontdekken dat er leven is in de woestijn, dat er sterren staan aan de hemel... Het leven zal een feest zijn voor je, een groots festival, omdat het leven het moment is dat we nu beleven.'''

'Nauwelijks origineel, vind je wel? Pluk de dag?'

'Andere mensen kunnen je lot toch ook veranderen?' zei Susan. 'Mijn moeder heeft het mijne veranderd.'

'Hoe bedoel je, Suze?'

'Ze is mijn moeder niet. Ze heeft me geadopteerd.' Ze had het zelfs Polly niet verteld. Het was nog zo nieuw. De verklaring knalde als een meteoor neer in de kamer.

Nicole keek verward. 'Dat heb je ons nooit verteld.'

'Ik wist het niet. Ze heeft het me nooit verteld. Ik geloof niet dat ze het iemand verteld heeft, behalve mijn vader. Maggie en ik vonden verleden week een brief toen we haar huis leegruimden. Een brief waarvan ze wilde dat we die pas na haar dood zouden lezen.'

De vrouwen waren gefascineerd. Dit was oneindig veel interessanter dan Santiago en zijn tocht door de woestijn op zoek naar een schat.

'Ik was het kind van haar zus. Ze had een zus, Dorothy. Die werd zwanger, was ongetrouwd, kreeg mij in het geheim. Toen verongelukte ze. Mama – Alice – nam me bij haar in huis en deed net of ik haar eigen kind was.'

'Jee, Suze.' Polly, die tegenover haar had gezeten, stond op en ging naast haar zitten. 'Wat moet dat een schok zijn geweest.'

'Eerst drong het niet goed tot me door. Nog steeds niet eigenlijk. Alles wat ik ooit over mezelf gedacht heb, waar ik vandaan kom, is nu anders. Ik ben niet wie ik dacht. In ieder geval voel ik me niet zo.' Haar stem beefde.

'Dat verbaast me niks,' zei Harriet. 'Waarom heeft ze het je nooit verteld? Heeft ze dat ook gezegd?'

Susan haalde haar schouders op. 'Niet echt. Dat is deels de reden waarom het zo frustrerend is. Eigenlijk ben ik een beetje kwaad op haar, weet je, omdat ze gestorven is zonder het me te vertellen. In die brief stond iets dat ze jaloers was op Dorothy omdat zij mijn echte moeder was. Zoiets. Ik denk dat ze wilde zeggen dat ze zoveel van me hield dat ze niet wilde dat ik zou weten dat ik niet haar dochter was.'

'Alsof dat enig verschil zou hebben gemaakt, nadat ze je had grootgebracht en alles. Nee toch? Zou het?'

'Ik zou nieuwsgierig zijn geweest, denk ik. Dat wél. Ik zou misschien geprobeerd hebben meer over haar te weten te komen, over mijn vader. Maar nee. Zíj is mijn moeder. Zíj is degene die me heeft opgevoed. Waarschijnlijk zou ik haar nog meer gewaardeerd hebben.' Tranen sprongen in haar ogen. 'En ik mis haar nog zo erg. Ze is pas een paar maanden dood, en ik ben nog steeds verdrietig omdat ik haar kwijt ben, vooral op die afschuwelijke manier. Zo langzaam, en de geest als eerste. Het was onmenselijk. En nu dit alles. Eerlijk gezegd weet ik niet hoe ik me moet voelen.'

Polly sloeg een arm om haar heen. Ze was zo opgegaan in haar eigen gezin, in het geluk dat Jack terug was, dat ze niet had gebeld om te horen hoe het Susan was vergaan in het huis van haar moeder. Ze kon zich niet indenken hoe je je zou voelen als je ontdekte dat je hele leven gebaseerd was op een leugen. 'Ik kan het gewoon niet geloven,' zei ze. 'Het lijkt iets uit een roman van Catherine Cookson.'

'Ik weet het. Het lijkt niet echt, hè? We zijn vergeten, denk ik, wat het nog maar zo'n veertig jaar geleden betekende voor ongehuwde vrouwen om zwanger te worden.'

'Wist Margaret het?' vroeg Polly.

'Nee, niemand wist het. Ze was even geschokt als ik, misschien nog wel meer. Ik had altijd een hechtere band met mijn moeder dan zij. Ik denk dat dat een deel van de reden was waarom ze zo snel mogelijk wegging – ze was altijd jaloers. Nu vraag ik me af of mijn moeder niet gewoon meer haar best deed met mij omdat ik niet haar eigen kind was.'

'Dat geloof ik niet,' zei Polly. 'Jullie leken zo op elkaar, jullie waren zo close. Dat was niet voorgewend. Iedereen kon het zien.'

'Ze wás immers je moeder? In alle opzichten behalve genetisch. Ik vind dat je zo over haar hoort te blijven denken,' zei Harriet zacht.

'Ik had niet méér van haar kunnen houden als ze dat werkelijk geweest was,' gaf Susan toe. 'Ik ben haar altijd dankbaar geweest, zo blij dat ik haar had. Daarom was het zo belangrijk voor me om haar te verzorgen toen ze ziek werd. Daarom vond ik het zo verschrikkelijk om haar in dat tehuis te laten opnemen. Ik had het gevoel dat ik niet voor haar deed wat zij voor mij had gedaan. Mij op de eerste plaats laten komen. Nu weet ik dat ze dat niet hóéfde te doen. Omdat ik niet van haar was. Ze deed het vrijwillig. Uit liefde voor haar zus, neem ik aan. Dat maakt de schuld nog groter.'

'Het heeft niets met schuld te maken. Dat is stom. Ouders die voor kinderen zorgen is heel iets anders dan kinderen die voor ouders zorgen. Ik zou dat niet willen van mijn kinderen. Jullie wél?' Harriet keek om zich heen. 'Ik bedoel, ik zorg niet voor ze zodat ze kunnen opgroeien om later voor mij te zorgen. Zo werkt het niet.'

Nicole knikte instemmend. 'Je mag niet gebukt gaan onder schuldbesef, Susan.'

'Absoluut niet,' viel Polly haar nadrukkelijk bij.

Susan glimlachte naar haar vriendinnen. Hun steun en genegenheid waren tastbaar, en ze was er blij mee. Ze hadden gelijk, dat wist ze. Haar leven was niet op een leugen gebaseerd. Het was gebaseerd op een daad van opperste liefde, en ze zou gewend raken aan deze nieuwe situatie, aan een verleden waarin Alice haar níét op de wereld had gezet, en aan een toekomst zonder Alice. Misschien met Margaret in dat leven. Dat leek een passend eerbewijs aan een zus die zoveel voor haar eigen moeder had gedaan.

Ze keken allemaal naar hun oranje exemplaar van *De alchemist*. Het echte leven had het overgenomen. 'Weet je, als die Santiago een broer had gehad in plaats van een kudde schapen, en een verborgen brief in plaats van een paar stenen met stomme namen, zou je een goed verhaal kunnen vertellen!'

Susan lachte het luidst – een merkwaardige lach die voor zestig procent uit tranen bestond. 'Harriet! Ik hou van je! Je bent onmogelijk.'

'Ik weet het, ik weet het. Je hoeft me niet te bedanken!'

19.15

'We zijn wel op het nippertje.'

'We hebben tijd genoeg. Het begint deze maand toch pas om halfnegen?'

'Ja. Maar vergeet niet dat het onze beurt is om voor het eten te zorgen.'

'Vergeten? *Moi?* Nooit! Ik heb kant-en-klare kip gekocht en salade. Geen probleem. Niemand verwacht eigengemaakte dingen zo vlak voor Kerstmis.'

'Spreek voor jezelf. Ik was gisteravond tot halftwaalf op om een sherry trifle te maken.'

'Uitslover!'

'Pas op, jij! Hou me niet voor de gek. Probeer jij het maar eens met een baby die tanden krijgt – op onze leeftijd.'

'Cressida is thuis met de feestdagen. Heb ik iets gemist? Hoort zij niet degene te zijn die in de kleine uurtjes door de gang loopt te ijsberen?'

'Dat zou eigenlijk wel moeten, denk ik, maar ze was zo moe. Ze heeft heel hard gewerkt, en er waren een paar feestjes en zo aan het eind van het semester. Ik wilde haar laten uitslapen.'

'Je bent hopeloos, Polly Bradford.'

'Ik weet het. Hopeloos, maar gelukkig.'

Susan, die achter het stuur zat, stak haar hand uit en kneep in de knie van haar vriendin. 'Ik ben zo blij, lieverd. Ontzettend blij.'

'Maar ik heb dat verdomde boek nog niet uit, hè?'

'Schandelijk!'

'Ik weet het, ik weet het. Ik heb er eigenlijk geen excuus voor.'

'Ik denk dat dat van jou beter is dan dat van de meesten.'

'Ja!' Polly lachte spottend.

'Maar ik kóm in ieder geval. Ik zal niet de kans krijgen Nicole en Harriet vóór Kerstmis nog een keer te zien.'

'O, ja, je móet komen. Ze zouden woedend zijn als je niet kwam.'

'Hoeveel van die tassen zijn van jou? Bijna allemaal, denk ik.' Ze gebaarde naar de achterbank van de auto, die volgepakt was met plastic draagtassen.

Ze hadden de dag doorgebracht in Londen, wat volgens Roger waanzin was zo vlak voor Kerstmis. Waanzin was het inderdaad geweest, maar ook heerlijk. De stad was volgestroomd met winkelende mensen, geërgerd over hun eigen inefficiëntie, duwend en dringend door stampvolle straten, te warm voor de tijd van het jaar. Ze waren allebei blij dat ze hun serieuze inkopen al hadden gedaan, Susan op een zondag een paar weken geleden in een groot, buiten de stad gelegen winkelcentrum, samen met Roger, en Polly, met rooddoorlopen ogen via internet op avonden in november, met Spencer, die weigerde te gaan slapen, over haar schouder geslagen.

Dit was een totaal andere winkeldag geweest. Het soort dag waarop je naar Harvey Nichols gaat voor de lunch en champagne drinkt. En bij de Nail Bar langsgaat voor een manicure. Het soort dag waarvoor Polly haar benen had geschoren en mooi ondergoed had gedragen. En ze hadden gevonden wat ze zochten. In de eerste de beste winkel. De perfecte trouwjurk. Een lange, rechte, nauwsluitende jurk, van een zijde in de kleur van korenbloemen, gedragen onder een lange fluwelen jas, een tint donkerder, met brede revers die in bloempatroon met zilverdraad bestikt waren. Voor haar hoofd een haarband van dezelfde zij, waaruit een zwierig toefje korenbloemkleurige veren stak, bezet met diamanten en parels, die fonkelden en glinsterden in haar wilde krullen. Susan had een paar tranen gelaten toen ze uit de kleedkamer kwam. 'Je ziet er zo mooi uit.'

'Ja, misschien wel, maar denk je dat ik babyspuug eraf kan wassen?'

Ook in Polly's ogen prikten de tranen toen ze zich had omgedraaid naar de drievoudige spiegel en zichzelf bekeek, omdat een mooie vrouw haar aanstaarde. Het was niet alleen de jurk, dat wist ze: het was geluk dat je zo deed stralen, je ogen deed schitteren en je houding zo recht maakte dat de perfecte jurk er inderdaad als zodanig uitzag als je hem aantrok. Oké, misschien was ze door de voorafgaande ellende een paar pond afgevallen, zodat hij niet te strak spande over haar buik of haar benen op die van een wedstrijdroeier deed lijken, maar het geluksgevoel had voor ingrediënt x gezorgd. Ze wilde zelfs niet kijken haar het prijskaartje. Wat hij ook kostte, het was de moeite waard. Ze vroeg zich af of je in december echte korenbloemen zou kunnen krijgen.

Ze deed het portier aan haar kant open en verzamelde haar tassen. 'Bedankt voor vandaag, Suze. Ik heb een fantastische dag gehad. Kon niet beter.'

'Ik ook, lieverd. Tot straks. Brengt Jack je?'

'Ja. Hij is er al, zie ik.' Jacks BMW stond geparkeerd op de oprit.

'En waag het niet hem de jurk te laten zien. Ik weet dat je het allemaal een beetje ingetogen wilt houden en zo, maar dat wil niet zeggen dat alle fatsoenlijke tradities overboord worden gegooid. Hij mag hem niet zien. Beloof je dat?'

'Ik beloof het.' Polly lachte. Susan was erg ouderwets: ze had al gezegd dat Polly op de dertigste bij haar thuis zou slapen, 'ook al maak je je misschien ongerust of Cressida wel tegen Spencer is opgewassen,' want ze vertrouwde Jack niet dat hij weg zou blijven en ze vertrouwde Polly evenmin dat ze hem niet zijn gang zou laten gaan.

Polly draaide zich bij de voordeur om en zwaaide Susan uit.

'Laat hem de rest ook niet zien!' riep Susan voor ze wegreed. Ze bedoelde de prachtige nachtpon die ze voor Polly had gekocht als huwelijksgeschenk, zacht parelmoerroze en kant, de mooiste waarin Polly ooit zou hebben geslapen (of niet geslapen, zoals ze hoopte dat het geval zou zijn).

Jack had haar op de oprit gezien, en de deur ging open toen Polly in haar handtas zocht naar haar sleutel.

'Wat mag je me niet laten zien?' Hij stond met Spencer in zijn armen.

'Gaat je niks aan!'

Ze bogen zich beiden naar voren om elkaar een zoen te geven en Jack wreef zijn neus tegen de hare. 'Fijne dag gehad, schat? Missie volbracht?'

'O, ja. Jij?'

'Prima. En dit mannetje is bezig tandjes te krijgen, vertelt zijn mammie me.'

Polly zette haar tassen onder de kapstok, trok haar jas uit en stak haar armen uit naar Spencer. 'O, slim, lief jongetje dat je bent. Ben je druk aan de gang geweest terwijl oma weg was?'

Jack, die de baby aan haar overhandigde, keek naar het aantal en de omvang van de tassen. 'Niet zo druk als jij, zo te zien. Heb je een paar sexy badpakken gevonden?'

Hij ging op nieuwjaarsdag een week met haar naar Barbados voor hun huwelijksreis. Hij had het geheim willen houden, maar ze had hem gekieteld en gezoend en geplaagd tot hij het verraden had. Ze had nog nooit zo'n verre reis gemaakt. Ze was die ochtend de trap afgekomen, zwaaiend met het donkerblauwe, oerdegelijke zwempak dat ze de afgelopen drie jaar had gedragen voor haar ochtendduik in het zwembad, verkleurd door het chloor, versleten bij de randen en heel beslist niet sexy. Jack had gezegd dat hij misschien beter een ander mee kon nemen op hun huwelijksreis als ze niets beters te bieden had. Toen was hij naar haar toe gelopen, terwijl ze wachtte tot haar toast klaar was, had haar billen omvat en zachtjes in haar oor gefluisterd dat ze misschien iets kon zoeken met veel minder lycra, in een kleur die hem niet herinnerde aan de zwemwedstrijden in de vierde klas. Spencer had naast haar liggen kirren in zijn wipstoeltje, sabbelend op een van zijn bijtringen. Nu zei Polly tegen hem: 'O, ja, ik zal een felroze string zoeken, oké? Dat zal de vissen iets te denken geven, geloof je niet? Ja, vast wel.' Zelfs Spencer had gegiecheld.

'Zou er ook een schoonheidswedstrijd voor oma's zijn in het hotel?'

'Ik wist niet dat ze een familiepark hadden op Barbados.'

'Ha, ha. Ik heb je een vijfsterren hotel beloofd, aanstaande mevrouw Fitzgerald, en dat is wat je krijgt.'

'Zolang je me belooft dat ik elke dag tot de lunch kan uitslapen, kan het me niet schelen hoeveel sterren het heeft.'

'Dat is niet precies wat een man wenst op zijn huwelijksreis. Een uitgebluste bruid.'

Ze liep naar hem toe, maar gebruikte hetzelfde zangerige toontje dat ze normaal voor Spencer reserveerde. 'O, arme schat van me. Ben je bang dat je niet genoeg aandacht krijgt, pop?' Ze sloeg haar armen om zijn hals en trok zijn gezicht omlaag om hem te kussen, drukte zich dicht tegen hem aan.

'Vinden jullie het heel erg? Er is een baby in de kamer. Om nog maar te zwijgen over een puber met hormonen die geen aanmoediging nodig heeft. En een van de slaap beroofde zombie.' Cressida, die net beneden was gekomen, gebaarde naar Spencer, Daniel en ten slotte zichzelf. Ze liet zich in een stoel vallen, haar pyjama verkeerd dichtgeknoopt en haar haren flink in de war. Ze glimlachte.

Wat een vreemde, fantastische familie is dit, dacht Polly. Mijn baby heeft een baby. Ik lijk op een puber. Jack is iets belangrijks – ook al heeft dat nog geen naam – voor Daniel, Cressida en Spencer. God zij dank. We hebben het gered. Alles komt in orde.

'Hoi, mam.'

'Hallo, schat.' Ze gaf een zoen op Cressida's wang. 'Hoe was hij vandaag?'

'Hij is grandioos, hè, liefje? In het begin was hij een beetje hangerig, maar ik denk dat het door de tanden komt.'

'Heb je de gel gevonden? En zijn bijtring? Die lag in de koelkast. Ik had het je moeten vertellen. Sorry.'

Cressida lachte naar haar moeder. Ze was uit de keuken gekomen met een flesje melk voor Spencer. 'Ik heb alles gevonden. Maak je geen zorgen. Alles is voortreffelijk gegaan. Je hebt gewinkeld, zo te zien. Heb je mooie dingen gekocht?'

'Ja.' Ze kon een meisjesachtig danspasje niet bedwingen. 'Wil je het zien? Ik heb ongeveer een halfuur voor ik naar de leesclub moet.'

'Ik moet Spence zijn flesje geven.'

'Geef hem maar aan mij – ik doe het wel. Kom, makker, we kunnen nog net het eind zien van *Question of Sport*.' Jack nam Spencer van Polly over en rolde, in pantomimestijl, met zijn ogen. Cressida overhandigde hem de fles en legde een doek over zijn schouder, streek die glad over Jacks werkhemd. Impulsief gaf ze hem snel een zoen. 'Dank je.'

Polly genoot van zijn trots, van zijn gevoel dat hij hier thuishoorde en de liefde op zijn gezicht toen hij de afstandsbediening pakte, iets mompelend tegen Spencer over vrouwen en winkelen, en dat ze niets van de buitenspelregel begrepen.

In een van de tassen zat een kaart. Susan had gezegd dat Mary hem haar had gegeven voor Polly. Ze was hem vergeten en had er nu pas aan gedacht. Ze maakte hem open: '15 november, met de beste wensen voor een vrolijk kerstfeest en een vredig nieuwjaar.' Het was een *Save the Children*-kaart. Clare had hem getekend, met een enkele kus, maar aan de linkerkant had ze iets geschreven:

Ik heb mijn plek hier gevonden. Ik kan veel doen om te helpen, en dat helpt mij. Er zijn hier zoveel kinderen die liefde nodig hebben, en ik heb ontdekt dat ik zoveel liefde te geven heb. Ik dacht dat alles al voorbij was, maar in werkelijkheid was ik nooit begonnen. Ik hoop dat jij en Cressida en baby Spencer het goed maken.

Ik ben een leesclub begonnen! Maar we hebben maar één exemplaar van elk boek, zodat het nogal wat voeten in aarde heeft om een bijeenkomst te organiseren. Altijd als ik een boek oppak, denk ik aan jullie. Veel liefs voor iedereen.

God, wat was ze dapper. Alles, het vertrek naar Roemenië, het verbreken van de cyclus, was dapper, maar dit trof Polly als een van de dapperste momenten. Ze stelde zich de kalme, passieve Clare voor die een leesclub bijeenbracht voor een discussie, toen Cressida weer binnenkwam. Zonder iets te zeggen overhandigde ze haar de kaart.

Cressida las hem, en toen ze sprak, was het met haperende stem. 'Ik ben blij toe.'

'Ik ook.'

'Ik heb het gevoel dat ik vergeven ben.'

'Dat geloof ik wel, ja.'

Cressida legde haar hoofd op Polly's schouder. 'Ik heb nooit geweten dat het me zo gelukkig zou maken. Dat ik hem heb.'

'Je weet het nooit voor je het weet.'

Even zwegen ze, terwijl ze met de kaart op het bed zaten. Toen stond Cressida op. 'Fantastische jurk, mam. Je zult hem overdonderen. Maar als je heus denkt dat Spencer die outfit gaat dragen, vergis je je. Vergeet het maar dat mijn zoon zich vertoont in een zijden broekje.'

'Mijn huwelijk, mijn kussen waarop de ringen liggen, mijn outfit.'

'Mijn baby!'

Ze maakten gekheid. Polly had getwijfeld over het broekje, maar Susan had haar overgehaald. Waarom ze had geluisterd naar het kledingadvies van een vrouw die haar zoons met meisjesachtige pagekopjes had laten rondlopen tot ze bijna tien waren, wist ze eigenlijk niet. Ze stak haar hand op. 'Ik kan er nu niet met je over bekvechten. Ik heb een bijeenkomst van de leesclub.'

'O, maak je niet ongerust! Het kan wel wachten tot morgen. Tenzij ik natuurlijk die broek verbrand terwijl jij bij Susan bent!'

'Heb het lef niet!'

'Dames, dames, alsjeblieft. Er zijn hier mannen die een dutje willen doen. Schiet een beetje op, Poll, anders kom je te laat.' Jack stond onder aan de trap en zwaaide met zijn autosleutels naar haar.

'Ik kom!'

19.20

'Maar hoe komen de baby's in je buik?' Chloe stond naakt en druipend op de badmat, in haar koppigste houding, benen gespreid, mollige handjes op mollige heupen.

Harriet streek haar haar van haar voorhoofd. Een van de kinderen op school had vandaag haar nieuwe kleine broertje meegenomen. Harriet had de moeder moeizaam uit haar auto zien komen met de blèrende baby in de maxicosi. Ze liep met de O-benen van een vrouw die net bevallen was en er, van dichtbij gezien, uitzag als iemand die overleefde op drie uur ononderbroken slaap en twaalf uur ononderbroken voedingen per dag. Chloe's vriendinnetje had net zolang aan de maxicosi staan rukken tot haar moeder de baby op de grond van het klaslokaal had gezet, waarop twaalf met bacillen beladen vierjarigen zich op hem hadden gestort, dol van nieuwsgierigheid en met de onbedwingbare drang hem te 'strelen' en te 'knuffelen'. Als gevolg daarvan waren baby's de hele dag Chloe's thema geweest, en ze was duidelijk niet tevreden met Harriets vage uitleg van mammies en pappies die van elkaar houden en samen een baby 'maken'. De 'zaadjes' van papa en de 'eitjes' van mama waren ook niet erg succesvol; verleden week hadden ze op school zaadjes gezaaid op in eierschalen gelegde papieren handdoeken: het resultaat was iets groens, een soort schimmelige waterkers, niet iets wat je in slaap wiegt of kleine kleertjes aantrekt. Een belofte om haar in het weekend mee te nemen naar de kinderboerderij (heel erg netjes, allemaal lieve lammetjes en varkentjes, geen modder en silovoer) verderop aan de weg om de kleine pasgeboren dieren te zien had geen indruk gemaakt. Het was duidelijk dat Chloe details wenste.

Josh, net uit bad, mooi en kwetsbaar, met natte haren en een bijna te kleine Spiderman-pyjama, wipte van de ene voet op de andere, giechelend (zonder zijn tanden te poetsen, zoals hem gevraagd was). Hij dacht alles te weten van de bloemetjes en de bijtjes en hoe dat bij mensen ging. Ongetwijfeld had hij dat gehoord in zijn geliefde naschooltijdclub, de laten-we-elkaar-op-de-wc-vieze-dingen-vertellen-club, waardoor hij nu brandde van verlangen om alles aan Chloe te vertellen. Harriet deed haar uiterste best dat te voorkomen: Chloe zou het beslist luidkeels doorvertellen aan mevrouw Bond, haar juffrouw, in een context die alle aanleiding zou geven tot een verkeerde interpretatie. Verleden week had ze tegen het garderobemeisje in Swainsbury's verkondigd dat mammie een harig achterste had. De week daarvoor was het de beurt geweest van een niets vermoedende man in het zwembad. Hij had een onverstandig klein, strak lycra sportbroekje aan, en Chloe, op ideale lieshoogte, had hem en de omringende zwemmers meegedeeld dat ze zijn piemel erdoorheen kon zien. Het feit dat ze de spijker op zijn kop sloeg, hielp niet echt. Tegenwoordig verkeerde Harriet in voortdurende staat van alertheid om haar snel te kunnen overstemmen met iets onschuldigs, of in het ergste geval haar beet te pakken en halsoverkop weg te rennen van de plaats des onheils. Chloe wapenen met zelfs de meest elementaire feiten over seks verdiende geen aanbeveling.

'Josh!'

Hij hield niet op met giechelen. Kon niet ophouden met giechelen. Harriet vond het nog steeds verbijsterend hoe hilarisch een kleine jongen al die lichamelijke dingen vond.

Tims sleutel in het slot. Goddank. Ze had net nog de tijd om Chloe's handdoek om haar schouders te slaan voor ze door de gang holde, haar mantra van blijdschap uitschreeuwend: 'Papa, papa, papa!' op de hielen gevolgd door Josh.

Toen ze beneden was, had Tim zijn jas nog aan, al was Chloe, die hij met één arm had opgetild, bezig zijn sjaal los te rukken. 'Wacht even. Laat me mammie eerst een zoen geven.'

Zijn wangen waren nog koud, en zijn neus ook, toen ze hem op zijn mond zoende.

'Hmm, wat ben je lekker warm.' Hij liet Chloe op de grond glijden en sloeg zijn beide armen om Harriet heen, die haar handen onder zijn jas stopte. 'Jij bent ijskoud.'

Ze liet haar handen op zijn billen rusten, en hij deed hetzelfde bij haar, tilde haar omhoog, en zoende de plek waar haar hals overging in haar schouder. Hij rook naar aftershave, wol en frisse lucht. Hij rook naar Tim.

Chloe wrong zich tussen hun benen en hief haar hoofd omhoog. Harriet herinnerde zich dat ze nog steeds in haar blootje was. 'Kom, kleintje, we zullen je een pyjama aantrekken.'

'Ik wil die met de hondjes.' Dat betekende nog eens tien minuten nonsens extra voor ze ontspannen genoeg was voor het bedverhaaltje. Elk cartoon-hondje op het blauwe katoen moest bij naam worden genoemd. Harriet kreunde.

'Laat maar, ik doe het wel. Wil jij niet even rustig gaan zitten met de krant?' Hij haalde de *Evening Standard* uit zijn aktetas.

'O, ja! Je bent een engel.' Harriet verdween naar de zitkamer en hoorde hen naar boven gaan, de kinderen als puppies om Tim heen denderend, alle belevenissen van hun dag opdissend. Gelukkig had Chloe haar speurtocht naar de waarheid over baby's opgegeven.

Dit was het moment waarop Harriet zich altijd uitgesloten had gevoeld. Alsof ze een bedriegster was. Ze had beneden gezeten, onder het voorwendsel dat ze een rustpauze nodig had, of vanuit een deuropening toegekeken en belangrijke bezigheden verzonnen om zich buiten het gelukkige-gezinstableau te houden. Ze had zich geen huichelaarster willen voelen, niet willen doen alsof ter wille van Tim, of Josh en Chloe. Ze had gedacht dat ze niet van hem hield. Ze had gedacht dat ze hem wilde verlaten.

Het ongeluk was de eerste dominosteen geweest die omver was gevallen, waarna alle andere waren gevolgd, en hun hele wereld was veranderd. Het had Tim een duw naar voren gegeven. Het leek nu allemaal zo voor de hand liggend. Hoe was dat liedje ook weer? *'Don't it always seem to go that you don't know what you've got till it's gone...'* (Gaat het niet altijd zo dat je niet weet wat je hebt tot je het kwijt bent...) Wat had ze eigenlijk gezocht? Geen Nick en geen Charles. Ze had het helemaal verkeerd gezien. Charles was een herinnering die ze voor een lachspiegel van de kermis had gehouden, die het beeld totaal misvormde. Nick was een fantasie die uit het flatterende zachte licht van de verbeelding werd geplukt en onder de felle lamp van de realiteit geplaatst. Het flagrante bewijs van alles om haar heen was onopgemerkt gebleven, genegeerd. Ze wilde nooit meer zo bang zijn als ze geweest was in de weken dat Tim weg was. En nu begreep ze de aard van die angst: het was niet de trieste angst om alleen te zijn, zonder iemand die een zekering verving, de rekeningen betaalde, zonder het circuit van de dineetjes, de angst om een gewoonte te moeten opgeven. Ze wilde niet zonder Tim leven. Tim. De man die verliefd was geworden op iemand die zo lang op de vloer van haar flat had liggen huilen dat de afdruk van de mat op haar gezicht te zien was geweest en het snot haar in de mond liep. De man die van elke gram had gehouden van de meer dan vijfennegentig kilo die ze woog toen ze zwanger was van zijn kinderen. De man die het had geweten van Nick, en het had laten begaan, in de hoop dat het op een of andere manier zou helpen. De man die urenlang in het ziekenhuis had gezeten en Josh *The Hobbit* had voorgelezen, in verschillende toonaarden. Tim.

Ze keek niet langer stiekem achterom of er misschien nog iets beters te vinden was. Ze had zich herinnerd, of misschien had ze het nooit eerder geweten en had ze het nu pas ontdekt, dat wat ze had het beste was wat ze kon krijgen. En ze wist wat er vanavond zou gebeuren, en de volgende avond, en in het weekend, en God geve, in alle jaren die voor haar lagen. En dat was goed. Het verstikte je niet, als een kussen op je gezicht: het omhulde je, als een warm bad. Geluk. Tevredenheid. Toewijding. Veiligheid. Het waren niet de obscene woorden die ze haar geleken hadden.

Plotseling had ze geen zin meer om de krant te lezen. Ze wilde boven zijn, bij hen, waar ze hoorde.

Tim was bezig zich te verkleden. Peinzend streelde ze de huid tussen zijn schouderbladen, tot aan de plek waar zijn haar in zijn nek krulde. Hij huiverde, en ze genoot van het gevoel van macht. Geile gevoelens op een schoolavond op woensdag? God, wat was het leven beter geworden...

'Je bent weg vanavond, hè?'

'Ja, de leesclub. De laatste bijeenkomst van het eerste jaar.'

'Het is me het jaartje wél geweest. Voor jullie allemaal.'

'Ja. Verbluffend dat het ons gelukt is al die boeken te lezen!'

'Welk boek is het vanavond?'

'*Meisje met de parel*. Tracy Chevalier. Geweldig boek.'

'Waar gaat het over?'

'Voornamelijk over onbeantwoorde liefde. Hoewel dat te simplistisch gesteld is.'

'Een meisjesboek.'

'O, ja, schat. Een gewone man zou onmogelijk de problemen ervan kunnen begrijpen – onderworpenheid, zelfopoffering, verlangen, inspiratie, aspiratie...'

'Of de gewichtige woorden.'

'Of de gewichtige woorden, inderdaad. Kun jij het hier redden?'

'Ik overleef het wel. Moet trouwens in het geheim nog een paar dingen voor Kerstmis doen, dus is het maar goed dat je weg bent.' Hij wist dat ze niet goed tegen geheimpjes kon.

'Ooo! Voor mij? Wat heb je gekocht?'

'Vergeet het maar. Je zult moeten wachten.'

'Je weet dat ik het vreselijk vind om te wachten.' Ze vloog op hem af en ze vielen achterover op bed.

'Alsjeblieft alsjeblieft alsjeblieft!'

Hij lachte. 'Je bent nog erger dan Chloe.' Ze staarde hem aan met haar smekendste puppyblik. 'Ik heb één cadeautje dat je al eerder mag hebben, als je het geduld niet kunt opbrengen om te wachten tot de ochtend van Kerstmis.'

'O, dat kan ik absoluut niet.' Ze kwam gretig overeind op haar knie-en. Ze had dat kleine doosje niet verwacht en vroeg zich even af of ze misschien toch zou moeten wachten tot eerste kerstdag, maar zette die gedachte weer snel van zich af en maakte het pakje open.

Tim keek aandachtig naar haar gezicht. Het was een witgouden bedelarmband, met fijne ovalen schakels. Daaraan hingen vijf bedeltjes, elk bezet met een fonkelend diamantje: T, H, J, C en een margriet. Alsof het nog een verklaring nodig had, zei Tim: 'Eén voor ieder van ons, en je had margrieten...'

'... in mijn bruidsboeket.'

'Ik wist niet of je je dat nog zou herinneren.' Het deed haar pijn hem dat te horen zeggen. Het hotel had voor de bloemen gezorgd, als onderdeel van het huwelijksarrangement. Ze had er in jaren niet aan gedacht. 'Natuurlijk herinner ik me dat.' Even was ze te ontroerd om hem te bedanken, beslist te ontroerd om enthousiast op en neer te dansen. Het was het perfectste, mooiste, betekenisvolste geschenk dat hij haar ooit had gegeven. Ze vertelde het hem en kuste hem.

'Doe hem om.'

'Vind je niet dat ik hem moet bewaren voor speciale gelegenheden?'

'Nee, het is voor elke dag, elke afzonderlijke dag. Ik wil dat van nu af aan elke dag een speciale dag voor ons is.'

Chloe kwam binnengestormd, met de hondjespyjama verkeerd dichtgeknoopt. 'Je zei dat je *The Gruffalo* zou voorlezen, papa, en dat heb je níét gedaan.' Ze lachten. Chloe klom op de schoot van haar vader, riep Josh. Toen hij kwam stak ze haar beide armpjes naar hem uit en zei bevelend: 'Familieknuffel.'

19.25
Coronation Street liep net ten einde, maar Cressida was er niet bij met haar gedachten. Ze keek naar Spencer. Je kon een enorme hoop tijd verspillen met het kijken naar een slapende baby. Als hij sliep verdwenen al zijn plooien en kreukels, en zijn perfecte huid, zonder zichtbare poriën en ontsieringen, was glad. De kleine adertjes op zijn oogleden gaven die een blauwachtige teint, en de wimpers wierpen een schaduw op zijn wangetjes. Zijn mond als een rozenknop, met het kleine voedingsblaartje midden op de bovenlip, tuitte en onttuitte in zijn droom, en zijn borstje ging op en neer. Als hij in die toestand verkeerde, kon je zijn arm optillen, die volledig slap bleef. In zijn draagwieg lag hij als een minnaar uit een stomme film, één hand over zijn gezicht geslagen en de andere achter zijn hoofd. Cressida werd betoverd door elke centimeter van haar zoontje, van zijn achterhoofd tot de piepkleine teennageltjes, die ze nog steeds nauwelijks durfde te knippen. Als hij wakker was, was je constant als een werkbij in beweging om hem van dienst te zijn. Zijn melk warmen, hem laten ophouden met huilen, hem aan het lachen maken, zijn gelaatsuitdrukkingen interpreteren, zoekend naar honger, pijn of herkenning. Maar als hij sliep, hoefde je alleen maar naar hem te kijken en hem te bewonderen, en je liefde voor hem te laten opzwellen tot het bijna pijn deed.

Op haar studentenkamer had ze een prikbord vol met foto's van hem. Haar moeder en Daniel hadden dat voor haar in orde gemaakt toen ze er in oktober naartoe ging, en Polly vulde de verzameling telkens aan als ze weer een filmpje liet ontwikkelen. Spencer in bad, in de wandelwagen, onder zijn speelgym, in het autostoeltje. Het bord hing naast de deur, en altijd als ze naar college ging, kuste ze haar vinger en drukte die op telkens een andere foto.

Natuurlijk miste ze hem. In het begin dacht ze dat ze niet weg kon blijven. Hij was nog zo klein. En het was zo vreemd. Niemand hier had een baby, in ieder geval niemand die ze had leren kennen. Ze waren precies zoals zij een jaar geleden was geweest. Als zij en haar medestudenten op de lopende band hadden gelegen, was het of zij door de machine was opgetild en op een andere band gelegd, om verder te worden ontwikkeld en verfijnd, en dan weer was teruggegooid op de oorspronkelijke band. Zij had iets wat geen van de anderen had. Het weerhield haar er niet van om te doen wat zij deden – studeren, drinken, pret maken – maar het maakte haar toch anders. Zij had een baby, en ze had de vader van die baby, en ze had nu alles wat ze van hen geleerd had.

Ze ontkende Spencer nooit, gewoon omdat hij nooit ter sprake kwam – tot ze iemand goed genoeg kende om hem of haar na een college of zo in haar kamer te laten en ze het bord zagen. Ja, dat is mijn zoon. Hij heet Spencer, is vier maanden oud en woont tijdens mijn studie bij mijn moeder en, nee, ik woon niet samen met de vader en, ja, dank je, hij is mooi, tenminste, dat vind ík. Ze kreeg nooit een kans om zich defensief op te stellen, omdat dat nooit nodig was. Iedereen slaakte de juiste kreten en vertoonde de juiste reacties zodra ze over hun verbazing heen waren, en dan liet Cressida het gesprek weer op gemeenschappelijk terrein komen. Eén meisje, Amie, die dezelfde studie volgde als zij, had haar zelfs aan het lachen gemaakt. 'Maar ik heb samen met je gezwommen!'

'En?'

'En ik heb je naakt gezien.'

'Nou, en?'

'En er is niets aan je te zien – geen buikje, niks. Je hebt een mooier lijf dan ik, en jij hebt een kind!'

Natuurlijk had ze het niet meer met een jongen gedaan. Dat zag ze niet zitten. Voelde niet goed. Amie mocht dan wel denken dat ze onberoerd was gebleven door zwangerschap en moederschap, maar dat was niet helemaal waar. Haar lichaam voelde anders. Ze was niet meer met Elliot naar bed geweest sinds Spencer was geboren, omdat het niet juist zou zijn geweest, niet met al die gevoelens en zo. Maar ze had het ook niet gewild. Het was nog te vroeg om zich ongerust te maken of het een probleem zou worden. Ze dacht van niet. Ze had Amie al heel in het begin leren kennen, op een feest dat was georganiseerd door de feestcommissie van de universiteit. Ze had haar handen staan wassen in het toilet toen Amie binnenkwam. Later vertelde ze dat ze altijd alleen maar naar de wc ging op een feest omdat je, als je ver weg van het lawaai stil op het koele porselein zat, kon vaststellen hoe dronken je was, wat waarschijnlijk zijn weerslag zou hebben op de keuzes die je op het punt stond te maken. Nog meer drank? Het eruit dansen? Naar huis gaan met de knappe rugbyspeler? Dat soort dingen. Ze was op dat feest dronken genoeg geweest om naast Cressida bij de wasbak te staan en hardop in de spiegel te zeggen tegen ieder ander die mocht luisteren: 'Ik ben Amie Gordon, en ik ben verlíéfd op Simon French.' Vervolgens kon ze zich niet meer herinneren wie Simon French was, of wat zo'n spontane emotie had veroorzaakt. Amie sliep regelmatig met mannen die ze niet erg goed kende, maar ze had een fantastisch instinct om echt aardige jongens te vinden, die een afwijzing goed opvatten en goede vrienden werden. Ze werd overal uitgenodigd, en nam Cressida mee wanneer die zich maar liet overhalen. En dat gebeurde vaak: je kon zo'n plezier hebben met Amie. Maar met mannen slapen, dacht Cressida, stond nog niet op haar programma. Er waren een paar jongens die ze leuk vond: een rustige jongen uit de bibliotheek, die een bril met metalen montuur droeg; een postdoctorale roeier van minstens één meter negentig, die vaak in hetzelfde café lunchte als zij; de hoofdrolspeler in de studentenproductie van een of andere vreselijk stuk van Samuel Beckett waar Amie haar mee naartoe had gesleept. Het was nooit verder gekomen dan glimlachjes of knikjes, en verder wilde Cressida ook niet. Het was voldoende te voelen dat haar antennes weer tot leven begonnen te komen. Het zou Elliot verdriet doen, dat wist ze, en dat wilde ze hem nu nog niet aandoen, afgezien van al haar andere gevoelens. Hij wist ook wel dat ze niet geschikt waren voor elkaar. In moreel opzicht, waarover ze nooit eerder had nagedacht, vond ze dat ook zinnig. Hun relatie was oneerlijk en met bedrog begonnen, en ze wist niet zeker of alle liefde ter wereld een succes kon maken van een relatie die zo was begonnen. Misschien was ze de juiste vrouw op het verkeerde moment geweest – dat zou kunnen. Maar je bleef niet eeuwig de juiste vrouw, en het verkeerde moment kon niet worden veranderd in het juiste moment. Voorlopig was het voorbij. En dat wist Elliot.

Maar Spencer was er ook nog, en hij zou altijd een band vormen tussen hen. Zelfs als ze destijds besloten had dat ze nog niet klaar was voor een kind (en nu deed de gedachte aan een abortus haar rillen), zou de baby die hij had kunnen zijn altijd een intieme, geheime band tussen hen hebben gevormd. Met Elliot kwam het wel in orde. Ze spraken elkaar een paar keer per week. Ze kon hem altijd bellen, nu ze op de universiteit was. Ze praatten over Spencer, wat hij deed, hoe hij sliep, en dat was prima, want Cressida wist dat Elliot evenveel van Spencer hield als zij. Soms brak zijn stem als ze hem iets vertelde, maar hij zorgde er altijd voor dat hij opgewekt en trots klonk, en daar was Cressida dankbaar voor. Hij zag Spencer één keer per week: zijn nieuwe baan in Bristol betekende een lange rit over de M4, maar hij vond het heerlijk om bij zijn zoon te zijn. In Bristol ging het ook goed: de oude vriend die hij daar nog had bleek een nuttig contact te zijn – hij had hem geholpen een flat te vinden in Clifton, die hij huurde in afwachting van de verkoop van het huis dat hij samen met Clare had bewoond. Het klonk goed. Elliot zou hen na Kerstmis komen bezoeken. Ze geloofde dat het nu, na de afwezigheid gedurende het eerste semester en alle gesprekken die ze hadden gehad, niet pijnlijk zou zijn. Ze vond dat ze geluk had – het had ook anders kunnen zijn. Clares kaart, na alle andere dingen, voelde aan als een streep onder alles. Ze werd vergeven door de twee mensen die ze het meeste onrecht had aangedaan, Clare en Elliot, en al vroeg ze zich weleens af of ze het verdiende, ze begon het gevoel te krijgen dat het zo in orde was.

En ze had Spencer.

Een paar dagen geleden was ze Joe tegengekomen. Goddank had ze Spencer niet bij zich toen ze naar buiten was gelopen om haar kerstinkopen te doen. Ze was hem niet vergeten, hij was alleen overschaduwd door de gebeurtenissen. Niet zo verbazingwekkend eigenlijk, hem te zien. Maar haar hart was sneller gaan kloppen, en ze voelde dat ze bloosde. Hij had haar het eerst gezien – ze dacht dat ze waarschijnlijk rechtsomkeert zou hebben gemaakt en haastig de andere kant op zou zijn gegaan, als zij hem het eerst had gezien – en was naar haar toe gekomen, had haar een zoen op haar wang gegeven en ervoor gezorgd dat zijn lichaam het hare niet raakte.

'Hoe gaat het?'

'Prima. En met jou?' Ze had de blik gezien waarmee hij naar haar platte buik keek, eraan dacht.

'Heel goed.'

Wat viel er nog meer te zeggen? Niets, en toen praatten ze allebei tegelijk.

'Ik heb gehoord dat je naar de universiteit bent gegaan.'

'Thuis voor de vakantie?'

Allebei zeiden ze: 'Ja.' En lachten nerveus.

'Je bent niet met... de vader?'

De vraag klonk schril, barstte los uit de prietpraat. Hij had het recht het te weten, veronderstelde ze.

'Nee. Hij is verhuisd.'

Joe keek haar onderzoekend aan om te zien wat dat voor haar betekende.

Ze glimlachte, hoopte dat ze er gelukkig uitzag, en niet alleen dapper. 'Mijn moeder zorgt voor Spencer terwijl ik studeer. Ze is fantastisch.'

Hij beet op zijn lip. 'Dat is fijn voor je.'

Een knap meisje met heel blauwe ogen kwam naar hem toe. Ze had bij de kassa staan afrekenen. Joe wendde zijn blik van Cressida af. 'Dit is Issie. Ze is een... vriendin van de universiteit.' De aarzeling vertelde Cressida alles wat ze wilde weten. Issie glimlachte stralend, wachtte tot Joe haar zou voorstellen. 'Dit is Cressida.' Cressida kon zien dat haar naam geen verdere uitleg behoefde, zag onmiddellijk dat Issie alles over haar wist. Ze voelde zich een beetje naakt.

'Aangenaam.' Issie keek ook naar haar platte buik, en toen zoekend om zich heen naar een kinderwagen.

'Ik heb de baby niet bij me. Hij is thuis bij mijn moeder. Ik wilde een paar inkopen gaan doen.'

Ze knikten beiden begrijpend, alsof ze volkomen vertrouwd waren met de problemen van winkelen met een kinderwagen.

'Hoe gaat het... Met de baby alles goed?' Joe wist niet wat hij moest vragen. Hij wist niet zeker of hij het wilde weten.

Cressida lachte. 'Uitstekend, dank je. Kom, ik moet ervandoor. Ik heb beloofd dat ik niet te lang zou wegblijven. Leuk je ontmoet te hebben, Issie.'

'Dat is wederzijds.' Cressida geloofde het graag. Een gezicht voor bij de naam en het verhaal.

'Tot ziens, Joe.'

'Ja, tot ziens.' Hij omhelsde haar kort voor ze wegliep.

Op de roltrap draaide ze zich om en keek naar hen. Ze stonden bij de uitgang van de winkel. Joe had zijn arm om Issies schouders geslagen, en de hare lag losjes om zijn middel, rustend op zijn heup. Het was een gebaar van fysieke intimiteit.

Ze is veel kleiner dan ik, dacht Cressida. Ze past beter bij hem. Ze liet het idee ronddwalen in haar brein, en hield de gedachte vast: Joe met een ander meisje. Het voelde oké.

Het naakte gevoel was verdwenen. Joe leek iemand die ze langgeleden had gekend en bemind, toen ze een ander was. Hij had haar waarschijnlijk ook vergeven. Hij draaide zich in ieder geval niet om en keek haar niet na toen ze naar de kinderafdeling op de eerste verdieping ging.

En ze had Spencer.

Het beste, afgezien van Spencer, was haar moeder. Misschien was het ergste wel geweest toen mam en Jack uit elkaar gingen en ze had geweten dat het haar schuld was. Maar hij was nu weer terug. Hij kon niet wegblijven. En zoals Polly had gezegd, bewees dat dat hij echt van haar hield. Mam was zo gelukkig sinds hij terug was. En ze hield zoveel van Spencer.

Een van de dingen die ze van dit alles had geleerd, veronderstelde Cressida, was dat ze niet jaloers was. In de tijd van Elliot was ze nooit jaloers geweest op Clare. En ze was niet jaloers op Polly omdat die de baby elke dag zag en waarschijnlijk degene zou zijn die hij het eerst en het best herkende, naar wie hij het meest verlangde als hij getroost wilde worden. Als ze eraan dacht, voelde ze zich voornamelijk dankbaar – omdat ze een moeder had die bereid was haar haar leven terug te geven en haar Spencer te laten houden. Ze voelde zich deze Kerstmis vol van iets wat ze meende te kunnen omschrijven als vreugde – het was absoluut niet zoals ze had gedacht dat het zou lopen, maar ze was zo verschrikkelijk blij dat het zo was gegaan.

'Cress?' Het was Daniel.

Ze liep de trap op. 'Sst. Spencer slaapt!'

'Sorry. Heb je trek in pasta? Ik maak wat klaar voor mezelf – ik doe er iets bij voor jou als je wilt. Kom je kaas raspen?'

'Ik kom zo.' Hij knikte. 'Danny?'

'Ja?' Hij fluisterde nu.

'Dank je.'

19.30

Heldinnen in slechte romans stonden altijd naakt voor de spiegel en bewonderden zichzelf, terwijl ze die lange lijst van vrouwelijke attributen afvinken: hoge, stevige borsten, platte buik, ronde heupen en een parmantig kontje. In de stijl van de romans zorgden die dingen voor een succesvolle liefdesaffaire en een gelukkig leven, als het verplichte zoeken eenmaal achter de rug was. Die vrouwen veroverden de harten van de beste mannen, de knappe, charmante helden. Ken en zijn Barbie, de prins en zijn Assepoester, Richard Gere en zijn Julia Roberts.

Dat was duidelijk waanzin. Nicole had genoeg tijd doorgebracht in de kleedkamer van het fitnesscentrum, na slopende trainingen, en in het kuuroord, na al even slopende verjongingsbehandelingen, om te weten dat zij het beste lijf had van iedereen daar. Je kon een puddinkje serveren op haar borsten, je fiets stallen in haar achterste en bevroren erwten laten stuiteren op haar buik. Alles was precies zoals het hoorde. Het leven had geen spoor op haar achterlaten. Aan de buitenkant.

Nu wist ze dat het geen verschil maakte. Gavin bedroog haar niet in een aanhoudende speurtocht naar het perfecte lijf. Dat had hij thuis. Hij bedroog haar omdat hij niet genoeg van haar hield om het niet te doen. Omdat hij het niet kon helpen.

Ze was dikker geworden sinds de zomer, een paar pond maar. Ze gaf Harriet de schuld. Het was dat uitstapje in het weekend halverwege oktober geweest. Ze waren met de kinderen en zonder mannen naar een heerlijk kindvriendelijk hotel geweest, Moonfleet Manor in Dorset, met flipperkasten en snooker voor de jongens en een volledig bemande crèche vol barbiepoppen voor de meisjes, een zwembad, sauna en een reflexoloog voor hen. Nicole had dat mooiste-lichaam-in-het-zwembadmoment gehad. Eén vrouw had enkels zo dik als haar knieën, een ander had een buik die je kon opvouwen als een laken. Harriet was prachtig rond, met een stofwisseling die niet reageerde op stress, maar een huid als een perzik en een boezem waarvan Nicole zich verbeeldde dat een bepaald type man er altijd zijn gezicht in zou willen verbergen. Deze keer had het haar gedeprimeerd. Wat had het voor zin? Al die vrouwen hadden een man die van hen hield, ook Harriet als ze haar ogen ervoor opende. Dikke, misvormde, uitgezakte, schilferige vrouwen met mannen die van hen hielden en er niet over piekerden hun geluk elders te beproeven. Wat had het allemaal voor zin?'

'Precies!' Harriet was verrukt geweest dat ze een potentiële bekeerlinge had gevonden voor een leven van diëtische genotzucht. 'We drinken gewoon wat cappuccino's.' En dat had Nicole gedaan. Cappuccino's en champagne aan het diner in de met kaarsen verlichte eetzaal en een chocoladetruffeltaart als dessert. En als ze zich niet beter voelde, voelde ze zich in ieder geval wat vrijer.

Een paar extra pondjes stonden haar goed, dacht ze nu, kijkend in de spiegel. Ze zag er zachter, minder gespannen uit.

En dat was ze ook. Het was een opluchting dat Gavin er niet was. Er waren momenten, meestal 's avonds laat, in bed, dat ze naar hem hunkerde – of naar iemand. Hun kingsize bed was te groot voor haar alleen. Martha had onlangs een nachtmerrie gehad en was bij haar in bed gekropen om troost te zoeken. Nicole had haar de hele nacht laten blijven. Toen Martha ritmisch naast haar lag te ademen, was Nicole in slaap gevallen en had ze voor de eerste keer in maanden goed geslapen.

Ze dacht veel aan de baby. Ze zou nu zwaar zijn geweest, bijna zeven of acht maanden, met die afschuwelijke pijn in haar onderbuik die volgens de verloskundige het gevolg was van het oprekken van de banden. Ze zou 's nachts opstaan, het moeilijk vinden comfortabel te liggen. De baby zou vijf pond of meer hebben gewogen, wimpers en vingernageltjes hebben gehad. Haar tas zou gepakt in de gang staan, met het volumineuze blauwe nachthemd met het roze hart erop, dat ze als een talisman beschouwde omdat ze het had gedragen tijdens de geboorte van de tweeling en Martha, en het bandje met haar lievelingsliedjes, dat ze zou afspelen tijdens de bevalling. Misschien niet dát bandje: dat stond vol met liedjes die van haar en Gavin waren, de soundtrack van hun verliefde tijd. 'Lilac Wine' hadden ze gespeeld in de wijnbar, die allereerste avond. 'My First, My Last, My Everything', Barry White – de eerste keer dat ze hadden gedanst op een feest van een vriend. 'Fall at Your Feet', Crowded House (ze zaten ergens in Norfolk in de auto en hoorden dat John MacCarthy was vrijgelaten door zijn ontvoerders, en zijn vriendin was geïnterviewd op de radio, en het was op de een of andere manier zo'n gelukkig moment, een jij-en-ik-samen-in-deze-grote-krankzinnige-gelukkige-wereldmoment, en dat liedje speelde vlak na het nieuws). Whitney Houston, 'I will Always Love You': de eerste dans op hun huwelijk. Niet dát bandje.

Het deed zo'n verdriet, niet acht maanden zwanger te zijn, zoveel meer dan Gavin haar ooit verdriet had gedaan. Op een vreemde manier hielp dat perspectief natuurlijk ook. Meestal wilde ze meer dan wat ook dat ze het niet had gedaan. Ze was sterker dan ze gedacht had. Ze was sterk genoeg geweest om Gavin buiten haar hart, haar bed en haar huis te sluiten. Ze was sterk genoeg geweest om een eind te maken aan haar huwelijk, de praktische dingen te doen die noodzakelijk waren om het door te zetten, het de kinderen te vertellen. Ze was sterk genoeg om op zoek te gaan naar een baan. Ze zou sterk genoeg geweest zijn om een baby groot te brengen zonder Gavin. Alleen had ze dat toen niet geloofd. Het zou nooit overgaan, dat wist ze. Het was niet zozeer schuldbesef, ze wist dat ze zichzelf uiteindelijk zou vergeven – het was verdriet, verlies en spijt. Er zou altijd een leegte zijn, in haar huis, in haar leven, in haar hart, door de baby die er niet was. Dat was haar litteken.

Dat had ze tegen Harriet gezegd, die haar hand had vastgehouden.

Meer tranen. Maar Harriet had liever gelachen. 'Ach, misschien wel. Maar goed te weten dat Gavin niet het litteken zal zijn. Hij is meer die gruwelijke uitslag die door de goede roze zalf is verdwenen.'

'Je hebt geen enkel respect. Hij is bijna tien jaar mijn man geweest, weet je.'

'O, dat weet ik. En ongeveer negeneneenhalf jaar daarvan was hij een klootzak. Hoor je me genieten van die verleden tijd?'

Harriets houding van 'weg met dat vuil' was goed voor haar, dat wist ze. Ze was niet één keer spottend of luchthartig over de abortus, alleen over Gavin. Ze was een geweldige vriendin geweest, en alleen al daarom zou Nicole altijd van haar houden.

Thuis moest ze aardig doen over hem: de kinderen hielden van hem. Ze wilde niet de Verbitterde Mama zijn, zoals zoveel van de groep vrouwen bij het schoolhek. Dat was alleen maar een ander soort wurggreep, een andere belemmering voor een gelukkige toekomst. Zij had hun de *Kramer vs Kramer*-versie gegeven, die van 'mama en papa zullen niet meer bij elkaar wonen, maar we zullen altijd van jullie blijven houden, en jullie zullen papa heel vaak zien', de ongekuiste versie kon wachten tot ze ouder waren. Hij had erbij willen zijn, maar ze had geweigerd. Ze had zichzelf niet vertrouwd, was er niet zeker van geweest dat ze niet zou ontploffen bij zijn vertoon van trouw en toewijding aan het gezin. Ze had het hun op een zondagmiddag in de keuken verteld, bij Harriets wondermiddel, warme chocola en koekjes.

'Net als Stephanies mama en papa?' Martha was schijnbaar niet verontrust dankzij haar vlinderachtige geest en haar geheugen als van een goudvis. Ze liet zich van haar stoel glijden om op zoek te gaan naar haar kralen om een hart te maken voor papa's nieuwe huis. Hij was in weken niet thuis geweest, en Nicole besefte dat Martha zich daar al aan had aangepast. Ze veronderstelde dat Martha op een dag als een dwarse tiener haar alles voor de voeten zou kunnen gooien, maar ze had van Polly en Susan geleerd dat hormonale afkeer normaal was en niet beperkt tot alleenstaande ouders. Susan had haar maanden geleden een verhaal verteld over Alex, op zijn vijftiende vettig, kwaad en monosyllabisch. Hij had een gedicht moeten kiezen om voor te dragen op een toneelvoorstelling op school. Hij had het uit zijn hoofd geleerd en Philip Larkins: 'This Be the Verse' geciteerd, dat begon: '*They fuck you up, your mum and dad...*' (Ze verkloten je, je vader en je moeder), waarmee hij eindeloze lof had geoogst bij zijn klasgenoten, een ruim voldoende voor expressie van zijn toneelleraar, en een week nablijven van zijn klassenleraar. Dat was het lot van de ouder van een tiener; Nicole kon het nauwelijks afwachten.

De jongens waren bedachtzaam geweest, hadden meer vragen. Althans George. Hij wilde weten of een van zijn ouders zou hertrouwen, wat Nicole verbaasd had. 'Op een dag wel misschien, lieverd, maar áls we het doen, wie van ons ook, dan zal dat toch nog heel lang duren, en dan zou het alleen zijn met iemand die je al lang daarvoor had leren kennen, die van je hield en van wie jij ook zou houden.'

'Niet "houden van" zoals we van jou of papa houden?'

'Natuurlijk niet. Jullie hebben maar één mama en papa. Maar er zijn zoveel soorten liefde. Je houdt toch ook van Harriet en Tim? En van oom Ian en tante Kate?'

'Ja.' Zijn stem had aarzelend geklonken. 'Maar ik zou niet bij ze willen wonen.'

'Schat, maak je niet ongerust. Je zult jaren en jaren bij mij wonen, alleen bij mij. Dat beloof ik je.' Hij was bij haar gekomen voor een knuffel.

William was altijd meer op zichzelf geweest. Net als zij, besefte Nicole. Hij had wat met zijn speelgoedzwaard gespeeld en niet veel gezegd. 'Gaat het goed met je, lieverd?' had ze gevraagd, terwijl ze haar hand op de zijne legde.

'Dat komt wel,' had hij geantwoord. Hij leek plotseling zo volwassen, zelf beoordelend hoe hij het zou verwerken. Het stemde haar plotseling triest.

Gavin praatte altijd eufemistisch over de scheiding, zoals mensen praten over pijnlijke medische kwalen. Misschien geloofde hij haar nog steeds niet. Het kon haar niet veel schelen of hij dat wel of niet deed: hij zou het wel ervaren. Ze kon niet beoordelen of het zijn portefeuille of zijn hart was dat klopte bij de te verwachten pijn.

Hij hoefde zich niet ongerust te maken: ze was niet wraakzuchtig – lang niet wraakzuchtig genoeg volgens Harriet, die vond dat hij zijn misdaden duur hoorde te betalen. Ze wilde het huis houden, omdat het het thuis was van de kinderen. Ze wilde in staat zijn ze op school te laten blijven en te laten studeren, en ze wilde de dingen kunnen blijven doen waaraan ze gewend waren. Dat was alles. Zijn geld was haar nu onaangenaam, alsof hij haar al die jaren betaald had voor haar medeplichtigheid. Ze keek naar haar verlovingsring, met een diamant zo groot als een kwartelei, naar haar ring met edelstenen rondom (de ring die symbool stond voor eeuwigheid), en naar al haar andere juwelen, en twijfelde aan zijn motieven om ze te kopen. Alsof het een kwart karaat was per onwettige wip. Misschien zou ze alles verkopen.

Hij had een serviceflat gevonden, zei Gavin, 'terwijl ze wachtten tot alles weer op de rails stond'. In de buurt van Canary Wharf, in een gebouw met een zwembad, vlak bij allerlei restaurants en een bioscoop. De flat had drie slaapkamers, zodat Martha een eigen kamer had. Het was een mooie plek om ze mee naartoe te nemen, en ze was blij toe. De kinderen waren het belangrijkst. Ze dacht aan de tijd die ze in de afgelopen jaren had verspild, toen ze het te druk had gehad met te denken aan zichzelf en Gavin, te druk om op de grond te gaan liggen en te spelen, koekjes te bakken en gewoon lekker niks te doen.

Ze had een nieuw momentum gevonden, een nieuw ritme. Ze dwong zichzelf vooruit te kijken, dit afgrijselijke jaar achter zich te laten en door te gaan naar het volgende. Normaal hield ze niet van oudejaarsavond: het was te kort na Kerstmis en beladen met te veel ambities en voornemens. Dit jaar wachtte ze het vol ongeduld af: een rode jurk, een echte Chris de Burgh, hing al in de kast. Een prachtige jurk van chiffon maat 38. Ze zou haar haar los dragen. Gavin zag het liever opgestoken. Hij had rood ook nooit haar kleur gevonden, dus sprong die rode jurk bijna het rek uit toen ze vorige week met Harriet was gaan winkelen.

'Je ziet er fantastisch uit in rood. Geen wonder dat hij zei dat hij het niet mooi vond. Je zou al jaren geleden van hem bevrijd zijn geweest als je rood had gedragen naar al die suffe bijeenkomsten waar je mee naartoe moest.'

Ze droeg hem naar haar eerste feest in tien jaar zonder Gavin. Was dat triest? Lippenstift, sleutels, geld, Gavin. Wat een geisha was ze geweest. Maar nu niet meer. Het was het huwelijksfeest van haar vriendin Polly. Een vriendin die Gavin nooit gekend had, met wie ze zelf vriendschap had gesloten. Harriet en Tim zouden er zijn, en Susan en Roger, en hopen mensen die ze nooit ontmoet had. En ze zou drinken en dansen en praten met mensen die ze niet kende, en zich voorstellen als vrijgezel, en ze zou een geweldige tijd hebben.

19.35

Susan was dol op haar kerstboom. Ze vond niets erger dan designbomen. Een van haar cliënten, een vrouw die meer tierelantijnen en malle schoteltjes met potpourri in haar huis had dan iemand die Susan ooit had gekend, had een glimmende roze kunstboom waarin alleen maar roze en zilveren ballen hingen. Susan vond hem afschuwelijk en absoluut 'onkerstachtig'. Haar eigen boom, waarbij ze nu haar door het winkelen vermoeide voeten zat te wrijven, was een echte kerstboom. Meer dan twee meter Noors groen, versierd met slingers in alle kleuren en met ornamenten die ze in de loop der jaren had verzameld tijdens vakanties en in cadeauwinkels, maar haar favorieten kwamen van de crèche en school, die op de laatste dag voor de kerstvakantie mee naar huis waren genomen: de engel van een wc-rol en crêpepapier die meer op een witte tekkel leek, de papieren sterren die al hun glitters hadden verloren, de fotootjes van Alex en Ed met theedoeken om hun hoofd, in lijstjes van pastavormen die met goud bespoten waren. Elk jaar als ze de dozen tevoorschijn haalde bleef ze er peinzend naast zitten. Ze kon zich niet precies meer herinneren welke jaren, welke toneelstukjes, welke zoon, maar ze wist dat ze deel waren van haar gezinsleven, en ze had ze allemaal in haar hart gesloten.

Het zou vreemd zijn dit jaar zonder Alice. Ze keek naar haar foto op de schoorsteenmantel. Ze had hem vorig jaar Kerstmis genomen, vlak voor de film – ze herinnerde zich niet meer welke – op BBC1 begon. De jongens, die haar flankeerden terwijl ze statig in de leunstoel zat, hadden hun papieren mutsen nog op, en Ed had dat fluorescerende snoer langs een van zijn armen. Alice glimlachte met die enigszins verbijsterde, toneelachtige glimlach die mensen van haar generaties vaak op foto's lieten zien. Ze zag er zo goed uit, vergeleken met de Alice van het voorjaar en de zomer, al moest de ziekte toen al in zijn beginstadium zijn geweest. We wisten het niet, dacht ze, terugdenkend aan die dag. We wisten niet dat het de laatste kerst zou zijn dat ze hier was. De laatste keer dat ze me zou helpen de spruitjes en de pastinaken schoon te maken terwijl de mannen naar de pub gingen. De laatste keer dat de hele familie stil zou luisteren naar de kersttoespraak van de koningin. De laatste keer dat de zitkamer zou ruiken naar de lelietjes-van-dalenzeep die Alice zo graag cadeau kreeg.

Roger had gezegd dat ze Kerstmis dit jaar anders moesten vieren. Hij dacht dat het Alice' afwezigheid misschien wat minder pijnlijk zou maken. Maar Susan wist dat het geen verschil zou maken of ze hun cadeau vóór het ontbijt openmaakten in plaats van erna, of ze het kerstmaal 's avonds in plaats van 's middags aten. Alice zou er toch niet zijn. Misschien volgend jaar. Misschien zouden ze zelfs wel naar Australië gaan, de uitnodiging van Margaret accepteren, maar dit jaar wilde ze het doen zoals altijd – het zou niet erg zijn om zich haar te herinneren en haar te missen. Ze wilde de troost van de vertrouwdheid: er was dit jaar zoveel veranderd. Toen die foto werd gemaakt, leefde Alice nog en was ze haar moeder. Nu was ze dood en was ze niet haar moeder. Dat was het hele verschil. Toen Alice met Ed en Alex had geposeerd, was Margaret iemand aan wie ze niet veel dachten, een verre, moeilijke zus met wie Susan weinig contact had en die met haar man in Australië woonde. Ook van dat beeld klopte niets meer.

Margaret kwam binnen met twee koppen thee. 'Hier.'

'Fantastisch. Dank je, Mags. Net wat ik nodig heb.' Ze pakte de kop dankbaar aan. 'Eens kijken, hoe laat is het? Tegen halfzeven. Ik heb nog een paar minuten. Weet je zeker dat je niet wilt blijven?'

'Heel zeker, maar bedankt voor de uitnodiging. Ik denk niet dat het iets voor mij is.'

'Zeg dat niet voor je het geprobeerd hebt. Ik dacht ook niet dat het iets voor mij zou zijn. Maar feitelijk hebben we een hoop plezier. Ik verheug me er nu elke maand op – we lachen altijd met elkaar.'

'Ik heb al afgesproken met die neef van Lindy – weet je wel, over wie ik je verteld heb?'

'O, ja, dat was ik vergeten.'

'Ik zie het nut er eigenlijk niet van in, we kennen elkaar totaal niet. Maar dat is de Australische manier. Als je twintigduizend kilometer van huis bent, moet je de dichtstbijzijnde Australiër zoeken en een band smeden.' Ze glimlachte.

'Als je ertegen opziet, kun je het altijd afzeggen en je hier verstoppen met Roger. Hij kan elk moment thuiskomen.'

Margaret rimpelde haar neus. 'Hè, ja. Rogers droomafspraakje – met mij in de keuken eten.'

'Maak het hem niet te moeilijk. Hij begint je door te krijgen. Langzamerhand.'

'En je vriendin Polly is ook niet erg op me gesteld, hè?'

'Ze raken allemaal wel aan je gewend. Aan je nieuwe, verbeterde ik. Wees eerlijk, Maggie, je hebt nooit erg je best gedaan om op een van hen een vriendelijke indruk te maken, wel?'

'Nee. Dat is waar.' Ze dacht even na. 'God, als ik aan mama's begrafenis denk, schaam ik me dood. Ik was zo'n etter, Suze.'

'Dat was je.' Dat was ze geweest, ja. Het had geen zin het te verzachten. Ze beloofden voortaan alleen nog maar eerlijk te zijn tegen elkaar. Te veel verspilde jaren.

Ze zwegen, keken naar de kerstboom, naar het haardvuur.

'Je houdt van Kerstmis, hè?'

'De mooiste tijd van het jaar.'

'Net mama. Herinner je je nog dat we allemaal nieuwe kleding kregen op afbetaling? Ze deed er bijna een jaar over om het te betalen en dan begon ze weer opnieuw.'

'Ik weet het nog, ja.'

'Jullie versierden het huis altijd. Jullie tweeën.'

'Heus?' Susan dacht aan het crêpepapier dat ze hadden gedraaid en ingeknipt met de schaar en kriskras in de voorkamer hadden gehangen, en de ballons. Ze hadden toen geen kerstboom. Er had een grote boom midden in het centrum van het stadje gestaan, dat was alles. Daar hadden ze vol bewondering en opwinding naar gestaard. Eén of twee keer had Alice hen, als ze het geld ervoor hadden, in de trein meegenomen naar Londen, om de verlichting in Oxford Street en Regent Street te zien. Ze wist zeker dat die toen indrukwekkender was, allemaal verschillende kleuren en enorm groot. Tegenwoordig scheen het er alleen maar om te gaan welke kortstondig populaire popgroep ze aandeed; de lichtjes leken een soort nabeschouwing, wit en schaars. Maar het kon natuurlijk ook de herinnering van een kind zijn. Ze herinnerde zich andere kerstfeesten als ze niet naar de verlichting gingen kijken, als Alice hen laat op kerstavond had achtergelaten bij hun vader en naar de markt was gegaan om de dozen mandarijnen te kopen die goedkoop van de hand gingen.

'Herinner je je nog onze kerstsokken?' Papa's sokken, vastgeprikt aan de oorfauteuils in de voorkamer.

'Ja! En er zat altijd een mandarijntje in de teen van de sok en een handvol walnoten en hazelnoten.'

'Ja, dat heb ik ook gedaan voor de jongens toen ze nog klein waren.'

'Het is niet waar!' Margaret lachte haar uit.

'O, jawel. Alleen maakten ze weinig kans naast de chocola en de snoepjes. Tweede kerstdag gingen ze altijd weer terug in de fruitschaal.'

Hij stond er nu ook, op de bijzettafel. Een schaal met mandarijnen en noten, en de tinnen notenkrakers die ze als kind hadden gehad. Weinig effectief in hun kleine handjes, maar heel mooi, met een eekhoorntje aan het eind.

Margaret keek ernaar. 'Ik voelde me buitengesloten. Jullie beiden hielden zoveel van Kerstmis, en jullie waren zo opgewonden en enthousiast, en ik vond het altijd een beetje raar. Geloven in de kerstman en net doen of de cadeautjes niet dezelfde dingen waren die we al maanden ervoor in de etalage van de speelgoedwinkel en op de markt hadden gezien.'

'O, Maggie.'

'Ik liet jullie gewoon je gang gaan. Zorgde dat ik uit de weg bleef.'

'Het is me nooit opgevallen.'

'Nee. Jij leefde altijd in je eigen wereld. Je had het druk met net zo te zijn als mama.'

Susan liet een kort, triest lachje horen. 'Ironisch, hè?'

'Hmm. Ik denk dat het een van de redenen was waarom ik zo graag naar Australië ging, afscheid nemen van al die kerstfeesten.'

'Hoe vierden jullie het daar, jij en Greg?'

'We deden er niet veel aan. Gingen meestal naar het strand, alsof het een gewone vrije dag was. Hij was nooit zo goed in het geven van cadeautjes en zo. Meestal kocht ik iets voor mezelf met zijn creditcard. Hij was niet krenterig, het was alleen niet zijn pakkie-an. Wat ik erg prettig vond.'

'En na Greg?'

Margaret grinnikte. 'Veel beter. Ik geloof niet dat ik er ooit zo mee zou kunnen omgaan als jij en mama deden, maar ik ga naar Lindy – ze geeft altijd een reusachtige dronken barbecue, typisch iets voor de Aussies. Verleden jaar waren we met een man of dertig. We koken en drinken, en eten, en dansen. En ze heeft die idiote Griekse familie, die borden en zo kapot smijt.'

Het leek niet erg op Kerstmis, maar wel een hoop plezier. Susan probeerde zich een lachende, slanke Margaret voor te stellen in dat feestgewoel. Misschien zou ze het kunnen visualiseren. Ze moest veel dingen afleren wat haar zus betrof. 'Het spijt me,' zei ze.

'Wat spijt je?'

'Dat we je zo'n raar gevoel gaven met Kerstmis.'

'Dat deden jullie niet met opzet. Zo waren jullie nu eenmaal.'

Ze zwegen een paar minuten.

'Het helpt me, weet je. Weten dat je niet van mama bent.'

Susan wist niet hoe ze dat op moest vatten.

'Ik bedoel het niet zoals het klinkt. Het is moeilijk uit te leggen. Ik bedoel, jij en mama leken meer op elkaar dan zij en ik, dat weet ik – dat heeft niets te maken met biologie. Maar nu ik weet hoe het is gekomen dat ze voor je is gaan zorgen, denk ik dat ze misschien harder haar best deed met jou dan met mij omdat ze dacht dat ze iets goed moest maken, snap je?'

Susan had het zelf zo vaak gedacht, sinds de dag waarop ze de brief had gevonden.

'Verbluffend dat ze dat heeft gedaan, hè?' zei Maggie.

'Ja. Ik voel erg veel ontzag voor haar als ik eraan denk hoe onzelfzuchtig het is om zoiets te doen.'

'Het zet je wel aan het denken. Ik weet niet of ik dat voor een ander zou kunnen opbrengen.'

'Zelfs niet voor je eigen zus?'

'Vooral niet voor mijn eigen zus.'

Susan gaf haar plagend een tik met een kussen. Toen zwegen ze weer en dachten aan Alice. Het waren moeilijke dingen om aan te denken, en moeilijke dingen om te zeggen.

'Ik wed dat het haar bedroefd maakte.'

'Wat?'

'Dat wij niet met elkaar op konden schieten.'

'Ze heeft er nooit iets van gezegd. Tegen jou?'

'Nee.' Margaret schudde haar hoofd. 'Ik heb haar ook nooit de kans gegeven. Ik ging er immers vandoor zodra ik de kans kreeg.'

'Ik vraag me af of ze zich schuldig voelde?' Toen beantwoordde Susan haar eigen vraag: 'Natuurlijk deed ze dat. Alle moeders voelen zich schuldig.'

'Dus ze heeft er nooit met jou over gesproken? Ik dacht eigenlijk dat ze dat wel gedaan zou hebben. Jullie hadden altijd zo'n hechte band.'

'Niet hecht genoeg daarvoor, denk ik. Ze miste je, dat weet ik. En soms zei ze dat ze niet begreep waarom het mis was gegaan tussen jou en haar. Ze hield van je – dat weet je toch, hè?'

'Ja.'

'Ze deed een belofte, aan Dorothy, veronderstel ik, en bij God, die heeft ze gehouden.'

'En al die jaren zat ik me in Australië op te vreten van jaloezie. Ik heb het gevoel dat ik zoveel van mijn leven verspild heb, Suze.'

Susan was bang dat ze weer zou gaan huilen. Deze nieuwe Margaret, bij wie alle zenuwen blootgelegd leken, was een revelatie. Het was of er een dam in haar was doorgebroken. Ze wist niet zeker of ze de energie had om haar het hoofd te bieden, maar ze wilde het proberen. Ze wilde dat ze religieus was, want dan zou ze kunnen geloven dat Alice kon zien hoe haar twee van elkaar vervreemde dochters ver- dergingen zonder haar, meer met elkaar verbonden dan ze ooit waren geweest. Het was een mooie gedachte, het kinderlijke idee van Alice in een wit gewaad met een aureool, die hen samen met Dorothy gade- sloeg op een donzige wolk. Maar dan leek het net of ze het alleen voor Alice deed, en dat was niet waar. Ze deed het voor haarzelf. Ze wilde een deel van haar oude familie behouden, ook al besefte ze dat zij, Roger, Ed en Alex een nieuwe familie vormden, en Margaret de enige was van haar oude familie. Ze wilde van haar houden, een hechte band met haar hebben, en ze begon te beseffen dat het mogelijk was. Ze sloeg haar armen om haar zus, haar nicht/zus, en omhelsde haar ste- vig.

DECEMBER

Meisje met de parel

TRACY CHEVALIER

'... een schitterende roman, geheimzinnig, doortrokken van sfeer...
verrassend onthullend over het proces van het schilderen... een waar-
lijk magische ervaring.' *The Guardian*

'Door haar gedetailleerdheid trekt Chevalier de lezer mee in de
wereld van de schilder... Deze roman verdient het een grote prijs –
of meerdere prijzen – in de wacht te slepen.' *The Times*

Deze roman werd in 2003 verfilmd en is het fictieve verhaal van een
jonge dienstmeid die op de rand van haar volwassenheid het grote
genie Johannes Vermeer ontmoet.

Meisje met de parel, de Nederlandse vertaling van *Girl With a Pearl Earring*, © 1999,
verscheen bij uitgeverij BZZTôH in 2001.

'Ik wou dat ze op de achterflap schreven waar het boek over gaat. Het is ontmoedigend als het alleen maar citaten zijn. Je wilt weten waar het verhaal over gaat, niet of het hopen prijzen en lovende recensies heeft gekregen. Dat maakt het zo pretentieus, vind je niet? Dit is een klassiek voorbeeld van een boek dat ik nooit zou hebben opgepakt als het niet voor de leesclub was geweest.'

'Ik ook. Ik ben blij dat ik het gedaan heb.'

'O, hemel, ik ook. Het is, geloof ik, mijn lievelingsboek van het hele jaar.'

'Zonder meer.'

'Echt waar? Nou, van mij niet. Ik vond het saai. De eerste honderd pagina's of zo interesseerden me geen moer. Het was zo vreselijk traag. Ik zou het voor mezelf nooit hebben uitgelezen.'

'Dat geloof ik niet! Het was schitterend. Ik geloofde echt, heel echt dat Griet reëel was – het had dat authentieke karakter, alsof je een echt dagboek las.'

'Ik weet het. Bleef jij ook steeds teruggaan naar de omslag? Bij dat gedeelte waar hij haar dwingt ook haar andere oor te piercen, zelfs al zou het niet op het schilderij komen, en zelfs al was het een kwelling voor haar. Heb je toen niet ontzettend lang ernaar zitten kijken en je afgevraagd waarom?'

'Nee. Dat was overduidelijk. Hij testte haar gevoelens, beproefde zijn macht over haar. Ik vond hem eigenlijk een etter. Hij wist dat ze van hem hield, en hij wist dat ze alles zou doen wat hij van haar vroeg.'

'Hij probeerde nooit iets met haar, hè?'

'Zou dat niet komen door de tijd waarin ze leefden?'

'Dat geloof ik niet. Er werd toen meer clandestien geneukt dan nu. Ze deed het met de slager in de steeg omdat ze bang was dat die andere kerel, de *patron*, haar zou verkrachten. Ja toch?'

'Zodat de slager, als ze zwanger werd, met haar zou moeten trouwen.'

'Ik denk dat het meer was dat hij gewoon geen interesse ervoor had.'

'Maar hij had interesse genoeg om zijn vrouw om de tien maanden zwanger te maken.'

'Dat bewijst alleen de minachting die hij voor haar had, en voor "gewone" vrouwen. Hij toonde haar nooit enige genegenheid. Het was alleen maar fysiek. Functioneel. Zoals zijn schoonmoeder het huishouden voor hem moest doen. Hij kon zich niet inlaten met iets wat praktisch of laag-bij-de-gronds was. Voor hem telde alleen het schilderen. Weet je nog dat er verschillende keren gezegd wordt dat hij niet sneller wilde schilderen, en zijn perfectionisme compromitteren, ook al had het gezin dringend geld nodig?'

'Ja. De egoïstische klootzak.'

'Nee, de echte kunstschilder. Dat is wat de auteur je wil laten denken, geloof ik. Een van die mensen die gewoon niet van deze wereld zijn.'

'En het was Griets gevoel voor kleur en ruimte, dat ze in de keuken demonstreerde toen ze elkaar voor het eerst ontmoetten, waardoor hij zich tot haar aangetrokken voelde, ook al was ze maar een dienstmeid en een vrouw.'

'Ik geloof niet dat dat alles was. Ik vind de scènes waarin hij haar schildert erg sexy.'

'Dat ben ik met je eens. Doortrokken van wellust, hè?'

'Ik heb tweehonderdzevenenveertig pagina's lang gewacht of hij haar eindelijk op het bed zou smijten, en het gebeurde verdomme niet!'

'Jij moet *Lady Chatterley's minnaar* kiezen als het jouw beurt is, als je zo van wilde seks houdt. Dit was veel subtieler.'

'Ik kreeg er echt buikpijn van. Ze weet dat het nooit iets kan worden. Ze weet dat ze zich tevreden moet stellen met de slager. De berusting...'

'Absoluut.'

'Maar ze is geen doetje, niet echt. Als ze de parels krijgt, na zijn dood, gebruikt ze het geld om haar vrijheid terug te kopen. Niemand anders dan zij zal ooit weten dat ze het gedaan heeft, maar zij weet het, en dat is voldoende.'

'Geloof je niet dat ze de parels verkoopt omdat ze weet dat die in een ander leven thuishoren, een leven waar ze geen recht op heeft? Dat zegt ze toch ook? "De vrouw van een slager droeg zulke dingen niet, evenmin als een dienstbode."'

'Denk je dat hij haar de parels naliet omdat hij van haar hield?'

'Nee. Dat was schuldbesef. Hij wist dat hij haar een glimp had laten zien van een leven dat zij nooit kon hebben.'

'Nee. Hij liet ze haar na als dankbetuiging, en als een souvenir. Hij zou tijdens zijn leven nooit hebben toegegeven dat hij haar iets schuldig was – zij was degene die dat schilderij maakte tot wat het is. Dus deed hij het na zijn dood.'

'Vind je het geheel eigenlijk niet erg clichématig? Vind je niet dat Griet gewoon de jongere vrouw was voor de man wiens eigen vrouw hem niet begreep?'

'Nee, dat vind ik niet, want er is nooit iets tussen hen gebeurd.'

'Dat is niet de definitie van bedrog die ik zou gebruiken. Ze bedrogen zijn vrouw. Ze brachten veel tijd door in een kamer die voor zijn vrouw verboden terrein was. En hij vertelde haar dingen en deelde dingen met haar waarvan zijn vrouw geen weet had. Dat is bedriegen. Seks is gewoon seks. Ze hadden het net zo goed wel kunnen doen.'

'Besef je wel dat de meeste vrouwen over wie we dit jaar gelezen hebben een nogal ellendig leven hadden? Door de mannen. Dat is het consequente thema.'

'Door de mannen of door henzelf?'

'Doe niet zo geleerd. Wat die vrouwen wordt aangedaan – wat ze zich laten aandoen. Dat is hetzelfde.'

'Absoluut niet.'

'Ik ben het met je eens. Ik vind dat de vrouwen die eroverheen komen of achterblijven met het geloof dat het hun verder goed zal gaan – zoals bijvoorbeeld in *Hartzeer en maagzuur* of Paula in de Roddy Doyle – degenen zijn die zelf het heft weer in handen nemen.'

'Jij generaliseert altijd, wist je dat? Elke maand weer.'

'Dat doe ik niet. Kan ik het helpen als ik het grote geheel zie?'

'Ha!'

'Zijn we bezig in een feministische leesclub te veranderen? Want in dat geval wil ik graag even duidelijk maken dat ik van mannen houd. Van bijna allemaal. Van de een meer dan van de ander, dat geef ik toe, maar in principe ben ik vóór de mannen.'

'Ik ook. En ik ben niet van plan om mijn hoofd te scheren, een overall te dragen en Germaine Greer te citeren.'

'Hou maar op. Jullie kunnen je nooit lang concentreren op één onderwerp. Wie wil koffie?'

'Ik hou van deze leesclub.' Harriet keek stralend naar de drie anderen.

'Jij houdt vanavond van alles.' Susan lachte. 'Wat is er aan de hand met je? Je gedraagt je als een pasgetrouwde vrouw.'

'Hé,' riep Polly uit. 'Ik heb recht op alles wat met pasgetrouwd te maken heeft. Nog zeventien dagen.'

'O, verdraaid, zo gauw al? Ik raak nooit drie kilo kwijt, niet met Kerstmis voor de boeg.'

'Geef het op, Harriet, alsjeblieft!' zei Susan lachend. 'Dat zeg je nou al zolang ik je ken – steeds weer diezelfde kilo's die erbij komen en er weer afgaan. Leer ervan te houden, zou ik zeggen. En koop een grotere maat.'

'Dat kan ik niet. Ik en mijn gewicht hebben de langste relatie van mijn leven.' Ze lachte en pakte een truffel uit de doos die Susan op tafel had gezet bij de koffie. Ze gaf er een aan Nicole, die hem at, nog vaag verbaasd over zichzelf.

'Maar het ís zo. Ik hou van deze leesclub. Het lijkt me tijd om erover na te denken – we zijn nu een jaar bij elkaar en ik ben gewoon verlangend uit gaan kijken naar onze woensdagavonden.'

'Wil je hierna een groepsknuffel voorstellen, want ik denk dat ik me in dat geval zal moeten excuseren,' zei Nicole plagend. Ze wist precies wat Harriet bedoelde.

'We hebben een paar geweldige boeken gelezen,' zei Susan.

'En een paar enorme missers,' voegde Polly eraan toe.

Harriet bukte zich en haalde een vel papier uit haar handtas. 'Ik ben begonnen aan een lijst voor volgend jaar. We moeten absoluut *De goddelijke geheimen van de Ya-Ya-zusters* lezen. Het is niet te geloven dat we geen boek van Margaret Atwood hebben gelezen – je kunt jezelf geen fatsoenlijke leesclub noemen als je Margaret Atwood niet hebt gelezen. Er is een vervolg op *Rebecca*, van Sally Beauman, die dat fantastische boek heeft geschreven, weet je nog? *Speling van het lot.* En ik ben nog steeds vastbesloten jullie allemaal verliefd te laten worden op Jane Austen.'

'Wacht eens even, jij. Is dit geen democratie? We mogen toch allemaal kiezen?'

'Allemaal, behalve jij, daar stem ik voor.' Harriet giechelde. Nicole keek de tafel rond om steun te zoeken, maar Polly en Susan lachten ook.

'Jullie kunnen lachen, maar je maakt het allemaal alleen maar erger voor jezelf als het míjn beurt is om te kiezen. Ik voel iets van Salman Rushdie aankomen...'

Iedereen begon te kreunen.

Ze knikte naar hen, als een moeder knikt naar een ondeugend kind. 'Wat zouden jullie zeggen van nieuwe leden? Zonder Clare zijn we een beetje schaars bemand.'

Ze overlegden bij zichzelf. Het was een vreemd jaar geweest voor hen allemaal. Voor sommigen was het leven eenvoudiger geworden, anderen hadden verwikkelingen meegemaakt waarvan ze nooit hadden kunnen dromen. En door dat alles heen was er dit forum geweest, waren ze bijeengekomen, soms om over hun geheimen te praten, soms om eraan te ontsnappen, maar altijd om naar elkaar te luisteren en te discussiëren over het leven, in het abstracte of in het heden. Ze hadden zoveel meer geleerd dan ze verwacht hadden. Het voelde zo warm en comfortabel: ze kenden elkaar. Het zou toch raar zijn om er anderen bij te hebben?

'Nee.' Polly schudde haar hoofd.

Susan ook. 'Ik ben hier blij mee.'

'Je bent er blij mee omdat er minder mensen zijn die met je argumenteren. Als we eens een heel intelligente namen. Die tijdens haar studie echt haar bed uit kwam om naar college te gaan. Dan zul je wel een toontje lager zingen, hè?'

Harriet trok hooghartig haar neus op en keek naar haar vriendinnen. 'Heb het lef eens!'

Dankwoord

Dank, in grote hoeveelheden, aan:

Stephanie Cabot, Sue Fletcher, Hazel Orme en alle geweldige mensen bij William Morris en bij Hodder & Stoughton, die hebben geholpen om het boek tot stand te laten komen.

Yvonne Temple en Katy Gibb, voor het regelen van al het andere terwijl ik aan het schrijven was.

Dr. Nicola Barker, Katharina Livingstone, Ian Osborne en William Young voor het beantwoorden van mijn maffe vragen zonder te lachen.

David Young, die weet waarom, Tallulah en Ottilie Young, omdat ze bleven volhouden dat een boek schrijven lang niet zo belangrijk is als het bakken van taarten en glitternagellak aanbrengen, en aan de rest van mijn grote glorieuze familie, voor de Jubilee Lunch en al het andere.

Mijn grote vriendin Catherine Holmes, voor de kiem van het idee vier jaar geleden en voor haar inzichten wat betreft 'echte' leesclubs.

En als laatste, mijn eigen, absoluut 'onfatsoenlijke' leesclub: Nicola, Kate, Maura, Jenny, Alison en Kathryn, voor etentjes, steun, inspiratie en zelfs, af en toe, dialogen! En kijk... jullie komen er NIET in voor.

Elizabeth Noble

Maak je eigen unieke boek!

Die ene uitspraak of dat prachtige fragment dat je ooit hebt gelezen, dat boek dat nergens terug te vinden is: de echte bibliofiel zal er altijd naar blijven zoeken. Dit logboek is de perfecte manier om aantekeningen, recensies, uitspraken en passages te bewaren. Het leeslogboek bevat aparte katernen met opbergmogelijkheid voor knipsels en losse notities en veel ruimte voor aantekeningen.

Leeslogboek
90 269 2906 4
Gebonden, met linnen band
€ 18,95
Van Holkema & Warendorf